MORTON COOPER

Die Getriebenen

Bastei
Bestseller

Für Charlotte

Morton Cooper

DIE GETRIEBENEN

Roman

BASTEI
VERLAG
GUSTAV H. LÜBBE

BASTEI-BESTSELLER Nr. 41

Aus dem Amerikanischen übertragen von
HANS E. HAUSNER
Titel der amerikanischen Originalausgabe
THE KING

Leicht gekürzte Lizenzausgabe: Bastei-Verlag Gustav H. Lübbe,
Bergisch Gladbach
Printed in Western Germany 1972
Titelbildgestaltung: Ralf Rudolph, Kaarst bei Düsseldorf
Gesamtherstellung: Ebner, Ulm

Der Preis dieses Bandes versteht sich einschließlich der
gesetzlichen Mehrwertsteuer

I

An jenem kalten, regnerischen Februarabend war Dr. Sol Selig kurz vor sieben Uhr in seinem Mercury zum Hotel Kingsbrook am Beekman Place unterwegs, wo er seinen Freund Harry Orlando aufsuchen und einer ärztlichen Untersuchung unterziehen wollte.

Das Wetter war schon den ganzen Tag schlecht, aber der Madison Square Garden war seit Monaten für Orlandos heutiges Auftreten ausverkauft. Schon in Anbetracht von Harrys Unverschämtheit war dieser Abend ein Ereignis, das in die Geschichte eingehen würde. Ein Vertreter des Garden hatte ihm angeblich vor sechs Monaten 750.000 Dollar für sein Kommen geboten. Erst einen Monat später war folgendes Antwortkabel aus Rom eingelangt:

AUFRUNDET AUF EINE MILLION STOP UEBERWEIST SCHECK AN UNICEF STOP WERDE ENTSCHEIDEN WELCHEN TERMIN ICH IHNEN BIETEN KANN STOP SIE BEZAHLEN ORCHESTER ZUZUEGLICH ALLER SPESEN STOP WERDE EINE — WIEDERHOLE — EINE STUNDE SINGEN STOP WENN MOEGLICH WERDE ICH MEINE PARTNER MITBRINGEN STOP DAFUER KEINE BEZAHLUNG NOETIG AUSSER FLUGREISEN STOP ORLANDO

Selig hatte gehört, daß die Direktoren des Unternehmens von dieser Kühnheit schockiert gewesen waren. Sie entwarfen Telegramme stolzen Protestes, die aber alle im Papierkorb landeten. Vierundzwanzig Stunden später bekam Harry eine Antwort, die allen seinen Forderungen entsprach. Sobald er den Februartermin festgesetzt hatte, wurden die Verträge vom Madison Square Garden und von Stanton Lourie, Harrys Anwalt und Manager, unterzeichnet, obwohl noch keinerlei Gewähr bestand, daß alle seine Partner — oder auch nur einige von ihnen — dabeisein würden: Al Barron, Bert Noah und Rod Keyes; jeder einzelne ein Star, wenngleich sie nur einen Bruchteil von Harrys magischer Zugkraft besaßen. Daher konnte man ihre Namen nicht in die Reklame aufnehmen.

Selig seufzte. Soviel er wußte, war er Harrys einziger Arzt, und das ließ ihn erschauern. Der Mann war fast auf den Tag genauso alt wie er und würde höchstwahrscheinlich bis zum ersten und vielleicht letzten Schlaganfall bedenkenlos durch die Straßen des Lebens rasen, solange alle Ampeln auf Grün standen.

Selig, der acht Kilo zuviel wog und kahl wie eine Billardkugel war, hoffte, daß Harry nicht jung sterben oder, was noch ärger gewesen wäre, krank werden würde. Sie waren zusammen in der Willcock Avenue in der Bronx aufgewachsen. Harrys Eltern waren oft auswärts, und er hatte mehr Zeit bei den Seligs verbracht als in seiner eigenen Wohnung. Später sahen sie sich dann seltener, aber sie hatten genug Geheimnisse miteinander ausgetauscht und die Freuden und Enttäuschungen junger Männer geteilt, so daß sie auch jetzt noch im wahrsten Sinn des Wortes gute Freunde waren. Daran gab es keine Zweifel, obwohl sie sich, abgesehen von diesen hastigen Routineuntersuchungen, nur selten sahen. Selig konnte den halsstarrigen Harry gut leiden. Er hatte seine Heirat mit Miriam, den schnell erlangten Ruhm, den raschen Aufstieg zur Spitze, die hohen Gagen und die Aussichten auf noch mehr Ruhm und noch mehr Geld aufmerksam verfolgt. Dann kam das Verhältnis mit Noreen Lawrence, die traurige Scheidung von Miriam, die Heirat mit Noreen, der jähe Sturz in die Tiefe und schließlich der neuerliche, geschickt eingefädelte Aufstieg — höher, schöner und erregender als je zuvor. Aus dem halsstarrigen Harry war so etwas Ähnliches wie ein Mann geworden.

Selig näherte sich dem luxuriösen Hotel im vornehmsten Viertel Manhattans, wo die obersten Fünfhundert ihr zurückgezogenes Leben führten, jener verborgenen Gegend, die die eleganten Stadthäuser und prächtigen Wohnungen der Millionäre beherbergte. Der Platz machte einen gepflegten, beinahe frisch polierten Eindruck. Er war abgeschirmt vom Verkehr, von den eng nebeneinander geparkten Autos und den vorbeihastenden Horden von Fußgängern, die irgendwelchen Zielen zustrebten.

Selig lenkte den Wagen am Hotel vorbei zur Tiefgarage, wie Harry es ihm befohlen hatte. Dort verließ er seinen Mercury, der neben den glitzernden Rolls-Royce plötzlich schäbig wirkte. Er sagte einem höflichen, aber sachlich wirkenden Aufseher seinen Namen und den Grund für sein Kommen, worauf dieser ein kurzes Telefongespräch führte, nickte und ihm den Weg wies: »Den Lift rechts, Herr Doktor.« Eine Minute später öffnete sich geräuschlos die Aufzugstür, und ebenso geräuschlos schoß der stählerne Käfig mit Selig zur eleganten Dachwohnung des Präsidenten empor.

Kurz vor sieben Uhr näherte sich der Airbus aus Washington dem New Yorker Flughafen La Guardia und tauchte plötzlich in einem undurchdringlichen Nebelmeer unter. Während die Signale »Fasten seat-belt« und »No smoking« aufleuchteten, drückte Bill Temple eine der wenigen Zigaretten, die er sich pro Tag zugestand, aus. Er bemerkte, daß seine Hand zitterte. Die hübsche Stewardeß ging mit berufsmäßiger Ruhe den Gang auf und ab und zeigte allen jenen Fluggästen ein fröhliches Gesicht, denen das Reden vergangen war und die nun ein wenig verkrampft und ängstlich vor sich hin starrten.

Temples Hand zitterte selten, und er verlor fast nie die Fassung, außer wenn er sich in einer Lage befand, die er nicht ganz beherrschte. Jetzt aber war er nervös, müde und gereizt, verbittert und verärgert. Der Tag hatte ihm eine beinahe ununterbrochene Serie von Unannehmlichkeiten gebracht. Schon beim Aufwachen schwankte seine Stimmung zwischen Unbehagen und einer unerklärlichen Reizbarkeit. Obwohl sich auf seinem Schreibtisch die Arbeit häufte, war er ins Weiße Haus gerufen worden, wo er über eine Stunde warten mußte, bis der Präsident Zeit für ihn fand. Dann war der Flug, den er für Nachmittag gebucht hatte, wegen Schlechtwetters ausgefallen. Den nächsten hatte Temple um zwei Minuten verpaßt, worauf er sich eine Stunde lang im Trubel des Flughafens von Washington die Füße in den Bauch stehen mußte.

Jetzt war er endlich über New York. Das Wetter war tatsächlich wieder schlechter geworden. Die Maschine begann im Nebel zu kreisen. Temple wußte, daß er sich hoffnungslos verspäten würde. Er versuchte sein Gesicht im Fenster zu erkennen und fragte sich immer wieder, warum er eingewilligt hatte, nach New York zu fliegen — in eine Stadt, die er so heftig verabscheute, daß er es nach Möglichkeit vermied, sich in ihr aufzuhalten. Temple war einundvierzig, ein recht gutaussehender Mann mit vorstehenden Backenknochen in einem grobkantigen Gesicht, Washingtoner Korrespondent des *New York Ledger-Dispatch* und einer immer größer werdenden Anzahl anderer Zeitungen, die demselben Syndikat angehörten. Er war nicht gewohnt, schmutzige Arbeiten zu verrichten, nicht einmal für Präsident Joseph Haywood, den er bewunderte und mit dem er befreundet war. Hingegen fühlte er sich selbst bei herrlichstem Wetter im Flugzeug nicht wohl.

Er beschloß, diese unsinnigen Gedanken sein zu lassen, konnte aber eine seltsame Vorahnung nicht loswerden. Das Gefühl, daß heute noch etwas Entsetzliches geschehen würde, hatte ihn mit eisernen Klauen gepackt. Es hing nicht mit Mary, seiner Frau, zusammen, die er seit einer Woche nicht mehr gesehen hatte. Sie befand sich auf Joseph Haywoods Einladung in einem der Appartements im »Kingsbrook«. Der junge Präsident hatte die Zimmerflucht das ganze Jahr über gemietet, obwohl er nur selten selber drinnen wohnte. Sie diente als komfortables Gelegenheitsquartier für seine Familie oder für Mitglieder des Kabinetts, die sich gerade in Manhattan aufhielten. Temple bezeichnete es respektlos als »Bude«.

Eine Tatsache aber erfüllte Temple mit entsetzlicher Bangigkeit: Seine Vorahnung betraf Joe Haywood.

Der Präsident sollte heute abend nach London fliegen, wo er Premierminister Matthews zum Wochenende einen Höflichkeitsbesuch abstatten wollte. Sein halbes Leben verbrachte der Mann im Flugzeug. Temple hatte noch nie gehört, daß die Maschine des Präsidenten jemals in Schwierigkeiten geraten wäre. Verdammter Nebel!

»Kann ich etwas für Sie tun?« fragte die Stewardeß.

»Ja«, erwiderte Temple mit einem schwachen Lächeln. »Bringen Sie mich an Land.«

»Es wird nicht mehr allzulange dauern«, antwortete sie.

Er nickte und begann dem Trommeln des Regens zu lauschen, der unaufhörlich gegen die Scheiben schlug. Dabei dachte er mißmutig an die Gefälligkeit, um die Joe Haywood ihn ersucht hatte. Temple war deswegen heute nach New York unterwegs, weil der Präsident ihm im vergangenen Monat einen Drink serviert und das Gespräch auf Harry Orlando gebracht hatte. Harry, der verwahrloste Junge aus der Bronx, hatte alle Hebel in Bewegung gesetzt, um Joe Hoywood, dem Konservativen aus Pennsylvania, zu einem Sitz im Abgeordnetenhaus zu verhelfen und ihm später den Weg ins Weiße Haus zu ebnen. Sie waren Freunde, und Joe hatte außerhalb der Politik nicht viele Freunde, aber Temple wußte, daß der Präsident Harry auch noch dankbar war – und das mit gutem Grund. Denn seinerzeit, als Joe noch Hilfe brauchte, war Orlando immer bereit gewesen, ihm diese zu gewähren.

»In den letzten Tagen habe ich einige Male mit Orlando gesprochen«, hatte Joe gesagt.

»Ja? Wozu eigentlich? Gibt er dir Unterricht im Safeknacken?«

Der Präsident mußte lachen. »Das kommt vielleicht noch. Warum kann ich diesen Mann so gut leiden, Bill — abgesehen davon, daß ich es zu einem Teil ihm verdanke, daß ich auf diesem Stuhl sitze? Magst *du* ihn eigentlich? Woher kennt ihr euch?«

»So gute Freunde sind wir gar nicht«, hatte Temple geantwortet. »Ich kenne ihn ebensolang, wie ich dich kenne. Aber Liebespärchen sind wir deswegen noch lange keins.«

»Aber du magst ihn doch.«

»Wieso bist du eigentlich so plötzlich an Harry interessiert?«

»Er will sich zurückziehen. Er hat mehr Geld, als er jemals verbrauchen kann, und möchte nicht gern als menschliche Handelsgesellschaft auftreten. Harry will alles aufgeben und nurmehr für die Regierung arbeiten. In offizieller Funktion, meine ich.«

Temple mußte damals vor Staunen die Brille abnehmen. »Aber Mr. President . . .«

»Ja, ich weiß«, unterbrach ihn Joe ernst. »Ich wollte ihm schon eine sanfte Abfuhr erteilen, aber dann begann ich darüber nachzudenken. Ich habe noch mit niemandem über dieses Thema gesprochen. Was hältst du davon?«

»Gar nichts«, antwortete Temple steif.

»Was meinst du dazu, wenn man ihm die Leitung des Kulturaustauschprogramms überließe? Gegenwärtig arbeiten ohnedies altmodische Bürokraten daran, die nichts Rechtes zustande bringen. Vielleicht könnte Harry es schaffen. Er kennt die Welt, weiß, wie man koordiniert, und ich zweifle nicht im geringsten daran, daß er sich für dieses Programm zerreißen wird.«

»Nein, Mr. President«, meinte Temple nach einer kurzen Pause.

»Wieso nicht?«

»Du hast mich um meine Meinung gefragt. Ich sage nein. Harry ist ein ganz netter Gesellschafter und im Grund ein anständiger Mensch. Was aber seine Neigungen und sein Urteilsvermögen betrifft, so ist er für diese Aufgabe noch viel zu unreif. Das Risiko wäre zu groß, und die Regierung könnte leicht in eine peinliche Lage geraten. Stell ihn dir doch einmal im afrikanischen Busch vor, wenn er auf ein paar Mädchen aus Nairobi stößt, die sich mit ihm über kulturellen Verkehr unterhalten wollen. Was für ein Verkehr dabei herauskommt, kannst du dir wohl selber ausmalen.«

»Er ist doch kein Psychopath!«

»Eben deswegen. Aber viele Leute halten ihn für einen.«

Der Präsident nickte. »Vielleicht hast du recht, Bill . . . danke.«

Damit war die Sache erledigt, aber nur für kurze Zeit. Vor drei

Tagen erwähnte Temple bei einem abendlichen Drink so nebenbei, daß er Mary versprochen habe, das Wochenende mit ihr in Joes Bude zu verbringen und am Sonntag gemeinsam nach Washington zurückzufahren. »Dann wirst du ja Orlando treffen«, meinte der Präsident. »Freitag abend hat er doch diese UNICEF-Veranstaltung. Er wird mit seinen Freunden in einem Appartement im ›Kingsbrook‹ wohnen.«

Temple kniff die Augen zusammen.

»Ich bin fast entschlossen, ihm den Posten anzutragen und seine Ernennung nach meiner Wiederwahl im Herbst, falls sie mir gelingen sollte, bekanntzugeben. Du weißt ja, daß ich Freitag abend nach London fliegen muß, aber ich komme Montag schon wieder zurück. Dann möchte ich ihn von meinem Entschluß in Kenntnis setzen.«

Temple zuckte die Achseln. »*Du* bist der Präsident.«

»Kannst du etwas für mich tun, Bill? Es klingt vielleicht irgendwie hinterhältig, aber du würdest mir und auch Orlando sehr helfen. Deiner Meinung nach hat er nicht genügend Verantwortungsgefühl für diese Kulturaustauschgeschichte . . .«

»Was ich unlängst sagen wollte«, unterbrach ihn Temple, »ist folgendes: Harry ist durch und durch Erfolgsmensch. Das allein würde ihn zum besten Leiter des Kulturaustauschprogramms machen, den wir bis jetzt hatten. Aber für wie lange? Er ist eine menschliche Maschine. Ich möchte mich deshalb nicht auf ihn verlassen, weil er meines Erachtens noch nicht gelernt hat, seine Energien unter Kontrolle zu halten beziehungsweise sie zu lenken.«

»Schon gut, ich verstehe dich. Ich bin mir sicher, daß er auf diesem Posten der richtige Mann wäre, aber ich nehme deine Zweifel zur Kenntnis. Würdest du ihm ein wenig auf den Zahn fühlen, Bill? Sag ihm aber nicht, daß ich dich geschickt habe, um ihn auszuhorchen. Mir gegenüber benimmt er sich irgendwie steif, aber mit dir wird er frei von der Leber weg reden. Wenn er diese Angelegenheit nicht hundertprozentig ernst nimmt, wirst du das schneller merken als ich.«

»Ich soll ihn also testen, meinst du?«

»Du drückst dich wirklich sehr gewählt aus, Bill.«

»Gewählt oder nicht«, antwortete Temple, »aber der Effekt ist doch derselbe.«

Joe Haywood lachte. »Na gut, wie du meinst. Also hilf mir, bitte. Ich wäre dir sehr dankbar.«

Kann man einem Präsidenten der Vereinigten Staaten eine Bitte abschlagen?

Mit fünfzig Minuten Verspätung setzte die Maschine zur Landung an. Temple schloß seine Aktentasche und griff nach dem Handkoffer. In Gedanken war er bereits bei Harry, dem er auf Befehl des Präsidenten »auf den Zahn fühlen« sollte. Außerdem erwartete ihn das Zusammentreffen mit Mary.

Er hatte erst verhältnismäßig spät, im Alter von siebenunddreißig Jahren, das Mädchen geheiratet, dem er eigentlich mehr Liebe schenken wollte, als er es momentan imstande war. Daß seiner Ehe mit Mary etwas Altbackenes anhaftete, war nicht ihre Schuld. Das war ihm in jenen seltenen Augenblicken, da er darüber nachdachte, ganz klar. Aber Schuld hin, Schuld her – Temple war von Natur aus ein harter Arbeiter, oft überbeschäftigt und unzugänglich, dem jede Frau, gleichgültig welche, eine Belastung sein mußte. Mary machte Urlaub in New York, weil er sie dazu irgendwie hatte überreden können. Sie liebte diese Stadt mehr als Washington, denn sie hatte hier am Hunter College studiert, und außerdem war New York die Stadt, in der sie einkaufen, Theater und Kunstausstellungen besuchen, mit alten Freunden zusammentreffen und in Joseph Haywoods Appartement gratis ein Luxusleben führen konnte. Und New York – das bedeutete Ruhe vor Bill Temple.

Die Räder des Flugzeugs rumpelten über die Betonpiste. Temple ging aufatmend in das Abfertigungsgebäude, von wo er Mary anrief und seine Verspätung rechtfertigte.

»Zu Fuß wäre ich schneller gewesen«, sagte er, nachdem sie sich gemeldet hatte. »Wie geht's dir? Bist du gesund?«

»Vor allem bin ich naß«, antwortete sie. »Du hast mich von der Brause weggeholt. Ich hatte schon angefangen, mir Sorgen über dich zu machen, aber sonst geht's mir gut. – Wann kannst du hier sein, Bill?«

»Wenn die Hubschrauber starten können, bald. Bei dem Glück, das mich heute schon den ganzen Tag verfolgt, werde ich vielleicht per Anhalter in die Stadt fahren müssen.«

»Orlando gibt oben eine Cocktailparty, bevor er in den Garden fährt.«

»Zu Cocktailpartys, wie Orlando sie schätzt, habe ich keine Lust«, sagte Temple. »Ich möchte mit Harry nicht mitten in einer Orgie sprechen. Morgen ist ja schließlich auch noch ein Tag. Wir werden genug Zeit haben, um uns zusammenzusetzen.«

»Soviel ich weiß, gibt er keine Orgie, sondern eine ganz gewöhnliche Party.«

Temple fühlte sich plötzlich entsetzlich müde. »Warum gehst du dann nicht hin? Ich möchte im Augenblick nur aus meinem zerknitterten Anzug steigen, duschen und mich ein wenig hinsetzen. Ich könnte dich vielleicht vom Hotel abholen, und dann fahren wir gemeinsam in den Garden.«

Er sah geradezu ihre Ablehnung.

»Du legst also keinen Wert darauf, mit mir allein zu sein, nicht wahr?«

»Aber bitte, Mary . . .«

»Ist das nicht komisch? Ich hab' es doch gleich geahnt: Nachdem du mich für eine Woche fortgeschickt hast, willst du mich schon wieder loshaben. Also gut: Wenn du hierherkommst, werde ich schon verschwunden sein.«

»So hör doch . . .«

Klick.

Als Temple sicher war, daß sie tatsächlich aufgehängt hatte, legte er den Hörer wieder auf die Gabel. Er seufzte und machte sich mißmutig auf die Suche nach einem Hubschrauber. Obwohl das Wetter noch immer scheußlich war, wurde er in knapp sieben Minuten auf dem PANAM-Gebäude abgesetzt. Während des kurzen Fluges mußte er wieder an Joe Haywood denken, der nun bald nach London abfliegen würde. Hoffentlich geschieht ihm nichts, sagte er sich immer wieder.

Mary Temple knallte den Hörer auf die Gabel. Wieder einmal hatte Bill sie verletzt! Sie war wütend auf sich selber, weil sie sich fest vorgenommen hatte, ruhig zu bleiben, und ihn dann doch wie ein Marktweib angefahren hatte. Sie ging ins Badezimmer zurück, wo sie sich mit einem flamingofarbenen Badetuch abtrocknete.

Vor allem aber war sie deswegen wütend, weil sie sich nach drei Jahren des Zusammenlebens mit Bill noch immer etwas vormachte. Schon längst hätte sie mit ihrer Toilette fertig sein können. Aber Bill, hatte sie geglaubt, würde sie wohl eher nehmen, wäre sie bei seiner Ankunft noch nicht angekleidet gewesen.

Wie lange sollte sie sich noch diesen jugendlichen Illusionen hingeben? Er hatte ihr wiederholt angedeutet, daß ihre Ehe eine höchst inhaltslose Angelegenheit war. Der Umstand, daß sie so lange brauchte, diese Tatsache zur Kenntnis zu nehmen, erschütterte sie.

Sie nahm ihre Badehaube ab und betrachtete aufmerksam ihren Körper im Spiegel. Er wirkte eckig und gewöhnlich, wenn er bekleidet war, und gab in nacktem Zustand ein geradezu lächerlich sinnliches Werkzeug ab. Mary war jene der drei Schwestern Abbot, die am wenigsten auffiel, aber dennoch hübscher, als ihre Fotografien vermuten ließen: eine angenehm attraktive Blondine mit einem süßlichen Lächeln, das ihre Freundinnen unweigerlich als ansteckend und leider auch als heilsam bezeichneten. Ebenso herablassend und ungenau drückten sie sich über ihre Figur aus, für die sie so verheerende Worte wie »knabenhaft« und »sportlich« fanden.

Während sie sich anzog, berichtete das Fernsehen über die Menschenmenge, die vor dem Garden wartete. Mary stellte den Apparat lauter. Sie war mit Harry Orlando, den sie für einen oberflächlichen, irgendwie primitiven Playboy hielt, nur zweimal kurz zusammengetroffen. Bills Zuneigung zu ihm würde sie nie verstehen können, obwohl sie sich gleichzeitig durchaus darüber im klaren war, daß Harry unwahrscheinliches Talent besaß.

Der Reporter interviewte gerade einen typischen Taxichauffeur aus Brooklyn namens Patsy Orlando, der so daherredete, wie Taxichauffeure aus Brooklyn es im Film zu tun pflegen: »Nein, wir sind nicht miteinander verwandt, verdammt noch mal – wenn ich mich vor der Kamera so ausdrücken darf«, sagte er und blickte dem Reporter fest in die Augen. »Aber er hat einen Bruder, der heißt so wie ich: Pasquale. Patsy Orlando. Manchmal erlaube ich mir einen Spaß und erzähle den Leuten, daß ich das bin. Aber nur zum Spaß natürlich.«

»Was machen Sie eigentlich hier, Mr. Orlando? Es wird von Minute zu Minute kälter, und Sie haben doch nur wenig Chancen, Harry Orlando zu Gesicht zu bekommen.«

»Ja, ich weiß.«

»Stehen Sie bei Kälte gern unter soviel Leuten?«

»Nein, darauf kann ich verzichten. Leute seh ich ohnehin den ganzen Tag bei meiner Arbeit. Ich weiß nicht recht ... Ich war gerade in der Nähe, verstehen Sie, und da hab ich mir gedacht, stehst ein bißchen 'rum, hast ohnehin nichts Besonderes vor ... Vielleicht siehst du den alten Harry ... Und ich komm so noch rechtzeitig nach Hause, um ihn im Fernsehen zu sehen. Ich steh mir's auf den Kerl, wissen Sie. Wirklich. Er singt herrlich, besser als damals, als ich mich vor dem Roxy anstellen mußte, wenn ich ihn hören wollte. Ich war damals beim Küstenwachdienst. Und Persönlichkeit hat er auch ... Verstehen Sie, was ich damit sagen will? Ein netter Kerl, und wohltätig ist er auch. Sein Privatleben geht mich nichts an. Jedenfalls tut er nicht so vornehm wie andere. Ich sage so: Wer gut genug für Präsident Haywood ist, ist auch gut genug für mich. — Haben Sie was dagegen, wenn ich meiner Familie einen Gruß schicke?«

Fertig angezogen, frisiert und überzeugt davon, daß sie annehmbar aussah, empfand Mary plötzlich den dringenden Wunsch, das Appartement noch vor Bills Eintreffen zu verlassen. Sie nahm ihre Tasche, schloß die Tür hinter sich zu und stieg die acht Stufen hinauf, die ihre Suite mit der des Präsidenten verbanden.

Ein Kammerdiener in weißem Smoking führte Mary ins Wohnzimmer. Dort befanden sich etwa dreißig Menschen; eine sonderbare Mischung aus gut angezogenen Gangstertypen, die auf den tiefen Teppichen wie die Vertreter einer Mord-GmbH umhertappten, aus flotten Vertretern des Showbusineß, die Selbstbinder eigener Erzeugung trugen, aber auch aus Leuten wie dem gelehrt aussehenden Evan Partridge, Joe Haywoods Botschafter bei den Vereinten Nationen, und Dr. R. C. Croft, der im Vorjahr für seine Arbeiten auf dem Gebiet der Biochemie mit dem Nobelpreis ausgezeichnet worden war. Vervollständigt wurde diese bunte Gesellschaft durch ein paar junge Frauen, die sich so vorsichtig bewegten, als wären ihre Brüste jederzeit durch Einsturz gefährdet.

Der Mann am Flügel spielte mit viel Hingabe »Smoke Gets in Your Eyes« — eine durchaus passende Melodie, denn der Zigarettenrauch lag schwer im Raum, obwohl die Entlüftungsanlage tadellos funktionierte. Hinter einem langen Büfett voll kulinarischer Köstlichkeiten standen zwei Männer mit Kochmützen. Ihnen gegenüber waren drei Kellner mit roten Jacken hinter einer langen, tragbaren Bar damit beschäftigt, Getränke einzuschenken. Der Lärm hatte eine gewisse Verwirrung, ja sogar Ausgelassenheit zur Folge, die den Präsidenten, der in früheren Jahren selber ein begeisterter Partybesucher gewesen war, gewiß belustigt hätte. Wanda hingegen, seine zarte, schöne Frau, hätte mit dieser Gesellschaft wahrscheinlich nur wenig Freude gehabt.

Langsam schob sich Mary in die Mitte des Raumes vor.

Botschafter Evan Partridge, ein Weltmann in den Sechzigern, der in seiner tadellosen Smokingjacke einem aus dem Zoo entkommenen Pinguin ähnelte und dessen schrulliger Gesichtsausdruck zu fragen schien: »Was mache ich bloß hier?«, erblickte Mary und watschelte auf sie zu, um ihr einen seiner schnellen Keuschheitsküsse zu verabreichen. »Ich freue mich, Sie zu sehen, Mrs. Temple«, sagte er herzlich. »Haben Sie Bill mitgebracht?«

»Nein, aber er muß gleich hiersein«, antwortete sie und drückte seine fleischige Hand. »Auch ich freue mich, Sie hier zu sehen, Herr Botschafter. Aber ich muß zugeben, daß mich Ihr Kommen überrascht hat. Ich konnte Sie mir eigentlich nie in solcher Umgebung vorstellen.«

»Oh, selbst alte Fische machen gelegentlich mal Luftsprünge«, erwiderte Partridge verlegen. »Der ... eh ... der Präsident ersuchte mich, vorbeizuschauen.« Er räusperte sich. »Kommen Sie, vielleicht gelingt es mir, Sie an einem wirklich atemberaubenden Roastbeef zu interessieren. Dort drüben steht ein Mann, der ein feingeschliffenes Tranchiermesser zu schwingen versteht. Ich habe ihn beobachtet. Würde er vor ein paar hundert Jahren gelebt haben, hätte er wahrscheinlich auf der Place Vendôme Köpfe abgeschnitten.«

Mary unterhielt sich angeregt beim Büfett, aber sie fühlte sich hilflos und dem Schicksal ausgeliefert. Gewiß, Bill war lieblos gewesen. Aber er hatte schon unzählige Male so mit ihr gesprochen, und sie hatte diese Lieblosigkeit mit dem Anschein von Gleichmut hingenommen. Heute abend hatte sie sich unentschuldbar schlecht benommen, wie eine Stute, die die Stallwand niedertritt, wenn der Wallach sich nicht um sie kümmert.

Aber das Verlangen hielt an. Und Bill war kein Wallach.

»Haben Sie Sorgen, Mrs. Temple?« fragte der Botschafter.

»Ich?«

»Sie sehen ein wenig durcheinander aus.«

»Durcheinander? Ich ... nein, nein, wirklich nicht. Ich habe nur einen Augenblick nicht aufgepaßt. Entschuldigen Sie, bitte. Ich glaube, daß der Rauch daran schuld ist. Wenn soviel geraucht wird, fühle ich mich manchmal nicht ganz wohl.«

»Das tut mir leid. Ich wollte eigentlich noch ganz gern ein paar Minuten bleiben, aber wenn Sie wünschen, bringe ich Sie selbstverständlich hinunter. Sie wohnen doch auch hier im Haus, nicht wahr?«

Mary lächelte. »Ja. Aber jetzt geht's mir schon wieder gut. Besten Dank!«

Der Pianist spielte ein gekonntes Arrangement von »Sweet Lorraine«.

Die Gläser schienen lauter zu klirren, die wiehernden Stimmen heiserer zu klingen. Mary, die jetzt viel zu verkrampft war, um das ausgezeichnete Essen richtig zu genießen, stand wie angewurzelt da. Plötzlich schlich sich Al Barron heran und pflanzte sich leicht schwankend und schief grinsend vor ihr auf. In der einen Hand hielt er einen dunkelfarbigen Drink, mit der andern umklammerte er eines der Mädchen mit den schmalen Hinterteilen. Freundlich und fest sah er Mary in die Augen. Den Botschafter beachtete er überhaupt nicht.

»Na, Süße«, sagte er langsam. »Meine Spione haben mir berichtet, Sie wären William Temples Eheweib. Ich heiße Menasche Skulnik. Schlagen Sie ein!«

Er nahm seine riesige Hand von dem Mädchen und streckte sie Mary entgegen. Sie ergriff sie lächelnd. Barron hielt ihre Hand einen Augenblick länger als nötig, und Mary riß sie zurück, als hätte sie glühende Kohlen angefaßt, sobald sie spürte, daß er versteckt ihre Handfläche streichelte.

Diese Unverschämtheit ließ sie erröten, aber da Evan Partridge neben ihnen stand, wollte sie ihn nicht durch eine Szene in Verlegenheit bringen.

»Guten Abend, Mr. Barron«, sagte sie mit größter Selbstbeherrschung. »Darf ich Sie mit Botschafter Partridge bekannt machen?«

Barron schüttelte ihm die Hand und nickte schläfrig. »Freut mich, Sie kennenzulernen, mein Junge. Was machen Sie denn so den ganzen Tag?«

Dem Botschafter verschlug es die Rede. »Mr. Partridge«, warf Mary schnell ein, »ist ständiger Botschafter der USA bei den Vereinten Nationen.«

»Jawohl«, bestätigte Partridge mit schwacher Stimme.

»Ständiger was?« Barron hob seine schwarzen Augenbrauen. »Junge, Junge. Mit einem ständigen Posten hat man ausgesorgt wie alle meine lieben Vettern am Obersten Gerichtshof. Ständig, das ist nichts für mich, kann ich Ihnen sagen. Heute habe ich einen Dollar in der Tasche, und morgen fahre ich vielleicht wieder einen Lkw in Richmond. Stimmt doch, oder? Aber es ist wirklich nett, daß Sie alle gekommen sind.«

»Ach«, krächzte der Botschafter mit hervorquellenden Augen,

»wollen Sie mich bitte entschuldigen! Ich muß leider schon gehen. Es war mir ein Vergnügen.«

Mit leiser Stimme des Entsetzens wandte er sich an Mary: »Bleiben Sie noch, liebe Mrs. Temple, oder darf ich Sie irgendwo absetzen?«

»Ich werde noch ein wenig bleiben«, antwortete Mary, die nicht wußte, wo sie sich hätte absetzen lassen sollen. »Ich hoffe, Bill und ich sehen Sie bald wieder.«

»Das hoffe ich auch, Partridge, alter Junge«, sagte Barron und grinste.

»Ja. Gute Nacht«, erwiderte der arme Mann und verließ entsetzt die Gesellschaft.

»Netter alter Kerl«, bemerkte Barron. Er ließ das Mädchen los und drückte ihm sein Glas in die Hand. »Wirf da noch ein paar Eiswürfel 'rein, Kleine!«

»Wer war denn voriges Jahr deine Sklavin?«

»Weiß ich nicht mehr«, antwortete Barron ungeniert. »Aber wenn du dich nicht bald auf den Weg machst, wirst *du* es nächstes Jahr nicht mehr sein. Kapiert?«

Das Mädchen schlenderte mit dem Glas davon.

Barron zündete sich eine Zigarette an, ohne Mary eine anzubieten, die ohnedies abgelehnt hätte. Dann musterte er sie von Kopf bis Fuß.

»Wir könnten gute Freunde werden, Süße. Wie heißt du denn mit dem Vornamen?«

»Für Sie, Mr. Barron, bin ich Mrs. Temple, und ich finde Sie widerlich.«

Mary ging mit schnellen Schritten zum gegenüberliegenden Ende des Saales, wo der Mitarbeiter des Präsidenten, der wohlerzogene Steve Ainsley, eben ein ernstes Gespräch mit dem ebenso ernst nickenden Bert Noah beendete. Noah klopfte ihm auf den Rücken und stürzte sich von neuem ins Gewühl. Als Ainsley Mary erblickte, kam er wie der Insasse eines Irrenhauses auf sie zu, der seinen Befreier erspäht hat.

»Ich habe Sie erst jetzt bemerkt«, begrüßte er sie freundlich. »Wie geht es Ihnen, Mary?«

»Im Augenblick besser als Ihnen, glaube ich«, erwiderte sie lächelnd. »Ich weiß zwar nicht, worum es bei Ihren Besprechungen gegangen ist, aber Ihr Gesichtsausdruck hat mir verraten, wie gut Sie sich dabei unterhalten haben.«

Ainsley verdrehte seine Augen. »Gott beschütze uns«, stöhnte er. »CBS wird heute von zehn bis elf Orlandos Auftritt im Fernsehen übertragen, und Evan Partridge wird die letzten fünf Minuten der Veranstaltung dazu benützen, ein paar Worte über die UNICEF zu sprechen. Ein paar unnötige Leute von der UNO wollen, daß die Rede einigermaßen würdevoll über die Bühne geht. Ich soll dafür garantieren, daß sich diese fidelen Halbstarken ordentlich benehmen, während Partridge spricht. Wo ist Bill — in Washington?«

»Nein, er ist vom Flughafen hierher unterwegs. Befürchten Sie irgendwelche Kalamitäten?«

»Gott soll abhüten!« antwortete Ainsley finster. »Zunächst war ich der irren Meinung, es bestehe kein Anlaß zur Sorge. Rod Keyes scheint halbwegs vernünftig zu sein, aber dieser Affe von einem Barron führt sich wie ein Wahnsinniger auf! Und Bert Noah steht ihm nicht viel nach. Ich versuche mich dagegen abzusichern, daß sie während der Rede des Botschafters auf die Bühne stürzen und ihm den Smoking ausziehen. Ich nehme an, Orlando wird mir versprechen, daß nichts dergleichen geschieht, aber was so eine Garantie wert ist, steht auf einem andern Blatt. Seine Hoheit ruhen hinter jener Tür und dürfen, wenn überhaupt, erst nach halb acht gestört werden. Irgendwo hat mein Patriotismus auch seine Grenzen.«

Ein Ringkämpfer, dem man allzuoft ins Gesicht gestiegen war, klopfte ihm auf die Schulter. »Sind Sie Mr. Ainsley? Der Harry will jetzt mit Ihnen reden. Er wartet am Arzt. Er sagt, Sie sollen sich nicht kümmern, wenn der Doktor 'reinkommt, während ihr redets. Er sagt, es ist knapp mit der Zeit.«

»Wenn ich ein wenig Glück habe«, sagte Ainsley zu Mary, »handelt es sich bei dem Arzt um einen Psychiater. Ich könnte ihn jetzt ganz gut gebrauchen.«

So, jetzt war Mary erst wieder allein. Eigentlich hätte sie gehen sollen, aber sie blieb und machte sich mit Bert Noahs Frau bekannt, die sich ebenso einsam und unbehaglich wie sie zu fühlen schien.

Das Schlafzimmer war geräumig und machte einen friedlichen Eindruck. Harry lag braungebrannt und offensichtlich bester Dinge nackt und bäuchlings auf der Pritsche. Er wurde von einem jungen Mann massiert, der Selig irgendwie bekannt vorkam. Natürlich! Das war doch Harrys jüngerer Bruder Patsy.

»Solly, mein Freund«, rief Harry, als er Selig bemerkte. »Wie geht's dir? Einen Augenblick noch – gleich bin ich soweit.«

Dann wandte er seine Aufmerksamkeit wieder einem ernsten Mann mit Brille zu, in dem Selig von Fotografien her einen Regierungsbeamten erkannte. Er machte keinen sehr glücklichen Eindruck. Selig öffnete seine Tasche und sperrte die Ohren auf. »So glauben Sie mir doch, Steve!« bat Harry ungeduldig. »Es wird sicher keine Fehlzündungen geben. Ich werde mich um alles kümmern.«

»Halten Sie mich, bitte, nicht für einen berufsmäßigen Schwarzseher, Mr. Orlando«, antwortete der Mann namens Steve. »Aber Ihr Freund Barron hat sich ganz schön vollaufen lassen. Wenn er sich in diesem Zustand mit dem Botschafter vor dem Publikum zeigt, könnte der Schaden für die UNO ...«

»Wollen Sie mir nicht zuhören, Steve?« bat Harry immer noch geduldig. »Es wird schon nichts passieren. Das ist eine alte Tour von Al Barron, daß er den Besoffenen spielt. Alles nur Theater. Übrigens habe ich ihm schon eine Moralpredigt gehalten und wie eine Mutter mit ihm geredet. Zum Teufel, Steve, wir sind doch nicht von gestern. Ich habe auch mit Präsident Joe gesprochen und ihm mein Wort gegeben. Es liegt doch auch in *meinem* Interesse, daß alles klappt, nicht wahr?«

Harry ließ Steves Ermahnungen weiterhin über sich ergehen, während Patsy die Massage fortsetzte. Schließlich gähnte er Ainsley an und sagte: »Entschuldigen Sie mich jetzt, Steve, aber der Herr dort ist mein Arzt. Er ist eigens von Heidelberg hierhergeflogen, um mich zu untersuchen.«

Nach ein paar weiteren Worten verabschiedete sich der Mitarbeiter des Präsidenten. Harry hob seinen muskulösen Arm und schüttelte Seligs Hand. »Wie geht's der Familie, Sol? Patsy kennst du doch?«

»Ja, natürlich. Alles in Ordnung, Patsy?« Selig nickte Orlandos Bruder zu, der den Gruß ungerührt erwiderte. »Die nächste Frage«, wandte Selig sich an Harry, »lautet: Wie geht es *dir*?«

Harry erhob sich grinsend und forderte Patsy mit einer Handbewegung zum Gehen auf. »Für einen Spaghettifresser aus der Bronx – tadellos.« Er war ein Mann von schnellen und geschmeidigen Bewegungen, immer irgendwohin unterwegs, dabei aber nie ziellos oder unsicher. Harry war kräftig gebaut und hatte die breiten Schultern eines Schwerarbeiters. Die Stirn war zu hoch, und die freundlichen, braunen Augen saßen zu weit auseinander — trotzdem machte er den ansprechenden Eindruck eines Mannes, bei dem man sich darauf verlassen konnte, daß er in Ordnung war. »Der Kerl, den du da soeben gesehen hast, war Steve Ainsley. Ich hab's zu was gebracht in der Welt. Hab ich dich eigentlich schon gefragt, wie es deiner Familie geht?«

»Es geht allen gut«, erwiderte Selig und griff nach Harrys Puls. »Im Herbst fängt Michael mit dem Medizinstudium an.«

»Was du nicht sagst! Medizinstudium? Hast du mir nicht erst neulich erzählt, daß er Bar-Mizwa werden will? Wie die Zeit vergeht! Mein Jimmy ist auch schon im College. Du und ich, wir werden langsam alte Scheißer, mein Freund.«

»Ich nicht. Du vielleicht. Halt still und laß mich sehen.«

»Gern. Wieviel hab ich?«

»Sechzig«, antwortete Selig und langte nach dem Blutdruckmeßapparat. »Das ist ein schöner, ruhiger Puls.« Er legte die Gummimanschette um Harrys Arm. »Hast du seit dem Vorjahr irgendwelche neuen Symptome?« fragte er. »Lüg mich ja nicht an!«

»Nichts, womit ich nicht fertig werden könnte. Wenn ich aufwache, huste ich wie ein Seehund. Aber das geht schnell vorbei.«

»Immer noch drei bis vier Päckchen Zigaretten pro Tag?«

»Ich habe mich in letzter Zeit etwas zurückgehalten.«

»Du lügst«, stellte Selig fest und drückte den Gummiball zusammen. »Sei doch nicht so blöd! Wann wirst du endlich einsehen, daß du eines Tages dafür bezahlen wirst müssen?«

»Ich weiß, du hast recht. Wenn ich einmal den Entschluß gefaßt habe, höre ich ganz damit auf. Ich mach nichts halb.«

»Sicher. Jetzt steh auf und spring zwanzigmal mit jedem Fuß auf und ab.«

»Wenigstens einmal im Jahr läßt du mich Turnübungen machen. Dafür bin ich dir wirklich dankbar, Solly.« Er tat, wie ihm befohlen, und Selig stellte fest, daß sein Pulsschlag sich rasch wieder beruhigte. »Du kommst doch heute abend, nicht wahr?« sagte Harry. »Ich hätte mich schon früher um Karten für Sylvia und dich kümmern sollen. Patsy soll zwei gute Plätze für . . .«

»Nein, Harry«, unterbrach ihn Selig. »Vielen Dank, aber Sylvia und ich haben heute eine Verabredung, die wir nicht mehr absagen können. Ich bin ohnedies schon spät dran. Wieso hast du dich eigentlich vorigen Monat an ihren Geburtstag erinnert? Die herrlichen Blumen und diese goldene Puderdose, die du dazwischengesteckt hast ... Sie war wirklich begeistert. Hast du ihren Brief bekommen?«

»Ich glaube schon. — Was ist denn das für ein neumodisches Ding?«

»Ein Ophthalmoskop. Damit kann man den Augenhintergrund und die Rückseite der Augen sehen. Die Blutgefäße dort geben Aufschluß über die im übrigen Körper. Übrigens bist du für dein Alter noch recht gut beisammen.«

»Ich bin eben was Besonderes.«

»Ja, ja.« Selig nickte und setzte seine Untersuchung fort. »Du bist genauso gesund wie voriges Jahr«, sagte er schließlich, »aber ich bemerke, daß du etwas verkrampfter bist. Das stört mich.«

»Kein Wunder, bei der Hetzerei ...«

»Na schön, aber schwere Belastungen tun dir nicht gut. Ich werde dir ein Beruhigungsmittel verschreiben.«

Harry grinste verlegen. »Du bist wie deine verstorbene Mutter. Sie hat sich auch immer Sorgen um mich gemacht. Ich bin in Ordnung, Sol. Ich hab ein paar Dinge in meinem Leben falsch gemacht und würde meinen rechten Arm hergeben, wenn ich das noch ändern könnte, aber — wie schon gesagt — ich bin in Ordnung. Noch vor der Wahl im November werde ich der zufriedenste Mensch auf der ganzen Welt sein.«

»Was soll das wieder heißen? Hast du irgendwelche Pläne, die mit dem Präsidenten zusammenhängen?«

Wieder das verlegene Grinsen. »Menschenskind, ich platze beinahe vor Mitteilsamkeit, aber ich kann dir darauf keine Antwort geben. Noch nicht. Eins verspreche ich dir: Sylvia und du werden es als erste erfahren.« Er legte den Arm um Seligs Schulter. »Nochmals vielen Dank, Freund! Du bist ein feiner Kerl. Ich bin zwar ein Schweinehund, aber ich weiß, wen ich gern habe.«

Selig blinzelte verlegen, wünschte ihm nochmals alles Gute und ging. Es schien ihm, als wäre Harry den Tränen nahe gewesen. Aber warum? Selig schüttelte den Kopf. Es war zwecklos, darüber nachzudenken, zu raten, wenn es um Harry Orlando ging.

Während Orlando sich fertig ankleidete, läutete das Telefon. Patsy nahm den Hörer ab, wandte sich dann an seinen Bruder und fragte ihn, ob er für Bill Temple zu sprechen sei. Harry sprang förmlich an den Apparat.

»Hallo, alter Gauner!« rief er. »Wo, zum Teufel, steckst du denn?«

»Ein Stockwerk unter dir. Außerdem habe ich mich verspätet und bin total erschöpft. Wie schaut dein Programm aus, Harry?«

»Ich bin ausgebucht, aber nie für dich. Komm 'rauf und gieß dir einen hinter die Binde.«

»Ist meine Frau oben?«

»Weiß ich nicht. Vielleicht ist sie im Nebenzimmer. Dem Lärm nach zu schließen, hat sich die ganze Stadt hier versammelt. Wart einen Augenblick! Ich schicke Patsy nach ihr.«

»Nein, nein, laß nur«, sagte Bill schnell. »Hör mal, Harry! Wenn du ohnehin jetzt zum Garden fährst — warum treffen wir uns nachher nicht irgendwo, wo es friedlicher zugeht? Ich mag keinen Lärm. Außerdem können wir uns ohnedies nicht lang unterhalten, wenn du es eilig hast.«

»Also schön, bis nach der Show. Vince oder Patsy werden dich in die Garderobe bringen.«

»Hals- und Beinbruch, verkrachter Troubadour!«

»Danke, Brillenschlange.«

Patsy öffnete die Tür; Orlando setzte ein siegesgewisses Lächeln auf und begab sich zur Gesellschaft. Langsam ließ er sich mit einem Whisky in der Hand von einer Gruppe zur andern schieben, plauderte, mit wem er plaudern mußte, und bezauberte, wen er bezaubern wollte. Kimi, Bert Noahs neue Frau, unterhielt sich eben mit einer Person, von der er nicht gleich wußte, wo er sie unterbringen sollte. Es war Mary, Bill Temples Gattin. Bill sah Orlando ziemlich häufig; seine Frau aber hatte er nur ein paarmal getroffen und ihr Gesicht schon eine Stunde später wieder vergessen. Nette Figur, dachte er sich, aber mit der Visage hat sie keinen Auftrag.

Er ging zu ihnen hinüber. »Ich hab was übrig für Damen, die einer Party Klasse geben«, sagte er zwinkernd.

Mary hob die Hand an den Ausschnitt. Sie war verwirrt, brachte aber schließlich doch ein Lächeln zustande. »Haben Sie nicht gewußt, daß ich dafür bezahlt werde, auf Partys herumzustehen und Klasse auszustrahlen?«

»Was immer man Ihnen auch zahlen mag — es ist sicher zuwenig.« Alle drei lächelten. »Nach der Vorstellung sind Sie und Bill meine Gäste. Ich habe eben mit ihm gesprochen.«

»Ist er ... unten?«

Orlando nickte. »Soeben eingetroffen. Er wollte wissen, ob Sie hier sind.«

»Soso. Kommt er herauf?«

»Etwas später.«

Mary war jetzt richtig verwirrt. »Ich ... ich werde einmal hinunterschauen. Danke für die Einladung.« Sie schien keine große Eile zu haben.

Orlando entschuldigte sich und setzte seinen Rundgang noch ein paar Minuten lang fort. Als Patsy ihm den Mantel reichte und damit zum Ausdruck brachte, daß es Zeit war, sich auf den Weg zu machen, forderte er seine Gäste auf, noch zu bleiben und sich gut zu amüsieren. Dann ging er mit Patsy und seinen Ratgebern und Hofnarren Nate West, Vince Moschetta und Herb Goldmann zum Privataufzug. In der Garage stand die Limousine bereit.

Keiner von ihnen sprach auf der kurzen Fahrt ein Wort, denn niemand erlaubte sich, knapp vor Harrys Auftritt den Mund aufzumachen. Zusammengesunken saß er im Fond und sah auf die kalten Straßen hinaus; auf die Straßen einer Stadt, die aussahen wie die jeder anderen, unpersönlich und von unnötigen Passanten bevölkert. Man hatte Harry berichtet, daß ihn im Garden eine Horde begeisterter und hysterischer Hyänen erwarte. Aber das gehörte nicht zur Sache.

Woher, zum Teufel, kommt meine scheußliche Stimmung? dachte er. Warum bin ich immer so nervös, wenn ich nach New York komme? Obwohl nächste Woche der Präsident mit einer großen Neuigkeit für mich aufwarten wird. Eigentlich sollte ich vor Glück strahlen. Warum, verdammt noch mal, ist mir so mies?

Er hatte sich diese Fragen schon oft vorgelegt. Manchmal fand er Antworten, die wie Schatten dahinhuschten und sich kaum greifen ließen. Irgend etwas hatten sie mit der Bronx zu tun und mit der Willcock Avenue, die er nie wieder betreten wollte. Aber was?

In jenen Jahren der ersten Erfolge, da er um jede Art von Publicity gebuhlt und geworben hatte, erzählte Orlando rührende Geschichten von bedrückender Armut und wie die Entbehrungen ihn nur in seinem Entschluß bekräftigt hatten, den Gipfel des Erfolges zu erklimmen. »In meiner Nachbarschaft herrschten rauhe

Sitten«, gestand er einmal einem Reporter der UPI. »Hatte man mit zwölf Jahren nicht schon ein paarmal mit der Polente zu tun gehabt, wurde man als Weichling verschrien. Ich bin in so mancher Klemme gesteckt; nicht weil ich gedacht hab, es wär so toll, ein Halbstarker zu sein, sondern weil man in diesem Viertel überhaupt nicht dachte. Man lief mit den andern mit oder umgekehrt; das kam ganz drauf an, wie hell man war. Dann wurden Entscheidungen getroffen. Ich hab mich nie daran beteiligt, denn ich war ein Knirps und hatte Angst. Und Hunger. Daran denke ich immer wieder mit Schrecken zurück – ich war immer hungrig. Ich möchte nicht sagen, daß ich vor Hunger krepiert bin, aber es war eben nie genug zu essen da. Das hat mich nicht verbittert, aber ängstlich gemacht. Und das bin ich auch geblieben. Ich warf Fenster ein, klaute Uhren und raubte Besoffene aus, die im Rinnstein lagen. Warum? Das taten die anderen Jungen auch. Aber das Essen mußte ich stehlen, weil ich Hunger hatte.«

Diese Geschichte hörte sich gut an, nur stimmte sie nicht ganz. Harry hatte Hunger gelitten, aber eine andere Art von Hunger. Er war das dritte Kind Louisa und Romeo Orlandos und das erste, das seinen dritten Geburtstag erlebte. Die Eltern waren aus Messina gekommen und hatten einen kleinen Süßwarenladen in der Bronx gekauft. Der Sprudel, das Konfekt und die Zeitungen warfen einen äußerst bescheidenen Gewinn ab, aber es genügte, damit der Knabe ernährt, bekleidet und in die Klosterschule geschickt werden konnte. Romeo Orlando war ein zugeknöpfter, humorloser, stolzer Mann, den Harry in der stickigen Dreizimmerwohnung nur an kirchlichen Feiertagen, wenn der Laden geschlossen war, zu Gesicht bekam. Um halb sieben Uhr früh, wenn der Junge noch schlief, sperrte er das Geschäft auf, stand den ganzen Tag hinter der Theke neben der Geldkassette und kam selten vor elf Uhr nachts nach Hause. Freilich konnte er nach neun Uhr nicht mehr so viel Maiskuchen, Zigaretten oder Zeitungen verkaufen, daß es sich gelohnt hätte, die Rollbalken oben zu lassen. Aber er hielt den Laden bis zum letzten Moment offen, da er doch noch ein paar Cent zu verdienen hoffte. Louisa Orlando war eine nicht besonders attraktive, geschwätzige Frau, die sich – wie ihr Mann – beharrlich weigerte, mehr Englisch zu lernen, als unbedingt nötig war, sich mit Nichtitalienern gebrochen verständigen zu können. Daran änderte auch die Tatsache nichts, daß ein Großteil der Kunden nur Englisch oder – was noch ärgerlicher war – Jiddisch sprach. Als Harry alt genug war, daß er bei den Nachbarn untergebracht werden konnte, verbrachte sie einen Teil des Tages damit, im Laden auszuhelfen; dann fuhr sie nach der Westbronx, wo sie zwei kranke Schwestern, alte Jungfrauen, pflegte. Nach Harrys zehntem Geburtstag wurde Pasquale geboren; ein wunderschönes Baby, aber so schwach und auf ständige Aufsicht angewiesen, daß Harry, der bis zu diesem Zeitpunkt von seinen Eltern wohl geliebt, wenn auch nicht besonders beachtet worden war, jetzt noch weniger Aufmerksamkeit fand, da sie sich um seinen kleinen Bruder kümmern mußten.

Harry litt oft unerträglich unter der Einsamkeit. Trotzdem war er nur selten allein. Da gab es Vince Moschetta, einen älteren und klügeren Jungen, der an ihm Gefallen fand und ihn einige Male zum Radkappenstehlen mitnahm. Harry war von seiner selbstsicheren Art begeistert, aber irgend etwas mahnte ihn zur Vorsicht. Diese Mahnung war, wie sich bald herausstellen sollte, begründet. Von einem Tag zum andern wurde der großspurig in der Nachbarschaft umherstolzierende Vince mit drei Mitgliedern seiner Bande verhaftet und in ein Erziehungsheim für Jugendliche gesteckt.

Die meiste Zeit aber verbrachte Harry bei Sol Selig, wenn er nicht in die Schule gehen oder im engen, schmutzigen, verhaßten Laden seiner Eltern arbeiten mußte. Er konnte Solly, diesen ein wenig verweichlichten Jungen, gut leiden. Leider war er nicht oft zu Hause, da er jeden Nachmittag nach der Pflichtschule in die Hebräische Schule ging oder Violinstunden nahm. Dafür aber fühlte er sich bei Sollys Mutter geborgen, einer rundlichen Dame mit gewaltigem Busen und so dicken Beinen, daß man gar keine Knöchel mehr sah. Sie hatte fünf Kinder und behandelte Harry, wenn er herüberkam, wie ihr sechstes. Mrs. Selig sprach nicht viel Englisch, und Harry begann daher Jiddisch zu lernen, einmal ein Wort, einmal eine Redewendung — auf jeden Fall aber genug, um seine Familienzugehörigkeit zu unterstreichen.

Er liebte Mrs. Selig, weil sie ihm so freundlich entgegenkam. Oft glaubte er, ihr lästig zu fallen, zumal er so oft aufkreuzte, ihr im Weg saß und zuschaute, wie sie auf ihren dicken Beinen in der blitzsauberen Küche umherhumpelte. Aber er wagte es nie, sie danach zu fragen. Hätte sie ja gesagt oder auch nur angedeutet, daß er zu oft kam und sie bei der Arbeit aufhielt — es wäre für ihn entsetzlich gewesen.

Harrys Vater starb, als er dreizehn und Pasquale drei Jahre alt war. Er hinterließ genau vierhundertdreiundvierzig Dollar und fünfundfünfzig Cent, eine winzige Lebensversicherung sowie einen Laden, der rasch und um ein Spottgeld verkauft werden mußte. Harry stand in der gespenstisch beleuchteten Leichenhalle neben einem Haufen Verwandter und starrte verblüfft auf das wachsbleiche Antlitz des Vaters und auf seine Mutter, die sich über den Sarg warf und wie eine Wahnsinnige schrie. Er hatte ihr so ein Theater nie zugetraut.

Als sie nach dem Begräbnis am Abend in die Wohnung zurückkehrten, tat Harry etwas, das ihm — mit Unterbrechungen — noch jahrelang schlaflose Nächte bereiten sollte. Seine Mutter hielt sich im Wohnzimmer auf, umgeben von Verwandten und einer Handvoll Nachbarn, die steif ihre Beileidsbesuche abstatteten. Alle redeten durcheinander und tranken billigen Rotwein, unbeirrt vom Gestank der Stumpen und dem Mief, der in diesem kleinen Raum lag.

Da Harry nicht befürchten mußte, daß man ihn suchte, ging er in den winzigen Schlafraum, den er mit seinem Bruder teilte. Pasquale war für diese Nacht bei Tante Rosie untergebracht worden. Morgen, nachdem sich die Lage etwas beruhigt hatte, wollte man ihn wieder nach Hause holen. Nachdem er die Tür verriegelt hatte, ließ er sich im Dunkel erschöpft auf das Bett fallen und begann automatisch seine Nachtwache am Fenster. An manchen Abenden wartete er lange, ohne daß etwas geschah. Aber heute mußte er Ida sehen. Er konnte sich nicht erinnern, jemals eine solche Unruhe verspürt zu haben. Vielleicht klappte es heute.

Ida Bisiglonis Schlafzimmer lag auf der anderen Seite des Hofs, genau seinem gegenüber. Seit einiger Zeit ließ sie die Jalousie nicht mehr ganz herunter, wenn sie sich an- oder auszog. Vielleicht tat sie es nicht absichtlich; möglich, daß sie gar nicht daran dachte, gesehen zu werden. Sie war achtzehn oder neunzehn Jahre alt und wohnte mit ihrem Vater zusammen. Ihre älteren Geschwister hatten schon längst geheiratet und waren fortgezogen. Die Mutter war schon gestorben, noch bevor Harry zur Welt kam. Er kannte Ida, und vermutlich wußte sie, wer er war, aber sie hatten keinen Grund, miteinander zu sprechen. Samstags saß sie in einem Tanzlokal bei der Kassa. Sie hatte eine Menge Pickel im Gesicht, und ihr Vater machte sich Sorgen, weil er sie die Nacht über ganz allein lassen mußte, wenn er in der Backstube arbeitete. Das war alles, was Harry, ohne sich sehr anzustrengen, über sie in Erfahrung gebracht hatte.

Daran hatte sich nichts geändert, bis er vor ein paar Monaten zufällig des Nachts aus dem Fenster blickte und Ida splitternackt im Zimmer umhergehen sah. Seither wartete er fast jede Nacht schweigend auf weitere Vorstellungen. Ein gutes Dutzend Male sah er seine Erwartungen erfüllt, besonders nachdem er auf ihren Zeitplan gekommen war: Gegen acht Uhr legte sie gewöhnlich ihre Kleider im Schlafzimmer ab. War sie um halb neun noch nicht erschienen, so bedeutete dies, daß er die Show schon versäumt hatte oder daß sie erst spätnachts nach Hause kommen würde. In diesem Fall konnte er sich anderen Dingen widmen.

Genau eine Woche vor dem Tod des Vaters war Harry wirklich auf seine Rechnung gekommen. Das lange Warten hatte sich ausgezahlt. In dieser Nacht kam Ida mit einem großen, stämmigen Kerl ins Schlafzimmer. Das war Murray Travis, ein gutaussehender Oberschüler, der manchmal in Papas Laden herumlungerte. Harry kam sich wie auf einem Ringplatz vor: Ida hatte das große Licht ausgeschaltet, aber die Tischlampe brannte und spendete genügend Helligkeit, so daß er fast alles sehen konnte. Die Jalousie war nicht ganz heruntergezogen. Dazu kam noch, daß Pasquale fest schlief und ihn nicht störte.

Zuerst küßten sie sich nur, Ida und der große Murray. Sie wand sich hin und her und stieß ihn immer wieder weg, aber an ihrem Grinsen konnte Harry erkennen, daß sie es nicht ernst meinte. Sie küßten sich weiter und begannen herumzubalgen. Dann gab sie Murray einen ordentlichen Stoß, da er ihr mit seinen Fingern zu nahe gekommen war. Sie machte sich von ihm los und lief weg. Harry erschrak zutiefst. Wenn sie Murray jetzt hinauswarf . . .

Aber nichts dergleichen geschah. Murray zog seine Jacke aus und knöpfte sich das Hemd auf. Weiter kam er nicht, denn schon war Ida wieder zurück, nur mit einem rosa Höschen bekleidet. Sie hielt ihm die nackten Brüste entgegen. Einen Augenblick lang stand der Junge still. Dann stürzte er auf Ida zu und preßte seine Lippen auf ihren Busen. Keuchend drängte er das Mädchen zum Bett. Harry stand auf, um besser sehen zu können. Seine Bewegung war so ungestüm, daß die Pritsche laut knarrte und er befürchten mußte, sie hätten ihn gehört. Aber Harry hatte Glück.

Die beiden vergnügten sich noch recht lange miteinander, obwohl Murray noch ganz angezogen war und Ida ihr Höschen anbehielt. Sie kauerte sich ganz nah neben ihn hin. Damit verstellte sie Harry zwar die Sicht, aber das machte ihm nichts aus. Wie sie so dahockte und den Kopf ganz tief hinunterbeugte, das war auch nicht zu verachten. So also sah Ida Bisigloni aus, das anständige Mädchen noch anständigerer Eltern, das einmal Privatsekretärin werden wollte und einen so guten Ruf besaß; jenes Mädchen, das sich jetzt wie irgendeine alte Hure benahm. Es war die aufregendste Nacht in Harry Orlandos jungem Leben.

Wochenlang marterten ihn nun Schuldgefühle. Er ging, wie immer, zur Beichte, brachte es aber nicht übers Herz, von diesem Abend zu sprechen. Pater Fitzpatrick wies immer wieder auf das Sündhafte der Selbstbefleckung hin. Wie sollte er jetzt dem Pfarrer gestehen, daß er abermals gefehlt hatte, noch dazu in der Nacht nach Vaters Begräbnis?

Idas Vater, ein polternder Sizilianer, der ununterbrochen hustete und ihn in mancher Hinsicht an Papa erinnerte, kam hin und wieder zu Besuch, saß bei Mutter, nippte an einem Glas Wein und aß Obst. Es kam Harry gar nicht in den Sinn, das alte Walroß könnte nicht nur als Nachbar und Landsmann vorbeikommen. Ein Jahr nach Vaters Tod aber rief ihn Mutter in die Stube. Sie hatte für den Unterhalt der Familie gesorgt, indem sie stundenweise als Köchin ging und zu Hause Näharbeiten verrichtete. Auch Harry verdiente etwas Geld: nach der Schule arbeitete er als Telegrammbote. »Mr. Bisigloni möchte mich heiraten«, sagte sie in ihrem tonlosen Italienisch. »Ich bin damit einverstanden. Er ist ein guter Mensch, der sich um uns kümmern wird. Du, Pasquale und ich werden in seine große Wohnung übersiedeln. Nächsten Sonntag ist Hochzeit.«

Die Schreihälse gerieten — wie üblich — außer Rand und Band, als die Limousine mit einem Ruck vor dem Seiteneingang hielt. Harry erwachte aus der Vergangenheit. Er stieg mit seinem Gefolge aus und ging rasch zur Tür. Wie gut, daß ihm die Polizisten wenigstens einigermaßen die Tobenden vom Hals hielten. Er konnte sich an Zeiten erinnern, da ihn die Fans beinahe zerrissen hätten. Der Aufzug brachte ihn und seine Begleiter in die Hauptgarderobe hinauf, die speziell für ihn neu eingerichtet und frisch ausgemalt worden mar, obwohl er nur wenige Minuten drin verbringen würde. Patsy drängte die Leute hinaus. Orlando zog sich aus und legte einen Schlafrock an.

Nun war er mit seinem Bruder allein, den er, wie er schon vor langer Zeit erkannt hatte, in diesen unruhigen Pausen zwischen den Stürmen der Erregung in seiner Nähe brauchte. Sie sprachen nur wenig miteinander, denn Harry war an Patsys Anwesenheit und nicht an seinen Gedanken interessiert; außerdem war der Bruder klug genug, ohnedies an nichts zu denken. Selbst wenn er einmal eine Idee gehabt hätte: Seit Harry ihn als Kammerdiener, Haushofmeister, Masseur, Laufjunge und schweigsamen Trostspender in seine Dienste genommen hatte, wußte Patsy stets zum gegebenen Zeitpunkt unterzutauchen und sich so farblos und ruhig als möglich zu verhalten.

»Wie spät ist es?« fragte Orlando, während er langsam auf dem Teppich auf und ab ging. Patsy mixte ihm eben einen Drink.

»Viertel nach neun.«

»Wann kommt das Flittchen?«

»Angelo hat sie für Punkt halb zehn herbestellt. Wie du's haben wolltest.«

»Wann lasse ich mich endlich einmal auf meinen Geisteszustand untersuchen?« brummte Harry. Er wußte genau, daß er für einen Verkehr nicht in Stimmung war. Er war auf Angelos Nutte überhaupt nicht neugierig, wußte aber doch ganz genau, daß ihn nichts auf der Welt dazu bringen konnte, sie wieder wegzuschicken.

»Hallo?« Neben ihm stand plötzlich eine große, üppige Blondine. Der Mantel, den sie trug, war möglicherweise echter Nerz. Patsy hatte diskret den Raum verlassen.

»Hallo«, erwiderte er ausdruckslos. Etwas an der Blondine, dieser unvermeidlichen Kopie all jener großen, üppigen Nutten, mit denen Angelo ihn die Jahre hindurch versorgt hatte, fiel ihm sofort auf. Harry bezahlte seine Dreiminutenprogramme immer im voraus und erklärte ihnen, welche Art Dienstleistung von ihnen erwartet wurde. Selbst wenn er sie bis zur Erschöpfung beschwor, möglichst wenig dabei zu reden — die Mädchen konnten es einfach nicht lassen, die prominentesten Kunden mit einem Trommelfeuer alberner Sprüche zu überfallen. Aber die da war anders; das sah Orlando auf den ersten Blick. Sie war fest gebaut, Augen und Mund hatten genügend Geilheit an sich, um dieser Kurzvisite wenigstens irgendeinen Sinn zu verleihen. Aber ihre Schüchternheit erregte ihn. Sie zeigte das zögernde Schwanken einer halben Anfängerin, die befürchtet, ihre Kunden zu belästigen.

Geistesabwesend befahl ihr Orlando mit einer Handbewegung, keine überflüssige Zeit zu verlieren.

Sie verstand den Wink und stellte sich neben das Bett. Sie hatte jene »Einheitskleidung« an, die Angelo, der den Geschmack seines Kunden für derlei kurzfristige Anlässe genau kannte, ihr verordnet hatte: Strümpfe, Strumpfbandgürtel und Schuhe mit Pfennigabsätzen. Orlandos Mund wurde trocken. In zwei Jahren oder früher würde diese Person fett und schwammig sein. Jetzt aber war ihr weißer Leib fest, warm, jung und begehrenswert; er entzündete sich an seiner heißen Berührung. Daß sie gerade jetzt, in diesem richtigsten aller Augenblicke, zu ihm gekommen war, ließ ihn vor Erregung taumeln. Sein stummes Nicken und der sanfte Druck seiner Hände sagten ihr, wo sie anfangen sollte. Er liebte diese Gestalt, deren Namen er nicht kannte, die keiner weiteren Anweisungen bedurfte.

Langsam begann sie mit ihrer süßen Arbeit. Orlando erbebte vor ihrem prickelnden Können. Diese Nacht war eine jener vollkommenen Nächte, wie er sie vor zehn Jahren genossen hatte. Er zog das Mädchen vom Boden hoch und liebte sie, bis sie beide in Schweiß gebadet waren und atemlose Erlösung gefunden hatten.

»Junge«, flüsterte sie.

Orlando stand vor dem Spiegel und stellte mit flüchtiger Befriedigung fest, daß er seinem Zeitplan um vier Minuten voraus war.

»›Junge‹? Hast du ›Junge‹ gesagt?« fragte er leichthin, während er sich einen neuen Drink eingoß.

»Genau das hab ich gesagt«, bestätigte sie mit der Andacht eines Menschen, der eben, wenn auch unter ganz falschen Voraussetzungen, den wahren Glauben entdeckt hat. »Du wirst vielleicht denken, daß ich lüge, und wahrscheinlich ist es dir auch gleichgültig, aber das war das erste Mal, wirklich das erste Mal, daß ich bei der Arbeit gespürt habe, es ist wirklich passiert. Und wie noch ... Junge, Junge!«

»Na fein. Jetzt steh schön auf und zieh dich an, o. k.?« forderte er sie sanft auf, während er in die Kleider fuhr.

»In Ordnung.«

Als sie sich erhob, schwankte sie ein wenig. Irgendwie freute Orlando sich darüber. Hastig griff sie nach ihrer Unterwäsche. Sie schien gierig danach, mit ihm sprechen zu dürfen — wie alle andern ihrer Sorte. Und doch war sie eine Ausnahme, sofern sie ihm nicht eine großartige Komödie vorspielte. Sie schien nicht darüber reden zu wollen, was er im Showgeschäft für sie tun könnte, sondern darüber, was er im Bett für sie getan hatte. Aber für Orlando war das Phantasiegebilde mit der Erfüllung verflogen. Er hatte jedes Interesse verloren und hätte sie schon gern wieder draußen gehabt. Wo zum Teufel war Patsy? Sonst spuckte er im Jahr keine siebzig Worte aus, aber er konnte tadellos unerwünschte Nutten durch die Falltür verschwinden lassen.

Orlando war früher fertig als sie. »Entschuldige, aber heute habe ich zwei linke Hände«, sagte sie und hielt ihm ihre geschwollenen Arme entgegen. Sie schien nach einem Lächeln, nach einem freundlichen Wort zu lechzen. Als er sie aber ausdruckslos ansah und schweigend die Augen zusammenkniff, kapierte sie plötzlich und beeilte sich. Patsy trommelte ein geheimes Signal an die Tür. Während das Mädchen mit grotesker Hast ihre Toilette vervollständigte, ließ Orlando ihn eintreten. Schweigend sahen ihr die beiden zu.

Endlich war sie im Mantel. Patsy öffnete die Tür, und die Horden strömten ins Zimmer: Orlandos Clique, die Freunde und Ratgeber, die wohlwollenden Gönner, all jene Leute, die der Meinung waren, er würde es ohne ihre Hilfe, ihre Aufmunterung und Bitten um kleine Gefälligkeiten nicht bis zur Bühne schaffen. Aber jetzt, um 21.53 Uhr, fühlte er sich seiner unwiderstehlichen Persönlichkeit wieder sicher. Er war Herr der Lage und davon überzeugt, daß er den Erfolg schon in der Tasche hatte, bevor er überhaupt noch aufgetreten war; trotz gelegentlicher Schwierigkeiten immer noch und immer wieder die größte Nummer im Showgeschäft; der Mann, der mehr Bewunderer hatte als die Garland und die Horne, als Jolson, Sinatra, Davis, Kaye und Belafonte zusammen — der faszinierendste Künstler von allen und zehnmal so groß wie sie.

Obwohl das Durcheinander und Stimmengewirr betäubend waren, gelang es der Blondine, sich zu Orlando, der auf einmal sehr beschäftigt war, einen Weg zu bahnen und ihn zu fragen: »Möchtest du gern wissen, wie ich heiße?«

Er winkte Patsy heran. »Nein«, antwortete er ruhig, »aber du sollst dich immer an mich erinnern. Gib mir fünf Stück!« befahl er seinem Bruder.

Patsy, der sonst nicht so leicht aus der Ruhe zu bringen war, zog erstaunt die Augenbrauen in die Höhe. »Das hab ich nicht gemeint«, protestierte das Flittchen. »Das mach ich schon mit Angelo aus. Ich wollte . . .«

»Ich weiß, Puppe, aber Angelo hat manchmal den Daumen auf dem Beutel.« Nachdem er festgestellt hatte, daß niemand zusah, den die Sache nichts anging, nahm er Patsy fünf funkelnagelneue Hundertdollarnoten aus der Hand und überreichte sie ihr. »Schlaf gut, Puppe«, sagte er mit einer Liebenswürdigkeit, die ihn selber überraschte. »Und vergiß niemals die Worte, die ich dir jetzt ans Herz legen werde: Müde bin ich, geh zur Ruh, schließe meine Äuglein zu. Vater, laß die Augen Dein, über meinem Bettchen sein. Segne Mutti und Vati und Brüderchen und Schwesterchen und Waldi und meinen Schlitten und Onkel Julius und die Oma und alle Nutten dieser Stadt und alle Schwänze dieser Welt — und das sind 'ne ganze Menge.«

Sie war nun völlig verwirrt. Harry gab seinem Bruder einen Wink und wandte sich ab. Patsy gelang es, das Mädchen aus dem Zimmer zu führen, ohne viel Aufsehen zu erregen. Orlando begrüßte, umarmte und küßte diejenigen unter den Anwesenden, die ihm zu Gesicht standen; die andern ignorierte er. Um zehn Uhr war die Pause zu Ende. Bert Noah, Al Barron und Rod Keyes hatten das Publikum ordentlich in Stimmung gebracht. Zwei Minuten später stand Harry schon in der Seitenkulisse, klopfte mit den Zehenspitzen auf den Boden, streckte die Arme und räusperte sich einige Male. Auch die Stimme hatte sich im Lauf der Jahre geändert, und er zwang sich, diese Tatsache mit Gleichmut hinzunehmen. Früher hatte ihm das Singen nie besondere Schwierigkeiten bereitet. Jetzt allerdings mußte er Tricks anwenden, die keine mehr waren, und Kunstgriffe, die man kaum mehr als solche bezeichnen konnte. Er sang seine Nummern in einer tieferen Tonart und verließ sich darauf, daß die Blasinstrumente über jene kitzligen Noten und Liedpassagen hinwegschmettern würden, die ihm gefährlich hätten werden können. Einige seiner alten Songs ignorierte er einfach. In die andern legte er sich so hinein, als sänge er jedes einzelne Lied zum erstenmal. Und sie klangen wirklich besser, dank der glänzenden Arrangements, des Mikrofons und, vor allem, seines Stils: jener gekonnten Handbewegungen, der geschmackvollen Nuancierung der Worte und dieser Zärtlichkeit des Ausdrucks. Geschickt kaschierte er seine Schwächen. Das war kein Betrug an seinen Zuhörern. Er wußte, daß man sie auf die Dauer nicht an der Nase herumführen konnte. Das war vielleicht die wichtigste Erkenntnis, die er gewonnen hatte, und er war froh, daß sie rechtzeitig gekommen war.

Im Saal wurde es dunkel. Eine Stimme ertönte: »Meine Damen und Herren – Harry . . . Or . . . lando!«

Applaus brauste auf. Im Rhythmus der kecken Orlando-Kennmelodie »Laß mich dir eine Geschichte singen« schlenderte Harry auf die Bühne. Der Applaus hielt an, minutenlang, obwohl sich das Fernsehen längst eingeblendet hatte und jede Sekunde alle Beteiligten ein Vermögen kostete. Lächelnd stand Harry auf der Bühne. Ob Noreen zusah? ging es ihm durch den Kopf. Warum auch nicht? Wenn sie nach dem Film im TV nicht der Schlag getroffen hatte . . . Hier im Osten war es zehn Uhr, also sieben an der Westküste. Sicher würde sie zusehen, falls sie nichts Besseres zu tun hatte.

Harry gab dem Orchester mit der Hand ein flüchtiges Zeichen. Augenblicklich verstummte der Applaus.

Alles trug er vor: wehmütige Balladen, »Jump-Music«, muntere Melodien und derbe Songs. Ohne Unterbrechung wechselte er von einer Stimmung in die andere; alles typische Orlando-Produktionen, die er nicht einmal erfunden, sondern einfach irgendwo aufgelesen hatte. Aber es hatte genügt, um von jenem Augenblick an mit ihnen identifiziert zu werden, damals und immer. Die Stimme war einmal besser gewesen, sicher. Doch der Schwung, die Resonanz und der Eindruck, daß er jedes Wort verstand und daran glaubte, waren noch immer die alten. Was gab es da nicht für Mätzchen! Das Schnippen mit den Fingern, das Kopfschütteln, wenn eine bestimmte Note besonders betont werden sollte . . . Es waren unnötige Gags, denn er konnte jedem Song Frische und magischen Zauber verleihen, gleichgültig, wie oft man ihn schon vorher gehört hatte.

Harry sagte zwischen den einzelnen Nummern keine verbindenden Worte und hielt keine publikumswirksamen Reden – das alles war schon in seinem Gesang enthalten. Er überzeugte, wenn ihn das ganze Orchester begleitete, aber es genügten auch ein leises Klavier und ein Scheinwerfer. Er sang mit Elan und mit innerer Teilnahme, die er auch wirklich empfand; er freute sich, daß der Dirigent, Chris Harris, genau wußte, wann und wo er ihn unterstützen sollte. Harry war entzückt, daß er so gut in Form war.

Die ersten fünfzig Minuten vergingen rasch. Er konnte sich an einen technisch so perfekten Auftritt wie diesen gar nicht mehr erinnern. Trotzdem bedauerte er es keinen Augenblick, daß er Ende November den ganzen Laden hinschmeißen und frohen

Herzens Abschied nehmen würde. Niemand konnte vergessen, daß er ganz oben gewesen war, höher als alle andern vor ihm.

Plötzlich erhob sich eine Unruhe, die ihn aus dem Takt brachte. Nach ein paar Sekunden hatte er festgestellt, woher sie kam. Hinter der Bühne war Stimmengewirr zu vernehmen.

Scheißkerle, dachte Harry. War denn niemand da, der diesen Idioten das Maul stopfte?

Aber der Lärm wurde immer stärker. Fünf Minuten hatte Harry noch zu singen ... Das ganze Finale konnte leicht im Eimer sein, wenn er jetzt gegen diesen gottverdammten Lärm ankämpfen mußte ...

Als Harry mitten in der vorletzten Nummer zu einem besonders hohen Ton ansetzte, erlosch plötzlich das rote Licht. Jetzt hatte ihn nicht einmal mehr das Fernsehen im Bild. Was zum Teufel ...

Der Wirbel hinter der Bühne war jetzt schon geradezu unverantwortlich laut. Wütend brach Orlando ab und stürmte hinter die Kulisse. Am liebsten wollte er die Schweinehunde umbringen, die den Tumult ausgelöst hatten. Menschen rannten kopflos hin und her oder unterhielten sich aufgeregt. Er erblickte Botschafter Partridge. Einen Bogen Papier in der Hand, lehnte er mit glasigen Augen wie ein Betrunkener an der Wand. Atemlos stürzte Vince Moschetta herbei, der die Aufgabe hatte, allen Skandalen vorzubeugen. Wütend packte ihn Orlando am Arm.

»Was, zum Teufel, ist mit dir los? brüllte er. »Schläfst du?«

Auch Vinces Augen waren glasig. »Man hat dich abgeschaltet«, sagte er mit tonloser Stimme. In diesem Augenblick ahnte Orlando, daß sich eine Katastrophe ereignet haben mußte, die nicht mit ihm zusammenhing.

»Was ist los?«

»Das Flugzeug des Präsidenten ist abgestürzt. Wenige Minuten nach dem Start.« Orlando preßte seine Finger in Vinces Arm. »Es hat sofort Feuer gefangen«, fuhr Vince leise fort. »Alle sind tot ...«

II

Jetzt ist alles aus, dachte Temple.

Aus und vorbei. Von einer Polizeieskorte begleitet, fuhren er, Mary, Botschafter Partridge und Steve Ainsley zu dem Flugzeug, das sie nach Washington bringen sollte. Schweigend hörten sie aus dem Autoradio die neuesten Meldungen über den Hergang der Katastrophe.

Die Düsenmaschine »Air Force I« war in einer etwa achtzig Kilometer vom Flughafen Andrews entfernten, waldigen Gegend abgestürzt. Der Präsident war auf der Stelle tot gewesen. Unbestätigten Berichten der Staatspolizei zufolge hatte der eine oder andere Passagier den Absturz möglicherweise überlebt. Dies widersprach wohl den ersten Meldungen, aber daran, daß der Präsident tot war, gab es keinen Zweifel. Die Ursache der Katastrophe konnte noch nicht geklärt werden, aber das plötzliche Auftauchen von Horden von FBI-Männern an der Absturzstelle schien jedermanns mehr oder weniger leisen Verdacht, daß es nicht ein reiner Unglücksfall gewesen sei, zu bestätigen. Senator Russel Connors aus Maine, der für seine Taktlosigkeit berüchtigt war, aber Gott sei Dank der Oppositionspartei angehörte, hatte bereits die Erklärung abgegeben, daß kommunistische Agenten dieses Verbrechen begangen hätten. Seine schmutzigen Gesinnungsgenossen, Victor Wades Freunde, waren von Reportern bereits ausgiebig interviewt worden. Sie hatten dem amerikanischen Volk versichert, daß sie im Besitz unwiderlegbarer Beweise für die Niedertracht der Roten seien. Alles werde in Kürze an den Tag kommen.

Erregt wiederholten die Sprecher immer wieder, daß sich Vizepräsident Miles Quinlan bereits zum Weißen Haus begeben habe, wo er als Präsident der Vereinigten Staaten vereidigt werden sollte. Er sei von diesem tragischen Ereignis und von der Bedeutung seiner neuen und verantwortungsvollen Aufgabe zutiefst beeindruckt.

Die Flughafenlichter schienen wie in Nebel getaucht. Die hektische Atmosphäre im Abfertigungsgebäude war einer lähmenden Beklemmung gewichen. Ainsley und Evan Partridge gingen auf das Flugzeug zu. Temple stellte erleichtert fest, daß jemand so klug gewesen war, Sperren zu errichten, die die Reporter und Gaffer fernhielten. Len Sellers, ein flüchtiger Bekannter, der hier in New York als Verbindungsoffizier für die Zivilluftfahrtsbehörde stationiert war, schloß sich ihm und Mary an. Er gab zu, daß die Berichte immer noch lückenhaft und unbestätigt waren.

»Glauben Sie an Sabotage, Len?« fragte Temple.

»Das kann ich jetzt noch nicht beurteilen.«

Sofort nachdem sie das Flugzeug bestiegen hatten, wurden die Motoren angeworfen. Sanft glitt die Maschine über die Rollbahn und hob ab. Erst wenige Minuten nach dem Start kam es Temple zum Bewußtsein, daß Mary neben ihm saß.

»Du warst weit weg«, sagte sie sanft.

Er nickte. »Ich habe an alles mögliche gedacht, nur nicht an Joe Haywood.«

»Ich weiß. Mir ist es auch so gegangen.«

»Sogar Harry Orlando ist mir in den Sinn gekommen — ausgerechnet der. Ja, das wird auch für ihn ein Schlag sein. Und erst für Joes Frau! Wanda ist ein prächtiger Kerl, aber von einer unwahrscheinlichen Nervosität. Sie hat nie ordentlich gegessen und auf sich geschaut. Was soll jetzt aus ihr werden?« Und unwillkürlich fügte er hinzu: »Was soll aus uns allen werden?«

Er erkannte sofort, daß diese kindische Frage eines erwachsenen Mannes unwürdig war. Mary aber nahm seine Hand und berührte zart die Knöchel mit ihren Lippen. Temple sah diese Frau an, die er durch seine Gleichgültigkeit so oft verletzt hatte. »Ich liebe dich, Mary«, sagte er aufrichtig.

»Ich glaube dir . . .«

»Ich bin so verflucht gedankenlos. Ich weiß, daß ich dir weh tue, wenn ich dich aus meinem Leben ausschließe. Aber glaube mir . . . Du bist der letzte Mensch auf der Welt, den ich kränken möchte.«

»Ich weiß, Bill.«

Er kam sich lächerlich vor, weil er mit Mary wie ein verliebter Junge gesprochen hatte. Dann dachte er an den Nachruf, den er nun auf Joe Hoywood schreiben mußte, zog den gelben Notizblock und einen Bleistift hervor und begann nachzudenken.

Die Arbeit fiel ihm unendlich schwer. Die Persönlichkeit Haywoods, dieser gesunden Mischung aus Menschenverstand, Bildung, Weltgewandtheit, Mitgefühl, Humor und Tatkraft, stellte ihn vor immer neue Schwierigkeiten. Temple schaute zum Fenster hinaus und beobachtete das Schneetreiben. Er dachte an Joe, an Harry Orlando, an sich selber und an die Umstände, die diese drei einander so verschiedenen Männer zusammengebracht hatten.

Als ersten hatte er Joe Haywood kennengelernt. Temple war damals Lokalredakteur für den Pittsburgher *Sentinel;* ein etwas geisttötender, aber solider Posten für einen jungen Reporter, der keinen inneren Drang zum Weltverbesserer hatte. Joe erschien oft bei politischen Veranstaltungen, die in Temples Ressort fielen. Eines Abends stellte er sich vor. Der tadellos gekleidete, schlaksige junge Anwalt mit dem bescheidenen Lächeln meinte, Temples Artikel im *Sentinel* wäre ihm angenehm aufgefallen. Temple, der der Meinung gewesen war, daß außer dem Setzer kein Mensch sein Geschreibsel las, fühlte sich geschmeichelt, obwohl er der Herkunft und dem Charakter nach von Joe grundverschieden war — einfach, schüchtern und fast bis zum Exzeß gelehrtenhaft. Joseph Haywood aber war die Verkörperung des Erfolges schlechthin. Der gutaussehende, aristokratisch wirkende Sohn eines wohlhabenden Mannes gab an manchen Tagen einen ernstzunehmenden Playboy ab, während er an anderen als seriöser Anwalt und unermüdlicher Parteipolitiker wirkte. Trotz dieser Gegensätze wurden sie so etwas wie Freunde. Temple verbrachte oft das Wochenende auf dem prächtigen Landsitz der Familie Haywood in der Nähe von Pittsburgh. Einige Male gingen sie auch gemeinsam mit Mädchen aus. Die Politik faszinierte sie. Bald trafen sie sich bei jeder Gelegenheit, um Gedanken auszutauschen und über die schwierigsten Weltprobleme zu sprechen. Schließlich kam Temple zu der Überzeugung, daß der Platz seines einfallsreichen und schöpferischen Freundes in der Regierung und nicht auf einem abgelegenen Beobachtungsposten zu finden sein müsse. Er sagte ihm dies auch unverhohlen. Joe widersprach, war aber dankbar.

Joe Haywood war fünf Jahre älter als Temple und wesentlich weltgewandter. Er beschäftigte sich beruflich vorwiegend mit Fällen, in denen es um die Beeinträchtigung bürgerlicher Freiheiten ging. Oft verlangte er nicht einmal ein Honorar von seinen meist mittellosen Klienten, denn sein Vater, Edwin A. Haywood, einer der wohlhabendsten und politisch einflußreichsten Männer im Staat, hatte bestimmt, daß seine Kinder ihre Karrieren dem öffentlichen Wohl unterordnen sollten. Trotz seiner Aufgeschlossenheit und seines Charmes hatte Joe etwas Jungenhaftes an sich, das sich mit seinen übrigen Charaktereigenschaften nicht ganz in Einklang bringen ließ. Zum Beispiel starb er beinahe vor Ehrfurcht, als er erfuhr, daß Temple sich sein Studium als Werkstudent verdient, alle Rechnungen aus eigener Tasche bezahlt hatte und darüber hinaus ohne jegliche Beziehungen zu seinem armseligen Posten beim *Sentinel* gekommen war. Er stellte ihm oft naive Fragen; unter anderem, wie er es angestellt habe, sein Ziel auf so anstrengende Weise zu erreichen. Mit kindlichem Überschwang pries er zuweilen Menschen oder Dinge, die ihn beeindruckten: den Autor eines neuen Buches oder ein wohlschmeckendes Soufflé. Er floß über von meist scharfsinnigen und ausgereiften Ideen und bewunderte erfolgreiche Politiker. Den Gedanken, selber einer zu werden, nahm er zunächst allerdings nicht ernst.

Wenige Monate, nachdem sie Freundschaft geschlossen hatten, saßen sie eines Mittags im »William Penn« beim Essen. Joe teilte Temple im Vertrauen mit, daß er nun doch daran denke, für einen Sitz im Abgeordnetenhaus zu kandidieren, zumal ihm Bill schon zwei- oder dreimal diesen Floh ins Ohr gesetzt hatte. Aber immer noch quälten ihn Zweifel.

»Was für Zweifel? Sie würden doch einen guten Abgeordneten abgeben. Das rede ich Ihnen doch schon seit Monaten ein!«

»Es mag Ihnen vielleicht komisch vorkommen«, meinte Joe. »Für andere Leute kann ich Reden schreiben oder halten, ohne mit der Wimper zu zucken. Wenn ich aber nur daran denke, vor einer Menschenmenge stehen zu müssen und den Leuten meine angeblichen Fähigkeiten anzupreisen, überkommt mich ein kalter Schauer.«

Leicht verärgert schüttelte Temple den Kopf. »Das ist doch die Höhe«, antwortete er. »Ich habe zugesehen, wie Sie im Gerichtssaal mit den gerissensten Anwälten und den halsstarrigsten Zeugen angebunden haben und mit ihnen fertig geworden sind. Ich habe Ihre Erfolge bei Mädchen miterlebt, die nicht so leicht 'rumzukriegen waren. Und jetzt haben Sie vor einer Kandidatur Angst?«

»Sie haben recht«, gab Joe zu. »Es klingt unlogisch.«

Schließlich organisierte Temple Joes Freunde und dessen Vater, einen harten Mann, der keinen Spaß verstand. Immer wieder drängten sie Joe, sich um den Sitz Felix »Bud« Butterworth' zu bewerben, eines politischen Taglöhners, der ihn schon viel zu lange innehatte, rein gar nichts leistete und überhaupt nicht nach Washington gehörte. Edwin Haywood stellte das Geld zur Verfügung; Temple versprach zu helfen, wo er konnte. Endlich erklärte sich Joe, wenn auch widerstrebend, zur Kandidatur bereit.

Mit dem Geld erkauften sie große Anzeigen in Zeitungen und

auf Plakatwänden, Werbesendungen in Radio und Fernsehen, Versammlungslokale, ein Organisationsbüro und schließlich die Nominierung. Temple, der fest davon überzeugt war, daß aus Joe Haywood ein tüchtiger Abgeordneter werden würde, arbeitete mit ihm gemeinsam Reden aus – unheimlich harte und überzeugende Reden, darüber waren sie sich einig.

Aber kaum war die Kampagne angelaufen, stellte sich heraus, daß die Zweifel, die Joe gestört und von einer Kandidatur zunächst abgehalten hatten, nur allzu berechtigt gewesen waren. Im Gerichtssaal war er hart und eiskalt; er verstand es, sich präzise auszudrükken. Saß er mit Menschen, die ihm zu Gesicht standen und denen er vertraute, bei einem Cocktail, gab er sich warm und menschlich. Wenn Joe aber auf einer Rednertribüne stand, schwanden Überzeugungskraft und Wärme auf unerklärliche Weise. Zurück blieben förmliche Worte und kühle Reserviertheit.

Joe wußte das und bemühte sich um so mehr. Doch je mehr er es darauf anlegte, menschlicher zu erscheinen, desto zurückhaltender und gekünstelter wirkte er auf seine Zuhörer. Es war geradezu grotesk. »Bud« Butterworth, der keine Gelegenheit vorübergehen ließ, seinen Gegner als Sohn reicher Eltern und unreifen Playboy hinzustellen, der in seinem ganzen Leben noch nicht einmal einen Tag lang ehrliche Arbeit geleistet hatte, war ein widerlicher Dampfplauderer. Aber er verstand es, seine Zuhörer zu fesseln.

Als Joe sich zwei Wochen vor der Wahl im Geist ausrechnete, wie hoch er verlieren würde, und Temple ihm schweigend zustimmte, daß die Niederlage nicht mehr abzuwenden sei, wartete Edwin A. Haywood plötzlich mit dem Namen Harry Orlando auf. »Ich habe mich mit ihm in Verbindung gesetzt«, sagte er. »Er wird in wenigen Tagen hier eintreffen. Ich glaube, daß er uns von Nutzen sein könnte.«

Temple war davon zwar nicht überzeugt, aber Harry Orlando war ihm immerhin ein Begriff. Damals erzählte man sich gerade den Witz von dem Amerikaner, der einem Russen zuruft: »Zum Teufel mit Stalin!«, worauf der Russe wütend erwidert: »Also dann – zum Teufel mit Harry Orlando!« Harry war in jenen Tagen der populärste und gewiß auch der am meisten beschäftigte Sänger. Es war mehr als unwahrscheinlich, daß ihn ein Geldbetrag – gleichgültig wie hoch auch immer – nach Pennsylvania locken konnte, um für einen unbekannten, unerfahrenen Kandidaten

Reklame zu machen und ihm so zu einem Sitz im Abgeordnetenhaus zu verhelfen.

Aber es ging gar nicht ums Geld, wie Temple von Joes älterer Schwester Ruth erfuhr. Schon vor Jahren hatte ihr Vater, der an einer Reihe erfolgreicher Unternehmungen beteiligt war, dem aufstrebenden jungen Orlando jene Unterstützung geboten, die ihm den Weg zur Spitze ermöglichte. Jedenfalls pflegte Harry dies bei jeder Gelegenheit zu erzählen. Weder sie noch Joe hatten ihn jemals persönlich kennengelernt. Immer noch sandte er ihrem Vater zu Weihnachten kostspielige Geschenke, holte er seinen Rat ein, wenn er größere Investitionen plante, betonte er nachdrücklich, daß er ihm jederzeit, wo, wann und wofür auch immer, zur Verfügung stehen werde. »Soviel hat Daddy gar nicht für ihn getan«, meinte Ruth. »Die Schallplattenfirma, bei der Orlando vorsang, gehörte ihm. Er gab ihm deswegen einen Vertrag, weil irgendwer, der für Daddy arbeitete, ihm dazu riet. Glauben Sie denn wirklich, daß er hier in Pittsburgh für Joe die Kastanien aus dem Feuer holen wird?«

»Sicher«, antwortete Temple. Tatsächlich aber glaubte er nicht daran. Um Butterworth schlagen zu können, mußte schon ein größeres Wunder geschehen als der persönliche Einsatz einer noch so prominenten Persönlichkeit aus dem Showgeschäft. Joe vertrat ein vernünftiges Programm; was er sagte, hatte Hand und Fuß. Aber er sprach zu halbleeren Sälen und zu Massenversammlungen ohne Massen.

Temple und Joe erwarteten Orlando auf dem Flughafen. Temple wußte nicht, wie ihm geschah, als der Sänger auf der Gangway erschien. Die Zeitungen hatten die Nachricht gebracht, daß Harry Orlando in Pittsburgh eintreffen würde — mit welchem Flug, dafür hatte Temple gesorgt. Wohl war anzunehmen gewesen, daß Horden von Teenagern den Flughafen besetzen würden. Sie waren auch trotz des Schultags gekommen, schrien sich die Kehlen wund und sprangen wie besessen hinter den Polizeisperren hoch. Aber man sah auch Tausende von Erwachsenen, die einen Mann sehen wollten, der keine Seuche bekämpft, keinen Krieg gewonnen und keine Symphonie komponiert hatte — sondern der nur einfach Lieder sang. Auch diese Leute rasten vor Begeisterung. Orlando hob seine Hand über den Kopf und winkte. Im selben Augenblick schwoll der Beifall noch weiter an. Er stieg die Treppe hinab, ließ sich und seine drei Begleiter von Polizisten über den Platz geleiten. Wiederholt blieb er an den Sperren stehen, schüttelte Hände und gab Autogramme. Orlando war ein schlanker, aber kräftig gebauter Mann in Joes Alter, hatte helle, braune Augen und für jeden ein freundliches Lächeln. Dutzende von Fotografen sprangen um ihn herum; pausenlos klickten die Kameras.

Dann legte er seinen Arm um Joes Schultern. Irgend jemand hatte ihn wohl auf den jungen Kandidaten aufmerksam gemacht. Reporter hielten ihm ihre Mikrofone vor die Nase, und seine berühmte Stimme dröhnte aus den strategisch in der Menge verteilten Lautsprechern: »Ist Pennsylvania ein Staat zweiter Güte?«

»Nein!« brüllte die Menge.

»Verdient Pennsylvania eine zweitklassige Führung?«

»Nein!«

»Mir gefallen erstklassige Führer! Euch auch?«

Ohrenzerreißender Jubel.

»Dann verstehen wir uns ja. Pennsylvania ist ein großer Staat, und ein großer Mann namens Joe Haywood wird ihn noch größer machen.«

Das war alles. Er strahlte den verdutzt lächelnden Joe an und hob dessen Hand in Siegerpose empor. Die Menge schien den Verstand zu verlieren.

Phantastisch, dachte Temple. Ich seh's und kann's trotzdem nicht glauben.

Die drei Männer, die mit Orlando das Flugzeug verlassen hatten, waren nicht mehr zu sehen. Auf der Fahrt zum Besitz der Haywoods saß Orlando zwischen Temple und Joe. Selbstverständlich führte er auch hier das große Wort. »Na, Joe, wie schaut's aus?« fragte er den Mann, den er noch nie in seinem Leben gesehen hatte. »Vorgestern abend hat mir dein Dad am Telefon alles genau erzählt. Dieser Nichtstuer, Butterworth, meinte er, würde dich abhängen. Das war vorgestern abend. Und wie schaut's heute aus?«

»Seit du da bist, wesentlich besser«, antwortete Joe, der sich von der Szene am Flughafen noch nicht ganz erholt hatte. »Wenigstens für den Augenblick.«

»Das ›für den Augenblick‹ kannst du dir von nun an schenken«, lachte Orlando. »Dem Butterworth wirst du in den Hintern treten.«

Während des Abendessens gelang es Orlando, die Damen Haywood und das gesamte Personal in seinen Bann zu ziehen. Joes

Vater und Temple sahen schweigend vor Bewunderung zu. Temple hatte vom Talent des Sängers, seine Umgebung im Handumdrehen für sich gewinnen zu können, schon oft gehört, aber stets angenommen, daß hinter diesen Geschichten irgendein fähiger Reklamefachmann steckte. Nun mußte er seine zynische Einstellung ändern. Dieser Mann war tatsächlich etwas Außergewöhnliches. Er verstand es zuzuhören, riß das Gespräch nie an sich und sagte auch nichts besonders Weltbewegendes. Aber er war lebhaft, gelegentlich sogar auffahrend. Sein Theaterjargon war in diesem aristokratischen Haus neu, doch gab Harry klar zu erkennen, daß das Showgeschäft nicht das A und O seines Daseins darstellte. Seine Begeisterung für alles, was das Leben zu bieten hatte, war echt, und Temple fand Gefallen an ihm.

Nach dem Essen saß er mit den Haywoods im Herrenzimmer. Orlando ging unruhig auf und ab, rauchte eine Zigarette nach der andern und erklärte, wie er Joes Schwierigkeiten und Aussichten beurteilte. Er hatte einige seiner erfolgreicheren Reden durchgesehen und für unbrauchbar erklärt. »Diese Reden gefallen vielleicht jemandem, der Pfarrer werden möchte«, sagte er. »Die Wähler aber wollen wissen, was sie morgen zu essen bekommen. Dein Programm, Joe, ist nicht schlecht, aber wer kennt schon diese Eierköpfe, die du dauernd im Mund führst — Lord Acton, de Tocqueville und wie sie alle heißen? Wer ist schon heiß auf sie? Die Kumpels in McKeesport? Butterworth ist dein Feind und nicht ein netter Gegner im Debattierklub. Wenn du den Leuten erzählst, was Julius Caesar für ein Gauner war — das tut dem Butterworth nicht weh. Aber nenn ihn einen vertrottelten Mummelgreis und erklär dem Publikum, warum — erstens, zweitens, drittens! Dann wird die Sache anders ausschauen. Du steuerst auf dein Ziel los, weil du fest davon überzeugt bist, daß du der Beste bist. Oder bist du's nicht? Dann gib's gleich auf. Also, gehen wir's an!«

Für den folgenden Abend war im Zentrum von Pittsburgh eine Massenversammlung angekündigt. Schon Stunden vorher hockte Orlando mit Joe und Temple zusammen. Er las eine der Reden, die ihm am wenigsten mißfiel, laut vor, unterbrach aber bei jeder zweiten Zeile. »Das versteht kein Mensch«, oder »Was soll denn das nun wieder heißen?« meinte er verdrießlich. Dann schlug er einfachere und saftigere Wörter und Sätze vor.

Temple stenografierte Harrys Version mit. Die geistige Beweglichkeit dieses energiegeladenen Mannes faszinierte ihn. Es schien ihm plötzlich unerklärlich, wie er und Joe jemals so umständliches, schwerfälliges und uninteressantes Zeug zu Papier hatten bringen können. Orlando paukte seinem willigen, aber immer noch etwas verwirrten Schüler Atemkontrolle und Haltung ein. »Wie ein König mußt du da 'rausmarschiert kommen, wie ein geborener König!« sagte er. Er strahlte absolutes Vertrauen aus.

Schon Stunden vor der Versammlung mußte die Halle durch die Polizei abgesperrt werden. So einen Menschenauflauf hatte Pittsburgh noch nie gesehen. Auf der Bühne spielte ein Orchester. Der Dirigent war einer der drei Männer, die mit Harry gekommen waren. Die örtlichen Parteigrößen hielten fade Reden, forderten das Publikum zur Einigkeit und zur Wahl Joe Haywoods auf. Die Menge wurde unruhig. Dann kam Harry Orlando — wie ein Triumphator. Mit schmelzender Stimme sang er ein Lied, das die rasende Menge, die nicht einen Groschen Eintritt bezahlt hatte, einfach hinreißen mußte. Dann sang er noch eines und noch eines. Schon schien es, als hätte er Joe Haywood vergessen. Plötzlich gab er dem Dirigenten ein Zeichen und setzte zu einem Song an, den weder Temple noch sonst jemand, der mit der Wahlkampagne beauftragt war, jemals gehört hatte. Er begann leise, als spräche er zu sich selber. Dann aber ertönte es immer lauter:

»He, he, he, Haywood!
He, he, he, Haywood!
He, kennt ihr, kennt ihr schon unsern Joe?
Der Junge ist ein Rattenfänger,
ein ganz patenter Doppelgänger
der Helden von Valley Forge bis Alamo!
He, he, he, Haywood!
Alles wählt nur Haywood!
Für diesen Staat 'nen großen Mann ohne Pi-pa-po!
Butterworth ist nichts wert, ein aufgeblasener Kumpan,
Pennsylvania braucht 'nen Mann, der gute Arbeit leisten kann.
Drum wählt Haywood, unseren Haywood,
stimmt für Joe . . . Joe . . . oe . . . oe . . . oe . . . !«

Es war Kitsch, reiner, unverfälschter Kitsch, aber das Publikum tobte. Orlando wiederholte den Song, dann nahm er ein Mikrofon in die Hand, setzte sich auf die Rampe, lächelte, machte eine weit ausholende Handbewegung und richtete das Wort an seine Zuhörer. »Draußen schneit's«, sagte er, so als plauderte er mit Freunden in seinem Wohnzimmer. »Habt ihr Angst, den letzten Bus zu verpassen?«

»Nein!«

»Fein. Dann wollen wir jetzt alle miteinander diese Nummer lernen. Aber richtig, denn nachher teile ich Noten aus!« Zeile für Zeile sang er ihnen vor, bis sie das Lied konnten. Schließlich ließ er das Ganze zweimal vom Publikum wiederholen.

Die Leute spendeten stürmischen Beifall.

Harry blieb mit gekreuzten Beinen sitzen und zündete sich eine Zigarette an. »Ich lebe in Kalifornien«, vertraute er seinen Freunden im Wohnzimmer an. »Dort bin ich auch in die Wahllisten eingetragen. Manche Leute sagen, daß man vor seiner eigenen Tür kehren und sich nicht in die Angelegenheiten anderer Staaten einmischen soll. Das ist in Ordnung, solange man nicht weiß, was in einem andern Staat los ist. Aber ich akzeptiere es nicht mehr, wenn man von Joe Haywoods Pennsylvania soviel weiß wie ich. Für mich ist ein Mensch entweder ehrlich oder unehrlich. Ich kenne Joe Haywood schon seit vielen Jahren. Er ist ein ehrlicher, anständiger und kluger Mann. Einige von euch sollte man nach Sonnenaufgang wegen eurer krächzenden Singstimmen an die Wand stellen« – Gelächter und Applaus –, »aber eines möchte ich euch sagen: Wenn ihr nicht bald aufwacht und draufkommt, was euch, Pennsylvania und unserem Land guttut, wenn ihr euch nicht die Ärmel hochkrempelt und wie die Blöden arbeitet, um Joe Haywood nach Washington zu schicken – dann sollte man euch noch vor Sonnenaufgang erschießen.«

Das war frech, geradezu unverschämt. Temple, der mit Joe in der Kulisse stand, war überzeugt, daß kein anderer es wagen konnte, so zum Publikum zu sprechen. Aber Harry bediente sich dieser Ausdrucksweise mit vollendeter Meisterschaft – und mit Erfolg. Er trug nie zu stark auf. Er sprach von seiner Bewunderung für Joes Fähigkeiten als Anwalt und von seinem Verständnis für die Sorgen des kleinen Mannes. Er schilderte einige kurze, dramatische Episoden aus Joes Gerichtspraxis, mit denen er sich offensichtlich erst gestern vertraut gemacht hatte. Mit einfachen Worten erklärte er Joes Programm, wie er es verstand. Selbst der ungebildetste Zuhörer mußte es ganz einfach mitbekommen. Dann stellte er »Bud« Butterworth als verschlafenen alten Trottel hin, der schon längst zum alten Eisen gehörte, und nannte Joe einen Mann, den man bedenkenlos, ja sogar mit gewissem Stolz, als Vertreter nach Washington entsenden konnte.

Als er glaubte, sie in der Tasche zu haben, erhob er sich lässig und stellte ihnen Joe vor.

Das Publikum spendete ihm starken und anhaltenden Beifall. Orlando verbeugte sich und schlenderte lässig davon. »Dem Manager meiner Wahlkampagne«, sagte Joe, bevor er seine Rede begann, »möchte ich mein Mißfallen ausdrücken. Ich bin erschüttert, daß er für mich keinen anderen Vorredner gefunden hat als einen unbekannten, kleinen Gesangskünstler, der meine Größe gar nicht zu schätzen weiß.«

Diese Einleitung kam beim Publikum ausgezeichnet an. Zum erstenmal ließ Joe in der Öffentlichkeit seine Gabe erkennen, sich im richtigen Moment über sich selbst lustig zu machen.

Diese Veranstaltung würde von sich reden machen, und Temples Bericht, mit dem er blitzartig zum *Sentinel* hinüberraste, war der längste und wahrscheinlich beste, den er jemals für das Blatt geschrieben hatte. Vom *Sentinel* eilte er in den Dev-Ro Country Club, wo Edwin A. Haywood für hundertdreißig geladene Gäste und Harry Orlando eine Party gab. Der Sänger stand an der Bar und ließ sich von Joe und seinem Vater einer Reihe von Bewunderern vorstellen.

Wanda Kane, Joes bevorzugte Begleiterin, stand am anderen Ende der Bar und beobachtete die Leute. Temple begrüßte sie. »Joe hat es praktisch schon geschafft«, sagte sie strahlend.

Temple antwortete nicht. Joe hatte es noch keineswegs geschafft. Der Abend war allen zu Kopf gestiegen und berauschte sie immer noch. Die Haywoods hatten wohl Geld genug, aber die Butterworth' verfügten über eine bestens gesicherte politische Machtstellung.

Als Joe ihm ein paar Stunden später blendender Laune mitteilte, Orlando habe sich nun doch entschlossen, am nächsten Morgen noch nicht nach Kalifornien zurückzukehren, fiel Temple ein Stein vom Herzen. Zwar filmte Orlando gerade, aber damit hatte es Zeit. Seine Familie wartete auf ihn, würde aber gewiß Verständnis für seinen Aufenthalt in Pittsburgh haben. Bis zum Wahltag war es ja nur mehr eine knappe Woche. Er wollte keine Stunde ungenützt verstreichen lassen.

Orlando stürzte sich in die Arbeit, als wollte er selber die Wahl gewinnen. Er trat im Fernsehen auf, sprach im Radio, besuchte alle Versammlungen und überwachte das persönliche Auftreten aller — seiner selbst, Joes und von Joes Anhängern. Er schlief nicht und gönnte auch den andern keine Ruhepausen, er trieb Joe zur Eile an, belehrte, kritisierte und beglückwünschte ihn. So machte er aus ihm eine starke und anziehende Persönlichkeit — die Persönlichkeit Joseph Haywood.

In »Bud« Butterworth' Lager war man verärgert und verängstigt. Buds Anhänger stellten Joseph Haywood als unselbständigen Jungen hin, der nicht nur mit Daddys Millionen seine Wahlkampagne führen, sondern sich außerhalb Pennsylvanias um Hilfe umsehen mußte, um »Bud« schlagen zu können. Dann gingen sie auf Harry Orlando los. Zuerst nannten sie ihn einen Humanitätsapostel und Weltverbesserer, dann schimpften sie ihn in allen Tonlagen einen Parasiten und endlich einen waschechten Kommunisten.

Joseph Haywood gewann die Wahl.

Die drei blieben auch in den folgenden Jahren gute Freunde. William Temple übersiedelte nach Washington, wo er einer der bekanntesten und immer wieder zitierten Kolumnisten des Landes wurde. Zu dieser Zeit wuchs Harry Orlandos Ruhm ins Gigantische. Joe Haywood hingegen wurde als Präsident der Vereinigten Staaten vereidigt. Sie trafen sich nicht allzu oft, da die Entfernungen voneinander zu groß waren, aber sie waren ständig in brieflichem oder telefonischem Kontakt, und ihre gegenseitige Zuneigung wuchs. Temple konnte einfach nicht verstehen, warum Harry ihm soviel Achtung zollte. Orlando versuchte es ihm einmal zu erklären: »Bei dir, du Brillenschlange, lerne ich Dinge kennen, um die ich andere Leute nie fragen würde. Ich müßte ihnen dann nämlich verraten, wie ungebildet ich eigentlich bin. Aber du hast so deine eigene Art, mir alles zu erklären — du bist fast der einzige, mit dem ich mich ungeniert unterhalten kann. Und das ist Goldes wert.«

Das war nett gesagt und kam vom Herzen, aber es gab Temple zu denken. Es ist einfach nicht möglich, sagte er sich, daß ich in einer Welt, die doch nicht ausschließlich aus Neidern besteht, der einzige Mensch sein soll, dem dieser Mann sein Vertrauen schenkt.

Auch Joe Haywood hat mir vertraut, dachte Temple, als er jetzt mit Mary nach Washington zurückflog.

Zum x-tenmal mußte er an Joes Tod und an die beunruhigende Tatsache denken, daß der neue Präsident Miles Quinlan heißen würde. Temple wußte, daß der aus Ohio gebürtige einundsechzigjährige Quinlan ein ehrenwerter Mann war und einen recht guten Senator abgegeben hatte. Aber er war engstirnig und sein Horizont beschränkt, ohne besondere staatsmännische Fähigkeiten, immer dem Status quo verhaftet, solange die Mehrheit nichts daran auszusetzen fand. Nach dem energischen Haywood, der vor Ideen, Tatkraft und intellektueller Anspannung beinahe geplatzt war, ein auf Gemeinplätze festgefahrenes Kabinett Quinlan ohne jegliche philosophische Anwandlungen ... diese Aussicht ließ Temple erschauern.

Was nun? fragte er sich. Was soll jetzt wirklich werden?

Die Oppositionspartei wird ihr Beileid bekunden und sofort eine rastlose Betriebsamkeit entwickeln. Sie werden versuchen, Lloyd Reynolds zu mobilisieren. Kein schlechter Mann, gewiß, aber nicht sehr bekannt. Er scheint auch nicht viel mehr Farbe zu besitzen als Quinlan, und Gouverneure haben es besonders schwer, wenn sie die Präsidentschaft anvisieren.

Mit Mark Bartell dürften sie auch nicht mehr Glück haben.

Also werden sie vielleicht Grant Campbell ins Rennen bringen.

Campbell, der Filmstar, der auf Senator umgesattelt hatte, der berufsmäßige Pfadfinder, der dem kalifornischen Zauberpfad von Hollywood nach Washington gefolgt war. Die weisen Opas in beiden Parteien werden sich mokieren und sagen, er habe keine Chancen. Als wäre es das erste Mal, daß hohe Parteiausschüsse gefährliche Kretins wie Campbell nominierten.

Als sich das Flugzeug Washington näherte, hatte Temple ein Rohkonzept des Nachrufs fertiggestellt. Er ergriff Marys Hand. Er schämte sich, daß es ihm so leichtgefallen war, Mary schon wieder aus seiner Gedankenwelt zu verbannen.

Mary fuhr nach Hause. Die andern begaben sich vom Air-Force-Stützpunkt Andrews unverzüglich ins Weiße Haus. Auch Temple glaubte sich dort nützlich machen zu können. Die Leute im Pressebüro waren seine Freunde, und ihre Türen standen ihm normalerweise offen.

Er stieg die Treppe zum Zimmer des Pressesekretärs hinauf. Wie nicht anders zu erwarten, saß Bernie Kidder mit offenem Hemd und gerötetem Gesicht, zerrauft, aber feierlich hinter einem Glas und einer Flasche Whisky. Paul Greer und Harvey Farrell, zwei Mitarbeiter des Präsidenten, leisteten ihm Gesellschaft. Der Raum sah aus, als wäre er Schauplatz aufregender Szenen gewesen, denen nun eine trübselige Pause folgte.

Die Männer musterten ihn. Keiner sprach ein Wort der Begrüßung. Temple nahm ein reines Glas und schenkte sich im Stehen einen Whisky ein. »Ist Quinlan schon da?« fragte er.

»Er dürfte in diesem Augenblick von einem Bundesrichter vereidigt werden«, antwortete Farrell, »falls es jemanden interessieren sollte.«

»Wann hält er seine Rede?«

Greer warf einen Blick auf die Wanduhr. »In etwa einer Stunde. Das wird also nach eins sein. Eine scheußliche Zeit, aber heute schläft sowieso niemand. Die Stationen werden live übertragen und gleichzeitig aufzeichnen. Morgen wird die Rede noch einmal gesendet.«

»Wer hat sie geschrieben?«

»Gott und die Welt – einschließlich der Kammerzofe«, erwiderte Bernie und erhob sich gerade so weit von seinem Sitz, daß er ein paar Papiere über den Schreibtisch schieben konnte. »Paul hat daran gearbeitet, ich habe daran herumgemurkst, und ein paar andere Kollegen haben ihren Kommentar dazugegeben und das Ganze ein bißchen aufgeputzt. Hör mal, Bill, würdest du wohl jemandem – wem, weiß ich nicht mehr – den Gefallen tun und das Zeug noch einmal durchsehen? Vielleicht könntest du ein paar Körnchen Pfeffer 'reintun. Wir haben hier schon alle keinen klaren Kopf mehr.«

Temple nickte zustimmend. »Ich kann ja ein paar Minuten damit herumspielen. Dann muß ich ins Büro und meinen Bericht schreiben.«

Während Temple in das leere Büro hinüberging, stellte er erstaunt fest, mit welcher Unsicherheit er sich in diesen vertrauten Räumlichkeiten bewegte. Er setzte sich an einen Schreibtisch, las die kurze Rede noch einmal sorgfältig durch und überarbeitete sie, indem er hier ein Wort änderte und dort einen Satz durch einen anderen ersetzte. Der Aufbau war nicht schlecht. Nach fünfzehn Minuten handgeschriebener Zusätze oder Korrekturen rief er nach einem von Kidders Mädchen, welches das korrigierte Manuskript abholen und neu schreiben sollte. Anschließend ging er an die eigene Arbeit und tippte seinen Bericht, wobei er sich auf das

Konzept stützte, das er im Flugzeug abgefaßt hatte. Es war ein armseliges Elaborat, wie ihm schien; ein Sammelsurium aus abgedroschenen Phrasen und unausgegorenen Überlegungen, das der Größe des Verlustes, den er und vielleicht auch die Welt erlitten hatte, nicht gerecht wurde. Und trotzdem rief er im Washingtoner Büro seiner Zeitung an und bat, man möge jemanden herüberschicken, um das Zeug abzuholen. Seine Leser hatten gewiß Verständnis dafür, daß er ein paar Tage brauchte, um seine gewohnte Form wiederzufinden. Den anderen würde der Unterschied gar nicht auffallen. Er fühlte sich einsam und ausgepumpt und rief Mary an. Sie hob den Hörer schon nach dem ersten Läuten ab.

»Ich wollte wissen, wie es dir geht«, sagte er.

»Danke. Deine Stimme klingt erschöpft.«

»Deine auch. Hast du schon geschlafen?«

»Nein, nein. Ich sitz nur da und starre auf die Wand. Nicht einmal beim Tod meines Vaters war ich so deprimiert. Du fehlst mir, Bill. Ich wäre jetzt gern bei dir.«

»Ich komm bald nach Hause. Kannst du Tee aufsetzen?«

»Natürlich. Orlando hat übrigens vor etwa zehn Minuten angerufen. Er war ganz verzweifelt. Ich soll dir ausrichten, daß er vom ›Kingsbrook‹ ins ›Plaza‹ übersiedelt ist — falls du dich mit ihm in Verbindung setzen willst.«

»Einfälle hat der ... Wozu sollte ich mich gerade jetzt mit ihm in Verbindung setzen wollen?«

»Außerdem ist ein Telegramm für dich gekommen. Von einer gewissen Nancy Brice aus San Francisco. Wer ist das? Ich hab's aufgemacht. Da steht: ›Sofort anrufen. Dringend!‹ und eine Telefonnummer.«

»Nancy Brice ... Nancy Brice ... Wenn ich nur wüßte, wo ich die jetzt hinstecken soll. Also schön, das kann alles warten. Ich komm bald.«

Er legte den Hörer auf und sagte den Namen laut vor sich hin. Woher kannte er diese Nancy? Sein Hirn wollte einfach nicht mehr funktionieren. Na, es würde ihm schon einfallen.

Es klopfte. Bernie Kidder schob sich durch die Tür. »Quinlan wurde bereits vereidigt. Er möchte, daß wir alle noch einen Sprung bei ihm vorbeikommen, bevor wir heimgehen. Jemand hat ihm gesagt, daß du auch da bist. Er ist ganz wild nach dir. Mach einen Sprung ins Teezimmer hinüber. Es ist keine formelle Angelegenheit. Ich glaube, er will nur, daß du ihm teilnahmsvoll die Hand schüttelst.«

»Im Teezimmer? Hoffentlich hält er mich nicht lange auf.«

»Warum sollte er? Würdest du an seiner Stelle ein Plauderstündchen einschalten? Übrigens, die Rede ist ausgezeichnet. Besten Dank!«

Temple drückte Bernie sein Manuskript in die Hand und ersuchte ihn, es dem Boten zu übergeben. Dann begab er sich widerstrebend und resignierend in jenen Raum, wo er vor weniger als vierundzwanzig Stunden mit Joe Haywood gesessen hatte. Die Tür war offen, und Miles Quinlan aus Youngstown, Ohio, stand an Joes Schreibtisch. Ernst begrüßte er die Sekretäre und Mitarbeiter seines Vorgängers. Er bewies wenigstens so viel Anstand, daß er dem Lehnstuhl, den Joe speziell für sich hatte anfertigen lassen, nicht in die Nähe kam. Quinlan sprach mit zittriger Stimme. Er machte einen verängstigten Eindruck. Das war nur allzu verständlich. Mit seinen hohlen Wangen und den großen, tiefliegenden Augen glich er einer Vogelscheuche. Neben ihm stand eine Dänische Dogge.

Miles kam auf Temple zu und umklammerte fest seine Hände. »Der Präsident empfand große Hochachtung für Sie, Bill; das hat er sehr oft zum Ausdruck gebracht. Ich möchte Ihnen heute nur sagen, daß ich mich weit mehr als er auf Ihre Erfahrung stützen werde. Sind Sie ein religiöser Mensch, Bill?«

»Eigentlich nein, Mr. President«, antwortete Temple. Er war von sich selbst schockiert, weil ihm der Titel so leicht über die Lippen kam.

»Wollen Sie trotzdem etwas für mich tun?« drängte Quinlan, der Temples Hände immer noch in den seinen hielt. »Ich brauche Ihre Hilfe und – vor allem – Ihr Gebet.«

»Ja, Mr. President.«

Quinlan wandte sich ab und richtete dieselbe Bitte im selben Tonfall an den nächsten Besucher. Bill war entlassen.

Als er aus dem Zimmer ging, redete er sich ein, daß ein Mann wie Quinlan kein internationales Unheil anrichten konnte. Aber er fragte sich, ob er ihn zum Vorsitzenden des Rudervereins von Youngstown wählen würde.

Ursprünglich wollte Wanda Haywood ihren Mann, dessen Leiche im Walter-Reed-Krankenhaus lag, in aller Stille und ohne jedes

Aufsehen in der Familiengruft in Dutton's Landing, Pennsylvania, zur letzten Ruhe betten. Sie ließ sich aber von ihrem Entschluß abbringen. Man erinnerte sie sanft daran, daß der Präsident mehr als ihr Gatte und Vater ihres Sohnes gewesen war und daß das amerikanische Volk Anspruch darauf hatte, ihn mit allen Ehren zu Grabe zu tragen. Haywood, der nicht nur mit Auszeichnung in der Armee gedient hatte, sondern auch ihr Oberbefehlshaber gewesen war, sollte einen Platz auf dem Heldenfriedhof von Arlington bekommen. »Wie Sie wünschen«, hatte sie geantwortet und sich auf die schwere Prüfung im Rampenlicht der Öffentlichkeit vorbereitet, sie, die sich bei ähnlichen Anlässen stets im Hintergrund zu halten wußte.

Die Leiche wurde zunächst in den Ostsaal und später in die Rundhalle des Capitols übergeführt. Über dem Sarg lag eine Fahne. Während der nächsten achtundvierzig Stunden zogen in ehrfürchtigem Schweigen fast eine Viertelmillion Menschen an Joe Haywood vorbei. Das von der AP veröffentlichte Bild einer langen Menschenschlange, die um drei Uhr morgens geduldig im Winterregen ausharrte, um den toten Präsidenten zu sehen, ging durch die Weltpresse.

Dann kam der trockene, kalte Tag, an dem der Sarg unter dem dumpfen Klang der Trommeln auf einen Munitionswagen geladen wurde, vor den zwei Pferde gespannt waren. Militärische Klänge ertönten. Tausende von Menschen, trauernde und neugierige, säumten den langen Weg zur efeuumrankten Kirche. Reverend Ernest Crawford sagte die Gebete und hielt eine endlose Predigt; Arthur Chadwick, Vorsitzender des Obersten Gerichtshofes, und Evan Partridge, Botschafter bei den Vereinten Nationen, sprachen kurze, sehr zu Herzen gehende Nachrufe. Anschließend wurde der Sarg nach Arlington gefahren, wo Reverend A. Jackson Whenter ebenfalls eine endlose Predigt hielt. Joseph Haywood wurde der Erde übergeben. Am selben Abend würdigte Präsident Miles Quinlan seinen Vorgänger in einer Fernsehsendung, die in alle Staaten ausgestrahlt wurde. Wanda Haywood aber flog mit ihrem kleinen Jungen von Washington nach Denver, wo ihr Bruder und dessen Frau lebten.

An diesem Abend saß auch Harry Orlando vor dem Fernsehgerät.

Er vermied es nach Möglichkeit, an Begräbnissen teilzunehmen, denn sie deprimierten ihn mehr, als dies früher der Fall gewesen war. Er fühlte sich geradezu erleichtert, als vorsichtige Nachforschungen ergeben hatten, daß er weder zur Beerdigung noch zu einem der Gedenkgottesdienste nach Washington geladen worden war.

Das behauptete er wenigstens Vince Moschetta und all den anderen gegenüber, von denen er annahm, daß sie auf eine diesbezügliche Äußerung seinerseits warteten. In Wirklichkeit schmerzte ihn diese Mißachtung. Er hatte so hart gearbeitet und war einer bedeutsamen Wendung in seinem Leben so nahe gekommen. Jetzt aber war alles im Bruchteil eines Augenblicks zunichte geworden.

Ich darf nicht nur an mich denken, sagte er sich. Die Welt hat einen Mann verloren, zu dem sie aufschauen konnte, und ich weine über den armen Harry. Er übersiedelte vom »Kingsbrook« in ein Appartement im »Plaza«, wo er ein paar Tage lang, vielleicht auch für immer, zu bleiben beabsichtigte. Bert Noah, Rod Keyes, Al Barron und die meisten seiner Spießgesellen hatten die Stadt schon verlassen. Ursprünglich wollte Harry am Sonntag nach der Veranstaltung im Madison Square Garden nach Kalifornien fliegen, wo die Vorarbeiten zu seinem nächsten Film *Die Liebe schlägt Krawall* beginnen sollten. Das war der zweite Film, der auf dem Programm stand, seit er mit Stan Louries Unterstützung seine eigene Filmgesellschaft gegründet hatte. Eine Menge Leute, die alle von der Gesellschaft bezahlt werden mußten, würden nun dasitzen und warten. Sollten sie doch! Der Film konnte warten, alle konnten warten. Der Verlust eines guten Menschen und die Enttäuschung darüber, daß nun alle seine Pläne in nichts zerronnen waren, überwältigten ihn. Jetzt war ihm alles gleichgültig.

Harry saß im Wohnzimmer im Lehnstuhl und stürzte einen doppelten Whisky nach dem andern hinunter. Er hatte beschlossen, weder Anrufe noch Besuche zu empfangen – außer von Bill Temple. Aber warum sollte Bill sich bei ihm melden? Während er das Begräbnis auf dem Bildschirm verfolgte, wurde ihm der Kopf immer schwerer.

Nach geraumer Zeit – er wußte nicht mehr, wie spät es war – wankte er ins Schlafzimmer. Er wollte endlich einen Anruf erledigen, den er seit seiner Ankunft in New York immer wieder aufgeschoben hatte.

»Hallo«, sagte Miriam, von der er sich vor elf Jahren hatte scheiden lassen und die mit ihrem Sohn ein Drittel seines Nettoeinkommens bezog.

»Hallo, Miriam!«

»Wie geht es dir, Harry?« fragte sie nach einer kurzen Pause.

»So, wie es heute wahrscheinlich allen geht.«

»Ja. New York hat Ruhetag. Die Leute scheinen nichts anderes zu tun, als vor dem Bildschirm zu sitzen. Dir muß ja scheußlich zumute sein. Du hast Joe ja persönlich gekannt und ...«

»Kann ich einen Sprung zu dir kommen?«

»Jetzt?«

»Jetzt.«

»Es ist gleich elf. Ich wollte mich gerade niederlegen.«

»Ich könnte in ein paar Minuten bei dir sein.«

Eine weitere Pause. »Also schön, Harry.«

Harry mußte sich über seinen plötzlichen Entschluß immer wieder wundern, als er mit dem Wagen durch die Stadt fuhr. Er telefonierte zwar verhältnismäßig oft mit Miriam, hauptsächlich wegen Jimmy, aber in den elf Jahren, seit er sie verlassen und sie die Scheidung eingereicht hatte, waren sie sich nur ein einziges Mal durch Zufall begegnet. Sie hatte nicht mehr geheiratet, obwohl das gewiß nicht dem Mangel an Gelegenheiten zuzuschreiben war. Sie war mit Jimmy von Kalifornien nach New York zurückgefahren; in jene Stadt, die ihr am meisten von allen zusagte. Für eine Frau von so beträchtlichem Wohlstand lebte sie hier jetzt unverhältnismäßig zurückgezogen und bescheiden. Als Harry sie vor fünfundzwanzig Jahren geheiratet hatte, war Miriam Feldman vom Ocean Parkway ein ruhiges, anständiges Mädchen gewesen, das seine Erfüllung darin sah, eine gute jüdische Ehefrau und Mutter zu werden. Er zweifelte nicht daran, daß er jetzt dieselbe Miriam Feldman wie früher antreffen würde. Oft hätte er schwören können, daß er sie Noreens wegen verlassen hatte. Bei reiflicher Überlegung sah er aber ein, daß Noreen nur das auslösende Moment gewesen war. Er hatte sich Miriam entfremdet, war über sie hinausgewachsen. Dieser schmutzige Scheidungsprozeß! Harry hatte die ganze Zeit gewußt, daß er sich wie ein Schweinehund benahm. Aber er war ganz einfach nicht imstande, wie ein Schlafwandler durch die Ehe zu gehen.

Vielleicht haßte er Miriam immer noch ein wenig, weil sie das »böswillige Verlassen« so einfach hingenommen und sich ohne viel Aufhebens mit der Scheidung einverstanden erklärt hatte. Zweifelsohne war sie in ihrem Innersten verletzt worden. Ob sie

Bitterkeit oder Rachsucht empfand, hatte sie aber nie erkennen lassen.

Wozu gehe ich jetzt hin? fragte er sich. Warum hat sie mir nicht schon am Telefon gesagt, daß ich mich zum Teufel scheren soll?

Weil sie nie gelernt hat, so mit mir zu sprechen.

Noreen übrigens auch nicht. Noreen hat mir auch nie gesagt, daß sie mich nie wiedersehen will . . .

Nicht einmal Ida! War das nicht komisch? Ida Bisigloni, Hausnummer 2746, hatte ihn fest zuzupacken gelehrt. Jemand hatte ihm gesagt, wo sie sich jetzt aufhielt und was sie trieb, aber er erinnerte sich nicht mehr daran.

Freilich konnte er sie nicht vergessen. Er dachte an jene Tage, die er als grüner Junge im Dschungel der Bronx verbracht hatte; lange vor Miriam und Noreen, zu einer Zeit, da alles Schöne noch vor ihm lag . . .

Die Wohnung der Bisiglonis im Haus Nummer 2746 bestand aus sechs geräumigen Zimmern. Sie war dunkel und muffig, aber doch ein Palast im Vergleich zu jener Unterkunft, die Romeo Orlando seiner Familie geboten hatte.

Bisigloni war nicht öfter zu Hause als Harrys Vater. Tagsüber schlief er, weil er nachts arbeiten mußte. Er war ein guter Mensch und behandelte Mama anständig. Einmal nahm er Harry sogar zu einer Sportveranstaltung in Ebbetts Field mit. Er schien den unterernährten, farblosen Jungen gut leiden zu können, obwohl Harry ihn vor manche Rätsel stellte. Andere Knaben seines Alters waren ständig in Bewegung, hatten Freunde und Hobbys – dieser da behielt seine Stellung als Telegrammbote, gab jede Woche einen Teil seines Lohns für Kino aus, hielt sich aber sonst meist zu Hause auf, wo er las oder zeichnete. »Du groß werden, was du tun?« fragte Bisigloni einmal.

Harry zuckte die Achseln. »Künstler sein, vielleicht.«

Der Stiefvater verzog das Gesicht. »Keine gute Arbeit. Du verhungern im Keller. Wollen du Bäcker werden? Nicht werden sehr reich, aber guter Bäcker finden immer Arbeit. Wenn du wollen, ich dir besorgen Arbeit. Bäckerjunge bei Stella d'Oro. Du mir helfen, und ich dich lehren, guter Bäcker sein. Nicht jetzt. Wenn Schule aus im Sommer.«

Das Angebot kam von Herzen, und Harry stimmte begeistert zu. Wenn Bisigloni es verlangt hätte, wäre er auch zu einem

Totengräber oder zu einem Mörder in die Lehre gegangen. Sobald das Schuljahr vorüber war, ging er jeden Abend mit seinem Stiefvater in die Bäckerei und kam jeden Morgen mit ihm wieder nach Hause. Die Arbeit wollte oft kein Ende nehmen, und Harry konnte sich nie an die Hitze der großen Öfen gewöhnen. Aber er brachte dem alten Mann tiefe Zuneigung entgegen.

Mit fünfzehn Jahren wurde Harry von der Klosterschule in eine öffentliche Schule versetzt. Bisigloni, ein ziemlich gläubiger Katholik, hatte sich nämlich gefragt, ob die Klosterschule womöglich daran schuld sei, daß der Junge so scheu und schwermütig war. Nicht daß die Schwestern schlechte Lehrerinnen oder unfähige Erzieherinnen gewesen wären, aber er wurde das Gefühl nicht los, daß sie dem Jungen etwas nicht geben konnten, was er am meisten gebraucht hätte: Selbstvertrauen. Kaum einen Monat nach seinem Eintritt in die neue Schule gingen in Harrys Wesen merkwürdige Veränderungen vor: Er fühlte sich immer noch unbehaglich und unsicher im Umgang mit Menschen, die er nicht kannte, aber er begann eine forsche Arroganz zur Schau zu tragen, die seine Scheu verbergen sollte. Das Unbehagen blieb, störte ihn aber nicht mehr besonders. Und das war zum größten Teil Haydn Hughes' Verdienst.

Haydn Hughes war ein mürrischer, zotteliger Waliser, der Sprachunterricht gab, den Chor dirigierte und alljährlich eine Operette inszenierte. Er begann sich für Harry ernstlich zu interessieren, als dieser für *Die Piraten von Penzance* zur Probe vorsang. Ein Dutzend Jungen hatten sich um die Rolle des Frederic beworben, aber Hughes gab sie Harry. Dieser war vor Staunen außer sich.

»Warum bist du so überrascht?« fragte der Lehrer.

»Ja ... ich ... also, ich hab ganz einfach nicht geglaubt, daß ich so gut bin.«

Die buschigen Augenbrauen zogen sich zusammen. »Das glaubst du doch nicht im Ernst, nicht wahr? Ich hab dich beobachtet, mein Freund. Du kommst wie ein kleiner Hahn daher und machst oft ein recht arrogantes Gesicht. Trotzdem könnte ich wetten, daß du für keinen Cent Selbstvertrauen besitzt. Hab ich recht?«

Auf Hughes' sanftes Drängen hin begann Harry in den nächsten Monaten aus sich herauszugehen, von sich zu erzählen und mehr Ängste und Zweifel einzugestehen, als er je zuvor in Worte gefaßt hatte. Er ahnte, daß er nicht blöd war, aber bis jetzt hatte er nichts anderes getan, als sein Leben verträumt. Alles hätte er zugleich sein wollen: Sänger, Schauspieler, Künstler, Schriftsteller — und immer gleich der Beste, denn er wußte ja, daß er das Zeug dazu hatte und dumm genug war, nichts für den Erfolg zu tun.

Hughes hörte ihm nach der Schule oder in den Pausen zu, spornte ihn an und suchte ihn davon zu überzeugen, daß man alles im Leben erreichen konnte. Er lud ihn zu sich nach Hause ein, stellte ihn seiner Frau vor und zeigte ihm eine Wohnung, die fast zur Gänze aus Musikinstrumenten, Büchern und Bildern bestand und eine ebenso behagliche wie anregende Atmosphäre hatte. Haydn Hughes wurde zu einer zweiten Mrs. Selig, aber er wollte ihn mit mehr als nur mit Liebe und herrlichem Essen füttern: Er tat alles, um Harrys Verstand zu schärfen, sein Selbstvertrauen zu stärken und sein Talent zu entwickeln.

Die Veränderungen, die in Harry so allmählich begonnen hatten, nahmen bald unwahrscheinlichen Umfang an. Aufmerksam beobachtete er alles, was in der Welt vorging, stand der Gegenwart mit wachsender Begeisterung gegenüber, fand Gefallen an ihr und schloß sich ihr an. Er war viel zu schwächlich, um auch nur daran zu denken, ins Football Team aufgenommen zu werden, aber er versuchte es mit Basketball, wurde abgewiesen, probierte es von neuem und schaffte es. Er begann sich selber im Malen zu unterrichten, fand den Mut, Mädchen ins Kino einzuladen, und fühlte sich nur leicht verletzt, wenn die eine oder andere ihm einen Korb gab. Es ärgerte ihn kaum, daß meist nur übriggebliebene Mauerblümchen seine Einladung annahmen. Selbst mit diesen gab es manchmal Konversationsschwierigkeiten, aber er fühlte sich der gähnenden Leere der Vergangenheit entrissen und war stolz darauf.

Er nahm sich vor, in den *Piraten von Penzance* eine gute Leistung zu bieten — es gelang ihm. Harry stand in vollem Kostüm auf der Bühne, breitete die Arme aus und sang. Seine Stimme spiegelte jenes außerordentliche Selbstvertrauen wider, das während der langen Probezeiten nie so richtig zum Ausdruck gekommen war. Harry wurde hinter der Bühne beglückwünscht. Die Leute sagten ihm immer wieder, sie hätten nie gedacht, daß er so gut singen könne. Er dankte und glaubte ihnen. Jetzt wußte er ganz genau: Er war der Beste.

In dieser Nacht des Triumphes erkannte Harry, daß man die

Scheinwerfer nur für ihn erfunden hatte. Von nun an traten die Veränderungen an seiner Persönlichkeit immer mehr hervor.

Bisigloni merkte diese Vorgänge und wußte nicht, ob er sich darüber freuen sollte oder nicht. »Laufen, laufen, ganze Zeit laufen!« entrüstete er sich. »Nicht bleiben daheim. Was du tun wirst, wenn Mann sein? Singen auf Bühne mit Puder auf Gesicht? Zeichnen Bilder und sterben im Keller? Ball werfen in Korb? Nix gut. Du bald Mann sein, müssen anfangen ernst sein.«

Die Beziehung zwischen Harry und Ida verlief einigermaßen friedlich. Sie ignorierte Pasquale, behandelte Mama hin und wieder mit Zuvorkommenheit und begann allmählich Harrys Existenz zur Kenntnis zu nehmen.

Als sie ihn in der Operette gesehen hatte, war das Eis endgültig gebrochen. »Ich hätte nicht gedacht, daß du so gut bist«, gestand sie beim nächsten Abendessen. »Du hast wirklich eine klare Stimme.«

»Ja, für den Jahrmarkt reicht's.«

»Warum machst du nicht mehr aus dir?« protestierte sie. »Wenn du Talent hast, solltest du's von den Dächern schreien!«

So kehrte sie in sein Leben zurück.

Diese Tatsache störte ihn, denn nun mußte er sich von neuem mit ihr beschäftigen – jetzt, da er ihren nackten Körper nicht mehr jeden Abend sehen konnte und er mit Mr. Hughes' Hilfe zu begreifen begann, wer Harry Orlando eigentlich war.

Es störte ihn aber nicht lange. Während er Ida zusah, wie sie wie eine aufgeblasene Herzogin großspurig durch die Gegend stolzierte, überlegte er zum x-tenmal, was geschehen würde, wenn er ihr von den pikanten Vorstellungen erzählte, die sie für ihn, ohne es zu ahnen, gegeben hatte. Am meisten erregte es ihn, wenn er daran dachte, daß sie vielleicht sagen würde: »Na ja, wenn du mich schon dabei ertappt hast, können wir's ja auch einmal miteinander versuchen.«

Was konnte er schon verlieren?

Den Kopf gewiß nicht. Zu diesem Ergebnis kam er schon während der nächsten Wochen. Sein Wunsch, ihr alles zu erzählen, wurde immer stärker. An manchen Tagen war er überzeugt, daß er dazu nie den Mut aufbringen würde. An anderen wieder fühlte er sich seiner Sache sicher. Aber meist lief es ihm schon kalt den Rücken hinunter, wenn er nur daran dachte.

Und dann kam ein Abend, an welchem der alte Bisigloni auf

Arbeit und Mutter mit Pasquale bei Tante Sophie zu Besuch war. Ida saß im Wohnzimmer und blätterte in einer Filmzeitschrift.

Harry ging ins Wohnzimmer und blieb so lange neben dem alten elektrischen Klavier stehen, bis sie seine Anwesenheit bemerkte und zu ihm schaute. Sie hatte kein Make-up aufgelegt; das Haar steckte in Lockenwicklern. Ida trug ein einfaches Hauskleid und sah wie jedes andere anständige, unverheiratete Mädchen in der Bronx aus.

»Warum starrst du mich so an?« fragte sie und zog an ihrer Zigarette. Ihr Vater wußte nicht, daß sie rauchte. Er hätte es ihr auch nie erlaubt. Darum rauchte Ida in der Wohnung nur dann, wenn er auf Arbeit war oder schlief.

Harry schlenderte zu einem Stuhl hinüber, der ihr gegenüber am andern Ende des Zimmers stand, setzte sich und schlug die Beine übereinander. Er verspürte ein Zucken in seinen Kniescheiben. »Wer starrt denn? Kann ich nicht 'reinkommen?«

Ida zuckte mit den Achseln und wandte sich wieder ihrer Zeitschrift zu. Sie war keine Schönheit, stellte er wieder einmal fest, aber es gab nur sehr wenig Abende, an denen sie nicht verabredet war. Schätzten sie die Männer so, weil sie gleich aufs Ganze ging? Er bezweifelte es. Harry kannte die Mädchen in der Nachbarschaft, denen man dies nachsagte. Wäre Ida eine von ihnen gewesen, hätte man ihm das sicherlich schon erzählt. Andererseits – wußte jemand außer ihm, daß Murray Travis in jener Nacht bei ihr im Zimmer gewesen war?

Leicht verärgert schaute Ida abermals auf. »Ich weiß, wir leben in einem freien Land – aber was hast du eigentlich vor? Willst du die ganze Nacht dasitzen und mir beim Lesen zuschauen? Hast du keine Hausaufgaben oder sonst was zu machen?«

Harry wünschte noch immer, statt des blödsinnigen Grinsens ein gewinnendes Lächeln aufsetzen zu können. Dann holte er tief Atem. »Hast du in letzter Zeit Murray Travis gesehen?«

»Wen?«

»Du weißt schon.«

Ida klappte verwirrt und gereizt das Magazin zu und streifte den Rock glatt. »*Was* weiß ich? Was soll dieser Unsinn? Was ist los? Hast du etwas gehört?«

»Bist du aber nervös, Ida.«

»Was hast du gehört?«

Harry fühlte, wie eine ungeahnte Sicherheit von ihm Besitz ergriff. »Es geht nicht darum, was ich *gehört* habe«, sagte er genüßlich. »Es geht um das, was ich *gesehen* habe.«

»Ich hau dir eine 'runter, wenn du nicht aufhörst, so verrückt herumzureden. *Was* hast du gesehen?«

»Murray und dich. Als ich noch drüben gewohnt hab, konnte ich aus meinem Fenster mitten in dein Schlafzimmer sehen. Fast jeden Abend hab ich dich beobachtet. Das war interessanter als der tollste Film.«

Ida war aschgrau geworden. »Wem hast du davon erzählt?« stieß sie flüsternd hervor.

»Erzählt? Warum sollte ich es jemandem erzählen? Was hätte ich davon gehabt? Es war doch schön, dir so zuzusehen.« Er schluckte leise. In weichem, weniger boshaftem Ton fügte er hinzu: »Es ist schon lange her, Ida. Ich möchte dir gern wieder zusehen.«

»Du dreckige kleine Laus!« rief sie aus und sprang auf. Harry fürchtete schon, daß sie ihn jetzt verprügeln würde. Aber nichts dergleichen geschah. Ida schien das Zimmer verlassen zu wollen, überlegte es sich, kam zurück, ging mit großen Schritten auf und ab und schaute ihn derart wütend an, daß ihn der Mut fast wieder verlassen wollte.

»Du bist wirklich eine dreckige kleine Laus, weißt du das?« rief sie aus. Sie war mehr verlegen und gekränkt als zornig. »Wenn ich geahnt hätte, daß man durchs Fenster ... O Gott, bist du gemein! Mich zu beobachten – und dann noch die Frechheit zu besitzen, es mir zu *sagen!* Ist's dir dabei gekommen, was? Ja, ich könnte wetten, du Schwein. Was hast du denn beim Zuschau'n gemacht, du Filzlaus? An dir herumgespielt, nicht wahr?«

Das Gefühl, in einer Falle zu sitzen, steigerte ihre Wut und ihre Verbitterung und stärkte Harrys Position ganz enorm. Er *war* ziemlich gemein, das mußte er selber zugeben, und er war nicht ganz stolz darauf. Jetzt aber ging er aufs Ganze. Zum erstenmal in seinem Leben war er in einer Lage, die er beherrschte, stand er vor einem Menschen, der sich seinen Willen aufzwingen lassen mußte. Ein wunderbares Gefühl der Macht ließ ihn erbeben.

»Ja, das habe ich«, gab er unbekümmert zu. »Du hast mir ja gezeigt, wie man's macht.«

Sie schloß die Augen und ballte ihre Fäuste. Zuerst machte sie einen kleinen Schritt zur Tür hin. Dann aber blieb sie stehen und überlegte, was in dieser Situation für sie am besten war: davonzurennen oder zu bleiben. Wortlos ging sie zum Diwan zurück, setzte sich umständlich nieder und zündete mit zitternden Händen eine neue Zigarette an. Dann lehnte sie sich zurück und starrte mit gerunzelter Stirn auf einen Punkt über Harrys Kopf.

»Es tut mir leid, daß du böse bist«, sagte er nach einer kleinen Weile. »Ich wollte es dir nur sagen.«

Sie wandte ihm das Gesicht zu. »Wozu?« schrie sie. »So sag's mir doch! Ich kenn dich zwar nicht besonders gut, aber ich habe dich nie für gemein oder böse gehalten. Und blöd bist du auch nicht. Mir so etwas zu sagen. Hast du dir nicht vorstellen können, daß du mich damit beschämen – nein, erniedrigen wirst? Was ist plötzlich in dich gefahren? Was hast du davon? Willst du mich erpressen, oder macht es dir ein Vergnügen, gemein und schlecht zu sein?«

Harry spreizte abwehrend die Finger. »Denk doch einmal nach, Ida. Vielleicht gibt es noch einen andern Grund.«

Langsam begann sie zu begreifen. Ihre braunen Augen weiteten sich vor Empörung. »Das kann doch nur ein Scherz sein!« rief sie aus. »Ein Fünfzehnjähriger ... Was denkst du eigentlich von mir?«

»Daß es mit dir herrlich sein muß«, antwortete Harry langsam. Er erhob sich und ging auf sie zu, um seine Unsicherheit zu verbergen. »Wenn wir uns verstehen, gibt es doch keine Probleme. Und wir verstehen uns doch, nicht wahr?« Einen Meter neben ihr setzte er sich wieder nieder. Ida streifte ihren Rock glatt. »Ich war schon mit 'ner Menge Mädchen zusammen«, sagte er. »Sie müssen wohl mit mir zufrieden sein, sonst hätten sie mir doch den Laufpaß gegeben. Und du bist auch keine Jungfrau vom Land. Das wissen wir beide. Wenn wir's uns also schön machen können und niemand sonst was davon erfährt – wo soll's da Schwierigkeiten geben?«

Bevor Ida noch antworten konnte, rückte er näher und drückte seine kalte Hand auf ihre Brust. Sie zuckte zurück und suchte sich zu befreien. Aber Harry hatte keine Lust, nach all den vorherigen Anstrengungen so knapp vor dem Ziel aufzugeben. Er zog Ida an sich und ließ seine zweite Hand geschickt über ihre Schulter gleiten. »Komm doch, Ida, probieren wir's einmal!«

Sie versuchte seiner Umarmung zu entkommen. »Bist du verrückt?« begehrte sie auf. »Deine Mutter und dein Bruder können jeden Augenblick hiersein! Laß mich los!« Harry gehorchte. Der Gedanke, das traute Zusammensein könnte abrupt beendet werden, beunruhigte ihn. Immerhin stellte er mit Befriedigung fest, daß Ida nicht aufsprang. Sie saß vorgebeugt und starrte, die Ellbogen auf die Knie gestützt, auf den Teppich.

»Ich muß verrückt sein, daß ich hier sitzen bleibe«, jammerte sie »Ein fünfzehnjähriger Junge ... Wie steht dann immer in den Zeitungen? Verführung Minderjähriger oder so ähnlich.«

Er lachte. »Nur weil wir hier sitzen?«

Ida schüttelte den Kopf. »Nein. Weil du mich durchs Fenster gesehen hast. Mein Gott, ich schäme mich so. Ich hab nie daran gedacht, daß mich jemand sehen könnte. Oder doch? Ich weiß nicht ... Ich hätte ja die Jalousie immer ganz herunterziehen sollen, nicht wahr? Ich muß so eine Art Exhibitionistin sein; was weiß ich. Du lieber Gott, ich bin ganz außer mir. Ich bin doch keine ...«

Sie unterbrach sich und schaute ihn an. »Wozu rede ich so viel? Was ist mit mir los?«

Harry fühlte sich geschmeichelt, daß sie, die Erwachsene, einem Jungen diese Frage stellte. »Was soll mit dir los sein?« sagte er zärtlich. »Du bist nur einsam. Und ich bin es manchmal auch. Darum wäre es das einzig richtige, wenn wir beide ...«

»Schluß mit dem Unsinn!« fiel sie ihm scharf ins Wort und stand auf. »Nein. Ich bin vielleicht blöd, aber doch nicht so blöd, daß ich mich mit einem fünfzehnjährigen Burschen einlasse — der mit mir unter einem Dach lebt.« Sie packte ihr Filmmagazin und marschierte aus dem Zimmer, ohne sich umzusehen.

Harry stand auf und ging den Gang entlang zu seinem Zimmer. Er wollte ein paar Platten auflegen, um wieder auf andere Gedanken zu kommen. Russ Columbo, Vallee, Crosby. Er spielte sie den ganzen Tag und versuchte herauszubekommen, warum die Leute, die ohnehin nicht wußten, worin sich einer vom andern unterschied, gerade diese drei bevorzugten. Harry war davon überzeugt, daß er ebenso gut war wie alle drei zusammen — oder es zumindest werden würde. Er mußte selber herausfinden, warum gerade diese drei beim Publikum so gut ankamen. Nicht einmal Mister Hughes, der so gut wie alles wußte, konnte ihm das erklären.

Die Tür zu Idas Schlafzimmer stand offen. Als er bei ihr vorüberkam, trat sie auf ihn zu. Noch immer hatte sie kein Make-up aufgelegt und die Lockenwickler im Haar. Ida hatte offensichtlich geweint; nun aber war sie wieder gefaßt und blickte ihn an, als wollte sie ihm etwas besonders Tragisches mitteilen.

»Gehst du in dein Zimmer?« fragte sie mit kläglicher Stimme.

»Ja.«

Pause. »Willst du ... noch immer?«

Auch Harry machte eine Kunstpause. »Klar.«

»Hast du Gummi?«

»N ... nnnein! So ein Pech. Sind mir ausgegangen.«

Sie nickte schnell und ging ins Zimmer zurück. »Komm zu mir herein. Wir lassen die Tür offen für den Fall, daß sie nach Hause kommen.« Er betrat das peinlich saubere Schlafzimmer, in dem er noch nie gewesen war. An den geblumten Tapetenwänden hingen Heiligenbilder und eingerahmte Fotografien von Filmstars; Myrna Loy und Edward G. Robinson erkannte er sofort. Das Kruzifix über Idas Bett war über einen Meter lang.

Mit einer Handbewegung bedeutete sie ihm, sich aufs Bett zu legen. Dann sank sie schnell neben ihm auf die Knie. »Sie können jeden Moment kommen«, flüsterte sie.

»Ich weiß.«

Sie blickte ihn durchbohrend an. »Versprichst du mir, daß du's niemandem erzählen wirst?«

»Warum zum Teufel sollte ich ...?«

»Mhm, der ist groß, weißt du das?« sagte Ida, und Sekunden später war alles schon vorbei.

»Ich habe einen Entschluß gefaßt«, erklärte Harry. »Ich möchte Sänger werden.«

»So? Und wann wird's soweit sein?« fragte Haydn Hughes ruhig. Sie saßen im Wohnzimmer des Lehrers. Mrs. Hughes nähte.

»Ich weiß nicht, wie lange ich dazu brauchen werde. Es gibt 'ne Menge Leute, die damit Geld verdienen.«

»Und noch viel mehr, die keins verdienen.«

Harry nickte. »Ja. Aber ich werde es trotzdem schaffen. Ich weiß, was ich kann und was nicht. Ich bin nicht der hübscheste Junge auf der Welt; darum werde ich um so härter arbeiten. Ich weiß, daß ich noch viel lernen muß. Das macht mir nichts. Ich hab eine gute Stimme, und das ist schließlich die Hauptsache – oder nicht?«

Eine Woche später begann der Unterricht – die Eintönigkeit der Skalen und die Kniffe bei der Atemkontrolle. Dieses Gedicht und jene Szene ließ Mr. Hughes Harry laut lesen, immer wieder. In steigendem Maß brachte er dem Jungen die Sprache zum Bewußtsein; ihre Rhythmen, ihre Schönheit und ihre unbegrenzten Möglichkeiten zur Verständigung mit der Umwelt. Er packte ihn hart an, weil Harry es so haben wollte. Hughes gab nun öfter zu, er beginne tatsächlich daran zu glauben, daß aus Harry etwas werden könnte. Sie arbeiteten an Stellen aus Operetten und beschäftigten sich auch mit der Oper. Sie legten besonderes Augenmerk auf die Körperhaltung. Sie redeten oft die halbe Nacht hindurch. Mr. Hughes sagte ihm, wo er gute Fortschritte machte, wo er nicht so recht weiterkam und wo er ein hoffnungsloser Fall war. Sie arbeiteten wie die Besessenen, und Tag für Tag wuchs Harrys Überzeugung, daß es nichts gab, was er nicht würde meistern können.

Und dann gab es auch noch Ida.

Am Morgen nach ihrem ersten Zusammensein saßen sie einander beim Frühstück gegenüber. Ida schaute überall hin, nur nicht auf Harry. Sie schien niedergeschlagen, als wollte sie sich selber für das bestrafen, was sie mit sich hatte geschehen lassen. So war sie auch noch beim Abendessen, obwohl sie ihm jetzt ganz offensichtlich etwas anvertrauen wollte. Als Mama endlich aus dem Zimmer ging, beugte sie sich vor und sagte flüsternd:

»Du wirst glauben, daß ich ein Flittchen oder etwas Ähnliches bin.«

»Sei nicht so dumm«, antwortete er.

»Wie war's denn? Schön?«

»Mhm! Ich spür's jetzt noch.«

»Ich auch«, versicherte sie eindringlich und fügte im Ton plumper Vertraulichkeit hinzu: »Ich hab eine Freundin. Sie heißt Pearl Shea. Sie hat eine kleine Wohnung auf der Tremont Avenue. Pearl arbeitet bei der Telefongesellschaft und ist fast nie daheim. Wie wäre es ... ? Soll ich dir die Adresse aufschreiben, damit du morgen nach der Schule hinkommen kannst? Die Bude ist sehr nett. Sie wird dir sicher gefallen.«

»Warum nicht?« sagte er lässig, aber seine Stimme zitterte vor Erregung.

Der nächste Morgen und der frühe Nachmittag vergingen unglaublich langsam und doch blitzschnell. In der Schule brachte Harry nichts fertig. Pausenlos dachte er daran, daß er eigentlich Präservative kaufen müßte. Jedesmal sah er sich als bebender Jüngling vor dem grinsenden Apotheker stehen. Schließlich redete er sich ein, daß Ida schon die nötigen Vorsichtsmaßnahmen getroffen haben würde. Als er endlich den vierten Stock des Mietshauses erklommen hatte und an die Tür klopfte, war seine Kehle unerträglich trocken.

Ida ließ ihn ein, wobei sie die Tür auch nicht einen Zoll weiter öffnete, als nötig war, und verschloß und verriegelte sie dann eilig. Die Wohnung bestand aus einem Zimmer und einer Kochnische und hatte ein winziges Fenster in den Lichthof hinaus. Nur ein kleines Licht brannte. Ida trug ein hochgeschlossenes, schwarzes Kleid, das vorne zum Zuknöpfen war. Ihr schweres Parfüm raubte ihm beinah den Atem. »Hat dich jemand gesehen? Wenn ja, macht's auch nichts. Hier kennt dich sowieso keiner. Hast du gleich hergefunden?«

»Ja, sofort.« Er legte seine Mathematik- und Englischbücher auf den Heizkörper und machte ein paar Schritte ins Zimmer hinein. Er sah, daß das schmale Bett sauber zurechtgemacht war und daß mindestens drei Dutzend leere Limonadeflaschen auf dem Küchentisch standen.

»Wann kommt deine Freundin zurück?« fragte er.

»Ach, noch lange nicht. Sie ist Telefonfräulein; hab ich dir das nicht gesagt? Meistens wird's Mitternacht bei ihr.«

Ida machte es ihm leicht. Sie schlang ihre Arme um seinen Hals und drückte ihre Bereitwilligkeit zur Zusammenarbeit aus, indem sie sanft erzitterte und ihre Lippen zu einem kleinen, aufreizenden Oval formte. Harry wußte nun, daß die Zeit für Babyküßchen vorbei war. Im selben Augenblick, da ihre Zungen sich berührten, überkam ihn ein wildes Verlangen, das in Kürze jenes Problem zu lösen begann, welches ihn schon den ganzen Tag bedrückt hatte. Seine Hände glitten über ihren Körper, und Ida tat das ihre, indem sie sich noch fester an ihn preßte. Sekunden später, als Harry schon befürchtete, es würde alles vorbei sein, noch bevor er Gelegenheit hatte, die Kleider auszuziehen, warf Ida den Kopf zurück und flüsterte heiser: »So wart doch – ich krieg ja keine Luft mehr!«

Er ließ sie los. Ida torkelte wie eine Betrunkene dem Bett zu. »Menschenskind, in meinen kühnsten Träumen hätte ich nicht gedacht, daß ich nach einem Jungen in deinem Alter so wild sein könnte!« Sie warf ihm einen besorgten Blick zu, als wollte sie feststellen, ob sie ihn damit beleidigt hatte. Sie schien geradezu dankbar, daß er ihr nicht gleich nachgestürzt kam. »Ich meine, du bist ja kein Kind mehr. Wenn's drauf ankommt, weißt du, was du zu tun hast. Ich wette, du wirst auch bei mir deinen Mann stellen, nicht wahr?«

»So tu schon weiter«, sagte er nervös und knöpfte sein Hemd auf. Sie nickte und reichte ihm mit derselben Unbefangenheit, als handle es sich um eine Schachtel Zündhölzer, ein Päckchen Präservative.

Ihren Körper, der für ihn nie etwas besonders Schönes oder Häßliches, sondern vor allem die Teillösung eines Rätsels gewesen war, hatte er im Gedächtnis behalten. Nun war die Decke zurückgeschlagen. Er sah ihren Leib, der sich erregt auf dem Bett hin und her warf, die fast unerträgliche Härte ihrer vollen Brüste und die steil aufgerichteten Warzen, die verschwenderische Fülle ihres üppigen und einladenden Fleisches und das Dreieck aus schwarzen Haaren, das ihn irritierte, weil es so seltsam von diesem feinen, glatten Körper abstach. All diese Herrlichkeit gehörte nun ihm, und er lechzte danach, sie in Besitz zu nehmen.

Er legte sich neben diesen Körper, umfing ihn und erkannte, daß er es eigentlich gar nicht so eilig hatte. Erst wollte er ihn mit Blikken genießen, bevor dies alles ganz sein wurde. Sie aber murmelte plötzlich: »Steck ihn 'rein, Liebling!«

Diese Worte waren so brutal, so fern von allem, was Liebe sein sollte, daß seine Leidenschaft geringer wurde, statt sich zu steigern. Er blinzelte zu ihr hinüber und sah sie auf dem Rücken liegen, die Augen im Vorgefühl kommenden Genusses geschlossen. Er merkte, daß er sich nicht bewegen konnte. Sie öffnete erstaunt die Augen, stützte sich auf und fragte: »Na, was ist denn?«

Er gab keine Antwort. Idas Blicke glitten über seinen Körper. Er haßte dieses nachsichtige Lächeln auf ihren reizlosen Zügen. »Haben wir einen kleinen Motorschaden, Liebling? Zeit lassen — das ist das ganze Geheimnis. Mutti will nicht, daß du dich beeilst.«

Die Massage ihrer heißen Hand erfolgte so mechanisch, daß sich die Niederlage nur noch deutlicher abzeichnete. Plötzlich haßte er dieses häßliche Weibsbild, ihre Dummheit und Gefühllosigkeit, ihren Geruch und daß sie sich Mutti nannte. Am liebsten hätte er sie zusammenschlagen und verduften wollen. Aber er tat nichts dergleichen.

Am widerlichsten war dieses mitleidige Lächeln. Er mußte wegschauen.

»Das ist heute das erste Mal, nicht wahr, Liebling?« gurrte sie.

»Was du mir neulich von den andern Mädchen erzählt hast, hast du dir wohl nur eingebildet, stimmt's?«

»Nein«, krächzte er.

»So gib's doch zu! Mit einer mußt du ja einmal anfangen. Sei froh, daß ich diejenige bin und nicht irgend so ein Flittchen, nach der es dir nie wieder Spaß machen würde.« Als sie einsah, daß sie mit ihrer Hand nichts erreichte, setzte sie wieder dieses mitleidsvolle Lächeln auf und seufzte. »Wo ein Wille ist, da ist auch ein Weg«, sagte sie und stieg aus dem Bett. Sie öffnete die Tür des Schranks, der ein paar Meter entfernt stand, so daß Harry sie und sich selber in dem hohen Spiegel sehen konnte. Dann setzte sie sich auf ihn, beugte sich vor, bot ihm die Brüste dar und schaute mit ihm zum Spiegel hinüber. »Laß Mutti nur machen, Liebling«, sagte sie. »Sieh dir mal die lebenden Figuren dort an! Du wirst noch richtig stolz auf dich sein.« Er sah, wie sich ihr Spiegelbild hob und senkte, sah die heftigen Bewegungen dieses sinnlichen Hinterteils. Und dann behielt sie recht: Es kam ihm, und er glaubte zu vergehen.

Lange lagen sie so nebeneinander; Ida rauchend und plappernd, Harry still und benommen von der ungeheuren Tiefe und Intensität des Genusses. »Soll ich dir ein Geheimnis verraten, Liebling?« drängte sie. »Ich bin froh, daß du noch unberührt warst und daß ich dir gestern abend nicht davongelaufen bin. Ich kann dir eine ganze Menge beibringen. Es würde mir Spaß machen. Dir doch auch, nicht wahr? Ich kann dir mehr zeigen, als du in einem Buch darüber lesen oder von einer andern Frau lernen könntest — gleichgültig wer immer sie auch sein mag und wieviel Erfahrung sie hat.«

Es war ein ungeheuer wichtiger Nachmittag für Harry Orlando, der nun ein reifer Mann zu werden begann. Er rief Mama an und sagte ihr, daß er Basketballtraining habe und daher erst später zum Abendessen kommen würde. Ida konnte das Kichern fast nicht unterdrücken. Kaum hatte er den Hörer aufgelegt, drängte sie sich wieder schweigend zu ihm. Dieses Mal war er wesentlich sicherer und ließ sich viel mehr Zeit. Er brachte unendlich mehr Verständnis für dieses halbe Rätsel auf, das Ida Bisigloni hieß.

Sie fuhren miteinander heim. Ida ging als erste hinauf. Harry spazierte noch eine Viertelstunde in der Nachbarschaft umher, um ganz sicherzugehen. Er empfand ein Gefühl der Befreiung. Er dachte an Ida und an das, was sie für ihn getan hatte, an all die

Mädchen, die er besitzen und an all die Menschen, die er leiten würde. Harry fühlte das Vertrauen, das er in sich gesetzt hatte, aufwallen und ins Unendliche wachsen. Voll von herrlicher Befriedigung dachte er an seinen prächtigen Freund, an die Waffe zwischen seinen Beinen. Ida hatte aufgeschrien vor Lust. Er war verschreckt und eingeschüchtert gewesen, aber er wußte, daß er etwas loshatte. Er war Harry Orlando, etwas unbeholfen und nicht sehr anziehend, in seine Träume so verstiegen, daß sie einfach in Erfüllung gehen mußten; eine Persönlichkeit, die keiner verstand. Morgen schon, spätestens aber übermorgen, würde sich die ganze Welt um diese Persönlichkeit reißen.

Je näher Harry dem vierzehnten Stockwerk kam, desto unruhiger wurde er. Er wußte selber nicht, warum. Es war Miriams Idee gewesen, Trennung und Scheidung überaus taktvoll einzuleiten, nicht die seine. So oft sie auch miteinander telefonierten – stets zeigte sie Zurückhaltung und ruhige Würde. Nie deutete sie an, daß sie ihm auch nur das geringste nachtrug. Im Lauf der Jahre hatte Harry meist von Sol Selig, der beider Freund war, erfahren, daß Miriam sich lange Zeit treiben ließ. Dann aber hatte sie einen neuen Anlauf genommen und ein sinnvolleres Leben begonnen – zur großen Verwunderung derer, die sie kannten.

Harry hatte sie wie den letzten Dreck behandelt. Das war nie Absicht gewesen, aber es hatte sich eben so ergeben. Er würde sie immer lieben, obwohl sie ihn enttäuscht hatte, denn er zweifelte keinen Augenblick daran, daß sie bereit war, ihn auf der Stelle wieder bei sich aufzunehmen.

Miriam öffnete die Tür und ließ ihn in den überraschend großen Vorraum eintreten. Sie begrüßte ihn mit einem sanften Lächeln, das er nicht enträtseln konnte. Den Blick hielt sie beinahe bewußt von ihm abgewendet. »Du siehst gut aus«, sagte sie. Es klang fast ehrlich. »Gib mir deinen Mantel.«

»Du hast dich überhaupt nicht verändert, Mir«, log er, während er ihr den Mantel reichte. Natürlich war sie eine andere geworden. Elf Jahre hatten sie reifer und voller werden lassen, ohne sie dick zu machen. Sie war immer hübsch gewesen und hatte mehr nach einer Italienerin ausgesehen, als dies einem Mädchen namens Miriam Feldman zustand. Nach elf Jahren waren Wangen und Kinn etwas voller geworden. Was Harry hier sah, gefiel ihm.

»Es ist nett, so etwas zu hören, obwohl ich ehrliche Spiegel habe, in denen ich mich sehen kann«, entgegnete sie höflich, hängte seinen Mantel in den Wandschrank und geleitete ihn über zwei breite Stufen in ein kleines, gemütliches, angenehm beleuchtetes Wohnzimmer. »Ich habe Kaffee — falls du einen haben willst. Ich trinke keinen. Ich könnte nicht einschlafen — du auch nicht? Ich erinnere mich, daß du nach einer gewissen Stunde auch keinen magst, aber ich kann dir ja gleich einen einschenken.«

»Kaffee wäre genau das richtige, wenn es dir keine Mühe macht.«

»Ach, Harry, willst du nicht aufhören, dich so steif zu benehmen?« Sie lächelte. »In der Anrichte da drüben habe ich einen Whisky, wenn dir das lieber ist. Ich weiß aber nicht, wieviel noch da ist.«

»Ich möchte Kaffee«, sagte Orlando. »Kann ich dir behilflich sein?«

»Nein. Ich bin gleich wieder da«, antwortete sie und verließ fluchtartig das Zimmer.

Sie fühlt sich beinah ebenso unbehaglich wie ich, stellte Orlando überrascht fest, während er auf der zehn Tonnen schweren Anrichte nach der Karaffe und einem Glas suchte. Er ließ das Getränk durch die Kehle rinnen, zündete sich eine Zigarette an und schaute sich im Wohnzimmer um, das offensichtlich von einem melancholischen Warmen eingerichtet worden war. Das war das Empfangszimmer einer gut verdienenden Verkäuferin, nicht aber der geschiedenen Frau Harry Orlandos. Die Möbel, Bilder und Nippsachen hatten wohl ein Vermögen gekostet, waren aber unsagbar geschmacklos. Es mochte jetzt zwanzig Jahre her sein, seit er sie angebrüllt hatte, nachdem er ihr für siebentausenddreihundert Dollar einen Mantel gekauft und dann beobachtet hatte, wie sie mit dem Pelz auf und ab ging. »Du bist die einzige Frau in meinem Bekanntenkreis, die mit einem Chinchillamantel wie mit einem Biber umgeht!« Das war eine grobe Beleidigung, aber Miriam konnte man nicht beleidigen. »Hauptsache, er ist warm«, hatte sie geantwortet. Sie erinnerte ihn immer an eine Figur aus einem der schlechteren Bücher Scholem Alejchems.

Diese Bäuerin, dachte er. Diese frigide Bäuerin.

Noreen hingegen war köstliches Backwerk. Bei ihr funkte es schon, wenn er sie nur um das Salz bat.

Trotzdem hatte er schon zwei Tage nach der Scheidung Miriam

wieder zurückhaben wollen, obwohl er damals nach Noreen ganz verrückt, unsterblich verliebt und jung gewesen war.

Das Fernsehgerät war abgeschaltet, und Orlando entschloß sich, es dabei zu lassen. Miriam kam mit einem Tablett, auf dem eine Kanne heißer schwarzer Kaffee, ein paar Kekse und eine Serviette waren. Er bemerkte, daß sie einen kleinen Umweg gemacht hatte, um ein wenig mehr Lippenstift aufzutragen und sich mit Kölnisch Wasser zu besprühen. Ihr Gesicht war eine Spur geröteter und besorgter als zuvor.

»Setz dich, Harry. Ich werde dich bedienen.«

»Fein«, sagte er und ließ sich auf dem Sofa vor dem runden Kaffeetisch nieder. »Jimmy dürfte es gutgehen. Ich hab ihn vorige Woche angerufen.«

»Ja, er hat es mir erzählt.« Miriam nickte und servierte den Kaffee. Sie vermied es immer noch, Harry anzusehen. »Es ist noch zu früh, um etwas Bestimmtes sagen zu können. Aber das College macht ihm Spaß, und ich glaube, daß er das Jusstudium ernst nimmt.«

»Etwas Besseres können wir uns doch gar nicht wünschen! Ich hoffe nur, daß er vom Bazillus des Showgeschäfts verschont bleibt. Du hast den Jungen wunderbar erzogen, Mir. Er rennt nicht herum wie ein Beatle und klaut auch keine Radkappen. Das ist dein Verdienst. Er hätte auch ein Gammler werden können.«

Miriam war mit dem Servieren fertig. Sie hatte sich öfter und langsamer in Orlandos Blickfeld vorgebeugt, als es nötig schien. Dabei gewährte sie ihm herrliche Einblicke in die Furche zwischen ihren Brüsten, die vom eng verschnürten Morgenrock nicht zur Gänze bedeckt wurden. Harry stellte fest, daß sie noch immer den attraktivsten Busen der Vereinigten Staaten und eines Großteils von Kanada besaß.

Miriam saß am andern Ende des Sofas und tat, als würde ihr nie in den Sinn kommen wollen, ihn zu erregen. Sie schob ihr schwarzbraunes Haar aus der Stirn zurück und wies ihn zurecht. »Daß du immer mit dem Wort Gammler kommen mußt. Bei dir ist man entweder ein Held oder ein Gammler. Das ist schon seit Jahren deine Ansicht. Vielleicht gibt es auch Menschen, die eben nur Menschen sind.«

Sie kreuzte die Beine übereinander, vergaß aber nicht, sich sorgfältig den Rock zurechtzustreifen.

»Ich mag halt keine Gammler«, sagte er und nippte an seinem Kaffee. »Wie geht es deiner Mutter?«

»Ein wenig schlechter«, seufzte sie. Er kannte dieses Seufzen, seit er Miriam das erste Mal begegnet war. »Ihr Herz ist schwächer, als es sein sollte. Sie kann nicht mehr aufstehen und hat auch gar keinen Humor mehr. Du erinnerst dich doch: Sie war immer so gut aufgelegt.«

»Gewiß«, antwortete Orlando ernst. Er erinnerte sich kein bißchen. »Ist sie hier? In der Wohnung?«

»Ja. Papa kann die Pflegeanstalt nicht eine Sekunde verlassen, aber Mama ist bei mir. Eine Krankenschwester sorgt Tag und Nacht für sie. Wie ist der Kaffee?«

»So einen Kaffee bekommt man nicht einmal in den besten Lokalen.«

Sie plauderten über alles mögliche, berührten aber kein ernstes Thema – den Tod des Präsidenten ausgenommen. Miriam erinnerte sich herzerfrischender kleiner Anekdoten, die sie gelesen hatte. Orlando hingegen versuchte ihr auf seine ungeschickte Art zu erklären, was die außerordentlichen Qualitäten Haywoods für das Land bedeutet hatten. Und dann fragte Miriam: »Wo fehlt's, Harry?« Sie besaß die Gabe, in den ausgefallensten und unerwartetsten Momenten Lunte zu riechen.

»Woher willst du wissen, daß mir et . . . ?«

»Ist ohnehin alles in Ordnung? Gratuliere!«

Er preßte die Kinnbacken zusammen. »Ich hätte es beinah geschafft«, sagte er langsam. »Ich war drauf und dran, diesen verdammten Job aufzugeben, und jetzt wirst du hell auflachen – hauptberuflich für Joe Haywood zu arbeiten.«

»Warum sollte ich lachen?« entgegnete Miriam. »Du hast ihm doch bei seiner ersten Wahl sehr geholfen.«

»Unsinn . . . Das war keine große Sache. Früher oder später hätte er es auch von alleine geschafft. Nach seiner Wahl zum Präsidenten habe ich schon geglaubt, er würde mich vergessen. Warum auch nicht? Was zum Teufel soll so ein geistiger Riese mit 'nem ganzen Korb voll Doktorhüten mit so einem Dummkopf, wie ich einer bin, anfangen? Aber Joe war aufmerksam. Er konnte mich gut leiden, achtete darauf, daß ich immer wieder zu Partys ins Weiße Haus eingeladen wurde, und behandelte mich fast so, als gehörte ich in sein Milieu.

Vor ungefähr vier Monaten, an einem Sonntag, bat er mich,

nach Dutton's Landing zu kommen. Dort machte er mir ohne viel Umschweife einen Vorschlag. Es wäre bei Gott viel verlangt, meinte er, aber wenn ich mich drauf einstellen könnte, wenn es mir wichtig genug erschiene – ob ich dann Lust hätte, mich mit dem Kulturaustauschprogamm zu beschäftigen. Es ginge darum, den Staub fortzublasen und alle Monokelträger in einer Abteilung zusammenzufassen, die unabhängig unter meiner Leitung arbeiten sollten. Unter *meiner* Leitung.

Ich griff mit beiden Händen danach. Kannst du dir das vorstellen, Mir? Ich, ein Tunichtgut wie ich, sollte so eine Organisation leiten, etwas wirklich Bedeutungsvolles tun, etwas, das Zukunft hatte. Ich kann mich ehrlich nicht erinnern, daß mich irgend etwas schon einmal interessiert hätte.«

Stumm sah ihm Miriam zu, während er erregt auf und ab ging.

»Vor ein paar Wochen sah ich Joe kurz, und wir sprachen wieder darüber. Mittlerweile hatte ich hundert Ideen entwickelt und sie alle fein säuberlich in einem langen Brief festgehalten. Ich schrieb ihn ganz allein; noch nie in meinem Leben hatte ich an etwas so hart gearbeitet. Ich gab ihm den Brief, er dankte mir, und er versprach ihn zu lesen. Er sagte noch, wir würden uns bald darüber unterhalten. Und jetzt ist er tot. Was soll ich jetzt anfangen?«

Miriam schwieg einen Augenblick. »Du hast doch noch nie etwas aufgegeben, was du wirklich gern gemacht hast. Wenn die Idee vor ein paar Wochen gut war, so ist sie es doch auch heute noch, oder? Quinlan hat gestern im Fernsehen gesagt, er würde keine Veränderungen . . .«

»Ja, ja, ich hab's auch gesehen! Das ist doch alles nur Schmus«, fiel ihr Orlando scharf ins Wort. »Hast du diesem frömmelnden Clown auch *richtig* zugehört? Weißt du, was für *ihn* Kulturaustausch bedeutet? Süßholz raspeln und blöd daherreden. Eine Tombola. Nein, nein, mit meiner amtlichen Stellung ist's aus. Ein erstklassiger Mann ist abgestürzt, ein Kerl, der mehr wert war als tausend Quinlans oder Orlandos. Jetzt kann ich mich höchstens noch mit dem Portier vom Weißen Haus über Kulturaustausch unterhalten. Diese Monokelträger würdigen mich doch keines Blicks. Ich wäre ohnedies nicht zum Begräbnis gegangen, aber man hat mich nicht einmal eingeladen. Das ist's, was mir weh tut!«

Und dann hörte er sich sagen: »Ich bin so allein.«

Es war Effekthascherei und aufrichtig zugleich. Noch nie zuvor hatte er diese Worte laut ausgesprochen, nicht einmal vor vielen Jahren, wenn er sich, den Kopf auf ihre Brust gebettet, über die Zukunft Sorgen machte. Die Worte entblößten und entwaffneten ihn. Am liebsten hätte er sie zurücknehmen und Miriam entfliehen wollen; dieser Frau, der er wie keiner andern vertraute, die er wie keine andere fürchtete.

Ein Schatten von Mitgefühl huschte über ihr Gesicht und verschwand ebenso schnell, wie er gekommen war. »Das tut mir leid«, entgegnete sie, und der sanfte Ton ihrer Stimme erschütterte ihn.

»Ist das alles, was du darauf zu sagen hast?«

Sie zog die Augenbrauen in die Höhe. »Du hast mir immer vorgeworfen, ich redete zuviel und wüßte nicht, wann ich einen Punkt machen sollte. Es tut mir wirklich leid, daß du ganz allein bist, Harry. Und sicher tut es auch dir leid, daß ich ganz allein bin — daß ich allein einschlafe, allein aufwache und trotz Jimmy, meiner Mutter, den Verwandten und ein paar Freunden immer noch allein bin. Sicher verschwendest du eine ganze Menge Zeit damit, mich zu bedauern.«

Orlando setzte sich neben sie. Verzweifelt wünschte er, sie solle ihn verstehen, ihm zuhören, sich um ihn sorgen und ihn in die Arme nehmen, wie sie es damals getan hatte, als seine Nächte so entsetzlich gewesen waren wie jetzt in den letzten Wochen. Er nahm ihre Hand und drückte sie an sich. Miriam zuckte zusammen, ließ es aber geschehen.

»Du bist stark, Miriam«, sagte er heiser. »In all diesen Jahren ist kein Tag vergangen, an dem ich dich nicht gebraucht, nicht geliebt hätte. Weißt du das nicht? Sag nicht, es täte dir leid, daß ich allein bin. Es klingt so entsetzlich kalt. Es muß dir doch etwas an mir liegen. Du bist die einzige, die mich jemals verstanden hat. Ich liebe dich, und du liebst mich auch . . .«

»Was willst du von mir?« flüsterte sie, ohne sich zu rühren.

O Gott! Sie fragte ihn geradeheraus, sie meinte es ernst, sie war seine Miriam, die seinen Schmerz lindern wollte! Harrys Hände glitten über die Falten des Morgenrocks, bis sie eine Öffnung gefunden hatten. Er kämpfte gegen die Tränen, als er das Fleisch ihrer Knie und die sichere Wärme ihrer Schenkel berührte. Er war jetzt beinah daheim, dort, wo immer sein Platz gewesen war, und sie wehrte sich nicht. »Nimm mich wieder auf, Miriam, nimm mich wieder auf«, flüsterte er, während seine Finger immer ungestümer nach dem Fleisch drängten.

Sie schwieg und bewegte sich nicht. Erst nach Sekunden begann er zu ahnen, was in ihr vorging. Noch bevor er in ihre Augen blickte, wußte er, daß sie kalt wie Eis waren. Das war nicht die frigide Miriam, die man endlos anheizen mußte, bevor sich auch nur der Anschein einer Reaktion erkennen ließ. Das war die gnadenlose Miriam, jene Miriam, die er nicht kannte und die ihn durch ihr Schweigen wissen ließ, daß sie für ihn unerreichbar war und entschlossen, es zu bleiben.

Tief beschämt zog er die Hand zurück. Miriams Gesicht verzerrte sich in lautloser Wut. Ein wuchtiger Schlag traf seine Schläfe.

Einen Moment lang war sie über ihre Tat entsetzt. Dann aber sprang sie auf und blieb entschlossen vor ihm stehen.

»Ich soll dich wieder aufnehmen!« sagte sie zornig. »Soll ich womöglich wieder deine Mutter spielen? Willst du wieder so lieb zu mir sein wie früher und dich an meinem Busen ausweinen? Dann gehst du aus, steckst dein Ding in jedes zweite Loch in der Stadt, kommst wieder heim und steckst es mir 'rein! Ich soll dich wieder aufnehmen, Harry? Vierzehn Jahre lang hast du mich belogen und betrogen! Ein Baby warst du, das nach der Mutterbrust gewimmert hat. Das bist du heute noch und wirst es in deiner letzten Stunde sein. Einen Betrüger, Lügner und Hurenbock soll ich wieder aufnehmen?«

Orlando nickte mit zusamengebissenen Zähnen, ging steif zum Wandschrank und holte seinen Mantel. Miriams Worte hatten ihn seines letzten Stückchens Würde beraubt. Stumm öffnete er die Tür und verließ die Wohnung, ohne sich noch einmal umzusehen.

III

Miriam Orlando stand bei der Tür und wartete, bis sie den Aufzug hinunterfahren hörte. Dann ging sie leise in die Küche und wärmte sich einen Kaffee.

Noch nie hatte sie jemanden geschlagen, nicht einmal Jimmy, obwohl es manchmal Grund genug dafür gegeben hätte. Selbst wenn Harry das gefühlloseste, beleidigendste und aufreizendste Benehmen an den Tag legte und sie sich immer mehr darüber wundern mußte, daß sie einen Menschen so sehr verachten konnte wie ihn — nie wäre es ihr eingefallen, ihn zu schlagen. Ein einziges Mal war er handgreiflich geworden. Damals lebten sie schon ein Jahr in ihrem Haus in Hollywood. Harry stand im Zenit seines Ruhms und begann gerade seine unglaublichen Erfolge im Film zu wiederholen. Er war eingeladen worden, bei der Preisverteilung der Akademie in Graumanns Theater Hausherr zu sein. Während er sich ankleidete, machte Miriam ihn darauf aufmerksam, daß er zuviel und zu schnell trinke. Es wäre doch entsetzlich, wenn dieses exklusive Publikum auch nur den Verdacht hegte, er sei betrunken. Harry aber war an jenem Abend aus ihr unbekannten Gründen, vielleicht aus Überarbeitung, besonders dickköpfig, trank um so mehr und zischte sie an, sie solle Jimmy und ihn nicht belehren.

Er gab in jener Nacht einen wunderbaren Conférencier ab, war charmant, elegant und ausgezeichnet bei Stimme. Miriam, die in der dritten Reihe saß, applaudierte begeistert wie alle andern.

Zur anschließenden Party bei Chasen nahm er sie aber nicht mit, da er mit so vielen Menschen zusammentreffen und sprechen mußte. Das störte sie nicht, denn damals pflegte er ohnedies nie an einem Tisch sitzen zu bleiben, und sie fühlte sich bei großen Veranstaltungen nie wohl, vor allem dann nicht, wenn man ihr ununterbrochen Leute vorstellte. Harry küßte sie und versprach, bald nach Hause zu kommen. Es war schon hell, als er endlich daherkam, schwankend, mit zerzaustem Haar und betrunkener, als sie ihn je zuvor erlebt hatte. Sie lief auf ihn zu und wollte ihm helfen. Er aber stieß sie von sich, fiel im Vorraum zu Boden und schlief ein. Das tat ihr sehr weh, denn noch nie hatte Harry sich ihr gegenüber so benommen.

Fünf Stunden später war er bereits auf, rasiert und angekleidet. Mit unglaublich klarem Blick sah er Miriam zu, wie sie von einem

Zimmer ins andere ging, und seine Augen weiteten sich, so als wäre ihm plötzlich eingefallen, was er angestellt hatte. Wortlos verließ er das Haus, aber knapp eine Stunde später wurden eine Unmenge Blumen bei ihr abgegeben, Rosen und Orchideen, und eine Karte, auf der er sie um Verzeihung bat.

Der aufgewärmte Kaffee kochte bereits. Miriam schenkte eine Tasse voll und nahm sie ins Schlafzimmer mit. Sie stellte sie auf die letzte Nummer des *Reader's Digest*, die auf dem Tisch lag, ließ den gesteppten Morgenrock über die Schultern gleiten, zog den Schlüpfer über die Hüften hinunter und legte ihn in die Lade zurück. Sie kam sich dumm vor, weil sie ihn nach Harrys Anruf angezogen hatte. Wäre es so eine Tragödie gewesen, wenn er gesehen hätte, daß sie in die Breite gegangen war? Wollte sie aussehen wie ein Glamourgirl, womöglich gar wie eine Noreen Lawrence? Wollte sie ihn am Ende zurückgewinnen? Sie war fünfundvierzig Jahre alt, kein Küken mehr, aber auch noch keine alte Schachtel; fünfundvierzig Jahre, deren sie sich nicht zu schämen brauchte. Eine Schönheit freilich war sie nie gewesen. Wozu also das ganze Theater, das sie aufgeführt hatte, als er anrief und fragte, ob er herüberkommen dürfe?

Miriam putzte die Zähne, schlüpfte in das Nachthemd und ging zu Bett. Sie fühlte sich ein wenig schuldbewußt, weil sie nicht auf einen Sprung zu ihrer Mutter gegangen war, die nebenan schlief. Eigentlich war es ja nicht nötig, denn Mrs. Burrus, die neue Nachtschwester, die bei Mama schlief, war eine Perle von Schwester — teuer und manchmal schrullig. Aber sie wußte, worauf es ankam. Miriam setzte sich im Bett auf und schlürfte ihren Kaffee; sie war entschlossen, sich zu entspannen und den Besuch zu vergessen.

Eine halbe Minute nur hätte Harry länger bleiben müssen, und sie wäre auf die Knie gesunken und hätte ihn angefleht, zu ihr zurückzukehren.

Noch fühlte sie seine Finger auf ihren Schenkeln, dieses eigenartige Prickeln, das sie ganz unvermutet erregte. Sie hatte ihn dieser Schlampe Noreen Lawrence überlassen, ihr und all den andern Schlampen, weil sie eine schlechte Ehefrau gewesen war, die nicht mit ihm Schritt halten konnte, als sein kometenhafter Aufstieg begann. Sie war nicht an seiner Seite geblieben. Nicht weil sie nicht gewollt hätte oder nicht bereit gewesen wäre, sich belehren zu lassen. Es war sein Entschluß gewesen, Miriam und Jimmy Orlando im Hintergrund zu halten, um sie mit den Zeitungsleuten und andern Verrückten zu verschonen.

Harry trieb sich mit Flittchen herum, aber er lief sich auch die Füße wund, um Menschen zu helfen. Er tat oft unnötige und unüberlegte Dinge, aber er hatte keinen schlechten Charakter.

»Wenn du diesen Goj heiratest, wirst du in die Hölle kommen, Gott soll abhüten!« hatte Miriams Mutter ausgerufen und bis zur Geburt des Babys kein Wort mit ihr gewechselt.

Nach ihrer Heirat ging Miriam zu Fanny, ihrer freisinnigen Schwester. Sie war die einzige in der großen Familie gewesen, die ihr nicht in einem Anfall von Hysterie verboten hatte, einen Nichtjuden zu heiraten.

»Was ist nur mit mir los?« klagte sie Fanny. »Warum benehme ich mich so? Ich kann kaum mehr klar denken, so sehr liebe ich ihn. Und wenn wir im Bett sind und er mich nur anrührt – du weißt, was ich meine –, weiß ich nicht, wie mir geschieht. Alles kommt mir so animalisch vor.«

»Wird er böse?«

»Manchmal. Eigentlich ist's ja kein Wunder. Und *ich* werde wütend dabei. Ich bin ganz verrückt nach ihm und benehme mich, als wäre das Gegenteil der Fall.«

»Dann spiel ihm doch etwas vor«, sagte Fanny. »Hör mal, in all diesen Jahren mit Max hab ich mehr als einmal zu ihm sagen wollen: Roll dich 'rüber und laß mich schlafen. Aber ich tu immer so, als wäre es schön – und gelegentlich ist es ja auch schön. Er ist zufrieden, und was hat es mich schon gekostet? Das nämlich ist der Punkt, Miriam, wo du dich bei einem Mann sehr leicht in die Nesseln setzen kannst: Wenn du ihn glauben machst, er wäre kein Don Juan. Wenn du einen guten Mann hast, dann sei auch gut zu ihm.«

Miriam versuchte Fannys Ratschläge zu befolgen. Aber es kam einfach nichts dabei heraus.

Als es dann zu spät war und er sie verlassen hatte, empfand sie eine zermürbende Leere. Sie wich den Zeitungsleuten aus, wie sie ihnen schon während ihrer Ehe ausgewichen war, und mied sogar die wenigen Freunde, die sie noch hatte. Einladungen nahm sie nur dann an, wenn Mama ihr befahl, sich nicht wie eine Einsiedlerin aufzuführen. Ein Importeur namens Brill, ein netter Mann, der zehn Jahre älter war und an einem entsetzlichen asthmatischen Husten litt, nahm sich ihrer an. Er ließ durchblicken, daß er ihr einen Heiratsantrag machen wolle, und ihre Eltern rieten ihr nachdrücklich, ihn zu erhören. Der Antrag kam tatsächlich, und sie nahm ihn an, vor allem deshalb, weil Jimmy einen Vater brauchte, der nicht ununterbrochen unterwegs war. Aber zur Hochzeit sollte es niemals kommen — aus demselben Grund, der sie veranlaßte, auch keinen der anderen Interessenten zu heiraten, die nach Hermann Brill kamen: Sie liebte Harry.

Jetzt ließ sie den Kaffee kalt werden, wie sie schon soviel in ihrem Leben hatte kalt werden lassen. Wohin waren diese elf Jahre entflohen, was hatte sie mit ihnen angefangen? Auf Harry gewartet, dachte sie, auf den Mann, den ich heute nacht hinausgeschmissen habe.

Heute hat Harry nach mir gerufen, dachte sie. Ich habe ihn fortgeschickt.

Sie warf einen Blick aus dem Schlafzimmerfenster hinaus und wurde sich einer lächerlichen und zugleich tragischen Ironie bewußt: Jetzt sehnte sie sich danach, Harry in ihrem Körper zu spüren.

Mit siebzehn wußte Harry genau, was er wollte.

Er war groß und kräftig geworden, hatte gelernt, ein unbegrenztes Selbstvertrauen an den Tag zu legen. In seinem Gesicht lag mehr als nur gutes Aussehen: eindrucksvolle Züge, dunkelbraune Augen, in denen sich jugendliche Neugier und schnell reifender Verstand spiegelten; ein Mund, der einen Hang zu sanfter Verderblichkeit verriet. Er erzog sich dazu, nichts zu fürchten und jedermann mit einer Dreistigkeit entgegenzutreten, wenn er sich einer Sache sicher war. Es gab einige Menschen, die von ihm nicht beeindruckt waren. Er trat jetzt schon richtig auf, nicht nur bei geselligen Abenden, sondern auch bei Tanzveranstaltungen der Schule mit einem ordentlichen Orchester. Der kleine Sender in der Bronx, die verschiedenen Amateurshows in den fünf Bezirken der Stadt — alle rissen sich um ihn. Er sang für jedes Publikum, gut und mit wachsendem Erfolg. Immer erhielt er Beifall, manchmal sogar ein Honorar. Harry zweifelte nicht im geringsten daran, daß ihm eines Tages die ganze Welt Beifall spenden und ihn gut bezahlen würde.

Die Mädchen wurden aufmerksam auf ihn; die gleichen Mädchen, die in ihm noch vor zwei Jahren einen jener jämmerlichen Wichte gesehen hatten, mit denen man sich nur verabredete, wenn äußerste Not am Mann war. Keins der Mädchen, die nur darauf warteten, daß er von ihnen Notiz nahm, hätte ihr Interesse begründen können. Er war gewiß kein Adonis. Was er aber besaß – und er wußte das sehr wohl –, war ein zwar noch geringer, aber immerhin sehr erkennbarer Zug von Sinnlichkeit. Er erzog sich dazu, ein Mädchen wie ein Lied zu behandeln: mit Aufrichtigkeit und Feinheit, geschickt mit erotischem Wissen verbrämt und mit Zurückhaltung überdeckt. Angriffslustige Keckheit bei Mädchen oder Lied hätten dem Image geschadet, an dem er so hart arbeitete.

Er sagte seinem Stiefvater, daß er von der Schule weggehen wolle und schon ungeduldig darauf warte, mit seinem Leben etwas Großes anzufangen. Bisigloni erklärte sich widerstrebend einverstanden, aber nur unter der Voraussetzung, daß er weiterhin als Bäcker arbeiten oder sich einem ähnlich sicheren Beruf zuwenden würde. Als er hörte, Harry wolle Sänger werden und sonst nichts, traf den alten Mann beinah der Schlag: »Du so ein Landstreicher werden über meine Leiche!« brüllte er. »Ich dich umbringen zuerst! Du bleiben in Schule!«

Harry wunderte sich immer wieder über die Tatsache, daß weder sein Stiefvater, der ein ausgemachter Wachhund war, noch seine Mutter, die jetzt oft schnell müde wurde und die Wohnung nur selten verließ, irgendeinen Verdacht schöpften, was ihn und Ida betraf. Vielleicht gab es keinen Anlaß dazu. Sie bemühten sich sehr, etwaige Spuren zu verwischen. Aber Mama und der Alte waren keine dummen Leute, und er staunte, daß sie überhaupt nichts merkten.

Die Liebesaffäre – dieser Ausdruck kam von ihr, ihm schien das Wort idiotisch – war jetzt, fast zwei Jahre nach ihrem ersten Rendezvous in Pearl Sheas Wohnung, zu einer festen Einrichtung geworden. Für ihn hatte sie an Heftigkeit abgenommen, obwohl er nach Möglichkeit alle Chancen wahrnahm, mit Ida allein zu sein; in Pearls Wohnung, für hastig fünf Minuten auf dem Dach, gelegentlich sogar in ihren eigenen Zimmern, wenn sie nur irgendwie sicher waren, nicht überrascht zu werden. Ida arbeitete jetzt als Sekretärin in der Wall Street. Sie zog sich besser an und ging auch mit andern Jungen aus, obwohl sie das ihm gegenüber stets leugnete. Aber sie ließ keine Zweifel offen, daß er ihr ein und alles war. Sie machte ihm wiederholt klar, daß sie immer für ihn da war, und nach einer Weile sagte sie ihm ebenso deutlich, daß sie sein Ausgehen mit andern Mädchen mißbillige. Obwohl er immer mehr erkannte, daß ihre Versuche, ihn an sich zu binden, ihm langsam auf die Nerven gingen und daß er von niemandem, und schon gar nicht von Ida, überwacht zu werden wünschte, setzte er seine Beziehungen zu ihr fort. Er tat dies, weil sie ihm zur Verfügung stand, weil sie ihn nichts kostete und weil er es noch nicht wagte, sein Können bei Mädchen auf die Probe zu stellen, die nicht so unverhüllt hungrig danach waren.

Außerdem war Ida wirklich eine Lehrerin. Er konnte ihr pausenloses Geschwätz und ihre lästigen Geschmacklosigkeiten schon deswegen übersehen, weil sie für alle und jede Experimente zu haben war. Nichts schockierte sie. Niemals bestritt oder bezweifelte sie sein Recht, sie so zu benützen, wie es ihm gerade einfiel. Sie lehrte ihn verschiedene Methoden, eine Frau zu erregen, sagte ihm, wann eine Frau liebkost, gedrängt und getröstet werden wollte. Er studierte die Kunst der Liebe ebenso ernst und eifrig, wie er sich mit Haydn Hughes auf den Beruf des Sängers vorbereitet hatte.

»Worauf kommt es der Frau am meisten an?« fragte er. »Mehr als auf alles andere?«

»Daß der Mann sich Zeit läßt«, klärte sie ihn auf. »Daß er nicht zu schnell damit fertig wird. Meistens dauert es bei einer Frau länger als bei einem Mann.«

Er nickte, aber diese Tatsache – wenn es überhaupt eine war – machte ihn unruhig. Wenn ich schon bei einem Trampel wie Ida die Beherrschung verliere und mich nicht zurückhalten kann, wie würde es mir dann bei einer Klassefrau ergehen? »Wie soll ich das lernen?« fragte er.

»Übung. So wie man Klavierspielen lernt.«

Harry übte fast bei jeder Gelegenheit, und Ida unterstützte ihn in jeder Beziehung. Er begann sein eigener Schrittmacher zu sein, indem er darauf bedacht war, sie zuerst mit Spielereien und Liebkosungen vorzubereiten und zu erregen. Die Stöße wurden tief und langsam, und er lenkte seine Gedanken auf alles mögliche, nur nicht auf seine untere Körperhälfte. Seine Ausdauer, seine Fähigkeit, die Erfüllung hinauszuzögern, ohne an Kraft und Erregung zu verlieren, wurden zu einer Kunst, zu einer Wissenschaft, die er nun zu beherrschen glaubte. Schon einen Monat nach Beginn des Lehrgangs war er auf Idas Beifall nicht mehr neugierig. Er wußte, daß er sich vervollkommnet hatte.

Allzu oft legte sie die Eleganz einer Planierraupe an den Tag, war sie nur ein leidenschaftliches Objekt, das seine Lust befriedigt haben wollte; kein denkendes menschliches Wesen aus Fleisch und Blut, ein Ding nur, unfähig, sich wechselnden Stimmungen zu unterwerfen. Aber sie ließ ihn an sich herumexperimentieren, und es gab Zeiten, da er ihr beinah gesagt hätte, wie dankbar er ihr für ihre Hilfe war. Sie wurde, soweit ihre Vorstellungskraft dazu ausreichte, zu jeder Art von Frau, nach der es ihn im Moment gelüstete. Sie war die Frau, die sich danach sehnte, von ihm genommen zu werden, aber die Unnahbare spielte, da sie um ihren guten Ruf bangte. Sie war das freche, geile Luder, dem es Spaß machte, ihm den Schweiß aus den Poren zu treiben, indem es immer neue Ausflüchte erfand. Sie war die reine Jungfrau, die nach ihm schmachtete, sich aber noch unschlüssig war, ob sie ihm ihre Unschuld opfern sollte. Mit ein paar netten Worten hier, einem Kuß da und einer Liebkosung dort zeigte Harry sich allen Situationen gewachsen.

»Weißt du, wie ich mir vorkomme?« fragte sie ihn in einem Ton, der nur zum Teil scherzhaft klang. »Wie ein Schuldirektor, der Zeugnisse verteilt. Verdiene ich dafür nicht mindestens einen Kuß?«

Dann kam der Tag – ein grauer, dunstiger Aprilnachmittag –, da er die Wohnung in der Tremont Avenue aufschloß und eine rothaarige Frau sah, die, eine Flasche Ingwerbier und eine Zeitung in der Hand, aufgestützt im Bett lag. Er wollte sich schon entschuldigen und gehen. Aber sie rief ihn zurück: »Moment mal! Sie sind doch Harry, nicht wahr? Kommen Sie doch 'rein und begrüßen Sie Ihre Hausfrau. Ich heiße Pearl.«

Er schloß die Tür und kniff die Augen zusammen. Fast zwei Jahre schon kam er mit einiger Regelmäßigkeit in diese Wohnung. Er wußte, daß es eine Pearl Shea gab, und hatte mehr über sie gehört, als er wissen wollte. Aber gesehen hatte er sie noch nie. Der Inhalationsapparat neben ihr und die zerknüllten Papiertaschentücher deuteten darauf hin, daß sie erkältet war; die rotumrandeten Augen bestätigten dies. Sie schien etwa sechs Jahre älter als Ida und wesentlich ordinärer zu sein: grellrot gefärbte Haare und eine Unzahl von Sommersprossen umrahmten jene Art von schmollenden Lippen, wie er sie auf Clara Bows Bildern gesehen hatte.

»Tut mir leid, daß ich diesen verdammten Schnupfen habe«,

sagte sie munter. »Damit habe ich Ihre Party mit Ida platzen lassen.«

»Mir tut's auch leid – daß Sie erkältet sind, meine ich.«

Sie lächelte spitzbübisch. »Als ich heute früh mit Fieber aufwachte, rief ich Ida im Büro an und sagte ihr, daß ich zu Hause bleiben müsse. Sie ärgerte sich, weil sie Sie nicht mehr erreichen konnte. Es tut mir nur leid, daß Sie umsonst hergekommen sind.«

»Das macht doch nichts. Ida kommt also nicht?«

»Nein. Sie hat mich gebeten, Ihnen auszurichten, daß sie zu Hause auf Sie warten wird. Aber es würde mich freuen, wenn Sie mir bei einem Drink Gesellschaft leisten könnten – wenn Sie's nicht eilig haben und es Ihnen nichts ausmacht, eine fiebernde Ruine wie mich vor Augen zu haben.«

Harry ging zum Kühlschrank und holte sich eine Flasche Soda. Dabei überlegte er schnell. Ida hatte ihm eine ganze Menge von dieser Pearl Shea erzählt – daß sie geschieden und ein verrücktes Frauenzimmer war, das sich empört gegen den Vorwurf zur Wehr gesetzt hatte, auf Männerbekanntschaften aus zu sein. In Wirklichkeit machte sie aber vor nichts halt, einschließlich Sexpartys. Ida hatte bemerkt, wie interessiert Harry dem Bericht über Orgien zuhörte, und ihn gestoppt, bevor er noch den Mund aufmachen konnte: »Wenn du glaubst, daß ich mich zu so was hergebe, dann heißt die Antwort: Nein, mein Freundchen. Was du mit mir machst, ist alles schön und gut; aber mit andern zusammen – kommt nicht in Frage.«

»Hab ich was gesagt . . . ?«

»Außerdem interessiert sich meine Freundin Pearl mehr für ältere Semester. Sie würde sich nie etwas nehmen, was mir gehört.«

Ob das wohl stimmte? Pearl Sheas Stimme klang so sachlich-freundlich und war so ohne Koketterie, daß die Aussichten, bei ihr etwas erreichen zu können, nicht gerade glänzend schienen. Eigentlich wollte er es auch gar nicht. Nichtsdestoweniger holte er noch ein Ingwerbier aus dem Kühlschrank, öffnete die Flasche und schlenderte zu ihr zurück, um die Möglichkeiten genauer zu überprüfen.

»Was für eine Art von Erkältung haben Sie eigentlich?« fragte er und setzte sich auf den Stuhl neben dem Bett. Ihre Züge waren hart, aber nicht böse. Winzige Spuren übermäßigen Genusses in ihrem schmalen Gesicht erinnerten an nachlässig geputztes Silber oder altes Porzellan. »Haben Sie genug Aspirin und solches Zeug da? Ich hab jetzt nichts vor. Wenn Sie wollen und was brauchen, kann ich es Ihnen aus der Apotheke holen.«

»Oh, das ist wirklich lieb. Nein, ich brauche nichts als ein bißchen Ruhe«, antwortete sie lächelnd und sah ihm ins Gesicht, ohne auch nur den geringsten Hinweis zu geben, daß sie etwas anderes wäre als eine freundliche Frau, die genau wußte, daß sie für ihn zu alt war. So klang es auch, als sie frech hinzufügte: »Meine Erkältung steckt in der Brust — wenn das Wort gestattet ist.«

Harry schien es wert, auf diese Bemerkung näher einzugehen. Mit unaufrichtigem Lächeln — das Grinsen hatte er sich längst abgewöhnt — meinte er: »Das könnte eine ernste Sache sein. Vielleicht sollten Sie einen Arzt zu Rate ziehen.«

Pearl Shea blinzelte ihn an und lachte — diesmal ein wenig befangen. »Könnten Sie mir einen empfehlen?«

»Natürlich. Mich.«

»Mhm... Sie wären gerade der Richtige! Was mir Ida so erzählt hat, sind Sie ja ein prima Arzt.«

Er wartete.

»Aber nur für Ida«, betonte sie. »Sie machen sich doch nicht etwa Hoffnungen, Doktor Harry? Sie sind ein netter Junge, aber das würde sich nicht gehören. Wir drei wollen gute Freunde bleiben. Und jetzt sehen Sie einmal nach, ob Sie irgendwo ein Streichholz für mich finden. Einverstanden?«

Er fand auf dem angeräumten Nachttisch eine Schachtel, zündete ein Streichholz an und stand bereit, es an die verbogene Zigarette zu halten, die sie aus ihrem Schlafrock gefischt hatte. Sie beugte sich vor und faßte geziert die Falten ihres Schlafrocks in ihrer sommersprossigen Faust zusammen, schien jedoch nicht darauf zu achten, daß er die tiefe Furche zwischen ihren niedlichen Brüsten sehen konnte. Sie bemerkte, daß er daraufstarrte, und schnurrte, ohne sich aus der Ruhe bringen zu lassen: »Schon gut, mein Junge. Ich bin ein altes Mädchen und arg erkältet. Wollen mal sehen, worüber wir uns unterhalten können.«

Vor seinen kecken Blicken fror das Lächeln auf ihren Lippen ein. »Was wollen Sie eigentlich?« fragte sie.

»Rate mal«, sagte er und vergaß, daß dies nicht die Art feiner Leute war. Er setzte alles auf eine Karte und stürzte sich auf sie. Keuchend versuchte sie sich zu verteidigen. Er hatte es nicht anders erwartet, sie ermahnte ihn, ein braver Junge zu sein, und führte schnatternd all die Gründe an, warum er unverzüglich von ihr ablassen sollte. Aber schon nach wenigen Augenblicken des Herumbalgens wußte er, daß dies kein wirklicher Kampf war und daß er ans Ziel seiner Wünsche gelangen würde. Sie meinte, es wäre Ida gegenüber nicht anständig, und drohte, er würde sich an ihrer Erkältung anstecken. Aber da hatte er ihr auch schon den Schlafrock ausgezogen, das dünne Nachthemd bis zu den Schultern hochgeschoben und die Bettdecke zu Boden geworfen. Sie hörte zu jammern auf. Sie war nicht annähernd so schwer wie Ida, knochig und sogar an den Hüften von Sommersprossen übersät, aber sie war eine Frau. Sie konnte sich auf eine Art im Bett vergnügen, von der Ida nichts ahnte. Harry wußte nicht genau, warum er davon so überzeugt war. Aber er war es, und das genügte. Endlich war er mit einer Frau zusammen – mit einer richtigen Frau.

»Was suchst du denn?« fragte sie rauh.

»Ich . . . ich muß was überziehen.«

»Nein«, fuhr sie ihn an und setzte sich auf, die Ellbogen auf die Knie gestützt. »Verschwende keine Zeit.«

»Aber . . .«

»Es ist alles in Ordnung. Du kannst mir's glauben.«

Hartnäckige Ablehnung lag anfangs in ihrem Hunger, der ihn gleichermaßen verwirrte und anspornte. Sie wußten beide, wann sie dazu bereit waren. Harry war wie betäubt von ihren kratzenden Krallen und der wilden Kraft ihres schlanken Körpers.

»Komm doch«, stammelte sie, »beeil dich, mein Liebling, und komm zu mir . . .«

Er schwang sich auf die leidenschaftlich erregte Frau, aber seine Bewegungen waren absichtlich langsam, ganz bewußt, und das sollte sie spüren. Er genoß ihr erstes, erschütterndes Aufstöhnen, ließ sich Minuten, viele Minuten lang Zeit. Ihr Ächzen, Keuchen und Aufschreien machten ihn fast wahnsinnig. Sie packte ihn, klammerte sich fest und umfing ihn in liebend-tödlicher Umarmung. Sie war eine Frau, die wußte, wann sie eine hilfreiche Fetzenpuppe sein und wann sie sich hemmungslos ihrer Lust hingeben sollte. Sie fluchte und schlug um sich, und beide waren in köstlichem Schweiß gebadet, als sie den Höhepunkt erreichten.

Als Pearl sich dann auf die Brust schlug, weil sie Ida betrogen hatte, klang das so unaufrichtig, daß Harry es gar nicht der Mühe wert fand, darauf einzugehen. Nachdem sie sich genug geschämt zu haben glaubte, war sie für Harry des Lobes voll; und das war ehrlich gemeint. »Ich hatte schon vergessen, was ein junger Hengst alles kann«, sagte sie mit trägem Lächeln. »Das war eine tolle Schlittenfahrt, mein Schätzchen. In welcher Schule hast du denn das gelernt?« Da es ihm jetzt wichtig erschien, sich so zurückhaltend als möglich zu geben, wagte er ihr nicht einzugestehen, daß er bis jetzt keine Ahnung davon gehabt hatte, wie toll so etwas sein konnte. Ida machte immer viel Aufhebens damit, aber wenn man ihr zuhörte, hatte man das Gefühl, als sei alles Hinterlist und Betrug, dessen man sich schämen müsse. Und dennoch war Ida am Höhepunkt ihrer Leidenschaft im Vergleich zu dieser Pearl Shea eine armselige Schlafwandlerin.

An jenem Abend machte Ida ganz auf eifersüchtiges Eheweib. »Wieso kommst du so spät?« wollte sie wissen. »Kein Mensch braucht von der Tremont Avenue bis hierher so lange.«

Zuerst verteidigte er sich. Dann aber konnte er seinen Ärger darüber nicht mehr unterdrücken, daß sie sich benahm, als wäre er ihr Eigentum, und daß er ein Lügengebäude hätte errichten müssen, um seine lange Abwesenheit zu rechtfertigen. »Also schön, ich war mit deiner Freundin im Bett. Und sie war zehnmal besser, als du es je sein wirst!«

Er schlenderte zum Eiskasten in der Küche und holte sich das Hühnersandwich und das Glas Milch, das Mama für ihn vorbereitet hatte. Sie ermahnte ihn, das nächste Mal früher von der Schule heimzukommen. »In Ordnung«, sagte er und nahm Sandwich und Milch auf sein Zimmer, das er die ganze Nacht nicht mehr verließ. Er dachte darüber nach, warum er sich so gemein benommen hatte, aber er fand darauf keine Antwort.

Nach einer Woche eisiger Blicke und fürchterlicher Schwüre, daß sie nie wieder ein Wort mit Pearl Shea wechseln würde, verzieh ihm Ida. Ja, sie kämpfte noch verzweifelter um seine Gunst, sie fühlte, wie sein Interesse an ihr schwand. Er wußte, daß er genug von ihr hatte und daß die Zeit für neue, größere Aufgaben gekommen war. Er sang Russ Trigari vor, der ihn als Sänger für sein Siebenmannorchester verpflichtete, das bei kleineren Freitag- und Samstagabendveranstaltungen in Brooklyn und in der Bronx mitwirkte. Das Gehalt war nicht hoch. Er kam oft so spät nach Hause, daß er den nächsten halben Tag durchschlief. Das brachte Bisigloni in Wut, aber Harry war jetzt Berufskünstler, arbeitete mit andern Leuten seiner Sparte zusammen und gewann wertvolle Erfahrungen. Er bekam zusehends Schliff. Immer mehr gelang es ihm, die lärmenden Tänzer zum Schweigen und zum Zuhören zu bringen. Wenn er mit geneigtem Kopf und geschlossenen Augen hinter dem Mikrofon stand und genau im richtigen Augenblick die richtigen Töne anschlug, überkam ihn grenzenloses Selbstvertrauen.

Alles lief nach Wunsch. Trotz des Minimums an Zeit, das er für sein Studium aufwandte, sanken seine Noten nur selten unter »gut«. Grace Owens, eine hübsche Blondine, mit der er gelegentlich ins Kino gegangen war und die er in zugigen Hausfluren abgeknutscht hatte, ließ es eines Abends bei einer Tanzveranstaltung in der Schule zu, daß er ein wenig keck wurde. Dann ging sie mit ihm in eines der dunklen Klassenzimmer im vierten Stock hinauf, wo er sie über das Katheder legte und in aller Eile vernaschte, während sie still vor sich hinweinte. Das war keine Ida und keine Pearl Shea, sondern ein süßes Mädel, bei dem es niemand wagte, sich Freiheiten herauszunehmen, und er war ebenso fassungslos wie stolz, als er erfuhr, daß er der erste bei ihr gewesen war. Ebenso verwirrt war er auch, als er in den folgenden Wochen entdeckte, daß sie sich unsterblich in ihn verliebt hatte.

Er legte keinen Wert darauf, diese Liebe zu erwidern, denn er war ja jetzt Berufssänger, und kein Weiberkittel sollte ihn in seinem Fortkommen hindern. Er wußte, daß Russ Trigari ein zweitklassiger Musiker war, der gern mit großen Namen herumwarf und ein drittklassiges Orchester leitete. Die meisten seiner Leute hatten entweder nie ernstlich versucht, in die Spitzenklasse vorzustoßen, oder solchen Plänen längst Lebewohl gesagt. Er wußte auch, daß er mit einem unbedeutenden Orchester an zweitrangigen Veranstaltungen teilnahm und selbst so lange zweitrangig bleiben würde, bis er neue Ziele anvisierte. Aber eines war Harry klar: Er war jetzt im Showgeschäft, und das Showgeschäft war seine Welt.

Mit Ausnahme von Sol Selig und – auf etwas distanzierterer Basis – von Mr. Hughes hatte er nie intime Freunde gehabt; vor allem deshalb, weil er sich nie besonders bemüht hatte, welche zu finden. In Trigaris Orchester aber schloß er sich eng an Ken Clay, den Schlagwerker, und an dessen Frau Ginger Forbes, die Sängerin, an. Ken war fünfunddreißig Jahre alt und immer zu Späßen aufgelegt. Er hatte in seiner Glanzzeit bei einigen seriösen Orchestern gespielt, konnte sich aber nicht von der Flasche trennen. Er trank pausenlos und in beachtlichen Mengen. Aber auf der Orchestertribüne war er Berufsmusiker, erschien immer pünktlich und kam nie aus dem Takt. Es schien ihn nicht zu stören, daß die Männer Ginger in ihrem enganliegenden, tief ausgeschnittenen Kleid anglotzten, während er in den Pausen mit seinen Saufbrüdern an der Bar saß und trank. Obwohl sie nicht selten wie eine Dirne dreinsah und die üppige Figur eines Call-Girls besaß, gab es keinerlei Gerüchte, daß sie in alle möglichen Betten hüpfte. Ihre Sprache ließ bei denen, die sie nicht kannten, diesbezügliche Hoffnungen aufkeimen; vor allem dann, wenn Ginger ein Gläschen zuviel getrunken hatte. Aber sie strahlte eine eigenartige Frostigkeit aus, die alle neunmalklugen, hoffnungsvollen Hurenböcke wissen ließ, daß sie sie nach Herzenslust anglotzen, aber nicht anfassen durften.

Harry begriff einfach nicht, wie Ken, dieser stupsnasige, spitzbäuchige Clown, der einen Bettel verdiente und seine Drittklassigkeit gelassen hinnahm, seine Frau halten und sogar erreichen konnte, daß sie ihm treu blieb. Ginger war nicht mehr so jung, vor allem, wenn man sie genauer ansah, aber sie hatte einiges los und hätte sich zweifellos einen Mann mit einem anständigen Bankkonto angeln können.

Und so sah Harry zu, wie Ken sich froh und munter seinen allabendlichen Rausch antrank, durch die Gegend sauste, harmlosen Unfug trieb, höllischen Lärm schlug und so tat, als könnte ihm das Leben nicht mehr geben, als es ihm ohnedies schon gab. Ginger beobachtete ihn schweigend, eine Augenbraue leicht erhoben, blies den Rauch ihrer Zigarette aus der Nase, lachte weder über seine Witze noch über seine Blödeleien und schien nicht einmal dann belustigt, wenn er wirklich lustig war und alle zum Lachen brachte. Sie ließ ihn gewähren, wenn er für irgendeinen Busenfreund oder auch für völlig Fremde, ohne sich erst lange bitten zu lassen, den Hanswurst abgab, seine obszönen Dialektgeschichten erzählte, mit den Kellnern Walzer tanzte, bekannte Künstler parodierte und zum Schluß einen Gorilla imitierte und sich dabei wie rasend auf die Brust schlug. Wenn sie der Meinung war, daß die Vorführung lange genug gedauert hatte, brachte sie ihn ohne viel Aufhebens zur Ruhe. Vor seinem Schlagzeug wurde Ken unverzüglich wieder zum nüchternen Berufsmusiker, gleichgültig, wieviel Alkohol er konsumiert hatte.

Anfang April, in seinem dritten Jahr an der High School, bat Harry Russ um zehn Dollar mehr Gehalt. Er bekam fünf und hätte auch umsonst weiter mit dem Orchester gesungen. Eines Abends erzählte er Ken davon, als sie in Kellog's Cafeteria auf Ginger warteten, um gemeinsam mit der Untergrundbahn nach Flatbush zu fahren, wo sie ein Engagement hatten. »Du bist ein Trottel, Freundchen«, sagte Ken verächtlich. »Du hättest fünfundzwanzig verlangen sollen, und auch das wäre noch zu wenig gewesen. Russ würde dich nie gehen lassen. Er ist kein Dummkopf. Er weiß, wie gut du bist und daß es nur eine Frage der Zeit ist, bis du dich selbständig machen wirst oder irgendein Abwerber vorbeikommt, der dir einen fetten Vertrag unter die Nase hält. Ich bin phantastisch, und gegen Ginger ist Mildred Bailey ein armes Würstchen, aber du bist ein Mann, auf den die Agenten heutzutage ihr Augenmerk richten, wenn es darum geht, einen besonders fetten Fisch zu angeln. Selbst in den miesen Löchern, in denen wir spielen, fangen die Leute an, sich deinen Namen zu merken. Mensch, Harry, weißt du denn das nicht?«

»Noch nicht«, gab Harry wahrheitsgemäß zu. »Natürlich, ich kann mich hören und auch sehen lassen. Ich bekomme langsam meine eigene Stimme und meinen persönlichen Stil. Ich mach's auch nicht mehr aus Liebhaberei, wie früher einmal. Aber für die großen Partys bin ich noch nicht gut genug.«

»Du blöder Spaghettifresser«, konterte Ken, schüttelte den Kopf und spießte eine Gurke von seinem Sandwichteller auf. »Noch nicht gut genug! Und wo bin ich heute? Ich sitze mit einem vertrottelten Spaghettifresser in einer Cafeteria und esse trockenen Schweizer Käse.« Noch nie war er einem Eingeständnis so nahe gewesen, daß er irgend etwas einmal ernst genommen hatte. »Hör mir einmal zu«, sagte er und runzelte die Stirn. »Vielleicht hab ich nicht das Recht, dir Ratschläge zu erteilen, aber hör mir trotzdem zu. Mit beiden Ohren, denn ich weiß, was ich sage. Ich habe heute noch nichts getrunken. Klipp-klapp, klipp-klapp, rauschen die Jahre dahin, Freundchen. In welchem Alter soll man anfangen, ordentlich zu denken und zu handeln? In deinem, wenn man noch seine Eier hat, oder wenn du ein verlebter Säufer bist wie ich? Entweder du bist der tollste Sänger, den man sich vorstellen kann, oder du bist es nicht. Bist du's nicht, dann gib's auf und verkauf Zeitschriftenabonnements. Oder fang an, zu saufen. Es gibt für ein Leben, wie wir es führen, nur zwei Gründe. Hörst du mir zu?«

»Ja.«

»Du führst dieses Leben, weil du mehr verdienst, als du gerade für den Kaufmann brauchst, oder du führst es, weil es dir irgendwie eine persönliche Befriedigung gibt, die du bei keinem andern Beruf empfinden würdest. Wenn du gut genug bist und Glück genug hast, verdienst du Geld und bekommst obendrein noch eine persönliche Belohnung. Treibst du es aber wie ich, der Jahr für Jahr dahinvegetiert, weil von Anfang an keine echte Basis zur Größe da war, dann verdienst du eben nicht mehr, als du fürs Fressen brauchst. Dann arbeitest du für Banausen, die für deine künstlerischen Fähigkeiten kein Verständnis haben, selbst wenn du sie anpissen würdest.«

»Und warum bleibst du dann dabei, Ken?«

»Ein Rätsel, was? Weil ich eine Fünfdollarhure bin, weil ich vor meiner Zeit alt geworden bin und nichts anderes anzufangen weiß.«

»Alt? Mit fünfunddreißig ...«

»Mit fünfunddreißig ist man verbraucht, wenn man plötzlich draufkommt, was man hätte tun können und nicht getan hat. Ich bin dem Suff verfallen, Freundchen, und schwimme in den Fehlern und Lügen von fünfunddreißig Jahren herum.«

»Na, zum Teufel, wenn du dir selber so auf die Nerven gehst, warum besprichst du das nicht mit Ginger? Sie ist doch eine vernünftige Frau und ...«

Ken zog seine Mundwinkel herab, sein Stirnrunzeln war eine Warnung. »Lassen wir Ginger aus dem Spiel, ja. Über meine Frau wollen wir nicht reden, o. k.?«

Mit diesem Mißton war das Gespräch beendet.

Dann kamen die Freitag- und Samstagabende, an denen Ken sich so betrank, daß Harry bezweifelte, daß Ginger imstande sein würde, ihn nach Hause zu bringen. Manchmal machte er sich erbötig, ihr dabei zu helfen. Ginger dankte ihm und meinte, sie wäre es schon gewohnt, ihn in die Untergrundbahn und wieder hinaus zu befördern. Harry war überzeugt, daß sie ihn in ihrer zurückhaltenden Art gut leiden konnte. Aber sie war eine Frau, der es schwerfiel, Hilfe anzunehmen. Und dann kam die Nacht, in der Ken die letzte Nummer in Hochform zu Ende spielte und gleich darauf samt seinen Bongos und Schlaginstrumenten rasselnd vornüber fiel. Russ hatte einen Wagen, aber sein Weg führte ihn nicht einmal in die Nähe der Clayschen Wohnung im Village. Chick Rawnsley, der Trompeter, besaß auch ein Auto und bot seine

Samariterdienste an, obwohl er in einem andern Teil von Manhattan wohnte. Harry fuhr mit und setzte sich nach vorne zu Chick. Im Rückspiegel konnte er Kens Kopf auf Gingers Schoß liegen sehen.

Chick blieb vor dem Haus in der Horatio Street stehen. Sie stiegen aus und beförderten den schweren Körper des Betrunkenen, der leise vor sich hinsummte, die ächzende Holztreppe hinunter. Ginger eilte den beiden Männern voraus, schloß die Kellerwohnung auf, zündete eine Lampe an und trat zur Seite, um sie vorbeizulassen. Harry und Chick schleppten Ken zum Ehebett und legten ihn vorsichtig nieder.

»Ihr seid ein paar feine Kerle«, sagte Ginger und zog sich den Mantel aus. »Ich bin euch wirklich sehr dankbar.«

»Kann ich dich ein Stück mitnehmen, Junge?« fragte Chick. »Wenn es nicht zu weit ist . . . Ich bin spät dran.«

»Danke, nein, Chick«, antwortete Harry. »Ich bekomme schon noch einen Zug.«

Nachdem Chick gegangen war, schaute Harry Ginger zu, wie sie ihrem Mann die Krawatte lockerte und ihm die Schuhe auszog. Wie oft hatte sie das schon tun müssen? Er sah sich in der Wohnung um. Wohl schien eine Tür noch in einen andern Raum zu führen, und ein Klo gab es auch, aber dieses große Zimmer mit dem Ehebett und den Stühlen, einer Kochnische, einer Kaminattrappe und allerlei Krimskrams schien die ganze Wohnung zu sein. Teilnahmslos sah er zu, wie sie Ken bis zum Hals zudeckte. Wieder mußte er sich fragen, warum sie bei einem Mann blieb, von dem sie nichts mehr erwarten konnte. »Kann ich etwas für dich tun?« erkundigte er sich leise.

»Du brauchst nicht zu flüstern«, antwortete Ginger. »Nicht einmal, wenn die Tiefbohrgesellschaft jetzt anfinge, neben ihm die Straße aufzureißen, würde mein Herr und Gebieter aufwachen. Wenn er einmal erledigt ist, ist alles zu spät. Willst du ein Bier haben, oder möchtest du nach Hause gehen?«

Während Harry das Bier holte, verschwand sie im Nebenzimmer. In wenigen Minuten war sie wieder da. Sie trug einen Bademantel, hatte ihr Haar um die Schultern hängen und sich abgeschminkt. »Ich habe schon öfters daran gedacht, mich umzubringen«, sagte sie. »Aber in einer Kellerwohnung kann man ja nicht aus dem Fenster springen.« Mit teilnahmslosem Lächeln wandte sie sich Harry zu. »Du bist ein netter Junge, Harry. Es ist nicht fair, dich mit unserer traurigen Geschichte zu belasten.«

»Ich bin euer Freund, Ginger. Ich hoffe es zumindest.«

Sie nickte. »Du bist ein kluger Junge — und siehst gut aus. Ich könnte wetten, du mußt die Mädchen mit einem Stock von dir fernhalten.«

»Ja, ja. Sie stellen sich in Viererreihen an.«

»Das würde mich nicht überraschen. Ich habe sie beobachtet, während du gesungen hast. Vielleicht wissen sie selber nicht, was ihnen durch den Kopf geht. Aber ich schaue sie mir an, wenn du loslegst — besonders diese verträumten Nummern von Cole Porter. Du könntest sie dir aussuchen.«

»Ich werde daran denken.« Er machte eine Pause. »Ginger«, sagte er dann verlegen, ». . . wenn du dir etwas von der Seele reden willst . . . dazu bin ich da. Und ich kann meinen Mund halten.«

Seufzend lehnte sie sich vor und gab ihm liebevoll einen Klaps auf die Hand. »Da drüben«, sagte sie und deutete auf Ken, »siehst du einen Haufen Talent, einen Menschen, der es weit hätte bringen können, wäre er nicht auf die Schnapsidee gekommen, sich selber fertigzumachen. Er war einmal große Klasse. Er hatte einen Rhythmus an sich, an den keiner herankonnte. Zwei Jahre lang oder drei, als er bei Rutledge und in Ben Bonds Orchester spielte, verdiente er Unsummen. Er war fleißig und wollte mir die ganze Stadt schenken.«

»Und dann?«

»Dann kam der Alkohol. Nein — das ist zu einfach gesagt —, die Sache war viel komplizierter. Er bekam Angst. Je mehr man ihm anerkennend auf die Schulter klopfte, desto mehr war er davon überzeugt, daß er nichts Falsches tun könne, und desto nachlässiger wurde er. Er war immer noch ein guter Musiker, überall beliebt, ein freigebiger Gesellschafter und ein besserer Ehemann, als ihn die meisten Frauen verdienen. Aber er bekam es mit der Angst zu tun. Ich habe gesehen, wie er vor der Arbeit seinen Spiegel hervorholte und zu Tode erschreckt hineinstarrte. Er glaubte es nicht einen Augenblick lang, daß er wirklich so gut war, wie ihm die Leute sagten. Er hatte Angst, berühmt zu werden — und zu den ganz Großen zu gehören. Und aus zwei Drinks pro Abend wurde ein halber Liter. Dann verlor er die Übersicht. Es war, als wollte er sagen: Aus *mir* werdet ihr keinen Erfolgsmenschen machen! Er begann Termine zu Schallplattenaufnahmen zu versäumen und die falschen Leute zu beleidigen. Jetzt liegt er da: ein alter Mann, der auf sein Versagen stolz ist.«

In ihrer Stimme lag weder Verachtung noch Mitleid. »Wir führen ein wunderbares Leben. Mit dem, was wir beide verdienen, zahlen wir in diesem Palast die Miete. Wir verhungern nicht; aber wenn mir mein Bruder in Boise nicht gelegentlich ein paar Dollar zukommen ließe, könnte ich mir keine Strümpfe und keinen Lippenstift leisten.« Sie seufzte. »Der große Ken! Vor den Leuten ist er voller Schwung, aber es ist schon ein gutes halbes Jahr her, seit ich das letzte Mal mit ihm zusammengewesen bin.«

Sie verstummte, und Harry hoffte, sie mißverstanden zu haben. Er wollte nicht glauben, daß das ein Wink mit dem Zaunpfahl gewesen sein könnte. Er hatte noch keine Frau gekannt, die Ginger Clays starken sexuellen Reiz besessen hätte und ihm so begehrenswert erschienen war. Aber sie war die Frau seines Freundes.

»Und trotzdem bleibst du bei ihm«, sagte er.

»Stimmt. Ich bleibe. Vielleicht hab' ich was für Versager übrig, wer weiß?« Wieder dieses zarte, traurige Lächeln. »Aber jetzt genug davon. Trink dein Bier aus und mach dich auf die Socken, sonst fang ich noch an zu heulen.«

An der Tür küßte sie ihn auf die Wange. »Du bist ein sehr netter Junge«, flüsterte sie. »Ich meine es ernst. Du hast eine wunderbare Zukunft vor dir.«

Die Untergrundbahn- und Busverbindungen waren fürchterlich, und er erreichte die Wohnung erst kurz vor Tagesanbruch. Im Schein einer kleinen Lampe lag Ida zusammengerollt auf dem Sofa. Sie wachte aber sofort auf und winkte ihn zu sich. Im ersten Schreck glaubte er, jemand wäre krank oder gestorben. Er ging zu ihr hin. Sie war sehr nervös und kalkweiß im Gesicht.

»Ich bin schwanger, Harry«, stöhnte sie. »Ich bekomme ein Baby.«

Er zuckte zusammen. »Woher willst du das wissen?«

»Bei mir funktioniert das doch wie eine Uhr. Als es sich eine Woche und dann zehn Tage verspätete, habe ich die Ungewißheit nicht mehr ausgehalten und bin zu Doktor Bensinger gegangen. Er hat einen Test gemacht, und heute habe ich ihn angerufen. Er hat gesagt, ich bekäme ein Baby.«

»Weiß noch jemand davon?« fragte Harry und setzte sich langsam nieder.

»Kein Mensch. Mein Gott, wem sollte ich es denn sagen? Meinem Vater? Der bringt uns beide um.«

»Warum mich?«

Idas Augen weiteten sich. »Was soll denn das heißen?«

Nein, darauf gab es natürlich keine Antwort, dachte er bestürzt, als ihm die harte Wirklichkeit dieser Mitteilung erst richtig zum Bewußtsein kam. Schwanger ... O Gott, was sollte er tun? Das war schlimm für Ida, wenn der Arzt sich nicht geirrt hatte. Aber Harry konnte nur an sich denken. Wenn es so *war* ... nein, sie wollte ihm nur einen Schrecken einjagen – aber wenn es wirklich so war ... er konnte nicht einfach den Hut nehmen und gehen. Er hatte es getan, er hatte sie geschwängert. Man bumst ein Mädchen nicht an und läßt es dann im Stich.

»Es ist von dir, Harry«, sagte sie. »Ich kann mich schon gar nicht mehr erinnern, daß ich es mit einem andern getan hätte. Du mußt etwas unternehmen, Harry. Du darfst mich nicht allein lassen.«

Laß dir schnell was einfallen! befahl er seinem Hirn.

Aber was?

»Etwas tun?« fragte er und versuchte seinen Schrecken zu verbergen. »Was soll ich tun? Dich etwa heiraten? Ich mal mir's schon im Geist aus, wie das ist, wenn ich meine Stiefschwester heirate. Ich seh deinen Vater vor mir, wenn ich um deine Hand anhalte.«

»Du sprichst so kalt ...«

Schon möglich, dachte er. Es liegt nicht in meiner Absicht; im Gegenteil. Wenn ich es war, muß ich etwas tun. Aber es ist bestimmt ein Irrtum.

»Also, was willst du damit sagen, daß ich etwas tun muß? Soll ich jemanden suchen, der dir's wegnimmt?«

»Nein! Das wäre Mord ...«

»Na, was dann?«

»Ich weiß es nicht«, hauchte sie. »Nur, bitte, sei nicht so unfreundlich zu mir. Ich habe Angst.«

Er stand auf; nicht weil er unfreundlich sein wollte, sondern weil auch ihn die Angst überkam. »Die Ärzte irren sich so oft. Bensinger ist schon alt, der weiß nicht mehr, wo vorn und hinten ist. Du bist gar nicht schwanger. Es wird alles in Ordnung kommen.«

Tagelang wich er Ida, Mama und – ganz besonders – dem

alten Mann aus. Er hatte noch immer entsetzliche Angst und versuchte sich einzureden, daß Dr. Bensinger das Ergebnis des Tests falsch ausgelegt hatte und Ida gar kein Baby erwartete. In der Bibliothek schlug er Bücher nach, die ihm nur bestätigten, daß er sich selber etwas vormachte. Er ging zu Sol Selig, der damals sein Medizinstudium noch gar nicht begonnen hatte, aber der klügste Junge war, den er kannte. Er erzählte ihm von einem Arzt, der einem Mädchen gesagt hatte, sie wäre schwanger. War es möglich, daß der Mann sich irrte? »Sehr unwahrscheinlich«, lautete Sols Auskunft. »Heutzutage ist es für den Arzt ein Kinderspiel, eine Schwangerschaft festzustellen.«

Gewiß, es gab unmöglichere Frauen als Ida, aber der Gedanke, sie für den Rest seines Lebens auf dem Buckel zu haben, war unerträglich. Er rief Ken Clay an, den einzigen Menschen, den er kannte und dem er vertrauen konnte. Vielleicht wußte er einen Rat. »Ich habe da einen Freund, der sein Mädchen angebumst hat. Und jetzt braucht er schnell einen Arzt«, vertraute ihm Harry an. »Könntest du ihm ... na ja, einen Tip geben?«

»Nicht telefonisch, Freundchen«, sagte Ken. »Wir sehen uns ja Freitag abend bei der Arbeit.«

Am Freitag nahm Ken ihn beiseite. »Ich kenne eine Frau, die deinem Freund helfen kann. Sie ist keine Ärztin, aber sie macht das schon seit Jahren. Sie ist sauber und weiß, was sie tut. Allerdings wird das ganz schön viel kosten ...«

»Wieviel?«

»Mindestens zwei große Scheine. Vielleicht auch mehr. Es ist schon ein gutes Jahr her, seit ich ihr jemanden geschickt habe. Sie ist damals mit dem Preis hinaufgegangen, weil das Risiko für sie immer größer wird. Aber sie versteht ihr Handwerk. Sie ist keine Metzgerin wie so viele andere.«

Frohen Mutes setzte er Ida davon in Kenntnis, doch sie wies sein Ansinnen schaudernd zurück. Sie hatte wohl etwas Geld auf der Bank, aber nein, so etwas würde sie nie tun, denn das wäre Mord, und der bloße Gedanke mache sie ganz krank und brächte sie fast um den Verstand. »Na, dann tut's mir leid«, meinte er. »Du weißt ja — je länger man zuwartet, desto gefährlicher wird's.«

»Harry ...«

»Was soll ich sonst tun, Ida?« fragte er.

Es dauerte keine Woche mehr, und Ida war völlig fertig. Sie konnte kein Essen bei sich behalten, schlief die halbe Nacht nicht, konnte morgens nicht aufstehen und zur Arbeit gehen und brach bei jeder Gelegenheit in hemmungsloses Schluchzen aus. Trotzdem weigerte sie sich, einen Arzt ins Haus kommen zu lassen. Eines Abends kam Harry gegen sechs Uhr in die Wohnung; zu einer Zeit, da der Alte sich gewöhnlich auf den Weg in die Bäckerei machte. Er hatte kaum die Eingangstür hinter sich geschlossen, als Bisigloni sich wie rasend auf ihn stürzte, mit harten, schweren Fäusten auf ihn einschlug und italienische Flüche ausstieß. Mama stand unterdessen, die Hände an den Lippen, schwankend im Hintergrund. Harry versuchte sich zu ducken, aber es gab kein Entkommen vor dem wutentbrannten Mann, der ihn zu Boden warf und in den Rücken trat, dann wieder hochriß und mit manischer Wut auf ihn eindrosch. Mama weinte laut und flehte den Alten an, doch endlich aufzuhören und ihren Sohn nicht umzubringen. Er aber schlug nur noch fester drein und brach in tierische Schreie aus, die alle andern Geräusche übertönten.

Er hörte erst auf, als Harry keinen Schmerz mehr empfand. »Sie mich setzen auf elektrische Stuhl«, stieß Bisigloni schwer atmend hervor, »mir gleich sein. Du meine Tochter entehrt.« Seine Stimme überschlug sich. »Hinaus! Du hinausgehen, und wenn noch einmal dich sehen, ich dich nicht nur schlagen, ich dich töten und sie mich setzen auf elektrische Stuhl. Ich gehen gern! Du Sünde gemacht, Dreckbastard, und keiner niemals vergessen!« Er öffnete rasch die Tür und schleifte den leblosen Harry auf den Gang hinaus. Dort gab er ihm noch einen Tritt, so daß er über ein halbes Dutzend Stufen hinunterkollerte, bevor er sich an einem Geländerpfosten festkrallen konnte. Die Nachbarn standen auf dem Treppenabsatz und beobachteten interessiert die Szene. Mama weinte, aber der alte Mann schob sie in die Wohnung zurück, folgte ihr und warf die Tür hinter sich zu.

Mrs. Puglia eilte von der Nebenwohnung herbei, um Harry zu helfen. Er aber winkte ab, richtete sich auf und torkelte mit hochgezogenen Schultern die Treppe hinunter.

Vor dem Haus hielt er sich am Briefkasten fest und erbrach in den Rinnstein. Er war überrascht, daß soviel Blut kam, und zugleich froh, daß keiner der Vorübergehenden ihm seine Hilfe anbot.

Er schleppte sich die Hauswand entlang und versuchte im Schatten zu bleiben. Alle paar Schritte blieb er stehen, preßte die Hände gegen die rauhe Mauer und bemühte sich, wieder einigermaßen normal zu atmen. Er wollte feststellen, wo es ihn am meisten schmerzte, aber es gelang ihm nicht, und er mußte sich wieder übergeben. Abermals begannen ihm die Beine zu zittern, und er spannte seine Muskeln an, damit er nicht hinfiel. Mühsam torkelte er weiter, bis er den Hinterausgang von Jiggys Spielsalon erreichte. Glücklicherweise war der große Saal nur schwach besucht und der Weg zur Toilette nicht weit. Harry trat ein. Er bemerkte nicht den starken Geruch des Desinfektionsmittels, der ihn sonst immer beinahe umgeworfen hatte. Er hatte nur den heftigen Drang zu urinieren. Minutenlang stand er da, schwankte von einer Seite auf die andere und konnte kein Wasser lassen. Der rechteckige Spiegel oberhalb der Muschel warf ein lächerliches Bild zurück: Harrys Stirn blutete, das rechte Auge war angeschwollen, Wangen und Kinn starrten vor Schmutz.

Aus irgendeinem Grund begann er zu lachen. Dann fühlte er, wie er auf den kalten Boden sank.

Von Schmerzen gepeinigt, wachte er auf. Der Raum war anders, und er wußte nur, daß er in einem Bett lag. Das erste, was er sah, sobald sich das eine Auge öffnen ließ, war ein Bild an der Wand gegenüber — die große Farbfotografie eines appetitlichen weiblichen Akts.

»Harry«, hörte er jemanden sagen. Er wandte den Kopf um, wobei er unter einem starken Schmerz zusammenzuckte, und erkannte Jiggy Bernard, den Besitzer des Lokals. Jiggy war ein Riese, dessen kräftige Arme voll eintätowierter Schlangen waren. »Wer hat dich so zugerichtet?«

Auf dem Tisch neben der Pritsche sah Harry Bandagen, Watte und Jod. »Bin ich in deinem Klo ohnmächtig geworden?« flüsterte er.

»Ganz recht. Einer von den Jungen und ich, wir haben dich hier heraufgebracht. Vor ungefähr zwanzig Minuten.«

»Wo . . . ?«

»In meiner Bude. Oberhalb des Spielsalons.«

»Tut mir leid, Jiggy, daß ich dir soviel Mühe gemacht habe.« Er deutete auf die Sachen auf dem Tisch. »Bist du am Ende gar eine Rote-Kreuz-Schwester?«

»Stimmt genau.« Jiggy nickte. »Beweg dich nicht mehr, als du unbedingt mußt. Sag einmal — wer hat dich so zugerichtet?«

»Mein Stiefvater Bisigloni. Fang dir nur ja nie was mit ihm an. Er ist sechzig Jahre alt, aber er hat Fäuste wie Schmiedehämmer.«

»Ist das wahr?«

»Natürlich. Warum sollte ich dich anlügen?«

»Ich kann dich gut leiden, mein Junge, aber wenn die Polizei hinter dir her ist, mußt du 'raus hier, und zwar schnell. Ich hab kein Teerestaurant da unten.«

Harry bewegte sich mühsam. Wieder durchfuhr ihn ein stechender Schmerz. Kein einziger Nerv, kein einziger Muskel schien heil geblieben zu sein. Sein Kopf dröhnte, sein Magen brannte, und ein neuer Schmerz in der Seite war kaum zu ertragen. Auch zwei Zähne hatten daran glauben müssen. Er brauchte nicht erst sein rechtes Auge zu berühren, er wußte gleich, daß es stark angeschwollen war. »Ich schwöre dir«, sagte er, »daß die Polizei nicht hinter mir her ist. Mein Stiefvater hat mich zusammengedroschen und aus dem Haus geworfen. Jiggy, ich weiß, daß du mir zu nichts verpflichtet bist, aber ich fühl mich scheußlich. Wenn du mich eine kleine Weile hier liegen läßt, bis ich mir überlegt habe, wohin ich soll, dann ... also, ich weiß jetzt nicht, wie ich dir's vergelten kann, aber mir wird schon was einfallen.«

»Und wie wär's mit einem Arzt? Vielleicht hast du innere Verletzungen. Ich möchte nicht, daß du mir hier krepierst, Junge!«

»Fällt mir gar nicht ein. Ich muß mich nur ein wenig ausruhen, dann verschwinde ich ohnehin.«

Jiggy blickte ihn scharf an. »Mein Vetter Leo sitzt unten an der Kasse. Ich muß 'runter, bevor er mir die Augen aus dem Kopf stiehlt. Bleib, so lange du willst. Möchtest du ein wenig Suppe?«

»Überhaupt nichts. Jiggy ... danke!«

Harry schlief ein. Als er am nächsten Morgen erwachte, fühlte er sich schon etwas gestärkt. Jiggy schnarchte, die Arme über der Brust verschränkt, auf dem einzigen Stuhl im Zimmer. Harry erhob sich langsam, zog sich leise an und stahl sich hinaus. Bald war er die Treppe unten und stand vor dem Haus. Die Uhr des Juwelierladens auf der anderen Straßenseite zeigte zwanzig vor acht. In der Jackentasche fand er sein Bankbuch, auf das er gestern noch fünfzehn Dollar eingezahlt hatte. Sein gesamtes Guthaben betrug nun hundertsiebzehn Dollar und fünfzig Cent. In seinen Taschen fand er einen Dollar und einunddreißig Cent; dann erinnerte er sich noch eines Zehndollarscheins, den er vor einem Jahr im Geheimfach der Brieftasche versteckt hatte, um für alle Notfälle gewappnet zu sein.

Plötzlich verspürte er fürchterlichen Hunger. Er humpelte zu

Bickford's Cafeteria hinüber, bestellte ein großes Frühstück und verspeiste es, ohne der Leute zu achten, die ihn anstarrten. Eine Minute nach neun stand er als erster vor dem Bankschalter und hob seine hundertsiebzehn Dollar und fünfzig Cent ab. Der Kassier musterte ihn mißtrauisch, sagte aber nichts.

Es war ein frischer Maimorgen. Harry fror erbärmlich, und alles tat ihm weh. Er hätte sich ein Taxi leisten können, zog es aber vor, bis zur kleinen Washingtonbrücke zu gehen, bei der die Bronx zu Ende war.

Bevor er die Brücke betrat, blieb er einen Augenblick stehen.

Seine Mutter war ihm nicht nachgestürzt, als Bisigloni ihn hinausgeworfen hatte. Sie hätte es natürlich tun können, wenn ihr mehr an ihm als an ihrer Versorgung gelegen wäre – keine zehn Pferde hätten sie davon abhalten können.

Es gab Dinge in der Bronx, die ihm gehörten: seine Kleider, seine Platten samt dem Plattenspieler, seinen Bruder und die ersten siebzehn Jahre seines Lebens. Er überquerte die Brücke nach Manhattan. Das Geld trug er vorsorglich in der Rocktasche.

Was immer auch geschehen mochte – nie wieder würde er in die Bronx zurückkehren.

Jetzt aber, da die Lichter von Los Angeles durch die Wolken zu sehen waren, dachte Harry Orlando an ein brennendes Wrack, das die Welt eines Präsidenten und ihn seines Ziels beraubt hatte. Wieder hatte er eine Brücke überquert, wieder einen Teil seines Lebens hinter sich gelassen.

Was hatte Joe Haywood empfunden, als das Flugzeug zur Erde stürzte? Hatte er begriffen, daß alles nun zu Ende war, wo doch noch so viel zu tun gewesen wäre? Orlando saß steif in seinem Sitz, als die Maschine die Rollbahn berührte.

Vince, Tullio und Stan Lourie erwarteten ihn und Patsy auf dem Flughafen. Noch während der Heimfahrt in den Canyon reichte Stan ihm im Wagen einen Stoß Papiere, die er durchsehen und genehmigen sollte. »Wenn das bis jetzt Zeit gehabt hat, so wird's auf die Stunde auch nicht mehr ankommen«, meinte Orlando.

Das Haus war zur Begrüßung festlich beleuchtet, Hobie, der Butler, hatte einen Drink für ihn bereitgestellt. 780 000 Dollar hatte er in die Bude gesteckt, ganz abgesehen von den Unsummen, die er für den Hubschrauberlandeplatz, den Swimming-pool, den

Golfplatz, die Stallungen und all den andern Blödsinn hinausgeworfen hatte, der ihm von den Freunden aufgeschwatzt worden war.

Harry benützte fast nie sein eigenes Flugzeug, und ein protziger Wichtigtuer war er schon lange nicht mehr. Jay Constable, sein Sekretär, übergab ihm die wichtigsten Telegramme und telefonischen Nachrichten. Harry wies Hobie an, den Koch davon in Kenntnis zu setzen, daß er Lust auf Scallopini habe. Schließlich sagte er zu Stan: »Mach das Feuer an; dann unterhalten wir uns.«

Er entkleidete sich im Schlafzimmer, nahm Hand- und Badetuch und ging in den Heißluftraum. Hobie hatte schon das Eiswasser vorbereitet und die Temperatur um fünf Grad vermindert, denn Lourie, der bereits drinnen war, vertrug die Hitze nicht so gut wie Orlando.

»Zunächst einmal — willst du das Stück Land in Phoenix kaufen oder nicht?« fragte Stan. »Ich habe Mannie Stokes hingehalten, aber wenn wir ihm nicht bald Bescheid geben, wird er dich freundlich auffordern, ihm den Buckel herunterzurutschen — auch wenn du zehnmal Orlando heißt.«

»Ja, ich habe darüber nachgedacht«, sagte Orlando und setzte sich ihm gegenüber. »Sag ihm nein.«

»Ohne Kommentar? Einfach so?«

»Einfach so.«

»Wir haben uns die Geschichte angeschaut. Risikos gibt's überall, aber was kannst du schon dabei verlieren? Im Gegenteil! Du könntest ein hübsches Sümmchen verdienen, wenn . . .«

»Hör auf, mich zu drängen«, unterbrach ihn Orlando geduldig, aber bestimmt. »Ich habe es mir überlegt, und ich sage nein. Das richte ihm aus. Steck deinen eigenen Zaster hinein, wenn du glaubst, daß es so eine Goldgrube ist. Tu mir den Gefallen und sprich heute abend mit mir nicht über Geld. Ich hab' andere Dinge im Kopf.«

Louries Stirn und Brust begannen sich mit Schweiß zu bedecken. »Wie du meinst«, seufzte er. »Aber ich darf dich gefälligst darauf aufmerksam machen, daß du dich nicht auf ewig vor Entscheidungen drücken kannst. Ich kann mich gar nicht mehr erinnern, wie oft ich dich schon gebeten habe, mir oder sonst wem zu sagen, wo man dich jederzeit, Tag und Nacht, erreichen kann. Gestern und vorgestern warst du nirgends zu finden. Das war kindisch von dir, weil . . .«

»Schon gut«, unterbrach er ihn barsch. »Man hätte dich von den Neuigkeiten in Kenntnis setzen sollen. Der Präsident ist umgekommen. Andere Leute, die vielleicht ebenso wichtig sind wie du, hatten daraufhin nicht viel Lust zum Arbeiten.«

»In Ordnung, Harry, aber spar dir deine Temperamentsausbrüche für deine Lakaien«, sagte Stan gelassen. »Vermutlich hätten unsere Gespräche auch noch einen Tag Zeit, aber versuche nicht, mich zu erziehen.«

Orlando nickte. »Du verstehst mehr von Politik als ich«, begann er nach einer Minute des Schweigens. »Wie wird sich dieser Quinlan machen?«

Stan wischte sich den Schweiß ab. »Nun, ich bin zwar kein Hellseher, aber ich glaube, er wird eine ganze Menge Leute überraschen. Er dürfte nicht schlecht werden — und ich gehöre der Oppositionspartei an.«

»Du bist der erste, der so über ihn spricht. Nach dem, was ich bis jetzt gehört habe, findet er seinen eigenen Hintern nicht, selbst wenn er ihn mit beiden Händen sucht.«

»Schon möglich. Aber wenn er nicht ganz so blöd ist, wird er sich Männer halten, die das für ihn besorgen können. Quinlan hat mehr Hirn, als man ihm zutraut. Außerdem ist er gerissen für zwei und war schon immer darauf bedacht, es niemanden merken zu lassen. Außer Joe Haywood. Ich möchte meinen letzten Dollar wetten, daß Haywood ihn gerade deswegen als Vize genommen hat. Quinlan hat keinerlei innere Überzeugung. Im Kongreß hat er nur dann den Mund aufgemacht, wenn er aufs Klo gehen wollte. Man hat ihm jede Fähigkeit abgesprochen, selbst wenn er gelegentlich einmal richtig gestimmt hat. Und trotzdem wurde er immer wieder gewählt.«

»Warum?«

»Nicht weil er eine überragende Führerpersönlichkeit ist, sondern weil er eine große Anhängerschaft hat. Quinlan tritt für alle und für alles ein: für die Rassentrennung, für die Aufhebung der Rassentrennung, für hohe Zölle, für niedrige Zölle, für die Unternehmer, für die Arbeiter, für Auslandshilfe, gegen Auslandshilfe, für Freihandel und für gar keinen Handel, dafür und dagegen, dagegen und dafür. Er ist jedermanns Haustrottel, aber wenn es darum geht, im gegebenen Augenblick das Richtige zu tun, kann man von ihm lernen. Er hat es immer schon verstanden, den Mantel nach dem Wind zu hängen, was ihn aber nicht daran hinderte, seine Hängebacken aufzuplustern, wenn es brenzlig wurde, und eine gesetzte Rede zu halten, in der er gegen diesen oder gegen jenen Weltverbesserer zu Felde zog. So ein Mann mag nicht einmal der Verachtung wert sein, aber man sollte ihn auch nicht unterschätzen. Er ist imstande, uns in den letzten Weltkrieg stolpern zu lassen. Bis dahin wird er allerdings noch einer Menge Leute einreden, wie glücklich sie sind.«

»Auf wie lange?«

»Auf ein paar Monate. Bis die Opposition einen Bartell oder einen Lloyd Reynolds aufstellt – meinetwegen sogar einen Grant Campbell. Möglicherweise auch länger. Vielleicht ist er so klug, ein bißchen ›glamour‹ für sich arbeiten zu lassen. Haywood hatte selbst genug davon; er brauchte sich nicht damit zu umgeben. Quinlan sollte sich das ganz schnell anschaffen. Hör mal, Harry, ich fang langsam an zu braten. Ich muß hier 'raus!«

»Wart noch eine Sekunde! Erzähl mir mal von dem ›glamour‹.«

»›Erzähl mir mal von den Kaninchen‹, wie Steinbeck sagt«, lachte Lourie. »Harry, ich sehe, was in deinem Kopf alles umgeht. Du hängst immer noch an deinem Wunschtraum, alles hinzuschmeißen und gestreifte Diplomatenhosen anzuziehen. Sieh mal, wenn es schon unrealistisch war, als du noch Haywood hinter dir hattest – oder zu haben glaubtest –, jetzt ist es noch hundertmal unrealistischer. Ich weiß, wir haben über diese Angelegenheit schon einmal gestritten. Ich habe dir abgeraten, weil die Welt es als Propagandamasche werten würde. Du hast mir vorgeworfen, ich hätte nur Angst, einmal am Hungertuch nagen zu müssen. Nun, ich bin dafür, daß du jetzt diese Wunschträume allemal aufgibst. So, und jetzt verschwinde ich von hier, bevor ich zergehe.«

Orlando blieb noch fünf Minuten allein sitzen. Bill Temple hatte ihn nicht zurückgerufen. Vielleicht hätte er darauf bestehen und nicht nur darum ersuchen sollen.

Ich könnte es riskieren, dachte er, Quinlan ein Telegramm zu schicken und ihn um einen Termin zu bitten. Er könnte mich empfangen, vielleicht schon deswegen, weil der alte Bock in dem Ruf steht, ein heimlicher Schürzenjäger zu sein. Orlando erinnerte sich an die Party im Weißen Haus vor zehn Jahren, die er mit Noreen besucht hatte. Der lüsterne Blick in Quinlans Froschaugen war unverkennbar gewesen. Nun, in all den Jahren hatten sich bessere und schlechtere Politiker als Quinlan an Harry herangemacht, um auf angenehme Weise zu ein paar Scheiben leckeren Weiberfleisches zu kommen.

Nein. Alles, was recht war — aber es ging wirklich nicht. So würde nur ein Schnorrer handeln. Außerdem war der Mann jetzt Präsident und somit kein gewöhnlicher Schürzenjäger mehr.

Bill Temple, dachte er. Bill Temple ist meine einzige Verbindung, mein einziges As.

Orlando verließ den Heißluftraum, duschte, stürzte sich in den Swimming-pool und schwamm zwei Längen. Als er aus dem Wasser stieg, hielt Hobie schon den Bademantel aus Frottee bereit. »Ich habe eben mit der Küche gesprochen, Chef«, sagte er. »Nick meint, die Scallopini wären in etwa zwanzig Minuten fertig.«

»Keine Eile«, entgegnete Orlando. Er bemerkte den frischen Drink und schüttelte den Kopf. »Den lassen wir aus. Ich hab jetzt keine Lust darauf.«

»Fühlen Sie sich nicht wohl, Chef?«

»Doch.«

»Werden Sie heute abend arbeiten, oder soll ich für Gesellschaft sorgen? Diese Rothaarige, für die Sie sich vorigen Monat interessiert haben, ist aus Tijuana zurück. Sie hat angerufen.«

»Schicken Sie alle Leute nach Hause und bringen Sie mir das Essen aufs Zimmer!« befahl er Hobie und ging in sein Schlafzimmer. Heute spürte er jedes einzelne seiner fünfundvierzig Jahre. Verflucht noch mal, es stand für ihn zuviel auf dem Spiel, wenn er nicht noch einen ernstlichen Versuch unternahm, etwas aus sich zu machen.

Er setzte sich auf das kreisrunde Bett und rief Miriam in New York an. Als er ihre Stimme vernahm, legte er den Hörer schweigend wieder auf.

Dieser Anruf war doch wirklich ein Mordsblödsinn, dachte er. Wenn ich mir gerade vornehme, etwas aus mir zu machen — wieso komme ich dann auf die unnötige Idee, jemanden anzurufen, der genau weiß, daß ich zu nichts gut bin?

IV

General Asa Yearby, der Arzt des Weißen Hauses, übermittelte der Presse eine Erklärung, daß Präsident Quinlan sich ausgezeichneter Gesundheit erfreue. Dies geschah gerade an jenem Tag, da die Zeitungen ein Bild Quinlans veröffentlichten, auf dem er müde und beträchtlich älter als einundsechzig Jahre aussah. Als Quinlan es sah, war er wütend und rügte Bernie Kidder, weil er der Publikation zugestimmt hatte.

Abgesehen von diesem Zornesausbruch, legte der neue Präsident ein Benehmen an den Tag, das sogar jene Beamte des Weißen Hauses beeindruckte, die in ihm bis jetzt nur ein absurdes Fragezeichen gesehen hatten. Quinlan schlief wenig und schien den passenden Leuten die passenden Fragen zu stellen. Er setzte sich mit seinem Kabinett zu detaillierten Lagebesprechungen zusammen, ließ sich alles einpauken, schien zu verstehen, was man ihm sagte, und redete nicht viel herum, wenn es um politische Entscheidungen ging. Er stand täglich in enger Verbindung mit Verteidigungsminister Partman und Außenminister Enright. Beide Herren mußten ihren Kollegen gegenüber zugeben, daß er keineswegs so sehr im dunkeln tappte, wie er bei Sitzungen an Joe Haywoods Seite so oft den Anschein erweckt hatte. Temple, der ihn aufmerksam beobachtete, war über das Geschick erstaunt, mit dem er die führenden Persönlichkeiten im Kongreß zu nehmen und zu überreden wußte, die Parteipolitik so lange zurückzustellen, bis er sich einigermaßen in seiner neuen Würde zurechtgefunden hatte.

Noch mehr überraschte Temple, daß er ihn tatsächlich um Rat fragte. Wiederholt wurde er in der ersten Woche ins Teezimmer gebeten, wo Quinlan alle möglichen Fragen mit ihm durchsprach. Vor Joes Tod waren sie keineswegs vertraut gewesen. Nie hatte Quinlan sich bei den »Universitätsprofessoren«, wie er sie verächtlich nannte, wohl gefühlt, deren Gesellschaft Joe Haywood suchte. Temple, einem unabhängigen Journalisten, der den Kontrollen des Weißen Hauses nicht unterworfen war und der dennoch das Vertrauen des Präsidenten zu besitzen schien, brachte er besonderes Mißtrauen entgegen.

Eine Woche im Amt schien ihn und seine frühere Einstellung grundlegend geändert zu haben. Er erklärte offen, in Temple einen Mann zu sehen, der den Gedankengängen und dem Scharfblick Joe

Haywoods weit mehr verhaftet sei, als dies von den meisten andern Regierungsmitgliedern behauptet werden konnte. Bill wußte ihm darzulegen, warum Joe an diesem Gedanken in praktischer Hinsicht Gefallen gefunden und in jenem eine gute Möglichkeit erblickte hatte, die Grundlage eines neuen Gesetzes zu bilden. Quinlan war, wie Temple urteilte, kaum ein dynamischer oder besonders außergewöhnlicher Mann. Aber mit der Zeit sah sich der Journalist genötigt, eine Reihe von Vorurteilen fallenzulassen. Quinlan wußte um seine Grenzen und akzeptierte sie, war aber offensichtlich entschlossen, ein guter Präsident zu sein.

Elf Tage nach Quinlans Amtsantritt saß Temple in seinem Büro, als ihn ein Anruf Orlandos erreichte. Harry ersuchte ihn, bei Quinlan wegen eines Regierungsamtes für ihn einzutreten.

»Du schmeichelst mir, wenn du glaubst, daß ich hier was zu sagen habe«, sagte Temple.

»Bist du nicht mit Quinlan und den ganzen Leuten in Kontakt? Ich wäre dir unendlich dankbar, würdest du ein Wort für mich einlegen. Ich könnte in einem Tag in Washington sein, um mit ihm zu reden. Oder sogar schneller.«

»Ich werde sehen, was ich tun kann«, versprach Temple. »Wenn sich irgendwelche Aufzeichnungen finden lassen, dann steht alles bestens. Ich glaube kaum, daß jemand hier eine Empfehlung Joe Haywoods zurückweisen würde. Wenn keine Unterlagen für eine solche Empfehlung zu finden sind und du mir zutraust, daß ich die Sache bei Quinlan nicht verpatze, werde ich versuchen, sie in den nächsten paar Tagen zur Sprache zu bringen.«

»Gut, gut, ich vertraue ganz auf dich.«

Warum habe ich ihm bloß diese Zusage gemacht? fragte sich Temple, als er den Hörer auflegte. Als Joe in diesem Zusammenhang von Orlando sprach, dachte ich, er habe nicht alle Tassen im Schrank. Gewiß hatte Harry eine Menge dazu getan, um Joe nach Washington zu verhelfen. Er legte seine Gangsterpersönlichkeit ab, und seine Reden im Fernsehen und im Radio waren wahre Glanzstücke. Und verdammt noch mal, wie konnte man diesem dynamischen und selbstbewußten Millionärsphänomen etwas abschlagen, das einen mit jugendlich-bittender Stimme anrief und einen Posten wollte, auf dem es nur harte Arbeit und nichts zu verdienen gab?

Eines Abends wurde Temple ins Schlafzimmer des Weißen Hauses gerufen. Quinlan hatte anscheinend einen anstrengenden Tag hinter sich und wünschte sich in Gegenwart eines Menschen zu entspannen, der von draußen kam, der ihn weder »einwickeln« noch mit ihm anbändeln würde. Der Präsident legte den Pyjama und einen Bademantel an und öffnete zwei Dosen gekühlten Bieres. Die verdammte Dänische Dogge lag neben ihm. »Erinnern Sie sich, was Harry Truman sagte, als F. D. Roosevelt starb?« begann Quinlan. »›Ich habe das Gefühl, als wären mir der Mond, die Sterne und alle Planeten auf den Kopf gefallen.‹ – Ich hatte tagelang das gleiche Gefühl. Vielleicht hab' ich's heute noch. Ich wache immer um vier Uhr früh mit dem Gedanken auf, daß ich nur ein paar Fehler zu machen brauche, und wir gehen alle zum Teufel. Ich, Miles Quinlan, ehemaliger zweiter Geschäftsführer einer Eisenwarenhandlung in Youngstown. Ich wollte nichts weiter, als meine Frau und Kinder ernähren zu können und genügend Freizeit zum Faulenzen in einem Fischerboot zu haben.«

Temple nickte verständnisvoll und griff nach der Dose Bier, obwohl er nicht durstig war. »Ich glaube Sie recht gut zu verstehen. Ich hab einmal geträumt, daß ich im Präsidentenstuhl sitze, bin aufgeschreckt und konnte die ganze Nacht nicht mehr einschlafen.«

Quinlan ging ans Fenster und blickte hinaus. »Ich habe die Berichte gelesen, die Sie diese Woche geschrieben haben. Sie haben mich nicht herausgestrichen, aber Sie waren anständig. Ich freue mich, Sie auf meiner Seite zu wissen.«

»Soviel ich weiß, bin ich auf niemandes Seite, Mr. President. Aber ich versuche fair zu sein.«

»Mehr kann ein vernünftiger Mensch nicht verlangen. Wenn Sie mir helfen wollen, dann können Sie es so tun: Halten Sie sich an die Tatsachen. Ich weiß ganz genau, daß ich euch Intellektuellen immer den Hanswurst abgegeben habe. Ihr konntet euch nie erklären, wieso Joe Haywood, auf den ihr alle Hoffnungen gesetzt hattet, sich so einen Bauerntölpel als Mitkandidaten ausgesucht hat.«

Er kam vom Fenster zurück und setzte sich. »Jetzt habt ihr also einen neuen Präsidenten. Ich hab eine dicke Haut, Bill, das wissen Sie sicherlich. Und ein großes Problem dazu. Ich werde mit den jungen Kerlen, die Joe ins Weiße Haus geholt hat, nicht warm. Vielleicht liegt's an mir, aber es ist, als redeten wir in zwei verschiedenen Sprachen. Das wird sich alles ändern – hoffe ich zumindest. Aber solange ich nicht im richtigen Fahrwasser bin –

könnte ich mit Ihnen rechnen, daß Sie mir hier, ganz privat, die Hölle heiß machen, bevor Sie es in die Öffentlichkeit hinausposaunen, daß ich im Begriff bin, einen Unsinn zu machen?«

Temple überlegte. »Nur unter der Voraussetzung, Sir, daß ich meine Berichte auch weiterhin ohne jede Einschränkung abfassen kann. Ich werde Ihr Vertrauen ebensowenig mißbrauchen wie das von Haywood. Für den Fall, daß Sie etwas, meiner Meinung nach, Unüberlegtes tun und das nicht einsehen wollen, muß ich mir allerdings volle Handlungsfreiheit vorbehalten.«

»Selbstverständlich.«

»Dann komme ich gern, wann immer Sie mich brauchen.«

»Gut. Fangen wir also gleich an. Hat Sie irgend etwas, das ich in dieser Woche gesagt oder getan habe, ernstlich beunruhigt?«

»Eine Sache stört mich, Sir«, antwortete Temple, »und ich bin sicher nicht der einzige, dem das unangenehm ist. In den nächsten acht Monaten gibt es keinen Vizepräsidenten. Ted Cavanaugh ist ein tüchtiger Sprecher, aber niemand kann sich ihn als geschäftsführenden Präsidenten vorstellen – er am allerwenigsten.«

»Das ist mir klar. Ich werde versuchen, am Leben zu bleiben.«

»Das hoffe ich aus ganzem Herzen. Ich sehe Grant Campbell nicht gern in der Kulisse stehen. Sollte er nominiert werden, könnten Sie ihn im November schlagen; schon allein deshalb, weil die Wähler im allgemeinen einen Kandidaten vorziehen, der schon im Amt ist. Aber kein Mensch kann sagen, was geschehen würde, wenn Sie ... also ... wenn Sie nicht mehr wären und die Partei ohne Führer dastünde.«

»Campbell? Wer würde eine Schaufensterpuppe wie Campbell wählen, selbst wenn seine Partei dumm genug wäre, ihn zu nominieren?«

»Möglicherweise eine Menge Leute, wenn nur die Verpackung geschickt gemacht ist und die Lage im November günstig scheint. Sie haben ja sicher auch die Meinungsumfragen gelesen. Alles lacht über Campbell, aber Reynolds und Bark Bartell hat er in der Gunst der Wähler bereits überholt – und das gibt doch zu denken.«

Quinlan schüttelte den Kopf. »Machen Sie sich wegen Campbell keine Sorgen. Was hat er denn für Kalifornien getan, seit er Senator ist? Gelächelt und das Maul aufgerissen. Er ist noch immer mehr Filmschauspieler als Politiker. Er und seine Kumpane, der alte Russ Connors und die ganzen Rechtsextremisten, können viel

Staub aufwirbeln, und ich zweifle keinen Augenblick daran, daß sie eine Unmenge Geld haben. Aber wenn es darauf ankommt, geht ihnen das amerikanische Volk nicht auf den Leim.«

»Ich wollte, Sie hätten dafür einen Garantieschein in der Tasche.«

Temple wartete ganz bewußt bis zum Schluß, bis er auf Harry zu sprechen kam. Bevor er sich verabschiedete, erzählte er von Orlando, klärte den Präsidenten über die Hintergründe auf und fragte Quinlan, ob er mit ihm sprechen oder ein Gespräch zumindest in Erwägung ziehen wolle.

Quinlan hörte aufmerksam zu. »Warum«, wollte er schließlich wissen, »will ein so erfolgreicher Mann, der ein sorgloses Leben führt, alles aufgeben?«

»Weil ihm sehr viel daran liegt, in die Regierung zu kommen. Ich bin davon überzeugt, daß er sich auf diesem Posten bestens bewähren würde.«

»Also schön. Ich werde Drew Pringle beauftragen, einen Termin festzusetzen.« Er sah nachdenklich vor sich hin. »Harry Orlando ...«, sagte er gedehnt, »... ich habe ihn einmal kennengelernt, ihn und seine junge Frau — Loreen oder Noreen oder so ähnlich. Das ist schon sehr, sehr lange her; aber ich weiß noch, wie sie aussah. Entschuldigen Sie meine Offenheit, aber die hätte ich mit dem größten Vergnügen gleich auf den Stufen des Capitols vernascht.«

Diese Bemerkung störte Temple. Aber er erinnerte sich, daß Miles Quinlan der diskret verhüllte Ruf eines Schürzenjägers vorausging. »Auch andere Männer hätten gern ...«, sagte er.

»Ich mache natürlich nur Spaß. Mrs. Quinlan und ich sind seit dreißig Jahren ein glücklich verheiratetes Paar.« Wieder begann er zu sinnieren. »Jawohl, ich sehe sie noch vor mir, und ich könnte wetten, daß das schon ein gutes Dutzend Jahre her ist ...« Dann erwachte er jäh aus seinen Träumen und fügte hinzu: »Jetzt machen Sie sich aber auf die Socken, Bill. Es ist spät. Ich möchte noch etwas lesen und dann ein bißchen schlafen. Morgen früh muß ich wieder den Rollbalken hochziehen.«

Mary schlief schon, als Temple gegen Mitternacht nach Hause kam. Sie hatte aber ein Telegramm auf seinen Schreibtisch gelegt, das an ihn adressiert war. Es kam von Nancy Brice, enthielt eine

Telefonnummer und die dringende Aufforderung, sofort zurückzurufen. Er wußte noch immer nicht, wo er diese Nancy Brice hintun sollte. Er hatte vergessen, sie nach dem ersten Telegramm anzurufen, das er in der Aufregung nach dem Flugzeugabsturz nicht mehr finden konnte.

Jetzt fiel ihm die ganze Geschichte langsam wieder ein. Ach Gott, das war doch vor zwanzig Jahren gewesen, in jenem Sommer, da er sich in Paris herumgetrieben hatte, bevor er ans College zurückkehrte.

Er nahm ein Pfefferminzbonbon, steckte es in den Mund und wählte die Nummer. Jetzt erinnerte er sich deutlicher an Nancy, konnte sich aber nicht vorstellen, was sie jetzt Dringendes von ihm wollte.

Während er wartete, schweiften seine Gedanken zu jenem längst vergangenen Sommer zurück, da er und der schon seit langem verstorbene Gene Spellman, beide junge Burschen und bettelarm, sich in Paris köstlich amüsiert hatten. Wie Könige hatten sie gelebt; immer eine Hausfrau gefunden, die sie aufnahm, einen Gastwirt, der sie fütterte, und eine Menge süßer Mädels und knuspriger kleiner Hexen, die mit ihnen ins Bett schlüpften. Eines Nachts saßen sie in einer überfüllten Bar und versuchten sich mit elendem, billigem Wein zu betrinken, als Gene — der geniale Gene, sein bester Freund — mit einer Gruppe gutgekleideter Amerikaner und Franzosen ins Gespräch kam, die sich in englischer Sprache unterhielten. Der Oberfranzose war ein Verleger schlüpfriger französischer und englischer Taschenbücher.

»Wie schicksalhaft!« jubelte Gene in tadellosem Oxfordenglisch. »Mein Partner Temple und ich sind — welch ein Zufall! — weltberühmte Verfasser erotischer Romane!«

Noch in derselben Nacht lud sie der Mann in seine elegante Wohnung ein, wo die gutgekleideten Amerikaner und Englisch sprechenden Franzosen ihren Spaß an ihnen hatten. Der Wein floß in Strömen. Sie verbrachten die Nacht in getrennten Schlafzimmern: Temple mit einer pausbäckigen Französin, die nicht davon abzubringen war, pausenlos — und falsch — Baudelaire zu rezitieren, während er sie bearbeitete; Gene mit einer gertenschlanken Brünetten aus Albuquerque, für die Temple in jener Nacht sein letztes Hemd für eine Nummer mit ihr geopfert hätte.

Als sie am nächsten Morgen die elegante Wohnung verließen und in das viel zu grelle Sonnenlicht hineinhumpelten, zeigte Gene ihm heiter fünfzig Francs, gab ihm fünfundzwanzig davon und steckte den Rest wieder ein. »Eigentlich sollte ich alles behalten«, lachte er, »denn ich habe das Mundwerk, nicht du. Das ist ein Vorschuß, *mon frère*. Du und ich, wir werden für M'seur Gagnon einen Roman schreiben, und wenn ich noch nicht verlernt habe, Francs in Dollars umzurechnen, so wird dieser Vorschuß plus dem, was wir in bar ausgezahlt bekommen, sobald wir das fertige Manuskript abliefern, an die fünfhundert amerikanische – wie heißen die Dinger? – Dollars ausmachen. Minus die üblichen zehn Prozent für Nancy, unsere literarische Agentin.«

»Nancy ist die Kleine, mit der du geschlafen hast – stimmt's?«

»Das möchtest du gerne wissen! Jawohl, mein Herr! Du und ich, wir haben jetzt ein Rendezvous mit einer gemieteten Schreibmaschine und einem Stoß Papier.«

Es wurde ein Heidenspaß, und oft konnten sie vor Lachen nicht weiter. Während der eine vor der Schreibmaschine hockte und der andere auf und ab wanderte oder schlechten Kaffee zusammenbraute, fabrizierten sie in fünf Tagen und Nächten, ohne viel zum Schlafen zu kommen, einen schauderhaften Kurzroman, wie krampfhaft-komische Verwerflichkeit es nur gestattete. Da wimmelte es von lüsternen Lesbierinnen, unermüdlichen Nymphomaninnen, erbarmungslosen Satyren und Dialogen wie: »Ich beschwöre dich, halt nicht ein in deinem Tun«, keuchte Victoria, ihre Augen ein Meer lodernder Flammen. »Mit aller Kraft dringe ein in meine Schlucht, einem starken Löwen gleich.« Das Ganze war eine Parodie.

Monsieur Gagnon kaufte das Manuskript. Gene stellte nur eine Bedingung: Der Name des Autors sollte C. S. Poole lauten.

Gagnon, der viele englische Wörte kannte, nur nicht das Wort »cess-pool« – Jauchegrube –, zuckte die Achseln und erklärte sich einverstanden.

Nancy Brice hatte ihre zehn Prozent bekommen, und bald war der ganze Spaß versoffen und vergessen worden. Was konnte sie jetzt von ihm wollen?

»Endlich«, sagte die Stimme am Telefon. »Wieso haben Sie so lange gebraucht, um mich zurückzurufen? Sie wissen doch, wer ich bin, nicht wahr?«

»Ja. Sie sind die Dame, die so gern das Wort ›dringend‹ in ihren Telegrammen verwendet. Um was geht's, Miß Brice? Warum haben Sie mir nicht geschrieben?«

»Weil ich schon dem Telefon nicht sehr vertraue und der Post gegenüber noch viel mehr Bedenken habe. In aller Kürze: Vor einigen Monaten besuchten uns, meinen Mann und mich, zwei Herren von der Postverwaltung. Sie suchten einen Schriftsteller namens C. S. Poole. Wie es scheint, beschuldigt der Staat Alabama eine Taschenbuchfirma, die sich Kicher-Bücher nennt, aus Gewinnsucht obszöne Druckwerke auf dem Wege der Post in den Staat befördert zu haben, wie es amtlich heißt. Dieser ominöse Verlag veröffentlicht Monat für Monat, na, sagen wir, fragwürdiges Material: Aktmagazine, Zeitschriften für Schwule, Filme für Herrenabende und schlüpfrige Taschenbuchromane. Bei einem dieser Taschenbücher, das der Staatsanwalt in Alabama beanstandet hat, handelt es sich um einen kleinen Schmöker mit dem Titel *Die stolze Dirne.* Der Autor ist ein gewisser C. S. Poole.«

Temple setzte sich zurecht und strich die Hose glatt. »Das nennen Sie ›in aller Kürze‹? Und was hat das alles mit mir zu tun?«

»Zunächst einmal nichts. Vielleicht überhaupt nichts. Aber die Postverwaltung arbeitet mit dem Staatsanwalt in Alabama zusammen. Sie haben herausgefunden, daß mein Mann und ich den Kicher-Büchern *Die stolze Dirne* verkauft haben. Wir sind literarische Agenten. Wir mögen die Bullen nicht, schon gar nicht, wenn sie uns in Zivil auf die Bude rücken. Aber sie wissen nun einmal, daß ich der Firma die Rechte verkauft habe. Jetzt sind sie schon zum drittenmal hiergewesen und wollen wissen, wo sie Mr. C. S. Poole erreichen können. Mein Mann und ich haben eine Ausrede nach der andern gebraucht ... Wir wissen, wer Sie sind, daß Sie keine solchen Bücher mehr schreiben, Ihr Mitarbeiter gestorben ist und so weiter ... Was ich Ihnen in aller Kürze also sagen wollte: Ich habe Ihren Namen die ganze Zeit verschwiegen. Mein Mann ist schon einem Nervenzusammenbruch nahe. Die Kerle geben uns ja keine Ruhe. Wenn Sie mir erlauben, ihnen zu sagen, daß Sie C. S. Poole sind, brauchen wir keine Angst mehr zu haben und können wieder ein normales Leben führen. Ich wollte Sie natürlich nicht in Verlegenheit bringen, aber wir wollen diese Leute nicht auf dem Hals haben und ...«

»Miß Brice«, unterbrach sie Temple, »ich kann mir keinen Reim auf das machen, was Sie mir da erzählen.«

»Dann versuchen Sie's doch einmal. Wir haben Sie bis jetzt geschont, aber wenn sich die Sache zuspitzt und man uns als Zeugen nach Tuscaloosa ruft, kann ich ein Jahr wegen Meineids kriegen, sagt mein Anwalt. Das sind zwölf lange Monate. Und einen Meineid würde ich nicht einmal für meinen Mann schwören, geschweige denn für ...«

In der Hoffnung, sich mit einer Wahnsinnigen unterhalten zu haben, legte Temple den Hörer auf.

Während er die Treppe hinaufstieg, entkleidete er sich. Dann putzte er die Zähne, zog den Pyjama an, ging ins Schlafzimmer und schmiegte sich eng an Mary.

In Hollywood begann die Arbeit an *Die Liebe schlägt Krawall.* Hobie bekam den strengen Befehl, Orlando sofort zu verständigen, sobald Bill anrief.

Und dann rief Bill Temple tatsächlich an. Es war die heißersehnte Nachricht. Präsident Quinlan würde ihn am kommenden Sonntag um vier im Weißen Haus empfangen.

»Wie steht's?« fragte Orlando.

»Hängt von dir ab«, antwortete Bill. »Beim Kulturaustausch scheinen keine Aufzeichnungen über dich vorzuliegen, aber das soll dich nicht stören. Ich habe Quinlan entsprechend informiert.«

»Und?«

»Er ist zwar nicht gleich vor Begeisterung in die Luft gesprungen, aber ... Du kannst dir ja vorstellen, daß er mit andern Dingen unter Druck ist. Er hat sich bereit erklärt, dich zu empfangen und dich anzuhören. Und jetzt bist du am Ball.«

»Ich bin eine Verkaufskanone. Und du bist ein Prachtkerl.«

Das Jonglieren mit den Terminen begann wieder einmal. Dann hatte er eine Glanzidee. Er meldete ein Gespräch mit seinem Sohn in Princeton an. »Wir haben uns schon lange nicht gesehen«, sagte er. »Ich werde kommenden Samstag in New York sein. Wie wär's, wenn du 'rüberkämst, damit wir zwei Männer uns mal wieder richtig unterhalten können? Ich halte mir den Tag jedenfalls frei.«

»Das wär 'ne feine Sache, Dad. Ich hab Mutsch sowieso versprochen, das Wochenende mit ihr zu verbringen. Könnten wir ... könnten wir nicht alle drei zusammenkommen?«

»Warum nicht? Wenn deine Mutter einverstanden ist ... Ich werde gegen zwei im ›Plaza‹ sein. Du rufst mich also dort an, ja? Ich kann mir nichts Besseres vorstellen, als daß wir drei gemeinsam die Stadt unsicher machen.« Er unterbrach sich. Er wußte, daß nichts daraus werden würde. »Ah ... Jim ... wie geht's deiner Mutter?«

»Gut, glaube ich.«

»Und dir? Wann wirst *du* anfangen, die Welt auf den Kopf zu stellen?«

»Allerspätestens morgen«, sagte der Junge verlegen.

»Hör mal, ruf erst gar nicht an. Komm einfach her!«

»Fein, Dad. Danke.«

Orlando legte keinen Wert darauf, jemandem zu sagen, wozu er übers Wochenende nach Osten flog. Er gab nur bekannt, daß er Montag morgen wieder zurück sein und pünktlich zur Arbeit erscheinen würde. Schon Freitag mittag kam er im Studio mit seinem Text nicht mehr zurecht. Er hatte das Gefühl, daß da nichts mehr zu machen war, und wies Denny Fields, den Regisseur, an, den Laden um fünf Uhr dichtzumachen und die Leute nach Hause zu schicken. »Jetzt wollen wir uns einen genehmigen«, sagte er zu den Leuten, die vor seiner Garderobe umherstanden – Rod Keyes, Al Barron, Denny, Chris Harris, sein Arrangeur und manchmal auch Dirigent, und Vince Moschetta. Sie gingen hinüber zu Chasen. Bei der zweiten Runde bemerkte Orlando, daß Grant Campbell mit zwei andern Männern das Lokal betrat und vom Oberkellner zu einem hinteren Tisch geführt wurde.

»Unser nächster Präsident«, witzelte Denny.

Verstohlen beobachtete Orlando Grant Campbell, den Senator aus Kalifornien.

Er mußte jetzt fünfzig sein, sah aber, wie immer, um fünfzehn Jahre jünger aus. Vor zehn Jahren, als Orlando noch einigermaßen freundlich mit ihm verkehrte, war Grant ein mittelmäßiger Schauspieler gewesen. Er gab immer den anständigen, guten Kerl auf der Leinwand. Damals war er ein leidenschaftlicher Liberaler, harmlos und aufrichtig, jetzt aber ein geläuterter Konservativer und seit drei Jahren Kaliforniens Senator. Man sprach ganz offen davon, daß ihm unbegrenzte Geldmittel zur Verfügung standen und es sein sehnlichster Wunsch war, ins Weiße Haus zu kommen.

Orlando wandte sich einem erfreulicheren Anblick zu: Am anderen Ende der Bar saß eine tolle Rotblondine. »Unser nächster Präsident scheint zu uns zu kommen«, flüsterte Denny ihm zu.

»Gib ihm fünfzig Cent für seine Wahlkampagne, laß sie dir bestätigen und schick ihn wieder fort«, sagte Orlando. Er kam sich ziemlich kindisch vor. Campbell hatte ihm, wenn auch in guter

Absicht, vor zehn Jahren beträchtliche Schwierigkeiten bereitet. Dennoch konnte er den edlen Ritter ganz gut leiden, obwohl Campbell mit angeblich ziemlich zweifelhaften Existenzen Umgang pflog. Millie, Grants lebhafte, sachlich denkende Frau, hatte er immer besonders hoch geschätzt.

»Harry, was für eine nette Überraschung!« begrüßte ihn Campbell lächelnd und streckte ihm die Hand hin. Orlando ergriff sie und lächelte zurück. Es war die Hand eines Politikers, fest, trocken und sorgfältig manikürt.

»Hallo, Grant! Warum bist du nicht im Osten, um Geld zu verdienen?«

»Du bist immer noch der alte Spötter«, erwiderte Campbell lächelnd. »Ich sollte wirklich dort sein – es ist ja jetzt einiges los, seit diesem unerfreulichen Ereignis. Aber mein Vater . . .«

»Unerfreuliches Ereignis? Meinst du den Tod des Präsidenten?«

»Ja. Mein Vater hatte wieder einen Schlaganfall, und da dachte ich, ich müßte herkommen. Aber es ist alles wieder in Ordnung. Für sein Alter hat er sich wieder recht gut erholt.«

»Freut mich, das zu hören. Wie geht's Millie?«

»Ausgezeichnet. Ich kann dir gar nicht sagen, wie oft sie von dir spricht. Sie ist wie immer deine begeisterte Anhängerin, schaut sich alle deine Filme an und kauft alle deine Platten. Ich wollte, ich hätte die Zeit, um auch so ein begeisterter Orlando-Fan zu sein, aber du kennst ja das alte Sprichwort . . .«

»Ja, ja«, unterbrach ihn Orlando. Er war auf alte Sprichwörter gar nicht neugierig. Er stellte Campbell seinen Freunden vor, die diesem Mann gegenüber, der ihnen völlig gleichgültig war, ein durchaus gesittetes Benehmen an den Tag legten. »Du hast es weit gebracht, Grant«, sagte er. »Ich habe gehört, daß deine Partei dich im Sommer für das große Rennen nominieren will.«

Campbell war von dieser Bemerkung sichtlich beeindruckt. »Wo hast du das gehört?«

»Bei mir brauchst du dich doch nicht zu verstellen, Grant! Dazu kennen wir uns doch schon zu lange. Ich bin zwar nur ein heruntergekommener Barsänger, aber hie und da lese ich auch die Zeitung. Ich hör's überall. Du sollst ja eine gute Chance haben, nominiert zu werden, wenn Reynolds oder Bartell dir nicht zuvorkommen. Stimmt's? – Wie wär's mit einem Schluck aus Mutter Chasens Keller?«

»Nein, danke – du weißt ja, ich bin kein großer Trinker«, entgegnete Campbell. Die Gegenwart von Orlandos Freunden behagte ihm gar nicht. »Warum kommst du nicht auf einen Sprung zu unserem Tisch, Harry? Meine Freunde würden dich gern kennenlernen.«

»Wenn ich meine Kampfgefährten mitbringen kann . . .«

»Nun . . . der Tisch ist ein bißchen klein . . . es ist schon so lange her, Harry, daß wir über alte Zeiten gesprochen haben. Wann setzen wir uns einmal zu einer gemütlichen Plauderei zusammen . . . aber wirklich? So einmal im Monat bin ich hier in Los Angeles, manchmal auch öfter. Diesmal bleiben Millie und ich bis Sonntag hier. Willst du nicht vorbeikommen? Sie würde es mir nie verzeihen, wenn ich ihr erzähle, daß ich unseren alten Freund Harry getroffen und ihn nicht einmal zu uns eingeladen habe.«

»Vielleicht das nächste Mal, o. k., Grant? Ich fahre morgen weg. Danke, und viel Glück!«

Campbell wußte, daß er verabschiedet war. Er setzte wieder sein strahlendstes Lächeln auf, nickte der Tischrunde freundlich zu und ergriff Orlandos Hand. »Also, vergiß nicht, was wir ausgemacht haben! Wir sind schon zu lange Freunde und haben uns zuviel zu sagen, um uns wie Fremde gegenüberzustehen. Wir wollen in Verbindung bleiben.«

»Klar, Grant.«

Sie sahen ihm alle nach, wie er an seinen Tisch zurückkehrte. Hier und da blieb er stehen und schüttelte Hände.

»Wenn ich's nicht besser wüßte, würde ich ihn für einen warmen Bruder halten«, sagte Al. »Sag mal, Chef, müssen wir dem Schwulen Treue schwören, wenn er gewählt wird?«

»Er wird nicht gewählt werden – man wird ihn nicht einmal nominieren«, sagte Orlando und leerte sein Glas. Es betrübte ihn, daß aus dem vielseitig interessierten Grant Campbell von früher ein so langweiliger Philister geworden war. Vor zehn Jahren noch hatte seine Spießbürgerlichkeit etwas Natürliches an sich, aber jetzt sah alles nach Theater aus, nach durchsichtigem Theater.

Al schlug eine dritte Runde vor. »Ohne mich«, sagte Orlando und wies den Barkeeper mit einer verstohlenen Geste an, alle Getränke auf seine Rechnung zu setzen. »Ihr Knaben könnt noch dableiben und euer Popcorn aufessen. Ich geh heim und ins Bett. Womit ich dir wieder einmal ein Stichwort für einen deiner faulen Witze liefere, Freund Barron. Aber spar ihn dir auf, bis ich draußen bin.«

Zu Hause aß er ein Käsebrot und Salat, trank ein Glas Milch und zum Abschluß einen Whisky. Das war das erste Mal seit vielen Jahren, daß er allein zu Bett ging und sich vor neun schon schläfrig fühlte. Im Fernsehen begann einer seiner ersten – und ihm liebsten – Filme, aber Harry drehte nicht auf. Er schlief ein.

Eine Stunde später wachte er unvermittelt auf. Er hatte geträumt . . . von Ken Clay, ausgerechnet . . . Ken Clay und Ginger . . . so lange war das schon her . . .

Er versuchte wieder einzuschlafen, aber diesmal gelang es ihm nicht. Die Uhr zeigte kurz nach zehn. Es gab genug Arbeit, die er hätte erledigen können. Aber er war müde und wach zugleich, blieb liegen und nahm die Schlaflosigkeit hin, wie er sie schon unzählige Male hingenommen hatte. Er ließ das Licht abgedreht. Dann fiel ihm das TV ein, und er drückte auf den Fernschalter auf seinem Nachttisch und sah sich den Film an.

Wie komm ich dazu, von Ken zu träumen? fragte er sich, während ein junger, unbekümmerter Harry Orlando vor ihm über den Bildschirm huschte. Im Traum war er mit Noreen auf Hochzeitsreise gewesen – schon das war ein Blödsinn, denn als Noreen in sein Leben trat, waren Ken und Ginger Clay schon lange daraus verschwunden. Während er mit Noreen im Ballsaal des Vergnügungsdampfers tanzte, klopfte ihm jemand auf die Schulter. Das war Ken, als Gorilla verkleidet. Ja, es war ein Maskenball, und nur Orlando und Noreen trugen Abendkleidung. Ken schlug sich auf die Brust wie ein Affe, sprang herum und machte die Anwesenden lautstark darauf aufmerksam, daß sein Hosenschlitz offen war und er sein Ding heraushängen ließ, damit es alle sehen konnten.

So ein vertrottelter Traum!

Ken . . . dachte Orlando. Mein Gott, ich habe mitgeholfen, den armen Kerl umzubringen. Dann schaute er wieder auf den Bildschirm und dachte an jenen Abend zurück, da ihn der alte Bisigloni so verdroschen hatte.

Harrys erster Anruf am nächsten Morgen hatte Ken gegolten . . .

Ken hörte Harrys Stimme am Telefon, ließ sich einen Teil der Geschichte von den Prügeln erzählen und befahl ihm, in die U-Bahn zu steigen und schnellstens in die Horatio Street zu kommen.

Eine Stunde später, während die tüchtige Ginger sich besorgt seines geschwollenen Auges annahm, berichtete ihnen Harry, was Bisigloni ihm angetan hatte und was der Grund dafür gewesen war: Seine unverheiratete Stiefschwester hatte sich anbumsen lassen und ihm den Schwarzen Peter zugeschoben. Sie war eine Sau, aber der Alte hatte ihr geglaubt und ihn fertiggemacht. Und nun hatte Harry die schmale Brücke, die zur Bronx hinüberführte, hinter sich abgebrochen.

»Hier sind hundertsiebzehn Dollar, die ich mir von der Bank geholt habe«, sagte er. »Ihr könnt sie haben. Jetzt muß ich richtig Geld verdienen. Aber wie?«

»Sonst hast du keine Sorgen?« fragte Ginger trocken.

Nachdem er sie davon überzeugt hatte, daß er nicht daran dachte, in die Schule zurückzukehren, sondern sich ganz dem Showgeschäft widmen wolle, kamen die Clays überein, daß er bei ihnen wohnen, im Hinterzimmer schlafen und nur für sein Essen zahlen sollte. Er nahm das Angebot an. Er zweifelte keinen Augenblick daran, daß er ihnen ihre Anständigkeit bald mit Zinseszinsen vergelten würde. Nach einer Woche sah sein Auge wieder normal aus, und er begann Agenten zu besuchen. Ken gab ihm ein Dutzend Adressen und sagte ihm immer wieder: »Beruf dich auf mich! Vergiß nicht darauf!« Er berief sich auf Ken und erreichte gar nichts. Er klopfte bei andern Agenten an. Einige hörten ihm zu. Alle sagten, daß man für die laufende Saison keine Sänger mehr brauche, vor allem keine ohne jeglichen Sex-Appeal.

Es war Kens Geistesblitz, daß sie zu dritt auftreten sollten. »Wieso fällt mir das erst jetzt ein?« rief er plötzlich begeistert. »Mein Freund Feeder Minikin macht jetzt die ganzen Sommerengagements für die Urlaubsorte. Wir könnten eine Nummer zusammenstellen, daß sie alle platt sind. Ginger, du hast die Samtpfötchen und das gewisse Etwas; du, Freundchen, hast das Gold in der Kehle; ich, ich habe die Trommeln und den übrigen Schmus: Wir werden tollen Erfolg haben!«

»Wer ist Feeder Minikin?«

»Feeder Minikin? Ein Agent, der hart arbeitet und ein feiner Kerl ist. Ich kenne ihn seit Jahren. Ich hätte dich schon am ersten Tag zu ihm geschickt, aber er ist mir eben jetzt erst wieder eingefallen. Ich ruf ihn gleich an. Ihr werdet sehen, daß er begeistert sein wird.«

Sie saßen in der White Horse Tavern. Ken schlenderte zum Telefon hinüber. Unterwegs klopfte er andern »Freundchen« auf den Rücken; »Freundchen«, die ihm keine großen Sympathien entgegenzubringen schienen. Harry bemerkte, daß Ginger nicht gerade begeistert in ihr Bier starrte. »Ich weiß nicht, was hier gespielt wird«, sagte er, »ich weiß nur, daß Ken ein lausiger Schauspieler ist. Hat er wirklich eben jetzt diese Glanzidee gehabt?«

Ginger seufzte und schüttelte den Kopf. »Sag ihm das ja nicht! Es ist noch nicht offiziell – aber Trigari löst sein Orchester auf. Ken weiß das schon seit einem Monat und bemüht sich wie verrückt um eine neue Anstellung. Sie können ihn alle gut leiden, aber keiner nimmt ihn, weil sie Angst haben, daß er sich betrinkt. Russ Trigari war eine Ausnahme.« Sie zündete sich eine Zigarette an. »Seither jagt er durch die ganze Stadt und rennt allen Freunden und Bekannten die Tür ein. Aber selbst Feeder Minikin hat ihn abgewiesen.«

»Du bist wie Ken. Du sprichst von Feeder Minikin, als wüßte ich, wer das ist.«

»Nein, das ist völlig uninteressant. Er ist ein kleiner Mann, eine Null, ein Würstchen von einem Agenten. Seine Kunden nehmen ihm seine drittklassigen Nummern ab, weil sie viertklassige Gagen zahlen. Und nicht einmal *der* hat Ken ein Sommerengagement gegeben, weil sogar die miesen Betriebe in den Sommerfrischen keine Lust dazu haben, Geld für die Fahrt vorzuschießen und einen Säufer ins Haus zu bekommen. Er hat mir einige Engagements angeboten – auch feinere Leute als er sind zu mir gekommen –, wenn ich allein auftrete, ohne Ken. Geht nicht. Das würde ihn zu einer Sauftour veranlassen, von der er nicht mehr zurückkommt.«

»Wozu telefoniert er dann jetzt, wenn ...«

Sie lächelte traurig. »Ich hab die Sache ausgebrütet, Harry. Eigentlich hätte ich dich zuerst fragen sollen. Ich bin gestern allein zu Minikin gegangen und habe ihn überredet, uns zu dritt zu nehmen. Ich habe ihm erzählt, wie gut du bist – er weiß, daß ich ihn nicht anlüge – und hab ihm versprochen, daß wir beide, du und ich, aufpassen würden, daß Ken nicht ausrutscht. Es hat geklappt. Minikin konnte sich ausrechnen, daß jedes Lokal so eine Nummer will, wenn die Kohlen stimmen: Gesang, eine gutaussehende Frau, eine witzige Conférence – eine ganze Show, sozusagen.«

Harry sah, wie Ken in das Telefon geradezu hineinkroch. »Hat er dir ein festes Angebot gemacht?«

»Ja. Es stinkt zum Himmel. Aber wir verbringen wenigstens einen Sommer in den Bergen, haben freien Aufenthalt und Verpflegung und die winzige Chance, Ken könnte sich entspannen und wieder der alte werden. Du hast doch nichts zu verlieren, Harry, oder?«

Ken kehrte überglücklich zum Tisch zurück. »Der alte Feeder konnte gar nicht begeisterter sein«, erklärte er freudestrahlend. »Eines muß man dem Kerl zugute halten: Was er macht, macht er ordentlich. Kommt! Los, er will, daß wir gleich einen Vertrag unterschreiben.«

Die Wände des kleinen Büros in der Vierundvierzigsten Straße waren mit bunten Bildern von Filmstars aus den *Sunday News* bedeckt. Feeder Minikin war ein Bulle von einem Mann. Sein weizengelb gefärbtes Haar hatte er so kunstvoll gekämmt, daß es die kahlen Stellen überdeckte. Er trug ein Hemd mit kurzen Ärmeln, Hosenträger und einen Gürtel. Überschwenglich begrüßte er das Trio bei seinem Eintritt und schob ihnen den Vertrag zur Unterschrift über den Schreibtisch. »Ihr habt Glück, Kinder«, sagte er und reichte jedem von ihnen eine Feder. »Am fünften Juli fangt ihr in einem verdammt netten Hotel in Loch Sheldrake an, im ›Lowbin Lodge‹. Ja, ja, Feeder sorgt sich Tag und Nacht um seine Kinder, Tag und Nacht. Meine Lieblinge können ruhig schlafen; die wissen immer, wo sie am nächsten Tag ihren Schweinsbraten mit Bohnen vorgesetzt bekommen. Stimmt's, Ken?«

»Ja«, gab Ken zu, der seit dem Telefongespräch in der White Horse Tavern einiges an Schwung verloren hatte. Harry wußte sofort, warum: Ken schien endlich begriffen zu haben, daß er seine Frau und sich selbst auf einen Friedhof verbannt hatte und das Ende nahe war.

Diesen Juni würde Orlando nie in seinem Leben vergessen. Ken führte großspurige Reden und soff wie ein Bürstenbinder. Ginger konnte ihn und Harry nur am Leben erhalten, weil ihr großer Bruder in Boise völlig unerwartet etwas Geld schickte. Eines Tages traf Harry Vince Moschetta auf der Dritten Straße; jenen älteren Jungen, mit dem er in der Bronx Radkappen stehlen gegangen war. Vince freute sich, ihn zu sehen, und lud ihn zu einem Kaffee ein. Er war schon immer schlauer gewesen, als er aussah, wenn auch nicht schlau genug, um nicht hin und wieder geringfügiger Vergehen wegen hinter schwedischen Gardinen zu landen.

Außerdem war er ein großartiger Organisator, zuweilen sogar ein ehrlicher, und kein Mensch in der Nachbarschaft hatte je daran gezweifelt, daß er es mit seinem Köpfchen einmal zu etwas bringen würde. An diesem Abend sah er erfolgreich und selbstzufrieden aus.

»Was treibst du, Vince?« fragte Harry, nachdem er über seine Erlebnisse und Pläne berichtet hatte.

Vince sah sich mit Verschwörermiene nach allen Seiten um. »Na ja, ich hab mir da ein nettes kleines Nebengeschäft aufgezogen, mit dem alle Beteiligten zufrieden sind.«

»Machst du's mit Angelo zusammen?« Angelo, Vinces älterer Bruder, war Zuhälter. Er haßte diese Bezeichnung, aber das änderte nichts an der Tatsache.

»Na ja, so was Ähnliches, aber viel sicherer. Wie gesagt, es ist nur ein Nebengeschäft. Ich hab auch noch andere Sachen laufen, aber mit dem Nebengeschäft kaufe ich mir meine Maßanzüge. Da gibt's also diese Damen in der Stadt, ganz vornehme und mit mehr Geld, als sie ausgeben können. Witwen, Geschiedene und solche, die nicht einmal ein Besoffener geheiratet hätte. Sie alle sehnen sich nach männlicher Gesellschaft. Ich bin so eine Art Vermittlungsbüro für Bekanntschaften – nur stehe ich nicht im Telefonbuch. Das Ganze ist auf Flüsterpropaganda aufgebaut. Wenn eine Dame mit den Begleitern, die ich ihr in die Wohnung schicke, zufrieden ist, so erzählt sie's weiter. Und *alle* sind zufrieden, Landsmann. Wenn du pleite bist und den Mund halten kannst, könnte ich dir vielleicht ein oder zwei Geschäftchen zukommen lassen. Ich hab da ein paar Kundinnen, die interessieren sich für Hengste in deinem Alter.«

»Wie alt sind sie denn? Wie schauen sie aus?«

Vince zuckte die Achseln. »Vierzigerinnen, Fünfzigerinnen. Keine Ungeheuer, aber ich will dir auch nicht einreden, daß sie wie die Bardot aussehen. Sonst würden sie wohl mich nicht brauchen. Immerhin – man verliert nicht viel Zeit und überanstrengt sich nicht dabei. Was sagst du dazu?«

Der Gedanke widerte ihn an. »Feine Sache, Vince, aber nicht für mich.«

»Du könntest ganz schön verdienen dabei.«

»Danke, Vince. Aber ich will nicht.«

Wieder zuckte Vince die Achseln. »Auch gut. Macht ja nichts. Hier, schreib dir meine Telefonnummer auf. Ruf mich mal an, wenn du berühmt geworden bist! Dann veranstalten wir eine Party.«

Nachdem sie sich verabschiedet hatten, wunderte sich Harry, daß es ihm nicht eingefallen war, Vince Moschetta anzupumpen. Der Anzug, den er getragen hatte, war unter hundertfünfzig Dollar sicher nicht zu haben.

Am dritten Juli traf das Trio mit dem Omnibus in den Catskills ein. »Lowbin Lodge« war baufällig und verwahrlost; ein kleines, trostloses Sommerhotel, von alten, griesgrämigen Familien bevölkert, die schwere Mahlzeiten verzehrten, unaufhörlich Karten spielten und jeden Abend wie Terroristen in den schrankgroßen Gesellschaftsraum geschlichen kamen, als wollten sie feststellen, wie Harry, Ginger und Ken sie unterhalten konnten. Das Orchester bestand aus Ken am Schlagwerk und einem Studenten namens Marvin mit einer haarigen Nase, der Klavier spielte und bis sieben Uhr abends als Kellner aushelfen mußte.

Alles war gegen sie. Ken und Ginger bewohnten ein Loch hinter der Bühne des Gesellschaftsraumes. Harry teilte seinen Raum mit Marvin, der im Schlaf vor sich hinmurmelte, einen ewigen Kampf mit den Decken führte und jeden Morgen um halb sieben aus dem verbeulten Bett sprang, um lärmende Turnübungen zu betreiben. Das Publikum bestand aus lauter Mißgeburten; geschwätzige Idioten, die nicht einmal das Maul gehalten hätten, wenn ihnen die Zehn Gebote von ihrem ursprünglichen Verfasser vorgetragen worden wären. Schon vor dem achten Abend – das Trio setzte sich jeden Nachmittag auf ein bis zwei Stunden mit Marvin zusammen, um das Abendprogramm zu besprechen – war Ken so zum Umfallen besoffen, daß Ginger und Harry ihn zu Bett bringen mußten.

Harry sang seine Lieder und Ginger die ihren; dann kam Harry noch einmal mit ein paar von Kens Witzen und komischen Monologen, die er sich gemerkt hatte. Hie und da lachte sogar jemand aus diesem grotesken Publikum. Es schien niemandem aufzufallen, daß Ken fehlte; zumindest machte es niemandem etwas aus. Harry bemerkte, daß die Zuhörer unruhig wurden, wenn man ihnen Lieder für höhere Ansprüche oder auch nur entfernt geistvolle Späße vortrug. Er begann daher mit Ginger handfeste, bewußt schnulzige Duette einzustudieren, die dem schwachsinnigen Publikum vertraut klingen mußten. Eines, sein erstes, komponierte er sogar selber. Er summte Marvin die Melodie vor, und der Student hielt sie auf Notenpapier fest. Dann brachte er es Ginger bei; es gefiel ihr, und sie probte es mit ihm. An jenem Abend sangen sie das Duett gleich nach der Pause – Harry die erste, Ginger die zweite Strophe.

Sie war um Jahre älter als Harry, und man sah es ihr an. Aber es gab etwas in diesem Duett, das sie aneinanderkettete, und die Zuhörer lauschten andächtig. Einige applaudierten sogar. Harry war glücklich. Er kam bei den Dummköpfen an.

In jener Nacht war die Show um halb elf zu Ende, und die Gäste gingen wieder an die Kartentische oder ins Bett. Harry und Ginger wanderten zum Teich, der im Prospekt als Schwimmbecken bezeichnet wurde. Ginger schlug eine kleine Spazierfahrt mit dem Ruderboot vor.

Harry ruderte bis zum Ende des Gewässers. Als er den künstlichen Felsen erreichte, der sie vor neugierigen Blicken abschirmte, zog er die Riemen ein. Die Nacht war besonders warm. Ginger hatte das abgenutzte Taftcocktailkleid, das sie Abend für Abend auf der Bühne trug, ziemlich hoch über ihre Knie geschoben. Zurückgelehnt, auf einen Arm gestützt, saß sie da und rauchte. Harry konnte im Licht des Vollmondes die Umrisse ihrer Beine erkennen.

In der engen Wohnung in der Horatio Street hatte er sich oft danach gesehnt, sie zu besitzen, obwohl sie ihm nie auch nur die geringste Andeutung machte, daß es dazu kommen könnte. Sie war im Pyjama in der Wohnung herumgegangen und hatte Frühstück gekocht, während Ken noch tief schlief. Mehr als einmal war er allein mit ihr gewesen, und sie hatten miteinander gesprochen, so wie eben nur Zimmerkameraden miteinander sprechen.

Noch nie aber waren sie an einem Ort wie diesem zusammengewesen, noch dazu bei Vollmond.

»Wie kommt er hier zu Schnaps?« fragte sie. »Wo, zum Teufel, findet er ihn hier, da es doch außer Orangensaft und Tee mit Zitrone nichts zu trinken gibt?«

In der Stadt, wollte Harry schon antworten. Er läßt sich in die Stadt mitnehmen, um Zigaretten und Zeitungen zu holen, und dann stopft er sich die Flasche in eine Innentasche. Daß sie ihm noch nicht draufgekommen war? »Keine Ahnung«, entgegnete er.

»Fühlst du dich in dieser Totenkammer ebenso unglücklich wie Ken?«

»Eigentlich nicht. Ich bin zum erstenmal auf dem Land.«

»Ich verstehe. Du kannst dir aussuchen, von welchen Ehefrauen du dich hinter die Büsche schleifen lassen willst, während ihre Männer irgendwoanders herumhuren. Ich hab mir von solchen Typen erzählen lassen.«

»Gibt's hier nicht!«

»Hast du dir wirklich keine Freundin zugelegt? Das kann ich gar nicht glauben.«

Eigentlich hatte er wirklich eine. Er war ein paarmal mit einer Kellnerin spazierengegangen. Sie hieß Miriam Feldman, war ein dunkelhaariges, ganz hübsches Mädchen in seinem Alter, das gerade *Geweb und Fels* las und gern herumknutschte. Das war aber auch schon alles. »Das macht mir nichts aus«, sagte er.

»Du bist jung und sprühst vor Leben. Also, erzähl mir nicht, daß es dir nichts ausmacht. Harry, ich habe dich aus sehr selbstsüchtigen Gründen auf diese Teufelsinsel entführt, und das tut mir leid. Ich möchte mich entschuldigen. Ich wollte, daß du für Ken den Babysitter spielen hilfst. Es tut mir wirklich leid.«

»Ist doch nicht der Rede wert . . .«

»Es tut mir leid um dich, es tut mir leid um mich, und es tut mir leid, weil bei dieser ganzen Geschichte nichts herausschaut. Ken ist ein guter Kerl, aber ein Säufer, und das wird er auch bleiben. Darüber gibt's keine Debatte.«

Jetzt oder nie, dachte Harry.

»Als wir ihn damals nach Hause brachten . . . als ich das erste Mal in eure Wohnung kam, sagstest du, er wäre ein guter Kerl, aber . . . ihr hättet schon lange nichts mehr miteinander gehabt . . .«

Er fühlte, wie sie zusammenzuckte.

»Wie kommst du denn jetzt da drauf?«

»Weiß ich nicht.«

»Du weißt es nicht. Du denkst auch gar nicht nach. Du weißt nichts, und du denkst nichts. Du bist wie die drei Affen, die nichts sehen, nichts hören und . . . und . . . das dritte hab ich vergessen. Wann hab ich jemals mit dir über unser Sexualleben gesprochen?«

»Warum fährst du mich gleich so an?«

»Tu ich ja gar nicht«, widersprach sie. »Aber gewisse Dinge gehen dich einfach nichts an.«

»Nun, du bist reichlich nervös, und das geht mich schon was an.«

»Nervös? Woher willst du wissen, daß ich nervös bin? Hast du vielleicht Röntgenaugen?«

»Schon gut, es tut mir leid, wenn ich etwas Ungehöriges gesagt habe. Wir rudern am besten wieder zurück«, sagte er und wünschte beinah, sie würde zustimmen. Er hatte kein Recht, mit Kens Frau herumzuspielen.

Schweigen. »Ich winsle schon wie eine von diesen alten Fledermäusen im Hotel«, sagte sie nach einer Weile. »Entschuldige, Harry. Ich sollte netter zu dir sein. Du hast recht. Ich bin nervös. Und es geht dich auch was an, weil wir soviel beisammen sind.«

Mit einer flinken und gleichzeitig eleganten Bewegung setzte er sich neben sie. Sofort zupfte Ginger ihren Rock zurecht. »Was soll das?« fuhr sie auf. »Das hab ich damit nicht gemeint.«

»Ach, sei doch friedlich. Ich dachte nur, so würde es etwas bequemer sein. Wir brauchen uns doch nicht gleich anzuschreien.«

Ginger schien unentschlossen, ob sie einen Streit provozieren sollte oder nicht. »Ich bin von der Idee nicht begeistert«, meinte sie. »Seit einiger Zeit befinde ich mich in einer scheußlichen Stimmung. Heute nacht möchte ich niemanden in meiner Nähe haben – dich am allerwenigsten.«

»Warum gerade mich nicht?«

»Weil du es bist. Ken liebt dich fast wie einen Sohn. Und ich auch. Hör zu, setz dich wieder hin und rudere uns zurück.«

»Das versteh ich nicht«, log er. »Was glaubst du denn, was ich vorhabe? Dich 'rumkriegen oder sonst was? Wenn ich das wollte, hätte ich mir einen bequemeren Ort als dieses enge, kleine Holzboot ausgesucht.« Sanft umfaßte er ihre Hüfte. »Ich will doch nur dein Freund sein, der für dich da ist, wenn du reden oder weinen möchtest.«

»Nein, ich weine nicht mehr«, murmelte sie heiser. »Bitte, Harry, bleib nicht hier sitzen. Rudere uns zurück.«

Er küßte sie sanft und keusch auf die Lippen. Aus ihrer Abwehr wurde zögernde Erwiderung. Als er mit der andern Hand ihr Bein berührte, stieß sie leise wimmernde Töne aus, aus denen Angst und Schmerz sprachen. Dann aber umklammerte sie plötzlich seine Hand und preßte sie auf ihren heißen Schenkel. Gierig drängte sie sich an seinen Mund. Dann warf sie den Kopf zurück und keuchte, von Leidenschaft verzehrt: »Komm ... komm ...«

Harry wußte, daß es jetzt kein Aufhören gab, und sie empfing ihn mit brennendem Verlangen. So unbeherrscht war ihr rasendes Stöhnen, daß er fürchtete, es könnte im Hotel gehört werden und sogar Ken wecken. Aber er tat nichts, um sie zu beruhigen. Das Boot war unbequem, und ihre verkrampfte Stellung schränkte die

Lust grausam ein, aber als sie am Höhepunkt waren, da wußte Harry, daß er sich nie zuvor so bewährt hatte und daß sie ihn nie vergessen würde.

Dann war es vorbei, und Ginger löste sich eilig von ihm. Er hoffte, daß sie nicht weinen würde. »Tu mir einen Gefallen«, bat sie mit hohler Stimme. »Sag kein Wort. Rudere uns zurück und sag kein Wort.«

Beim Frühstück am nächsten Morgen war Ken lebhaft und vollkommen nüchtern. Harry redete, aber die Worte lösten sich schwer von der Zunge, und er konnte Ken nicht ins Gesicht sehen. Ich bin doch kein gemeiner Mensch, dachte er. Warum tue ich dann so etwas?

Ginger kam nicht zum Frühstück.

Zu Beginn der dritten Woche sprach Harry nach seinem Auftritt ein Mann namens Mike Barlow von der Warren-Seaver-Agentur an. »Könnte sein, daß Sie Zukunft haben, Junge«, sagte er. »Besuchen Sie uns einmal, wenn Sie wieder in New York sind.«

Die Seaver-Agentur gehörte zu den besten ihrer Art. Harry wußte das. »Danke, Mr. Barlow«, antwortete er. »Ich habe für den Herbst zwar schon ein paar Sachen laufen, aber vielleicht komme ich bei Ihnen vorbei, um Ihnen einen guten Tag zu wünschen.«

Barlow grinste.

Harry beschloß, Ken vorderhand nichts von dieser Einladung zu erzählen. Ken trank jetzt ganz schamlos, und er war von den verärgerten Lowbins nur deshalb nicht gekündigt worden, weil er ihnen ein Ultimatum gestellt hatte: »Wenn ihr mich 'rausschmeißt, gehen das Mädel und der Junge mit. Wir sind ein Team, und wir halten zusammen.« Es schien Harry auch nicht vernünftig, mit Ginger darüber zu sprechen. Seit jener Episode im Boot probte und arbeitete sie mit ihm gemeinsam. Sonst vermied sie jeden Kontakt.

Es war Miriam, der er davon erzählte. Es war zwar noch immer nichts bei ihr zu holen, aber sie machte kein Geheimnis aus der Tatsache, daß sie bis über beide Ohren in ihn verschossen war. Sie tanzte gern, sah im Badeanzug sehr gut aus und konnte schmusen, bis sie beide halb verrückt waren. Trotzdem war sie eher irgendwie mütterlich als leidenschaftlich. Sie war davon überzeugt, daß er ein großer Star werden würde, weil er es ihr sagte. Aber auf lange Sicht gesehen, meinte sie, sollte er mehr Wert auf seine Bildung legen und mehr essen. Dabei war Harry ohnedies stämmig wie ein Pferd. Ihre Sorge um seine Gesundheit ging ihm auf die Nerven. Aber Miriam war so vernünftig, so natürlich, so aufrichtig und selbstlos an ihm interessiert, daß er sich in ihrer Gegenwart immer sicherer fühlte.

»Also, was soll ich tun?« fragte er sie, während sie durch den Hotelgarten gingen. »Ich bin ganz fest davon überzeugt, daß es im Showgeschäft nichts gibt, was ich nicht erreichen könnte. Aber verdammt noch mal, ich wüßte nicht, wo da noch für Ken etwas zu holen wäre. Wie soll ich ihm das alles schonend beibringen?«

»Du redest daher, als wärst du schon am Broadway«, antwortete Miriam. »Ich hoffe es . . . ich hoffe, daß du alles erreichst, was du dir wünschst. Aber du tust so, als würdest du von einem Tag zum andern Erfolg und eine Million Dollar haben, ohne dafür zu arbeiten. Vielleicht solltest du ein bißchen auf den Boden der Wirklichkeit zurückkommen.«

»Wo ich noch nicht einmal achtzehn bin und die Warren-Seaver-Agentur mich haben will? Wenn du weiterhin jeden Groschen zweimal umdrehen willst, ist das deine Sache. Aber heute in einem Jahr hab ich's geschafft.«

Über Nacht faßte er den Entschluß, den Vertrag mit dem Hotel zu lösen und zu verschwinden. Er hatte genug Geld, um nicht länger in diesem Kaff die Zeit vertrödeln zu müssen. Er wollte in die Stadt zurückkehren, wo die Warren-Seaver-Agentur auf ihn wartete. Es war doch blöd, hier weiter herumzulungern und darauf zu warten, bis er den Mut hätte, Ken alles zu sagen, wo es doch ohnehin schon die ganze Welt riechen konnte.

Zuerst gab er seinen Entschluß den Lowbins bekannt. Sie schäumten vor Wut und boten ihm zehn Dollar die Woche mehr an. Er wies ihr Angebot zurück. Sie machten ihn erneut darauf aufmerksam, daß sie die Clays hinausschmeißen würden, wenn er den Vertrag löste. Harry antwortete, daß sie sich das lieber noch einmal überlegen sollten. Er machte sich erbötig, noch ein paar Abende zu bleiben, bis Feeder Minikin Ersatz beschaffen könnte.

Dann ging er zu Ginger und sagte es ihr.

Sie wurde blaß. »Was soll nun aus Ken werden?«

»Du sagst das so, als wäre ich ein gemeiner Kerl«, ereiferte er sich. »Ich werde noch wahnsinnig. Ich muß was tun. Kannst du das nicht verstehen, Ginger?«

»Fahr auf einen Tag in die Stadt und sprich mit diesem Agenten. Wenn er wirklich etwas mit dir vorhat, kann er ja noch eine Weile warten. Sag ihm, daß du bis Anfang September bleiben mußt — du brauchst ihm ja nicht zu erklären, warum. Weißt du denn nicht, was das für Ken bedeuten würde — mitten in der Saison aus so einem Bumslokal hinausgeworfen zu werden? Wir haben doch keine Möglichkeit, jetzt in der Schnelligkeit ein Engagement zu bekommen! Es würde ihn umbringen!«

Harry ärgerte es, daß sie ihn nicht verstehen und nicht einsehen wollte, daß es ihm jetzt vor allem darauf ankam, aus sich selbst etwas zu machen. »Also schön«, antwortete er, »wenn du mich schon für einen Schuft hältst, werde ich eben einer sein. Aber eines weißt du genausogut wie ich: Wenn ich mein Leben verträume und versaufe, so ist das meine und niemandes andern Schuld. Wenn ich mich von meiner Bärenhaut erhebe und etwas zu erreichen suche, ist das mein Verdienst. Wenn Ken ein anständiges Leben beginnen und aufhören will, sich selbst zu bemitleiden, so wird er es tun. Wenn nicht, dann nicht. Dann kannst weder du noch sonst jemand ihm helfen. Es tut mir leid. Ich habe Ken sehr gern, aber ich hab keine Lust, den Zug zu verpassen.«

Das klang herzlos, und es tat ihm leid. Aber es war nicht zu ändern. Er versuchte es ihr zu erklären. »Schau mich nicht so an, Ginger«, meinte er und mußte sich zurückhalten, um nicht nach ihrer Hand zu fassen. »Du und Ken, ihr seid die besten Freunde, die ich jemals hatte, aber mein Entschluß steht fest. Ich ... ich kann nicht länger wie ein Idiot an einem Ort sitzenbleiben. Sei mir nicht böse.« Er ging in den Gesellschaftsraum. Ginger folgte ihm nach ein paar Minuten. Aus ihrer Empörung war Verzweiflung geworden.

»Soll ich vor dir niederknien?« beschwor sie ihn. »Ich tu's. Ich mach alles. Nur noch ein paar Wochen ... Du brauchst ja nicht bis Anfang September zu bleiben ... nur so lang, bis wir's ihm schonend beibringen und uns überlegen können, was wir tun sollen, wenn wir hier Schluß machen. Ist das zuviel verlangt? Bitte, ich ... es war doch nicht so übel mit mir, damals die Nacht im Boot, nicht wahr? Überleg es dir und bleib! Ich verspreche dir, du wirst ein paar Wochen mit mir verleben, die du nicht so schnell vergessen wirst. Ich seh nicht schlecht aus, wenn ich nichts anhab. In der Nacht hast du das nicht bemerkt, aber ich schau jung aus, richtig sexy. Ich werde nett zu dir sein, Tag und Nacht, wann du willst und wie du's willst. Komm, Harry, gehen wir gleich irgendwohin. Du sollst einen richtigen Vorgeschmack bekommen. Hör mal, Harry ...«

Hältst du mich für so ein Schwein? wollte er sie am liebsten fragen und ging davon. Er hatte ihr nichts mehr zu sagen.

Schließlich erfuhr auch Ken von seinem Entschluß – von Ginger oder von den Lowbins oder von allen zusammen –, und seine überschwengliche Umarmung war ebenso herzlich wie der Gestank von Alkohol aus seinem Mund penetrant.

»Ich habe die große Neuigkeit gehört, Freundchen. Also, jetzt wirst du den großen Herren einmal zeigen, was ein Showman ist. Hab ich's dir nicht immer schon vorausgesagt?«

»Bist du mir sehr böse, Ken?«

»Was sagst du? Böse? Ich soll böse sein, wenn mein Busenfreund eine Chance nutzen will? Wofür hältst du mich? Eine Seaver-Agentur läßt man nicht links liegen. Ehrlich, ich könnte mich nicht mehr freuen, wenn *ich* mit ihnen einen Vertrag abschließen sollte!«

»Also – danke«, sagte Harry. Man hatte ihn zwar nur aufgefordert, die Agentur zu besuchen, aber nicht, einen Vertrag abzuschließen ... »Hm ... was werdet ihr jetzt tun, Ginger und du?«

»Was wir tun werden? Hast du 'ne Ahnung! Behalt's vorläufig für dich, Freundchen, aber ein paar wichtige Leute in Kalifornien bereiten eine tolle Sache für mich und meine bessere Hälfte vor. Zerknitterte Hundertdollarnoten nehmen wir erst gar nicht an. Ich würde dir gern darüber erzählen, aber ich mußte den Leuten versprechen ... du weißt ja, wie das ist.«

»Na klar. Ich freue mich sehr für dich, Ken.«

Am festgesetzten Tag nahmen die Clays den ersten Bus nach New York. Als Ersatz kamen zwei Folkloresänger, die auch als jiddische Charakterkomiker auftreten konnten. Als Harry das Hotel verließ, erschien eine schüchterne und plötzlich sehr hübsche Miriam Feldman, um sich zu verabschieden.

»Ich wünsche dir alles Gute, Harry«, sagte sie ein wenig steif, so als hätte sie den Satz stundenlang vor dem Spiegel geprobt.

»Du siehst mich heute nicht zum letztenmal«, erwiderte er, obwohl er nicht ganz sicher war, daß er es ehrlich meinte. »Ich habe deine Telefonnummer in New York hier in meiner Tasche. Ich ruf dich an, wenn du wieder zu Hause bist. Vielleicht können wir in ein Theater gehen.«

»Ja, vielleicht«, meinte sie unentschlossen, als wäre sie nicht sicher, ob *sie* es ehrlich meinte. »Viel Glück!«

Mike Barlow saß im Zimmer 1441 der Warren-Seaver-Agentur in der Fifth Avenue in seinem Drehstuhl.

»Sie sind ein Idiot!« fuhr er Harry an.

»Warum?«

»Sie haben eine bezahlte Stellung einfach aufgegeben, weil ich zufällig vorbeigekommen bin?«

»Sie haben mir doch gesagt, ich soll Sie besuchen.«

»Was habe ich Ihnen sonst noch gesagt?«

»Nicht allzuviel.«

»Na, was? Habe ich Ihnen vielleicht versprochen, daß ich fünfhundert Engagements für Sie bereithalten werde?«

»Eigentlich nicht . . .«

»Sehen Sie . . . Sie sind ein kecker junger Kerl. Keck waren Sie schon da oben in dem Kaff. Sie haben eine beachtliche Stimme, Junge, und ein gutes Auftreten. Sie wissen auch, wie man mit dem Publikum Kontakt herstellt. Darum haben mich meine Unterläufer auf Sie aufmerksam gemacht. Also gut, ich werde ein Probesingen arrangieren; wahrscheinlich nächste Woche. Bringen Sie entweder Ihre eigenen Noten mit, oder stellen Sie sich auf ein paar Evergreens ein, damit wir keinen Ärger mit der Begleitung haben. Wir werden Sie ein paar Tage vorher informieren.«

»Ich . . . ich rufe Sie an. Ich weiß noch nicht genau, wo ich mich aufhalten werde. Nächste Woche, sagten Sie? Geht's nicht schon früher?«

»Auf diese Frage antworte ich Ihnen erst gar nicht, Junge. Und jetzt verduften Sie!«

»Ich . . . ich brauche ein wenig Geld, damit ich mich bis zur nächsten Woche über Wasser halten kann«, sagte Harry, während er langsam aufstand.

Barlow lächelte und schüttelte abermals bewundernd den Kopf. »Sie würden wirklich einen Orden verdienen, wissen Sie das? Hier ist eine Künstleragentur und nicht die Heilsarmee.«

»Das weiß ich auch, aber wenn ich ohne bindende Abmachung eine Woche warten soll, könnte es ja sein, daß ich vorher einen fetten Vertrag angle. Wenn dies hier wirklich so ein großes Unternehmen ist, wie Sie behaupten, und wenn Sie sagen, daß ich eine große Zukunft habe, dann sollte sich doch wohl jemand finden, der mir bis nächste Woche ein paar hundert Kröten vorstreckt. Jeder, der mich singen hört, würde mich auf der Stelle verpflichten wollen. Warum also wollen Sie sich nicht selber schützen?«

Barlow blieb vor Staunen der Mund offen. Dann lachte er aus voller Kehle. »Ich weiß nicht recht, ob ich Sie aus dem Fenster werfen oder Ihnen einen Cadillac mieten soll, der Sie nach Hause bringt.« Er drückte einen Knopf auf der Sprechanlage. »Hier Barlow. Ein junger Mann namens Harry Orlando wird gleich bei Ihnen vorbeikommen. Geben Sie ihm gegen Bestätigung fünfzig Dollar in bar.« Dann erklärte er Harry, wo er das Geld bekommen würde. »Eines Tages werde ich vielleicht einen noch keckeren jungen Kerl kennenlernen, aber bis dahin ...«

»Bis dahin werden Sie den Tag segnen, an dem ich bei Ihnen vorgesprochen habe.«

Harry verspürte ein leichtes Schwindelgefühl, als er auf der Straße stand und die Banknoten in der Hand umklammerte, die ihm das Mädchen mit ausdruckslosem Gesicht überreicht hatte. Noch vor einem Monat hatte er nicht gewußt, was er tun mußte, um ein kecker junger Kerl zu sein. Er knüllte die Scheine in der Tasche zusammen und hätte am liebsten laut aufgeschrien. »Paß nur auf«, sagte er zu einer Plakatsäule. »Das ist *meine* Stadt.«

Eines war Harry klar: Fünfzig Dollar waren zuwenig, wollte er so leben, wie es sich für einen Erfolgsmenschen gehörte. Er brauchte neue Kleider, denn er konnte nicht wie ein Lumpensammler zum Vorsingen erscheinen. Aber woher sollte er das Geld nehmen?

Vince Moschetta fiel ihm ein.

Im Westen, in der Achtundvierzigsten Straße, fand er ein durchaus ansprechend eingerichtetes Zimmer für sechs Dollar die Woche. Aber er nahm im selben Haus ein Zimmer für elf Dollar, denn das Elfdollarzimmer kostete mehr als das Sechsdollarzimmer. Nachdem er eingezogen war, redete er sich immer wieder ein, daß ihn keine Million dazu bewegen könnte, Vince Moschetta in die Nähe zu kommen. Dann rief er an und wurde in Vinces Wohnung in der Lexington Avenue, am anderen Ende der Stadt, eingeladen.

Die Wohnung sah teuer aus für jemanden, der so jung war wie Moschetta. Im Hintergrund machte sich ein tadellos gebautes rothaariges Wesen zu schaffen, das niemandes Ehefrau zu sein schien.

»Hast du dir's doch überlegt?« grinste Vince und schenkte Harry den ersten Whisky-Soda seines Lebens ein. »Wie du mich damals angeglotzt hast, als ich dir den Vorschlag gemacht habe ... Man hätte glauben können, ich wollte dich dazu überreden, die Chase National Bank mit einem Dietrich aufzumachen.«

»Was schaut für mich heraus?«

»Das hängt davon ab, wohin ich dich schicke und ob man dort mit dir zufrieden ist. Ich habe in meiner Kartei vier Kundinnen, die sich nur für Hengste deines Alters interessieren. Außerdem gibt's noch vier oder fünf andere, die sich nicht allzulaut beschweren, wenn ein Junge bei ihnen aufkreuzt. Ich versuche das Maximum herauszuschlagen. Ich habe meine Kundinnen richtig eintaxiert, und sie wissen, daß sie mit mir nicht handeln können. Ich lasse mir immer im voraus zahlen, außer ich habe mit der Dame schon mindestens sechs Geschäfte gemacht. Ich krieg die eine Hälfte und du die andere. Manche zahlen fünfzig pro Abend, manche hundert und mehr für eine erstklassige Kraft, nach der starke Nachfrage besteht. Will die Kundin vorher essen und ins Theater gehen, so gibt sie dir, was man eben so zum Ausgehen braucht, und du bezahlst dann die ganzen Rechnungen. Du lieferst nur die Begleitung. Bist du ein guter Zuhörer? Die meisten reden gern, vor allem die älteren ...«

»Ein einmaliger«, sagte Harry, dem es jetzt schon hochkam.

»Manchmal, wenn eine Kundin auf eine Kraft richtig versessen und freigebig ist, kommt sie mit Geschenken daher. Davon krieg ich nichts. Ich kassiere nur die fünfzig Prozent von der Gage.«

Die ganze Sache klang immer noch widerlich. Trotzdem sagte Harry: »Ich will zu denen, die hundert Dollar zahlen.«

Vince lachte. »Nur immer mit der Ruhe, Freundchen. Bis das erste Geld 'reinkommt, organisiere *ich* das. Wie steht's mit deiner Garderobe?«

»Ziemlich schlecht.«

»Und mit den Moneten?«

»Noch schlechter.«

»Du bist mir der Richtige!« Vince seufzte und holte ein Bündel Banknoten aus der Tasche, mit dem man ein Pferd hätte zudecken können. »Wie hieß es doch immer in der Schule? Ordnung muß sein! Hier hast du zweihundert auf Rechnung – ich hoffe, du kannst sie abarbeiten. Das ist mein Risiko. Wenn du bei den ersten Kundinnen durchfällst, gibt's für dich keine Arbeit mehr. Dann bin ich das Geld auch los.«

»Ich arbeite es schon ab! Sie werden sich um mich reißen.«

Selbst der Rotkopf lächelte. »So ist's richtig«, sagte Vince. »Aber sei vernünftig, wenn du das Geld ausgibst. Kauf dir was Anständiges zum Anziehen, nicht so ein hypermodernes Zeug.«

»In Ordnung. Wann fang ich an?«

»Ich werde es dir in wenigen Minuten mitteilen«, antwortete Vince und erhob sich. Mit seinem Glas in der Hand verließ er das Wohnzimmer. Seine Familie war immer arm gewesen. Er war erst drei- oder vierundzwanzig, aber jetzt schritt er dahin wie ein wohlhabender Mann in den mittleren Jahren. Die Reichen haben einen anderen Gang, dachte Harry. Die Armen *gehen* arm.

Die Rothaarige sah immer noch gelangweilt drein, aber in ihrer Stimme schwang Verehrung. »Vince ist ein feiner Kerl.«

»Ja, ja.«

»Solche wie ihn gibt's nicht viele.«

Nach zehn Minuten kam Vince mit einem geleerten Glas und mit einem Zettel in der Hand wieder ins Zimmer. »Du fängst morgen abend um halb acht an. Die Dame heißt Miß Caldwell. Sie ist eine sehr kultivierte Junggesellin und wohnt in der Fünfundsechzigsten Straße Ost. Nimm deine besten Manieren mit, sag ›bitte sehr‹ und ›danke schön‹. Und paß auf! — Sie hat's mit der Reinlichkeit — spar nicht mit der Seife. Das gilt besonders für die Fingernägel. Sie schaut immer zuerst auf die Fingernägel. Hier ist die Adresse. Meistens geht sie mit ihrem Begleiter in ein kleines französisches Restaurant ganz bei ihr in der Nähe. Dann nimmt sie ihn mit nach Hause und liest ihm Gedichte vor. Wenn sie dich so gegen elf nach Hause schickt, in Ordnung. Wenn sie will, daß du die Nacht bei ihr verbringst, so heißt das, daß du's bei ihr geschafft hast und bei mir auch. Dann kommst du in die Hundertdollarklasse. Wenn du die Nacht bei ihr bleibst, kostet sie das einen Fünfziger; schickt sie dich früher heim, muß sie fünfundzwanzig blechen.«

»Fünfundzwanzig?« beklagte sich Harry. »Die Hälfte von fünfundzwanzig ist zwölf fünfzig! Davon hast du nichts . . .«

»Komm ihr gleich mit deinen besten Manieren, Freundchen! Bei Miß Caldwell werden wir zwar nicht reich, aber sie ist eine ziemlich regelmäßige Kundin und macht nie Schwierigkeiten. Ich hab dir schon vorhin erzählt, daß ich mit Kundinnen nie handle. Dasselbe gilt auch für meine Leute. Wenn dir die Gage nicht paßt, dann gib mir die zweihundert zurück. Wir bleiben gute Freunde, und du brauchst nicht einmal den Whisky zu bezahlen, den Lola dir eingeschenkt hat.«

Harry ließ sich auf keine Debatten ein. Er meinte, daß es besser sei, nicht den richtigen Namen anzugeben, und schlug »Ken Clay« vor. An jenem Nachmittag gab er hundertvierundsiebzig Dollar und achtunddreißig Cent für Anzüge, Jacken, Schuhe und Wäsche aus und rang dem Verkäufer das Versprechen ab, einen der Anzüge schon am nächsten Nachmittag geändert und abholbereit für ihn auf die Seite zu legen.

Am folgenden Abend, um sieben Uhr vierzig, ließ ihn eine rundliche Endvierzigerin, die man sich gut als eifriges Mitglied eines Frauenvereins vorstellen konnte, mit einem Gesicht wie Haferschleim, in eine kleine, peinlich saubere Wohnung ein. Er hatte seine Fingernägel gründlichst gebürstet, fühlte sich tadellos und seiner selbst ungeheuer sicher. Miß Caldwell, die ihn an Bilder erinnerte, die er von Abraham Lincolns Frau gesehen hatte, schien mehr als zufrieden zu sein. »Bitte, treten Sie näher«, sagte sie steif. »Eh ... Mr. Moschetta hat mir Ihren Namen nicht genannt.«

»Ken«, sagte er. »Ken Clay.«

»Was für ein hübscher Name! Und was für ein attraktiver junger Mann Sie sind! Wollen wir gehen? Ich habe schon einen Tisch für meinen Neffen und mich reserviert.«

»Wir können gehen, wenn Sie es wünschen«, sagte er mit scheuem Lächeln. »Darf ich Ihnen in den Mantel helfen?«

»Ach, so nette Manieren. Natürlich. Darf ich Sie Kenneth nennen?«

»Selbstverständlich.«

Die französischen Soßen waren ihm viel zu fett, aber er versicherte ihr, noch nie so gut gespeist zu haben. Er begann sich zu fragen, ob sie ihm in der Wohnung wohl die ganze Nacht lang Schnappschüsse zeigen würde, die sie im Yosemite Park gemacht hatte. Miß Caldwell schien alles in ihrer Macht Stehende zu tun, um ihn davon zu überzeugen, daß sie die rundliche Verkörperung all jener altjungfräulichen Bibliothekarinnen war, die pausenlos ihre fetten Zeigefinger an die blutlosen, dünnen Lippen preßten und *Schhh!* machten. Vielleicht war sie einmal einigermaßen hübsch gewesen, aber er konnte sich nicht vorstellen, daß irgendein Mann sie jemals berührt hatte, außer um ihr bei einem geselligen Beisammensein der Kirchengemeinde die Hand zu schütteln und ihr zum gestürzten Obstkuchen zu gratulieren.

Während er sie betrachtete und ihrem nervösen Geplapper über allerlei unwichtige Dinge andächtig zuhörte, kam ihm plötzlich Mrs. Selig in den Sinn; Mrs. Selig mit den dicken Beinen und der sauberen Küche, in der es nach wunderbarem Essen roch. Was hat mich veranlaßt, an sie zu denken? wunderte er sich. Diese traurige, dümmliche Miß hat doch nichts, das mich an sie erinnern könnte.

Dennoch wich Mrs. Selig während des ganzen Essens nicht von seiner Seite. Harry fühlte sich immer unbehaglicher. Plötzlich durchzuckte ihn ein Gedanke: Sich mit dieser Frau ins Bett zu legen — das käme aufs gleiche heraus, wie wenn er mit ...

Mein Gott, das ist ja verrückt!

Er griff nach der Rechnung. »Das zahle ich«, erklärte sie laut genug, daß es auch der Kellner hören konnte. »Wenn ich den netten Sohn meiner Schwester nicht einmal alle heilige Zeiten zum Abendessen einladen kann, dann weiß ich wirklich nicht, wozu ich noch auf der Welt bin. Habe ich nicht recht, Emile?«

»Sie haben völlig recht, Mam'selle Caldwell«, stimmte ihr der Kellner zu. Sein Lächeln verriet, daß er diesen traurigen Scherz nicht zum erstenmal mitmachte.

Sie kehrten in die Wohnung zurück. Miß Caldwell brachte süßen Kuchen und Orangensaft aus dem Kühlschrank. Sie fragte Harry, ob er auch bequem auf dem Sofa sitze, und schob ihm nervös ein Kissen unter den Nacken. Dann wollte sie wissen, ob er es ertragen könnte, ein paar dumme kleine Gedichte anzuhören, die sie geschrieben habe.

»Ich würde sie sehr gern hören«, antwortete er und nickte ernst. Dabei warf er einen verstohlenen Blick auf die Standuhr. Es war erst kurz nach neun.

Sie holte einige Papiere aus ihrem Schreibtisch, setzte sich einen Meter von ihm entfernt auf das Sofa, zupfte ihren Rock zurecht, drückte die Brille fester auf die Nase und begann. Sie las von zarten Grashalmen und plätschernden Regentropfen, von der erwachenden Natur, so wie sie in der Volksschule zu erwachen pflegte, von zarten Maiden, die die Wahrheit gesprochen hatten, deshalb für verrückt erklärt und eingekerkert worden waren. Harry gähnte mit geschlossenem Mund und nur dann, wenn sie tief in ihre Lektüre vertieft war. Wie es wohl Mrs. Selig ging und was sie jetzt gerade machte? Sie hatte immer eine so gute Meinung von ihm gehabt. Was sie wohl von ihm denken würde, wenn sie erführe, daß er Ida angebumst hatte und aus welchem Grund er hier neben dieser alten Frau saß?

Er bekam Sodbrennen. Daran waren sicher die französischen Soßen schuld.

Die Standuhr schlug. Miß Caldwell beendete ihren Vortrag, und Harry betonte, daß ihm die Gedichte sehr gefallen hätten; selbst jene Teile, die er nicht ganz verstand. Sie fragte ihn, ob er die High School besuche und welche Pläne er für die Zukunft habe. Es schien sie aber nicht zu interessieren, wieso und warum er sich mit Vince Moschetta eingelassen hatte. Ohne zu sehr ins Detail zu gehen, erzählte ihr Harry von seinem Wunsch, ins Showgeschäft einzusteigen. Sie hörte ihm zu, als interessiere sie das wirklich. Er stellte fest, daß sie ihm recht sympathisch war. Dann begann sie zu erzählen: von all den Schiffen, die an ihrem Leben vorbeigefahren waren, und von einer Krankheit, die sie jahrelang ans Bett gefesselt hatte. Aber sie beklagte sich nicht. Er hörte ihr zu, und sie wurde ihm noch sympathischer.

Es war nach zehn, und sie hatten lange miteinander gesprochen, als sie ihn fragte: »Möchten Sie noch etwas Kuchen?«

»Nein, danke.«

»Soll ich ... Wollen Sie sich die Wohnung ansehen, Kenneth?«

»Ja, gern.«

Das Schlafzimmer war trotz der Beleuchtung gespenstisch. Überall standen Vasen mit Kunstblumen. Harry mußte unwillkürlich an ein Treibhaus denken. Auf einer Kommode lagen Steine ausgebreitet – rote, weiße und braune –, die sie in all den Jahren auf ihren Sommerreisen durch die Vereinigten Staaten gesammelt hatte. Sie erklärte ihm jeden einzelnen, und er meinte, sie könne auf die Sammlung stolz sein. Sie zeigte ihm eingerahmte Fotografien von einer Schar von Neffen und Nichten, und Harry wußte plötzlich, daß er nicht dazu imstande war. Sie standen inmitten des gespenstischen Schlafzimmers. Er sah sie an und sagte: »Entschuldigen Sie. Ich muß gehen.«

Sie schien entsetzt.

»Sie sind ... Sie erinnern mich an jemanden«, stotterte er, floh aus dem Schlafzimmer, schnappte seinen Mantel und stürzte aus der Wohnung, ohne zu wissen, was er mit seinen letzten Worten eigentlich hatte sagen wollen.

Er ging den ganzen Heimweg zu Fuß. Er ließ sich Zeit. Es ekelte ihm vor sich selbst; nicht nur, weil er diesen faulen Auftrag angenommen, sondern weil er so etwas überhaupt in Erwägung gezogen hatte. Und jetzt saß er in der Patsche. Er würde Vince die Wahrheit sagen und das Geld auftreiben müssen, das er ihm schuldete.

Aber das war ja nur ein Teil des Problems. Er konnte vor Vince ein Geständnis ablegen und das Geld irgendwann, irgendwie beschaffen. Konnte er aber jemals die Achtung vor sich selber wiederfinden? Er dachte an die arme, dumme, einsame Miß Caldwell und wünschte, er könnte Mrs. Selig aus seinen Gedanken vertreiben.

Am nächsten Morgen nahm er seinen ganzen Mut zusammen und rief Vince an. Dieser gratulierte ihm, noch bevor er den Mund aufmachen konnte. »Ich habe eben mit ihr gesprochen, und sie fühlt sich wie im siebenten Himmel«, jubelte Vince. »Du mußt wirklich über Zauberkräfte verfügen.«

»Was?«

»Hier ist ihre Telefonnummer«, sagte Vince und las sie ihm vor. »Du sollst sie anrufen – und zwar nicht nächste Woche, sondern jetzt. Das hast du fein gemacht. Das klappt ja wunderbar.«

Verblüfft rief Harry an. Ihre Stimme klang freudig erregt, als sie ihn hörte. Sie bat ihn um seinen Besuch.

»Aber gestern nacht bin ich doch fort ...«

»Bitte, kommen Sie. Ich habe ein gutes Essen zurechtgemacht.«

Die Erklärung, die sie ihm gab, kaum daß er die Wohnung betreten hatte, hatte auf eine absurde Art Hand und Fuß. Sie gestand ihm, daß das Geschlechtliche sie nicht interessiere. Sie tat es nur deshalb, weil die jungen Männer, deren Dienste sie mietete, sie sonst für verrückt halten würden. Was sie interessierte, war Gesellschaft; die Gesellschaft anständiger junger Männer, um die sie sich kümmern und die sie ein wenig bemuttern konnte. Sie hatte keine Freunde. Darum mietete sie die Jünglinge von Mister Moschetta, um neben ihnen zu sitzen und ihnen ein sündhaftes Leben vorzutäuschen. Sie hatte es schon lange aufgegeben, sich seriöser Vermittlungsbüros zu bedienen, denn sooft sie dort einen jungen Mann anforderte, stellte man ihr zu viele Fragen; höfliche Fragen, aus denen klar zu ersehen war, daß man sie für pervers hielt. Darum hielt sie sich an Mr. Moschetta, der keinerlei Fragen stellte.

»Sie halten mich wohl für eine schrecklich alberne Frau?«

»Na ja, Ihre Methode ist ziemlich umständlich«, räumte Harry ein.

Miß Caldwell setzte ihm das gute Essen vor und fragte ihn, ob er sie wiedersehen und ihr schlimmes Geheimnis vor Mr. Moschetta bewahren wolle. Harry legte nun seinerseits ein Geständnis ab. Er erzählte ihr, daß er in der vergangenen Nacht zum erstenmal für Mr. Moschetta hätte tätig sein wollen und zu diesem Geschäft nicht tauge. Er habe aber von Moschetta zweihundert Dollar Vorschuß bekommen, die er nicht gleich zurückzahlen könne. Das wäre kein Problem, versicherte Miß Caldwell, während sie ihm ihren hausgemachten Kartoffelsalat vorsetzte. Sie wäre zwar nicht sehr reich, aber sie bezöge ein durchaus ausreichendes Einkommen aus dem Vermögen ihres verstorbenen Vaters.

Sie verlangte von Vince, daß ihr neuer Freund ausschließlich ihr zur Verfügung stehen sollte. Vince war einverstanden, und so begann Harry die zweihundert Dollar abzuarbeiten. Er rief es sich immer wieder ins Gedächtnis, daß es eine verrückte Art war, sich so, wenn auch nur vorübergehend, seinen Lebensunterhalt zu verdienen. Aber er gab sich redlich Mühe. Er ging mit Miß Caldwell ins Kino oder ins Museum und aß die liebevoll für ihn zubereiteten Mahlzeiten. Er lernte von ihr eine ganze Menge über Steine und empfand nichts Seltsames mehr, wenn er sie anblickte und Mrs. Selig vor sich sah. Als sie ihm vorschlug, zu ihr zu ziehen, nahm er an. Wozu sollte er elf Dollar die Woche bezahlen, wo er doch ohnehin die meisten Nächte bei ihr im Gästezimmer schlief? Sie informierte den Portier und den Aufzugswärter, daß er ihr Neffe sei und eine Zeitlang bei ihr wohnen würde. Es freute ihn, daß sie so nett zu ihm war, und nach kurzer Zeit erzählte er ihr, wer er war und woher er kam.

Endlich wurde er von der Seaver-Agentur zum Vorsingen gerufen. Er trug zwei Evergreens für eine Jury vor, die aus drei Männern mit ausdruckslosen Gesichtern bestand, und wurde aufgefordert, noch weitere zwei zu singen. Dann überreichte er einen Zettel mit Miß Caldwells Telefonnummer und wurde verabschiedet. Er war überzeugt, daß es keine Zwischenlösungen geben würde: Entweder hatte er danebengetroffen, oder man bereitete einen Millionenvertrag für ihn vor.

Mike Barlow war nicht dabeigewesen, aber er holte Harry schon am nächsten Morgen aus dem Bett. »Es wurde entschieden, daß Sie diesen Herbst als Sänger mit einem Orchester auf Tournee gehen«, sagte Barlow. »Es steht noch nicht fest, mit welchem, aber Sie werden ein schönes Stück von der Ostküste sehen und vielleicht auch was vom Westen. Sie werden eine Menge lernen.«

»Jeden Abend woanders? Dazu habe ich keine Lust«, jammerte Harry.

»Ich weiß, Sie würden lieber heute abend im ›Loew's State‹ die Hauptattraktion sein.«

»Das gerade nicht, aber ich gehöre nach New York. Ich will nicht irgendwo lebend begraben sein.«

»Wenn Sie sich so entscheiden, wünsche ich Ihnen viel Glück, Junge«, brummte Barlow. »Sie haben diesen Herren gefallen, aber keiner von ihnen ist vor Begeisterung in die Luft gesprungen. Die kennen das Geschäft in- und auswendig. Wenn alle diese Herren der Meinung sind, daß Sie noch eine Menge zu lernen haben, so können Sie versichert sein, daß sie damit recht haben. Also machen wir's so: Entweder Sie kommen heute nachmittag vorbei und unterschreiben ohne jedes Heckmeck Ihren Vertrag, oder Sie streichen mich und die Agentur von Ihrer Liste. Ich meine es ernst. Wir haben hier keine Zeit, Sie mit dem Löffel hochzupäppeln.«

Barlow hängte auf, ohne auf Antwort zu warten.

Das Angebot war nicht nach Harrys Geschmack, aber er zog sich an und fuhr ins Zentrum, um den Vertrag zu unterschreiben. Miß Caldwell freute sich für ihn. Sie war überzeugt, daß sie ihn niemals wiedersehen würde.

»Sie irren sich«, sagte er.

Mit einem Obstkuchen in der Reisetasche, den Miß Caldwell für ihn gebacken hatte, meldete er sich wenige Tage später bei Freddie Duanes Reiseorchester. Dann ging's drei Monate durch Neuengland auf Tournee. Er kam wenig zum Schlafen, aber er gewann stets neue Erkenntnisse über das Verhalten der Zuhörer und verfeinerte sein Talent, sie zu begeistern, obwohl er manchmal gar nicht dazu aufgelegt war. Von seinem kleinen Gehalt legte er soviel als möglich zurück. Miß Caldwells eindringliche Bitte, ihm Taschengeld schicken zu dürfen, lehnte Harry ab. Er rief sie oft an – R-Gespräche – und war selber erstaunt, daß es von Herzen kam, wenn er ihr sagte, daß sie ihm fehlte. In den meisten Städten, in denen er sang, gab es willige Mädchen, und wenn es einmal keine gab und er sich einsam fühlte, war immer noch Jeannie, die Sängerin, da. Von diesen Dingen erzählte er Miß Caldwell aber nichts.

Die Agentur bekam günstige Berichte über seine Fortschritte, Harry aber brannte danach, der endlosen Tretmühle zu entkommen, Abend für Abend dieselben Lieder mit einem Zweipfennigverein zu singen, über dessen Niveau er seiner Überzeugung nach schon seit langem hinausgewachsen war. Nach einem banalen Streit mit Duane in Keene, New Hampshire, der zu einer ernsthaften Auseinandersetzung führte, meldete er ein R-Gespräch mit Mike Barlow an und verlangte fünfundzwanzig Dollar die Woche mehr. Andernfalls könne er für nichts garantieren.

»Meinen Sie das im Ernst?« fragte Barlow.

»Glauben Sie, ich hätte Sie angerufen, um mich mit Ihnen über das Wetter zu unterhalten? Verdammt noch mal, natürlich meine ich das ernst!«

»Rufen Sie mich in einer halben Stunde zurück.«

Eine halbe Stunde später sagte Barlow: »Ich habe Mr. Franklin von Ihrem Anruf unterrichtet. Sie werden morgen durch einen anderen Sänger, den wir engagiert haben, ersetzt. Ihre Gage bekommen Sie noch bis zum Wochenende.«

»Hören Sie, ich . . .«

»Als ich Ihnen damals riet, bei uns nicht zu stark auf die Pauke zu hauen, habe ich es auch ernst gemeint. Keckheit und Frechheit sind zwei verschiedene Dinge. Ich hatte gehofft, Sie würden wissen, wie weit Sie gehen können. Aber ich habe mich getäuscht.«

Klick.

Harry verließ Duane und sein Orchester in New Hampshire und traf zwei Tage vor Weihnachten in New York ein. Aus unerklärlichen Gründen fühlte er sich um diese Zeit immer deprimiert. Es war früh am Morgen und bitterkalt; Schnee und Matsch machten das Gehen beschwerlich. Er wartete auf ein Taxi, das ihn zu Miß Caldwell bringen sollte, die von seiner Ankunft zwar nichts wußte, ihm aber gewiß ihr bequemes, warmes Bett im Gästezimmer zur Verfügung stellen würde.

Er klapperte mit den Zähnen, während er nach einem Wagen Ausschau hielt. Endlich kam einer daher — Harry wollte nach dem Türgriff langen, aber er tat etwas Sonderbares: Er gab dem Fahrer ein Zeichen, weiterzufahren.

Dann hockte er an der Theke einer Imbißstube, trank heißen Kaffee und überlegte, warum er das getan hatte. Auf der langen, einsamen Fahrt hatte er fast unaufhörlich an Miß Caldwell gedacht; an all die Decken, unter denen er sich verstecken würde, und an das Glück, ein bequemes, warmes Plätzchen zu haben, wo er sich hinwenden könne, wo er umsorgt werden würde.

Und er hatte das Taxi weggeschickt.

Nein. Schluß mit der Theatermutter. Vielleicht hat sie mir gefehlt – aber was soll ich dort? Mein Mädel ist sie nicht und meine Mutter erst recht nicht.

Das Essen vom Grill schmeckte gut, aber er hatte keinen Appetit. Erst im dritten Branntweinladen verkaufte man ihm eine Flasche Schnaps, ohne lange nach seinem Alter zu fragen. Er steckte sie in seinen Koffer und ging in das erste Hotel, an dem er vorbeikam. Ein Einzelzimmer kostete fünf Dollar pro Tag oder achtundzwanzig fünfzig die Woche. Er zahlte fünf Dollar. Ein Hotelpage brachte ihn in ein nettes, helles, warmes Zimmer hinauf. Er konnte es kaum erwarten, allein zu bleiben und die Flasche öffnen zu können. Er mußte sich selbst eingestehen, daß das seltsam war, denn bisher hatte ihn das Trinken entweder gelangweilt oder es war ihm schlecht geworden. Nun aber trank er den scheußlichen Schnaps aus einem Wasserglas, ohne ihn zu verdünnen. Er wußte nicht, daß man das nicht tat, wenn man schon um zehn Uhr morgens zu trinken anfing.

Gegen eins war immer noch etwas Schnaps in der Flasche. Er erbrach und torkelte ins Bett, wo er den halben Nachmittag verschlief. Als er erwachte, war ihm übel, und er verspürte schrecklichen Hunger, aber der Gedanke an Essen deprimierte ihn.

Er fand Miriam Feldmans Nummer in seiner Brieftasche und rief sie an.

»Du meine Güte, Harry, hast du dir aber Zeit gelassen! Wo hast du denn gesteckt?«

»Ich bin eben in Manhattan eingetroffen. Komm, steig in die U-Bahn oder in den Bus, und treffen wir uns.«

»Wann?« fragte sie mit weicher Stimme.

»Na, jetzt! Ich bin in der Einundvierzigsten Straße, in der Nähe vom Broadway. Ich lade dich zum Essen ein.«

»Nein, Harry, das geht nicht. Heute ist Freitag. Vater geht nach der Arbeit in die Synagoge, und wenn er heimkommt, essen wir alle gemeinsam. Selbst wenn ich weggehen könnte – meine Eltern erlauben es mir nicht, am Freitagabend wegzugehen.«

»Dann laß mich zu dir kommen«, sagte er und bemühte sich, seine Verzweiflung zu verbergen. »Ich muß dich sehen, Miriam! Lade mich doch zu dir ein.«

Sie überschüttete ihn mit einem Hagel von Gründen, warum das nicht ging. Aber er ließ nicht locker. »Bitte, Miriam«, drängte er sie schließlich. »Ich will nicht betteln, aber, bitte, lade mich zu euch ein.«

Sie schwieg eine Weile. »Bleib' eine Minute am Apparat«, sagte sie dann.

Er wartete länger als eine Minute, aber das machte ihm nichts aus. Nichts war wichtiger, als sie heute abend zu sehen. Als sie wiederkam, klang ihre Stimme gedämpft. »Ich kann jetzt nicht viel reden, Harry. Ich habe meiner Mutter erzählt, daß ich dich oben im ›Lowbin Lodge‹ kennengelernt habe. Sie sagt, du kannst gern zum Abendessen kommen, und sie wird noch ein Gedeck auflegen. Aber paß auf, Harry; ich habe gesagt, du heißt Harry Levy. Also du kommst, aber dein Name ist Harry Levy, verstehst du?«

Sie erklärte ihm die Verbindungen vom Times Square und meinte, er würde nicht mehr als eine Stunde zum Ocean Parkway brauchen.

Die Wohnung der Feldmans lag im zweiten Stock des Hintertrakts eines uralten Hauses über einem Schneidersalon und einem koscheren Metzgerladen. Kaum hatte er auf die Glocke gedrückt, öffnete Miriam mit sorgenvoller Miene die Tür. Im Flüsterton sprudelte es von ihren Lippen: »Hallo, Harry, du warst Kellner im ›Lowbin Lodge‹, um dir etwas dazuzuverdienen, und du bist im ersten Jahr am City College und willst Dentist werden; du wohnst in Jersey mit deinen Eltern, und sie kochen koscher. Okay?«

»Warum nicht? Es ist ja nur die reine Wahrheit.«

Miriam führte ihn in die kleine, viereckige Vorhalle einer warmen, häßlichen Wohnung, in der es wunderbar nach schwerem jüdischem Essen roch. So hatte es immer bei Seligs gerochen, und nicht nur Freitag abend. Sie trug sittsam ein funkelnagelneues blaues Kleid, das noch den geschmeidigen, wenn auch vollen Körper ahnen ließ, den er noch im Badeanzug vor sich sah. Sie war keine tolle Schönheit – ihre Augen lagen um eine Spur zu eng nebeneinander, und ihre Nase war etwas größer, als sie hätte sein sollen –, aber im Vergleich zu den meisten Trampeln, die er kannte, brauchte sie sich nicht zu verstecken. Und sie besaß Klasse. Er würde sich nicht schämen müssen, mit ihr eingehängt ins »Waldorf Astoria« zu gehen.

»Wie ist es dir gegangen, Harry?»

»Großartig. Nimm«, sagte er und hielt ihr eine Schachtel Pralinen entgegen. »Von Loft's.«

»Ach, das wäre aber nicht notwendig gewesen«, sagte sie, trotz ihrer Sorgen erfreut. »Gib mir deinen Mantel ... Wenn es draußen so kalt ist, solltest du einen Hut tragen. Ich werde dich vorstellen.«

Er gab ihr den braunen Überzieher, den er mit Vince Moschettas Vorschuß gekauft hatte, und zog die Manschetten vor. So, glaubte er, sah er genug erfolgreich aus, um sich vorstellen lassen zu können. Das geräumige Wohnzimmer, das an die Vorhalle anschloß, war mit Menschen vollgestopft, deren Namen er – davon war er überzeugt – niemals behalten und sofort wieder vergessen würde. Im kristallenen Hurenhauskronleuchter brannte jede einzelne Glühbirne, und ein riesiges Klavier mit einem Dutzend eingerahmter Fotografien und zwei Schüsseln mit Wachsfrüchten auf dem Deckel verschlang fast das Zimmer, in dem ohnehin zweimal soviel Möbel standen als nötig gewesen wären. Dazu kamen noch zwei Kinderwagen und ein großer Laufstall. Da war zunächst ihr Vater mit Augengläsern, Yarmulke und einem strähnigen Bärtchen, der ihm bei der Begrüßung die Hand schüttelte, aber viel zu sehr damit beschäftigt war, über einem Baby zu glucksen und zu schnalzen, das erst knappe fünfzehn Minuten alt zu sein schien, als dem befangenen Harry mehr als einen flüchtigen Blick zu schenken. Da standen Miriams Schwester Fannie und deren Mann Max mit ihren zwei widerlichen Kindern Rebecca und Jonathan, ferner ihr Bruder Harold mit seiner Braut Mildred, ihre Schwester Esther, deren Mann Milton und ihre vier Kinder Bertram, Stephen, Garth und das fünfzehn Minuten alte Baby, das Erika Diane hieß. Schließlich gab es noch einen unverheirateten Bruder Nathan mit seiner Verlobten Naomi sowie Vetter Phil aus Newark mit seiner Frau Bea und ihren drei Kindern Barry, Stanley und Judy.

Auf der Fensterbank schlummerte eine gestreifte Katze.

Außer einem Baby in einem Kinderwagen schrie niemand, und dennoch war das Stimmengewirr betäubend. Miriam führte Harry wieder in die Vorhalle zurück und von dort ins Speisezimmer.

»Was ist das für ein Feiertag?« fragte er.

»Das ist kein Feiertag«, antwortete sie lächelnd. »Es ist nur Freitag abend.«

»Wie geht es dann bei euch zu Passah zu? Wer kommt da noch außer der restlichen Bevölkerung von New York, der Armee der Vereinigten Staaten und dem Marinekorps?«

Ein anziehendes Lächeln spielte um ihren Mund, aber sie war immer noch unruhig. »Ich bin an eine große Familie so gewöhnt, daß mir das völlig normal erscheint. Ich wollte dich warnen, worauf du dich da einläßt, aber du hast mir ja keine Zeit gelassen. Du warst so komisch am Telefon, als würde die Welt untergehen, wenn wir uns heute abend nicht sehen könnten.«

»Ich bin froh, daß ich kommen durfte.« sagte er. »Ehrlich. Ich bin dir sehr dankbar, daß du mich eingeladen hast.«

Die Horde von Familie wurde nun an den großen runden Tisch gerufen. Mrs. Feldman, eine überraschend jugendliche Erscheinung, wenn man in Betracht zog, daß sie schon so früh begonnen hatte, ihre Küken auszubrüten, ähnelte Miriam und Fannie, und, vor allem, Mrs. Selig. Sie kam als letzte aus der Küche und wischte sich die Hände an der Schürze ab, bevor sie an der Danksagung teilnahm. Die Sabbatkerzen brannten schon, und das Challah, das Freitagabendbrot, lag zugedeckt in einer Schüssel. Niemand stellte ihr Harry vor, denn schon wurden die Käppchen an die Männer verteilt, und Miriams Vater begann das Gebet über dem Wein zu sprechen.

Als er auf den Tisch klopfte, trat völlige Stille ein. Die Aufmerksamkeit, die alle dem Familienoberhaupt schenkten, diesem kleinen Mann, der Achtung und Respekt gebot, indem er ganz einfach mit den Knöcheln auf den Tisch klopfte, beeindruckte Harry und erfüllte ihn mit Ehrfurcht.

Der alte Feldman hob sein Glas und stimmte das Gebet an. Er nippte am Wein, und alle blieben stehen und verhielten sich ruhig, als er ein Scheibchen von dem gefüllten Fisch abtrennte und es an die Lippen führte. Die Familie beobachtete ihn gespannt. Er kaute, hinter den Augengläsern leuchteten seine Augen auf, dann hob er Daumen und Zeigefinger an den Mund und warf seiner Frau eine Kußhand zu. Die Familie lachte, einige seufzten erleichtert. Auch Mrs. Feldman lachte und ging in die Küche zurück.

Miriam saß neben Harry und erklärte ihm, was das alles bedeutete. »Wir können uns nicht mehr erinnern, wann das angefangen hat. Mutter macht jeden Freitagabend gefüllten Fisch, immer gleich wunderbar. Aber wir tun alle so, als wären wir nicht sicher, daß er gut ist – bis Vater ihn kostet, lächelt und ihr eine Kußhand zuwirft. Für meine Mutter ist das der Höhepunkt der Woche. Wer unsere Familie nicht kennt, dem kommt das sicher komisch vor, weil sich das jeden Feitagabend wiederholt. Aber mir würde etwas fehlen, wenn Vater das nicht mehr machen könnte.«

Endlich kam Mrs. Feldman zurück. Harry stand auf und wurde ihr vorgestellt. Er war erstaunt und ungehalten über sich selbst, daß die Tränen, mit denen er schon den ganzen Tag kämpfte, ihm nun noch lockerer saßen. Er wehrte sich gegen sie, trank einige kräftige Schluck Wasser, mußte sich aber doch immerfort räuspern, während er Mrs. Feldmans Fragen über seine Familie und Mr. Feldmans Fragen über sein Fortkommen in der Schule beantwortete. Aber er war auch erstaunt und ungehalten darüber, daß die Lügen ihm so leicht von der Zunge kamen. Er erzählte von seiner Mutter und von seinen Plänen, Zahnorthopäde zu werden. Miriams Eltern schienen sehr beeindruckt zu sein.

Es gab Berge von Essen, und er schlang ungeheure Mengen in sich hinein. Nach der Mahlzeit saß er im Wohnzimmer und plauderte mit jedem, der das Wort an ihn richtete. Er wartete eine angemessene Weile, dann fragte er Miriam laut genug, damit auch ihr Vater es hören konnte, ob sie einen kleinen Rundgang machen und ihm die Gegend zeigen wolle.

Die Tatsache, daß er für eine so kalte Nacht mit keinem Hut ausgerüstet war, veranlaßte Miriams Mutter, die Hände zusammenzuschlagen und so viel Aufhebens davon zu machen, daß die halbe Familie in lautstarke und ernste Vorbehalte ausbrach: ob er sich den Tod holen wolle! Miriams Bruder oder Schwager rettete die Situation mit einem Hut, der um eine Nummer zu groß war, und alle bestanden darauf, daß er ihn aufsetzen müsse.

Miriam ging vor ihm durch die Tür. Kaum hatten sie das Stiegenhaus erreicht, als er in quälendes Schluchzen ausbrach. Sie wandte sich sofort um. »Harry? Harry . . . ?«

Hör doch auf, beschwor er sich. Ich ertrage das nicht. Ich ertrage es nicht, daß mir jemand dabei zusieht.

Aber er konnte nicht aufhören. Es wurde noch ärger, als sie ihre Hände auf seine Arme legte, um ihn zu trösten und er die Besorgnis in ihrem Gesicht lesen konnte. »Was hast du? Was ist los,

Harry?« fragte sie. Er konnte nur den Kopf schütteln und wegsehen.

»Ich weiß es nicht«, antwortete er. Auch das war eine Lüge. Er wußte schon, was los war. Diese verrückte, aus einem Zirkus entsprungene Familie, diese herzliche Familie, in der ein verrückter Vater Fisch aß und der Mutter eine Kußhand zuwarf — das war es. Und die Lügen über sich und seine Familie. Und daß er ein Niemand war. »Jetzt heul ich dich an . . .«

»Aber was ist es denn, Harry? So sag's doch! Ist etwas passiert? Hat dir jemand weh getan?«

»Ach, du lieber Gott, nein!« rief er aus, schneuzte sich und zwang sich, sich aufzurichten und dieses entsetzliche Schauspiel zu beenden. Er öffnete die Haustür. Der schneidende Wind auf der schwach beleuchteten Straße half ihm, sich zusammenzureißen.

Sie gingen durch die Straßen. Als er wieder sicher genug war, sich nicht noch einmal wie ein dummer Junge zu benehmen, sagte er: »Du bist ein anständiges Mädchen, Miriam. Du bist das einzige anständige Mädchen, das ich kenne.«

»Das einzige anständige Mädchen? Das ist doch dumm.«

»Es ist wahr. Anständige Mädchen wollen nichts mit mir zu tun haben, und sie wissen auch, warum. Ich bin ein Angeber, ein Großtuer, ein Prahlhans. Ich benehme mich so, als würde die Welt nur auf mich warten . . . Ich bin ein Lügner . . .«

»Ich hab dich so gern, Harry«, sagte Miriam. »Du solltest nicht so von dir reden, solltest dich nicht selber herabsetzen. Was immer dir auch Kummer macht — du hast Charakter und gute Manieren. Meine Familie hat nichts gesagt, aber ich habe bemerkt, daß du ihnen sehr gut gefallen hast.«

»Harry Levy hat ihnen gefallen, der ins College geht und koscher ißt.«

Sie antwortete nicht.

Sie gingen langsam nebeneinander um den Block herum, ohne ein Wort zu sprechen. Als sie wieder vor ihrem Haus anlangten, blieb Miriam vor ihm stehen. »Harry«, sagte sie sanft, »ich hab dich lieb. Seit dem Sommer hab ich dich lieb. Ich bin froh, daß du weinst. Damit beweist du, daß du ein Mann bist. Aber ich ertrage es nicht; es bricht mir das Herz, wenn ich daran denke, daß du einsam bist und weinst.«

Sie zitterte. »Ich wünschte, ich könnte dich küssen und damit alles auslöschen, was dir weh tut.«

Sie lief ins Haus. Harry folgte ihr in die Wohnung zurück, wo er ihrem Bruder oder Schwager den Hut zurückgab und die Wärme einer Familie auskostete, die nicht die seine war. Schließlich verabschiedete er sich, da er es nicht mehr ertragen konnte, im Schoß einer Familie zu verweilen, die ihm nur geliehen worden war. Er dankte allen für die Einladung. Seine Aufrichtigkeit war nicht gespielt.

Sie standen an der Wohnungstür. Miriam forderte ihn nicht auf, wiederzukommen oder sie anzurufen. Aber mit den Lippen formte sie die Worte: *Ich liebe dich!*

Verstört kehrte er zum Times Square zurück, betrat die Halle seines Hotels, roch das Desinfektionsmittel, sah die Einsamen tief in die rissigen Ledersessel versunken kauern und ging wieder auf die Straße zurück. Er besuchte ein Kino in der Zweiundvierzigsten Straße, das die ganze Nacht über in Betrieb war, kletterte die Stufen bis zur letzten Reihe des Balkons hinauf und blieb dort stundenlang sitzen.

Kurz bevor das Geld alle war, sang er für eine Rundfunkserie vor. Er wurde unter einundzwanzig Bewerbern ausgewählt und mußte einen Sänger ersetzen, der gekündigt hatte, weil er auf fettere Weidegründe vorstoßen wollte. Die Fünfzehnminutenshow wurde von einem kleinen, aber beliebten New Yorker Sender an fünf Abenden in der Woche unter dem Titel *Toe Tap Time* ausgestrahlt und brachte ihm fünfundsiebzig Dollar die Woche ein. Er sang Duette mit Peggy Perkins, dem Star der Show.

Variety veröffentlichte eine nette Kritik zu seinem Debüt, und er bekam die ersten Briefe von Verehrerinnen. Er war äußerst überrascht, als er feststellte, daß Miriam Feldman der einzige Mensch war, bei dem es ihm Vergnügen machte, sich mit seinem Erfolg aufzuspielen.

Sie war glücklich, stolz und teilte seine Meinung, daß er jetzt auf dem richtigen Weg war. Harry wußte nicht, warum ihre Zuversicht ihm soviel bedeutete, und er konnte sich auch nicht erklären, warum er ihr sechs Wochen später den Vorschlag machte, mit ihm durchzubrennen und sich standesamtlich trauen zu lassen.

Mit weit aufgerissenen Augen wandte Miriam ein, daß ihre Familienmitglieder sie verstoßen würden, wenn sie ihnen erzählte, daß er gar nicht der anständige jüdische junge Mann wäre, als den sie ihn immer hingestellt hatte. Noch dazu ein Sänger! Einen ganzen Monat lang setzte er ihr zu. Es blieb ihm unverständlich, warum er so heiß darauf war, sie zu heiraten. Nur weil sie ein so anständiges Mädchen war? An einem Wochenende brachte Vince, der als Brautführer fungierte, ihn und Miriam zu einem Friedensrichter in Elkton.

Miriam behielt recht: Die Familie legte Trauerkleider an und wollte nichts mehr mit ihr zu tun haben. Harry nahm eine kleine Wohnung in Manhattan. Er war froh, daß sie ihn liebte, und zufrieden, daß sie ihm ihr Leben aufopfern wollte. Aber er zerbrach sich den Kopf darüber, daß es ihm nicht gelang, sie im Bett zu entflammen oder sie auch nur mit seinen Plänen für eine große Zukunft zu begeistern. Nicht daß Miriam uninteressiert oder dumm gewesen wäre. Sie wollte einfach nichts anderes sein als eine junge Hausfrau.

Seine Gage wurde erhöht, und er hörte von allen Seiten, daß es nur noch eine Frage der Zeit wäre, bis die ganze Stadt die Ohren aufreißen würde. Aber er wurde zusehends unruhiger und verkrampfter, weil es nicht die richtigen Leute waren. Dabei war er in blendender Verfassung. Warum wußten das die richtigen Leute nicht? Und warum kam er nicht von dem Gedanken los, daß die Schuld an ihm lag, wenn Miriam frigide war?

Peggy Perkins besserte ihr Einkommen bei der Show auf, indem sie hin und wieder ein paar Aufnahmen für eine kleine Schallplattenmarke machte. Eines schönen Nachmittags – die Show lief schon den vierten Monat – begleitete er sie ins Studio. Für eine Sängerin, die weit davon entfernt war, zur ersten Garnitur zu gehören, war sie vor und gelegentlich auch nach den Proben in allzu gereizter Stimmung. Aber sie war Berufskünstlerin, und er wollte ihr einmal bei der Arbeit zusehen. Er saß im Zuschauerraum hinter den Tonkabeln und Scheinwerfern und redete sich ein, daß er ihr viel Erfolg wünschte. Dabei lechzte er danach, selber hinter dem Mikrofon stehen zu können.

Die Aufnahmen dauerten länger, da Peggy ein paar für sie typische Dissonanzen produzierte. Gegen Ende ging Harry allein zum Aufzug. Trotz der Kritik in *Variety* und trotz der Briefe seiner Verehrerinnen fühlte er sich leer und festgefahren. Eine hochgewachsene Frau, die auch auf den Aufzug wartete, sah ihn an und lächelte, als würde sie ihn kennen. Er lächelte zurück. Sie hatte die Vierzig schon überschritten und graue Strähnen im Haar, aber sie war durchaus keine alte Schachtel. Ihre Kleidung erinnerte an jene, die wohlhabende Damen in Modemagazinen trugen. Und sie war schön.

»Ich hab Sie drinnen gesehen«, sagte sie munter. »Wissen Sie eigentlich, daß Sie die ganze Zeit die Lippen bewegten, so als müßten Sie mitsingen, was dieser heisere Kanarienvogel da heruntergeleiert hat?«

»Hab ich das?« Kann schon sein, dachte er bei sich.

»Sie waren grün vor Neid. Dazu gab es keinen Grund. Sie ist nichts Besonderes.«

»Ich habe Sie nicht gesehen«, erklärte er höflich.

»Sie waren zu sehr beschäftigt, und ich kam nur gerade vorbei. Wer ist denn dieser Singvogel? Ihre Schwester?«

Er erzählte ihr von *Toe Tap Time.*

»Sie singen also mit ihr«, sagte die schöne Frau. »Vermutlich gehen Sie mit ihr auch ins Bettchen, oder? Singt sie dabei auch so falsch?«

Die Aufzugstür öffnete sich. Sie betrat als erste die Kabine. Dann fuhren sie die zwei Stockwerke zum Erdgeschoß schweigend hinunter. Die Frau stieg vor ihm aus. »Mein Wagen steht an der Ecke«, sagte sie und sah ihm dabei in die Augen, während ein offenes, lebenslustiges Lächeln um ihre Lippen spielte. »Soll ich Sie irgendwo absetzen?«

»Danke, nein, ich ... eh ... wohne ziemlich weit.«

»Ich nicht«, gab sie zur Antwort, und er folgte ihr, weil sie so schön war.

Ihr Wagen war das aufregendste Auslandsmodell der kommenden Jahre, und sie ließ ihn furchtlos und brillant durch den Verkehr gleiten. Für eine Vierzigerin hatte sie tadellose Beine.

»Im Autofahren sind Sie eine richtige Meisterin«, sagte Harry.

Ihr Lachen klang fröhlich und irgendwie sinnlich. »Nicht nur im Autofahren«, entgegnete sie. »Ich heiße Lillian, wenn Sie das unbedingt wissen wollen.«

»Und ich Harry.«

»Sie haben tolle Schultern, Harry.«

Sie brauste mit dem Wagen in die Kellergarage eines riesigen Mietshauses in der First Avenue. Der Mann in Uniform, der die Tür öffnete, nannte sie Mrs. Ashton. Der Aufzug brachte sie in eine elegante Dachwohnung hinauf. Ein alter Mann in einer weißen Jacke ließ sie ein und verschwand wieder. Sie betraten ein geräumiges, helles Wohnzimmer. Dort zündete sie sich eine Zigarette an. »Was trinken Sie, Harry?« fragte sie.

»Ist mir gleichgültig. Ein Whisky wäre nicht schlecht.«

»Können Sie haben, Harry, können Sie haben.«

Sie füllte zwei Gläser und gab ihm beide in die Hand. »Kommen Sie mir unauffällig nach«, sagte sie und lächelte wieder dieses freimütige Lächeln. Er folgte ihr über kilometerlange, mit tiefen Teppichen ausgelegte Korridore in ein rosafarbenes Schlafzimmer, in dem das breiteste und längste Bett stand, das jemals gebaut worden war. Sie leerten ihre Gläser erst eine halbe Stunde später. In ihrer Sonnenbräune, die sie aus Florida mitgebracht hatte, lag sie nackt da und strahlte ihn an. Dann gab sie ihm ihre Telefonnummer.

»Ruf mich an, Harry«, sagte sie. »Ich bin viel daheim.«

»Wer bist du – außer Lillian Ashton?« fragte er.

»Wer soll ich denn sonst noch sein?«

»Ich meine ... also ... was machst du in einer so großen Wohnung? Warum warst du heute im Studio?«

Sie schien leicht belustigt. »Du bist doch wirklich ein neugieriges Bürschchen. Ich bin in einer so großen Wohnung, weil ich hier wohne. Und ich war im Studio, weil ich dort die Handtuchkonzession habe. Würdest du mir das Feuerzeug reichen, bevor du gehst, Harry?«

Er ging heim zu Miriam. Schon nach einer Woche hatte er die Verrückte vergessen, die so schön war und das Temperament einer Wildkatze hatte. Aber sie war eben verrückt. Sein Leben war festgefahren. Was sollte er mit Verrückten?

Er begann mit Peggy Perkins zu streiten, dann mit dem Regisseur und schließlich mit dem Produzenten der Sendung. Er war der Meinung, er müsse prominenter herausgestellt werden. Manchmal gaben sie nach, meistens aber taten sie sich zusammen, besänftigten ihn, und er erreichte nichts. Er käme aus der Tretmühle nicht heraus, beklagte er sich dann bei Miriam. Niemand gäbe ihm eine Chance. Miriam fütterte ihn mit mütterlichen Gemeinplätzen, und er schnauzte sie an.

Er war verbittert, mehr als verbittert, weil nichts weiterging. Einem plötzlichen Impuls folgend, kündigte er seinen Vertrag mit *Toe Tap Time* noch bevor er ein anderes Engagement hatte. Seit seinem Debüt waren fünf Monate vergangen. Er betrank sich, soff sich fast zu Tode und wankte nach Hause, wo eine erschrockene

Miriam ihn in die Arme nahm und ihn vor der bösen Welt beschützen wollte.

Er bekam Angebote von miesen, kleinen Lokalen, wo er für ebenso miese, kleine Gagen singen sollte. Harry lehnte sie hochmütig ab: Sein Weg durfte nicht abwärts führen. Als das Geld ausging, nahm Miriam eine Stellung an. Auch er ging arbeiten, als Botenjunge, als Mixer in einer Eisbar oder als sonst was, sofern die Arbeit ihm Zeit ließ, bei den Künstleragenten seine Runden zu machen. Die Agenten, die von ihm gehört hatten, wußten auch, daß er ein unzuverlässiger, kecker Junge war, nicht wert, daß man sich mit ihm abgab, weil er es nirgends lange aushielt und sich nichts sagen ließ. Niemand leugnete, daß er Talent hatte, aber kein Agent von einiger Bedeutung wollte ihn managen. Und er war fest entschlossen, sich nur von bedeutenden Leuten oder von niemandem managen zu lassen.

Als sie ein Jahr verheiratet waren und schon fast am Hungertuch nagten, wurde Miriam schwanger. Harry geriet in höchste Erregung. Das war wohl nicht der richtige Zeitpunkt, sich auch noch diese Verantwortung aufbürden zu lassen. Dennoch brachte er es nicht über sich, ihr zu sagen, sie solle zu einem der gewissen Ärzte gehen. Wo, um Himmels willen, sollte er das Geld hernehmen? Seine Chance würde kommen, seine große Chance. Aber inzwischen mußte er sehen, wie er zu Geld kam.

Er stellte eine Liste von Leuten zusammen, von denen er Geld borgen konnte — von Vince Moschetta angefangen bis zu Miß Caldwell. Er zerriß die Liste. Dann fand er Lillian Ashtons Nummer in seinem Notizbuch. Je mehr er daran dachte, die Verrückte um ein Darlehen zu bitten, desto weniger undenkbar schien ihm sein Vorhaben. Vielleicht würde sie sich gar nicht mehr an ihn erinnern. Vielleicht war sie verzogen. Vielleicht war sie schon tot. Aber wenn sie sich noch in New York aufhielt und er sie ersuchte, ihm über eine schwere Zeit hinwegzuhelfen — konnte ihm etwas Ärgeres passieren, als daß sie nein sagte? Gar keine Frage, daß er ihr das Geld wiedergeben würde, so wie es auch nie außer Frage stand, daß seine große Chance kommen würde. Sie war eine Verrückte. Aber Verrückte, besonders reiche, waren doch zu allem fähig.

Was konnte er schon verlieren?

Als er anrief, teilte ihm der Butler oder sonst jemand mit, daß sie und Mr. Ashton in der kommenden Woche aus Nassau zurückkehren würden. Harry nannte seinen Namen nicht. Diese Frechheit! In Nassau zu sein, wenn er sie so dringend brauchte!

Mr. Moran, der freundliche Geschäftsführer der Apotheke, in der er stundenweise gearbeitet hatte, stellte ihn wieder an. Er wartete, daß die Woche zu Ende ging, und stieß auf eine kleine Notiz im *Billboard:* Albert Ashton, einer der Großen im Schallplattengeschäft, genoß mit seiner Frau in Nassau die Urlaubssonne. Endlich ging Harry der Knopf auf. Ashton-Platten waren ihm natürlich ein Begriff. Jedermann kannte sie, denn sie gehörten zu den großen Marken. Peggy Perkins arbeitete für eine Tochtergesellschaft der Ashton-Platten, und Lillian Ashton war an jenem Tag im Haus gewesen, weil sie mit den Ashton-Platten verheiratet war.

Er hätte mit der Faust an die Wand schlagen mögen. Sie war Frau Ashton und hatte ihn aufgefordert, sie anzurufen und wiederzukommen. Und er war dieser Aufforderung nicht gefolgt. In all den Monaten des Hungers hatte er keine Ahnung von der Goldgrube gehabt ...

Es war zum Wahnsinnigwerden.

Sie glaube sich seiner entsinnen zu können, sagte sie, als er sie anrief ... Ach ja, der neugierige junge Mann mit den tollen Schultern! Natürlich könne er sie besuchen kommen. Warum nicht morgen nachmittag?

»Was ist mit deinem ... eh ... Gatten?«

»Was soll mit ihm sein?«

»Wenn er ins Zimmer stürzt?«

Er erinnerte sich noch an das sinnliche Lachen. »Daß du so gern Fragen stellst! Albert kommt nicht nach Hause, und wenn er kommt, macht's auch nichts. Er hat ausgezeichnete Manieren. Er würde sich einfach entschuldigen und seiner Wege gehen.«

Lillian Ashton war noch braungebrannter als das letzte Mal. Sie empfing ihn in einem eleganten Negligé und schien einen leichten Schwips zu haben, obwohl es erst früher Nachmittag war. »Natürlich erinnere ich mich an dich«, gab sie munter zu und reichte ihm einen Drink. »Mit dir hat's mir eine Menge Spaß gemacht. Singst du immer noch deine Lieder im Radio? Du siehst ein bißchen zerknittert aus.«

Dagegen war nichts zu sagen. Er trug einen von den guten Anzügen, die er mit Vinces Geld gekauft hatte, aber in den letzten Monaten hatte er viel Selbstvertrauen eingebüßt, und das merkte man. »Ich hab's nicht ganz leicht gehabt«, sagte er und ging gleich ohne viel Umstände auf sein Ziel los. Er bat sie, ihren Mann zu veranlassen, ihn zum Vorsingen einzuladen.

Das belustigte sie. Was er ihr auch sagte, nichts schien sie aus der Fassung zu bringen. »Bittest du deine Damen immer um eine Gefälligkeit, bevor du sie betörst? Und warum sollte ich dir helfen, selbst wenn du der beste Liebhaber in New York bist — was du ja, wenn ich mich recht erinnere, sein könntest? Vielleicht kannst du gar nicht singen. Vielleicht glaubst du nur, daß du es kannst.«

»Teste mich doch! Dort steht das Klavier.«

Auch das belustigte sie. »Ich komme mir vor wie die Vorsitzende der Christlichen Wohlfahrt«, meinte sie und schlenderte zum Klavier hinüber. »Ich kann nur die ›Appassionata‹ und ›Das alte rauhe Kreuz‹ spielen. Hoffentlich kennst du die Melodie.«

Sie spielte »Stardust«. Harry sang, als hinge von jeder Note sein Leben ab. Mit angehaltenem Atem wartete er auf ihr Urteil. Es war nicht gerade überschwenglich, aber doch eindrucksvoll. »Du kannst was, Schulter-Harry«, versicherte sie ihm.

»Und?«

»Was ›und‹? Wer weiß? Ich spreche mit Albert nur jeden zweiten Donnerstag. Ich werde deinen Namen erwähnen.«

Für heute ist es vielleicht genug, sagte er sich; lieber nichts übereilen. Sie goß sich einen frischen Drink ein und fragte Harry, wovon er lebe. Er blieb einigermaßen bei der Wahrheit und erzählte ihr sogar von Miriam. Sie schien ihm mehr aus Höflichkeit als aus Interesse zuzuhören. Mitten in einem Satz stand sie auf, glitt zu ihm hin, blieb vor ihm stehen und öffnete munter ihr Negligé. »Hab ich dir schon gezeigt, wo mich die Anakonda gebissen hat, als ich in der Nähmaschinenfabrik gearbeitet habe?« fragte sie.

Im Bett war sie selber eine Art Anakonda, und Harry, hingerissen von ihren Künsten — das letzte Mal war sie fast ausschließlich von wilder Erregung beherrscht gewesen —, gestand sich ein, daß sie — Ashton-Platten hin, Ashton-Platten her — keine Frau war, vor der ein Mann davonlaufen wollte. Beim Abschied erinnerte er sie an das Vorsingen. »Wir werden sehen«, meinte sie in einem Ton, der nicht sehr überzeugend klang. »Ich hoffe, du läßt mich nicht wieder ein Menschenalter lang auf deinen Anruf warten, Schulter-Harry. Ich seh dich so gern mit den Wimpern klimpern.«

Da er sie nicht bitten konnte, ihm Geld zu leihen – mit diesem Gedanken hatte er nur gespielt, bevor er die Notiz im *Billboard* gelesen hatte –, arbeitete er nun in der Apotheke doppelt so lange. Er wollte eine Woche warten, bevor er Lillian Ashton wieder anrief, aber schon nach zwei Tagen griff er wieder zum Telefon. Nein, es hatte sich noch keine Möglichkeit ergeben, mit ihrem Mann zu sprechen, aber Harry war zu jeder Zeit willkommen, wenn er ihr etwas am Klavier vorsingen wollte. Er ging zu ihr.

Über eine Woche lang besuchte er sie fast jeden Tag. Mochte sie ihn auch hinhalten – und es gab Zeiten, da er, ohne etwas dagegen tun zu können, überzeugt war, daß genau das in ihrer Absicht lag –, so wurde sie doch allmählich aus einer verrückten Sexmaschine zu einem menschlichen Wesen. Und auch für sie wurde er langsam zu Harry Orlando, und Schulter-Harry verschwand in der Versenkung. Sie gab zu, daß sie an seinen Besuchen Gefallen fand und sich manchmal sogar darauf freute. Sie begann Vertrauen zu ihm zu fassen und über alles mögliche mit ihm zu sprechen. Ihr Mann, erzählte sie, wäre um hundertvier Jahre älter als sie, lasse sie tun, was sie wolle, und verwöhne sie schamlos. Harry wäre nicht ihr einziger Nachmittagsverehrer; da gäbe es noch Botenjungen und gelegentlich kleine Schauspieler. Aber noch nie hätte sie jemanden von der Straße aufgelesen. Das schwor sie, was immer der Schwur auch wert sein mochte. Vor Jahren hatte sie zwei Totgeburten gehabt. Für Harry, meinte sie, würde sie sogar in Erwägung ziehen, die Botenjungen und die kleinen Gelegenheitsschauspieler aufzugeben.

»Das Vorsingen«, erinnerte er sie, »was ist mit dem Vorsingen?«

»Also schön«, sagte sie endlich. »Ich hätte mich schon früher darum gekümmert, aber bis vor kurzem hab ich nicht viel daran gedacht, außer wenn du hier warst. Bin ich nicht aufrichtig?«

Schon am nächsten Tag organisierte sie in ihrer Wohnung eine Geburtstagfeier für Ashton und lud dazu so viele führende Persönlichkeiten der Unterhaltungsindustrie samt Frauen ein, wie sie nur auftreiben konnte. Aufgeregt berichtete Harry Miriam von der großen Chance, die sich ihm nun bot, ohne allerdings Lillian Ashtons Namen zu erwähnen. Er wußte, er hätte ein schlechtes Gewissen haben sollen, weil er sich mit einem Weibsbild abgab, während seine eigene Frau schwanger war. Aber was sollte er tun, wenn alles Geschlechtliche für sie nur eine unangenehme Verpflichtung war? Das Vorsingen versetzte auch Miriam in Erregung, und sie kaufte ihm ein neues Hemd und eine Krawatte, obwohl es hinten und vorne an Geld mangelte.

Eine Woche später stellte ihn Lillian Ashton als talentierten jungen Mann vor, den sie irgendwo einmal kennengelernt hatte. Dann setzte sie sich ans Klavier, um ihn zu begleiten. Das Zimmer war voller Menschen. Sie lauschten gespannt, als er das Lied zu singen begann, das er während der langen Stunden hinter der Theke einer Eisbar geschrieben hatte.

Es war ein sanftes Lied, und er beendete es weich, von Bewegung übermannt, als wollte seine Stimme brechen. Er beherrschte die Tricks und hatte ein paar neue dazuerfunden. Der letzte Ton verklang. Im Raum war es totenstill.

Dann aber brach der Beifall los, echter Beifall, und Ashton stürzte auf ihn zu, schüttelte ihm die Hand und bat ihn, am nächsten Morgen in sein Büro zu kommen.

Albert Ashton, ein siebzigjähriger temperamentvoller Mann, geleitete ihn persönlich in einen Aufnahmeraum, wo schon zwei Herren und ein Pianist namens Perry warteten, die auch auf der Party gewesen waren. Er bat ihn, das Lied noch einmal zu singen. Er sang es, und er sang gut. Er wurde gebeten, noch andere zu singen, und auch diesmal klappte es. Die Herren nickten hingerissen, und Ashton führte ihn in ein eindrucksvoll eingerichtetes Privatbüro. »Seit wann können Sie das schon?« fragte Ashton.

»Schon seit einer guten Weile, Sir. Aber in letzter Zeit hatte ich nicht viel Glück.«

»Das wird sich ändern. Haben Sie einen Agenten, oder können Sie gleich einen Vertrag unterschreiben?«

»Ich . . . ich könnte gleich unterschreiben, Sir.«

»Gestern abend habe ich die Frauen beobachtet. Sie sehen ja eigentlich nicht nach viel aus, junger Mann, aber Sie haben's geschafft, daß diese tiefgekühlten Damen sich die Höschen feucht gemacht haben.«

»Hab ich das wirklich?« fragte Harry, der sehr wohl wußte, daß ihm das gelungen war.

»Wie ich von Lillian höre, bemühen Sie sich sehr um sie.«

Harry fiel beinah vom Stuhl.

»Das ist schön«, bekräftigte Ashton. »Ich kann das schon seit zehn Jahren nicht mehr besorgen, und ich bin glücklich, daß sie glücklich ist.« Er nahm den Hörer und ließ Vertragsformulare bringen. »Wenn Sie diese tiefgekühlten alten Weiber so in Hitze bringen können«, sagte er, nachdem er den Hörer wieder aufgelegt hatte, »stellen Sie sich einmal vor, was wir bei den jungen für Chancen haben. Wir werden Sie sogar Heimatschnulzen singen lassen, die obszön klingen. Traulich-obszön, natürlich.«

Noch in derselben Woche machte er seine ersten Aufnahmen. Er sang zwei Lieder mit zarter, gefühlvoller Stimme. Sie gefielen den maßgebenden Herren sehr gut. Ashton schickte ihn zu Victor Cabott, einem immer nur leise sprechenden Agenten von gelehrtenhaftem Aussehen, der auf Publicity spezialisiert war. Cabott las den Vertrag und meinte: »Die Bedingungen sind durchaus fair. Ashton ist ja ein fairer Mann, und dasselbe gilt auch für Haywood.«

»Wer ist Haywood?«

»Edwin A. Haywood. Ihm gehören die Ashton-Platten.« Cabott sah das Staunen in Harrys Augen und erklärte: »Albert Ashton ist einer der geschicktesten Leute in der Branche. Aber das Geld kommt von Mr. Haywood, der auch die wichtigsten Anordnungen trifft. Ich könnte wetten, Sie säßen jetzt nicht hier, wenn Haywood nicht grünes Licht gegeben hätte. Wo waren wir stehengeblieben? Ja, richtig, der Vertrag. Ich hoffe, Sie sind sich darüber klar, daß Sie hart arbeiten werden müssen, wenn die Platte einschlagen sollte.«

»Ich war noch nie faul.«

Zu Beginn war es Cabott, der die meiste Arbeit hatte. Harry Orlando wurde als kommender Gesangsstar in Zeitungen und Fachzeitschriften gebührend herausgestellt – von Cabott geschickt organisierte Reklame, die schon Wochen vor dem Tag einsetzte, da die Platte auf den Markt kommen sollte. Dem Publikum einen kommenden Star anzupreisen, bevor es noch Gelegenheit hatte, ihn zu sehen und zu hören, war ein höchst unorthodoxes Manöver. Aber Cabott war überzeugt, daß es gelingen würde, und er behielt recht. Er ließ Harry vor dem Erscheinen der Platte für eine ganze Woche als Attraktion ins »Roxy« engagieren, und neugierige Massen drängten sich vor den Schaltern.

Harry hatte noch nie auf einer so großen Bühne gestanden. Er war vor Angst wie gelähmt – aber das gab sich nach den ersten

Takten. Schon in der Mitte der ersten Nummer spürte er den Kontakt mit dem Publikum. Dann unterbrach ihn lautes, backfischhaftes Quietschen aus einer Ecke des riesigen Theaters und Sekunden später aus einer andern. Bevor er noch mit seinem dritten und letzten Lied zu Ende war, quietschte und stöhnte es aus allen Ecken und Winkeln. Schreckensrufe wurden laut, als ein Mädchen in der ersten Reihe Balkon auf ihren Sitz kletterte, laut aufschrie, in Ohnmacht fiel und über die Brüstung gestürzt wäre, hätte man sie nicht noch rechtzeitig zurückgerissen.

Die Abendzeitungen brachten Bilder, auf denen zu sehen war, wie ein Arzt, von Hunderten Menschen umgeben, an dem Mädchen in der Wandelhalle des Theaters Wiederbelebungsversuche machte. »Ich weiß nicht, was mir einfiel«, erklärte Germaine Gross, siebzehn, aus Staten Island, schwer atmend den Reportern, als man sie aus dem Reich der Träume zurückgeholt hatte.

»Die Stimme von diesem Harry Orlando ... und wie er den Kopf so schief hielt ... ich hatte das Gefühl, als sänge er nur für mich. Mir war plötzlich so zum Weinen zumute, und bevor ich noch wußte, was eigentlich mit mir los war, fiel ich in Ohnmacht.«

Zu ähnlichen Zwischenfällen kam es die ganze Woche bei jedem einzelnen von Harrys Auftritten. Er sang fünfmal am Tag, von Victor Cabott, dem sanftmütigen Mann mit dem Gelehrtengesicht, bezahlt und meisterhaft in Szene gesetzt. Das zumindest war Harrys Überzeugung. Zeitungen und Rundfunkstationen ließen sich das alles nicht entgehen, und als die Platte herauskam, war an ihrem durchschlagenden Erfolg nicht mehr zu zweifeln.

Während Harry auf den Urteilsspruch des Publikums wartete und Miriam ihm immer wieder mit Äußerungen wie »Zwick mich, damit ich weiß, daß ich nicht träume« kam, erfuhr er einiges über Edwin A. Haywood, einen ruhigen, aber ungeheuer wichtigen und sehr, sehr reichen Mann, der an einem Dutzend großer Unternehmungen beteiligt war. Das Vorsingen in Ashtons Studio nach der Party war nur Mache gewesen. Haywood hatte seine Entscheidung schon am Abend vorher, bei der Geburtstagsfeier, getroffen, und sie Ashton ins Ohr geflüstert. Harry konnte sich immer noch nicht erinnern, Haywood auf der Party kennengelernt zu haben – die einzigen Namen, auf die er geachtet hatte, waren die von Liedern gewesen. Aber nun erfuhr er, daß es Mr. Haywood gewesen war, der das Quietschen und die Ohnmachten im »Roxy« erfunden und organisiert hatte, und der, immer noch hinter den Kulissen, jeden Schritt Harry Orlandos vorausplante.

Mr. Haywod zog es vor, hinter den Kulissen zu bleiben.

Die Platte war ein durchschlagender Erfolg — genauso wie alle andern, die nun in rascher Folge erschienen.

Lillian Ashton freute sich für ihn. Sie sagte ihm das auch eines Abends auf einer Party, die die Ashton-Platten ihm zu Ehren im »Beekman« gaben. »Ich kannte dich schon, als du noch ein Lumpensammler mit einer netten Stimme warst — und mit noch netteren Manieren im Bett«, flüsterte sie ihm zärtlich zu. Er lächelte und fühlte sich zutiefst erleichtert, als sie weder vorschlug oder auch nur andeutete, daß sie dort weitermachen sollten, wo sie aufgehört hatten.

Er sah Mr. Haywood nur einmal, in Cleveland. Harry war sofort beeindruckt von der zurückhaltenden, aber unverkennbar dominierenden Persönlichkeit dieses kleinen, alternden, nachlässig gekleideten Millionärs, der die siebzehnjährige ohnmächtige Germaine Gross aus Staten Island ins Leben gerufen hatte. »Sie haben eine schöne Karriere vor sich, wenn Sie nur halbwegs auch etwas dazutun«, sagte er. »Vic Cabott wird Ihnen helfen, und vielleicht kann auch ich Ihnen da und dort unter die Arme greifen. Wir haben viele Freunde. Im Grunde aber werden Sie selber Ihr Geschick bestimmen. Der Erfolg kann Ihnen zu Kopf steigen — der Ruhm, das Geld, die Frauen —, und wenn Sie dazu noch übermäßig trinken, können Sie in kürzester Zeit verbraucht sein. Oder Sie nehmen das, was jetzt auf Sie zukommt, ernst und pflegen Ihr Talent und werden ein erfolgreicher Mann.«

»Ich werde mich wirklich bemühen«, erwiderte Harry, »und ich werde auch die Menschen nicht vergessen, die mir dabei helfen — besonders Sie nicht, Sir.«

Im fünften Monat ihrer Schwangerschaft und im zweiten Monat seines märchenhaften Erfolges erlitt Miriam eine Fehlgeburt. Er brachte sie rasch ins Krankenhaus, ging aufgeregt auf dem Gang hin und her und machte Gott großzügige Versprechungen, obwohl ihm die Schwester versicherte, daß sich seine Frau nicht in Gefahr befinde. Sobald man es ihm gestattete, besuchte er sie. Miriam weinte, als sie ihn sah. Er kniete neben ihr nieder und ergriff ihre Hand. »Ich wollte dir einen Sohn schenken«, sagte sie. »Es tut mir so leid, Harry.«

»Nein ... das macht doch nichts«, flüsterte er und fühlte sich ihr plötzlich sehr nahe. »Wichtig ist nur, daß es dir gutgeht. Von nun an wird alles wunderbar sein«, versprach er. Und er meinte es ehrlich. Er blieb bei ihr, bis sie einschlief, küßte ihr Handgelenk, ihre Stirn und ihre Lippen. Um mich tut es ihr leid, dachte er. Diese Kellnerin vom Ocean Parkway. Dieses Mädchen, das ich liebe und das mich liebt. Es tut ihr leid, daß sie mich enttäuscht hat. Aber wenn sie wüßte, wie erleichtert ich mich fühle – der Schmerz würde sie töten ...

In der Öffentlichkeit bot er ein Bild unerschütterlichen Selbstvertrauens. Cabott ermahnte ihn zwar, sein keckes Auftreten bei den vielen Interviews mit Reportern und Artikelschreibern bleiben zu lassen. Dennoch war Harry der Erfolg in Person. Die bezahlten Quietscherinnen wurden ihrer hysterischen Pflichten entbunden, die aufwendigen Reklametricks eingestellt, sobald ihr Zweck erfüllt war und es feststand, daß Harry keine Eintagsfliege sein würde. Teenager und deren Eltern kauften seine Platten und stellten sich in langen Reihen an, um ihn persönlich zu sehen, da er jedem einzelnen von ihnen etwas Unausdrückbares und doch unmittelbar Persönliches zu sagen hatte. Seine Stimme war Sex, aber ohne schmutziges Grinsen und ohne keuchendes Verlangen. Sie war aber auch Jugend, empfindsam und sauber, löste die Rätsel der Liebe mit zwei Strophen und einem Refrain. Er besaß Ausgeglichenheit und Schliff, zwei Dinge, um die ihn das ganze Land bewunderte. Und er war einundzwanzig Jahre alt.

Dann war er zweiundzwanzig, und fünfundzwanzig und achtundzwanzig, und seine phantastischen Erfolge schienen immer noch nur ein Anfang zu sein. Victor Cabott starb, noch bevor der Zehnjahresvertrag abgelaufen war. Harry setzte sich ein, daß Cabotts Witwe eine großzügige monatliche Zuwendung erhielt, und ersetzte ihn durch eine Gruppe von Ratgebern – darunter Vince Moschetta, der sich als erstaunlich abgebrühter Geschäftsmann erwies und sich Harrys Arbeit mit ganz besonderem Eifer widmete. Harry baute sich ein großes Haus in Hollywood, wo er begonnen hatte, eine Reihe von Erfolgsfilmen zu drehen. – Er war noch immer kein Schauspieler, wirkte aber auf der Leinwand ebenso echt wie auf der Bühne, und das Publikum strömte zu seinen Filmen. Miriam gebar ihm einen Sohn, Jimmy.

Harry war begeistert von seinem hübschen, gesunden Kind und

stellte sogar eine Zeitlang seine diskrete Nebenbeschäftigung ein, die darin bestand, daß er sich jeden Star, jedes Starlet und jede Rasthauskellnerin in Südkalifornien ins Bett nahm. Jimmy gab ihm wieder einen Halt, und er lernte Miriams Wert voll zu schätzen. Sie paßte darum nicht besser in seine Welt und ging trotz ihrer Zauberteppichfahrt vom Ocean Parkway nach Hollywood nicht mehr aus sich heraus. Aber sie war die Ruhe, die Beständigkeit und die Selbstlosigkeit, die keine andere Frau ihm geben konnte. Er brauchte Miriam, und manchmal sagte er ihr das auch. Er wünschte, er hätte netter zu ihr sein können, und manchmal sagte er ihr auch das.

Durch einen Anruf von Sol Selig erfuhr er vom Tod seiner Mutter. Bisigloni war schon ein Jahr zuvor gestorben. Wie ging es Patsy, seinem kleinen Bruder? Seit Jahren hatte er nicht mehr an ihn gedacht, zumindest nie sehr lange.

»Mit Patsy war's nicht ganz einfach«, berichtete Sol. »Er scheint nicht imstande zu sein, ein geregeltes Leben zu führen. Raufereien und Diebstähle haben ihn schon mehrmals in die Erziehungsanstalt gebracht. Der Junge ist ganz durcheinander, Harry.«

»Mein Gott, warum hat mir das niemand gesagt?«

»Dein Stiefvater wollte es nicht, und zum Schluß war deine Mutter auch dieser Ansicht. Sie wußten, daß du Geld hast und daß du alles tun würdest, um zu helfen. Aber sie wollten unbedingt selber mit allem fertig werden.«

Harry flog nach New York, suchte seinen Bruder auf und brachte ihn nach Kalifornien. Miriam nahm ihn freundlich auf. Patsy war ein einigermaßen gutaussehender Junge, dunkler und kleiner als Harry. Seine Augen blickten kalt, und er sprach wenig. Es war schwer zu sagen, ob er seine Gefühle unterdrückte oder nur über einen beschränkten Verstand verfügte. Mit der Zeit stellte sich heraus, daß beides zutraf. Aber Harry freute sich, ihn bei sich zu haben. »Wir werden die verlorene Zeit wieder einholen, Patsy«, versprach er. »Was mir gehört, gehört auch dir.«

Was Harry besaß – in steigendem Maß besaß –, waren ein Überfluß an Geld und sicheren Anlagen, unvergänglicher Ruhm und die nachhaltige Gewißheit, daß ihm alles, was er hatte, in einer dunklen Nacht genommen werden würde.

Auf diese oder jene Weise gelangten Neuigkeiten aus dem Osten an sein Ohr. Jiggy Bernard, der Spielsalonbesitzer, der ihm in jener letzten Nacht in der Bronx die Wunden verbunden und sein Lager zur Verfügung gestellt hatte, war an einem Herzschlag gestorben. Ida Bisigloni war mit einem Verkäufer in Philadelphia verheiratet und Mutter von sechs Kindern. Im *Variety* las er zufällig – es war eine ganz kleine Notiz am Ende der Todesanzeigen –, daß der Schlagwerker Ken Clay mittellos einer Herzattacke zum Opfer gefallen war und eine Witwe hinterlassen hatte. Harry fand Ginger Clays Adresse heraus und sandte ihr einen Bankscheck über zehntausend Dollar. Sauber in vier Stücke getrennt, kam der Scheck eine Woche später ohne Begleitschreiben wieder zurück.

V

Samstag in der Frühe nahm Orlando die erste Düsenmaschine nach New York. Nur Patsy begleitete ihn. Er dachte an die Freunde, die er begrüßen würde, und an die Frauen.

Vergiß die mal, sagte er sich. Dieser Tag gehört meinem Jungen. Und Miriam, wenn sie kommt. Meiner Familie.

Er erreichte das »Plaza« in gehobener, hoffnungsvoller Stimmung. Er war davon überzeugt, daß alles für ihn zum besten stand. Warum sollte Quinlan ihm nicht grünes Licht geben? Was riskierte er denn schon?

Wenige Minuten, nachdem er sein Appartement betreten hatte, kam Jimmys Anruf.

»Tut mir leid, Dad, entschuldige, aber ich bin noch hier in der Schule. Ich mußte länger pauken, als ich angenommen hatte. Ich komme heute noch in die Stadt, aber ich weiß nicht, wann. Ich will auch nicht, daß du ... herumsitzt und wartest.«

»Morgen«, sagte Orlando, »wie steht's morgen? Kurz nach Mittag muß ich das Flugzeug nach Washington nehmen, aber ich kann den ganzen Vormittag ...«

»Ja, das wäre fein«, stimmte Jimmy zu, und Orlando glaubte, seinen kleinen Adamsapfel auf und ab hüpfen zu sehen. »Ich könnte schon früh dasein, aber du stehst ja nicht so bald auf ...«

»Woher hast du denn diese verleumderische Information, Herr Anwalt? Wenn du im Morgengrauen anrückst, habe ich schon meinen dritten Waldlauf hinter mir!«

Sie einigten sich darauf, um neun Uhr in Orlandos Appartement gemeinsam zu frühstücken. »Jim«, fragte Orlando dann, »was hat denn deine Mutter dazu gemeint, daß wir drei zusammen etwas unternehmen?«

Einen Augenblick lang blieb es im Telefon stumm. »Sie hat nichts gegen dich gesagt, Dad – das hat sie nie getan –, und sie hat auch nichts dagegen, daß ich dich besuche. Aber sie will dich nicht sehen.«

»Fairer kann man nicht sein. Also morgen, Punkt neun, ja?«

Das Gespräch war zu Ende, aber seine Hand hielt noch immer den Hörer:

Der Junge paukte für die Prüfungen. Darum konnte er heute

nicht kommen. Die Erklärung war durchaus gerechtfertigt. Natürlich. Was gab es da für Zweifel?

Nun würde er also allein in New York sitzen. Außer seiner Familie gab es niemanden, den er zu sehen wünschte. Aber er wollte nicht allein bleiben.

Er warf einen Blick auf Patsy, der nur allzu bereit sein würde, den langen Abend mit ihm zu verbringen. Er sagte ihm, er solle sich den Tag freinehmen und ihn allein lassen. Dann begann er zu telefonieren. Er konnte keinen seiner alten Freunde erreichen; die meisten waren gar nicht in New York. Eine Nutte war wohl das letzte, was er in dieser Stadt brauchen konnte, in der er so viele Bekannte hatte. Aber schließlich rief er Teddie Sommers an, einen der intelligenten Handlanger der East Coest Orlando Enterprises, und bestellte eine Nutte bei ihm, die bereit war, am Abend mit ihm auszugehen.

Susan, ein langstieliges, vornehm aussehendes Wesen, kam pünktlich um sieben. Sie saßen im Wohnzimmer des Appartements und nahmen ziemlich schweigsam das Abendessen ein, denn er hatte keine Lust, zu reden oder zuzuhören. Um acht Uhr fünfzehn verließen sie das Hotel. Teddie Sommers hatte zwei Karten für ein Stück im Helen-Hayes-Theater besorgt, für das es keine Karten mehr gab. Ein junger Mann namens Ricki fuhr sie hin; einer von Vince Moschettas unzähligen Vettern, der vierundzwanzig Stunden am Tag zur Verfügung stand, um als Chauffeur zu fungieren. Orlando war nicht daran interessiert, dieses oder irgendein anderes Stück zu sehen, aber in einem dunklen Theater konnte man sitzen und brauchte mit niemandem zu reden.

Nach langen fünfundsechzig Minuten fiel nach dem ersten Akt der Vorhang. Während der Applaus einsetzte und die Lichter angingen, merkte er, daß er von neugierigen Gaffern angestarrt wurde. Bei Leuten dieses Schlags hatte er sich noch nie geirrt. Man war peinlich bemüht gewesen, ihn und die Nutte zur genau richtigen Zeit auf den genau richtigen Plätzen so anonym wie nur möglich unterzubringen. Sicherlich hatte niemand den Herrschaften im Parkett mitgeteilt, daß er im Theater war. Dennoch dauerte es nur Sekunden, nachdem die Lichter aufgeflammt waren, und alle Welt wußte, daß er da war, begann sich zu stoßen und zu schieben, um einen Blick auf ihn werfen zu können. Bevor er und die Nutte sich noch ganz von ihren Sitzen erheben konnten, war der Weg ins Foyer von den Glotzaugen schon teilweise verstellt. Er setzte sein scheues Bitte-entschuldigen-Sie-uns-Lächeln auf. Wie er gefürchtet hatte, funktionierte es nicht. Die Leute gafften, ein alter Drachen quatschte ihn an, ein fetter Hanswurst mit handgemalter Krawatte und viel zu breiten Rockaufschlägen bat um ein Autogramm auf dem Programmheft für seinen Jungen in der Schule. Und all die andern aggressiven Wanzen quatschten und hielten ihm ihre Programme hin, und die passiven in den andern Reihen starrten ihn unerschüttert an. Draußen im Foyer würde es ihm auch nicht besser ergehen. Er hatte die Nase voll.

Nur wenige Meter entfernt entdeckte er einen Notausgang. »Gehen wir«, sagte er, nahm die Nutte beim Ellbogen und führte sie hin.

Sie standen in einem schmutzigen Durchgang. Er warf die schwere Tür hinter ihnen zu und ging rasch mit ihr auf die Straße hinaus. Ricki lag dösend über dem Lenkrad des Cadillac, der unweit des Eingangs zum Theater geparkt stand. Ein paar Kinder sahen Orlando kommen. »Da ist er!« begannen sie zu brüllen. Ihre Schreie gellten ihm plötzlich in den Ohren. Er riß die hintere Wagentür auf, weckte Ricki, schob die Nutte hinein, sprang auf den Platz neben ihr und schrie: »Um Gottes willen, fahr los!« Ricki, jetzt plötzlich hellwach, schoß wie ein Rennfahrer davon.

Sie fuhren in den »Persian Room«, tanzten, tranken, sahen sich die Show an und sprachen fast nichts miteinander.

Sie gingen wieder, und Orlando wies den Türsteher an, der Nutte ein Taxi zu besorgen. Sie war erstaunt und sagte es ihm auch. Aber Orlando drückte ihr eine größere Banknote in die Hand und ging wortlos auf den wartenden Ricki zu.

»Wohin jetzt?« fragte Ricki, während Orlando im Fond die kleine Bar öffnete und sich einen Drink einschenkte.

Wohin jetzt? Eine gute Frage.

»In die Bronx«, hörte er sich sagen.

»In die was?«

»Die Bronx. Zur Willcock Avenue. Dort hinüber.«

»Ich weiß, wo das ist, aber ...«

»Fahren Sie.«

Als sie die Gegend der Willcock Avenue erreichten, hatte er die Vorräte der kleinen Bar schon stark dezimiert. Sie fuhren an dem Haus vorüber, in dem er geboren worden war, und dann an der Nummer 2746, wo er mit Mama hingezogen war, als sie Bisigloni heiratete. Die Straße sah jetzt anders aus, auch die Lichter in den Fenstern waren anders. Nichts war wie früher.

Bringen Sie mich weg von hier, wollte er sagen.

Bringen Sie mich zu Noreen, die von der Bronx nie auch nur gehört hatte.

Bringen Sie mich zu Miriam.

Nein, warten Sie; nicht zu Miriam. Nach all dem, was ich ihr angetan habe ...

Es war Miriams Vorschlag, daß er Ferien machen sollte — sechs Monate, vielleicht sogar ein Jahr. Orlando war vierunddreißig. »Du bist erschöpft und schlecht gelaunt«, sagte sie. »Wenn du nicht arbeitest, gibst du Benefizvorstellungen. Ich sehe dich überhaupt nicht mehr. *Du* siehst dich nicht mehr. Warum machen wir nicht einmal eine Vergnügungsreise oder bleiben einfach zu Hause? Jeder muß mal ausspannen, und du bist da keine Ausnahme.«

»Natürlich nicht. Aber ich kann es mir nicht leisten, auszuspannen«, behauptete er. »Ich bin für die nächsten hundert Jahre ausgebucht: fünf Filme, eins, zwei, drei, vier, fünf Schallplattenaufnahmen, Nachtlokale ... Was redest du da von Ferien machen?«

»Deine Verpflichtungen haben dir noch nie Sorgen gemacht. Du hast mir selbst schon hundertmal gesagt, kein Vertrag wäre so bindend, daß er dich veranlassen könnte, etwas zu tun, wozu du keine Lust hast. Wozu bezahlst du Manager und Agenten, wenn nicht gerade dazu, daß du tun und lassen kannst, was dir Spaß macht?«

»Wer sagt denn, daß ich nicht das tue, was mir Spaß macht?«

»Ich sagte bloß, daß du erschöpft und schlecht gelaunt bist. Das stimmt auch. Du schläfst nicht. Geh nicht fort, Harry. Warum läufst du immer weg, wenn dich etwas ärgert?«

»Ich lauf nicht fort«, antwortete Orlando, während er zum Swimming-pool hinausging, den er vor zwei Jahren anlegen lassen und seither noch keine zehnmal benützt hatte. »Ich seh mich schon auf Golfbälle eindreschen und versauern. Weißt du, wieviel Menschen durch mich ihr tägliches Brot verdienen? Die müßten alle betteln gehen, wenn ich auf eine Weile aufhören wollte, es ihnen 'runterzuschneiden.«

»Es ist mir gleich, wie viele das sind«, wandte sie ein, während sie ihm nachging. »Du bist ihnen nichts schuldig. Wenn du jemandem etwas schuldest, so sind es Jimmy und ich. Du schuldest uns deine Zeit. Die Jahre fliegen auf eine Art dahin, daß ...«

»Laß mich mit dem Quatsch zufrieden!« fuhr er sie an und ging schneller, bis sie ihm nicht mehr folgte, und er zum andern Ende des Swimming-pools kam, wo schon ein Drehbuch auf ihn wartete, das er schon seit Wochen lesen wollte. Er sank in einen Lehnstuhl. Ihm war scheußlich zumute, weil er Miriam angefahren hatte, Miriam, die immer nur sein Wohl im Auge hatte. Er wünschte, er könnte die quälenden Widersprüche in seinen Gefühlen ihr gegenüber begreifen. Sie fehlte ihm, wenn er eine Woche oder auch nur eine Nacht von ihr fort war. Sie fehlte ihm sogar, wenn er in einem fremden Bett lag und sich mit irgendeiner flüchtigen Bekanntschaft vergnügte. Und gleichzeitig wünschte er sie zu allen Teufeln, wünschte sie ein für allemal loszusein und ihr langweiliges Gesicht nie wieder sehen zu müssen.

Er war ruhelos und von sich selbst angewidert. Er wußte, daß sich etwas ändern mußte; und er wußte auch, daß sich nichts ändern konnte. Er vermochte sie nicht zu verlassen, obwohl er häufig Lust dazu hatte. Ohne ihre Ruhe und Beständigkeit war die Welt da draußen zu unheimlich. Wo hätte er auch hingehen sollen? Sicher, Frauen gab es genug, Hunderte, Tausende, jünger, hübscher und moderner als Miriam. Er hatte mit allen geschlafen und würde auch weiterhin mit allen schlafen. Aber nicht eine einzige war unter ihnen, die ihm am nächsten Morgen mehr bedeutete als das Schwarze unter dem Nagel. Mit Miriam ins Bett zu gehen war schon lange keine Herausforderung mehr, sondern nur eine undankbare Belastung – trotz seiner immer noch geduldig erteilten Unterweisungen. Sie gab sich in den Federn nach wie vor phantasielos – und doch fühlte er sich elend und unendlich allein, wenn er unter der Decke lag und sie nicht bei ihm war.

Er verwünschte diese albernen Gefühlsduseleien und zwang sich, seine Aufmerksamkeit auf das Drehbuch zu konzentrieren, das er in den Händen hielt.

Kurz nachdem die Aufnahmen zu *Lauffeuer* begonnen hatten, lernte er Noreen kennen.

Man war übereingekommen, Phyllis Meade die weibliche Hauptrolle anzuvertrauen. Sie mußte eine junge, unschuldige Lehrerin an einer Landschule spielen, die sich in ihn, einen einfältigen Cowboy, verliebte. Phyllis war nicht mehr so jung und schon seit geraumer Zeit nicht mehr unschuldig – wie Orlando selbst vor Jahren hätte bezeugen können. Aber im Film sah sie immer noch traumhaft aus. Außerhalb war sie dafür bekannt, daß sie noch keinem Menschen jemals Kopfzerbrechen bereitet hatte – weder im Atelier noch außerhalb.

Bei den Aufnahmen zu *Lauffeuer* allerdings bereitete sie allen Beteiligten gigantische Kopfschmerzen. Am elften Drehtag, als schon eine Menge Meter mit Phyllis Meade im Kasten waren, stolperte die Stute, auf der sie für eine Nahaufnahme ritt, und warf sie ab. Phyllis schrie vor Schmerzen und wurde ins Krankenhaus gebracht. Als Orlando erfuhr, daß sie sich das Rückgrat gebrochen hatte, litt er mit ihr und verwünschte sie zugleich. Kostbare Zeit war verloren, und seine anderwärtigen Verpflichtungen gestatteten es ihm nicht, auch nur einen Tag länger im Atelier zu bleiben als vorgesehen gewesen war. Er besuchte Phyllis mit einem riesigen Blumenstrauß, sagte ihr liebenswürdige, aufmunternde Worte und begab sich anschließend zu Ned Schaeffer, dem Produzenten. Er forderte ihn auf, die weibliche Hauptrolle nach Kräften zusammenzustreichen. »Ich habe da ein paar Ideen, wie wir den ganzen Film umgestalten können, ohne viel Zeit zu verlieren«, sagte er. »Ich werde mich mit Rawlie und Gilmore zusammensetzen. Wir werden das Ding schon hinkriegen.«

»Nicht so hastig, Harry«, wandte Schaeffer bestürzt ein. »Ich weiß, du machst gern alles schnell, aber die Geschichte riecht mir nach Schlamperei, und das gefällt mir nicht.«

»Das ist bedauerlich, denn mir gefällt sie.«

»Immer mit der Ruhe, Harry. Noch bin ich der Produzent dieses Films.«

Stirnrunzelnd sah ihn Harry an. »Und ich bin der freche Kerl, dessen Filme Geld bringen. Du hast recht. Aber ich will nicht den Rest des Jahres damit verbringen, den ganzen Mist noch mal von vorne zu beginnen. Je schneller du dich von deinem künstlerischen Hintern erhebst und einsiehst, daß ich trotz meiner Schlamperei die bestellte Ware zeitgerecht liefere, desto weniger Zeit werden wir verlieren. Jetzt ruf Rawlie und Gilmore an und schick sie mir ins Büro. Aber dalli!«

»Mit welchem Recht erteilst du mir Befehle?« fragte Schaeffer mit rotem Gesicht.

Orlando drehte sich um und verließ das Zimmer. Er wußte, wer wem Befehle gab – und wer sie entgegennahm.

Wayne Gilmore und Sam Rawlie, zwei literarische Taglöhner, die sich in bezug auf ihr Handwerk keinen Illusionen hingaben, erschienen in Orlandos Wohnwagen und schenkten sich Whisky ein. Sie hörten ihm zu, als er nervös auf und ab ging und ihnen mit schnellen Worten seine Vorstellungen auseinandersetzte, wie das Drehbuch umzuarbeiten sei. Der Film mußte Hand und Fuß haben und innerhalb des festgelegten Terminplans abgedreht sein. »Ich werde Huff und Downing drei oder vier neue Lieder schreiben lassen, damit das Ganze ein bißchen auseinandergezogen wird. Ihr braucht euch dann nur den Kopf darüber zu zerbrechen, wo wir sie einfügen. Und macht euch wegen der Überstunden keine Sorgen. Sollte Ned Schaeffer über die zusätzlichen Spesen meckern, komme ich selber dafür auf.«

Orlando tat, als bemerkte er nicht, daß Schaeffer seine Wut nur mit Mühe im Zaum hielt. Er genoß seine eigene Stärke.

Ein paar Tage später zeigte Sam Rawlie Orlando ganz zufällig einen Schnappschuß einer seiner Süßen. Sie war nackt und posierte in einer anatomisch unmöglichen Stellung. Orlando betrachtete das Bild mit Wohlgefallen und fragte nach ihrem Namen.

»Ich weiß nicht, wie sie hieß, als sie noch in den Sümpfen Louisianas lebte«, antwortete Sam. »Aber jetzt nennt sich sie Noreen Lawrence. Sie will ein großer Filmstar werden. Die Augen dazu hat sie doch, findest du nicht auch?«

»Wer interessiert sich schon für die Augen? Hat sie Talent — oder tritt sie wie eine Brezel auf?«

»Nicht die Spur. Sie sieht phantastisch aus und hat einen guten Gang. Aber das ist auch schon alles. Aber vielleicht schafft sie's wirklich. Sie wär ja nicht der erste Star, der weder spielen, noch singen, noch tanzen kann.«

»Ich habe einen schmutzigen Gedanken.«

»Glaub ich gern«, sagte Sam. »Gib mir das Bild zurück. Ich hätte dir Mutti gar nicht zeigen sollen.«

»Nein, der schmutzige Gedanke bezieht sich auf Schaeffer und die ganze illustre Bullard-Gesellschaft. Wo ist die Kleine jetzt? Wie schnell kannst du sie herschaffen?«

Sam Rawlie machte ein ernstes Gesicht. »Augenblick mal, Harry! Sie ist ziemlich verrückt, aber sie ist keine Nutte. Ich meine ... sie ist jetzt meine Freundin, in Freud und Leid, wie es so schön heißt. Vielleicht würde sie dir nicht nein sagen, aber ich möchte sie nicht mit jemandem teilen, nur um ...«

»Ruhig Blut, Sambo«, unterbrach ihn Orlando. »Ich habe nicht die Absicht, mir Vertraulichkeiten herauszunehmen. Der schmutzige Plan, den ich schmiede, ist rein geschäftlich.«

Er bestellte sie noch für denselben Abend mit Rawlie ins »Scandia«, wo er und Marshall Downing ihr Abendessen einnahmen und die neuen Lieder besprachen, die für den Film geschrieben werden mußten. Sam und Noreen trafen gegen halb zehn ein. Orlando ließ beinah sein Glas fallen. Sie war atemberaubend schön, schlank, geschmeidig, frisch, vielleicht zwanzig Jahre alt. Orlando wunderte sich, wieso Film oder Fernsehen sie nicht schon in der ersten Stunde nach ihrer Ankunft in Hollywood geschnappt hatten. Ihre Kleider und Ohrgehänge waren zu aufdringlich und paßten nicht zu ihr. Auch die Zähne ließen zu wünschen übrig. Aber Sam Rawlie hatte nicht gelogen – sie sah phantastisch aus.

Rawlie machte sie mit Orlando und Downing bekannt; dann setzten sich alle um den Tisch. »Haben Sie schon gegessen, Noreen?« fragte Orlando.

»Gewiß doch! Ich bin ein Mädchen vom Lande, ich esse zeitig«, erwiderte sie mit einem Lächeln, das so landmädchenhaft war wie das einer Mata Hari. »Ich werde einen kleinen Bourbon mit Wasser nehmen, wenn's recht ist.«

»Ich denke schon, daß es recht ist«, meinte Orlando, winkte den Kellner herbei und bestellte.

»Wenn der Mann schon da ist, soll er doch gleich einen doppelten Bourbon bringen. So strapaziert er seine Schuhsohlen weniger«, sagte sie.

Der Kellner nickte und ging.

»Ich muß euch warnen«, bemerkte Rawlie, während er ihr eine Zigarette anzündete. »Miß Lawrence kommt aus der Provinz. Sie ist praktisch mit Bourbon gesäugt worden. Ich vertrage das Feuerwasser recht gut, würde aber nur höchst ungern zu einem Wettstreit mit ihr antreten.«

»Er flunkert«, sagte sie mit breitem Lächeln zu Orlando. Er stellte fest, daß sie nichts tat, um ihre schlechten Zähne zu verbergen. »Wenn man dir zuhört, könnte man glauben, ich sei Alkoholikerin.«

»Aus welcher Provinz kommen Sie?« fragte Orlando.

Sie stand im Mittelpunkt. Offensichtlich wußte sie es und genoß es.

»Vom Mississippidelta.«

»Ich bin zwar kein schlechter Detektiv, wenn es um Dialekte geht, aber bei Ihnen wäre ich durchgefallen. Ich hätte auf den Mittelwesten getippt.«

»Ich bin früh von daheim weg und schon ziemlich viel herumgekommen.«

Ganz bewußt führte ein faszinierter Orlando eine Stunde lang ein belangloses, seichtes Gespräch, ohne ihr irgendwelche Versprechungen zu machen oder auch nur anzudeuten. Marshal Downing verabschiedete sich und ging. Sam Rawlie blieb, wurde aber höflich ignoriert. Orlando beobachtete sie aufmerksam und hörte zu, wie sie seine Fragen beantwortete und unaufgefordert von sich erzählte. Mit sechzehn hatte sie einen Hundefriseur geheiratet und sich mit zwanzig, im Vorjahr, scheiden lassen. Sie bedauerte es, nicht länger zur Schule gegangen zu sein, denn sie hielt sich für intelligent. Allzusehr tat es ihr aber nicht leid. Sie war Kellnerin gewesen, dann Maniküre, Platzanweiserin in einem Kino, mal da eine lausige Stellung, mal dort. Und sie war stolz darauf, so weit herumgekommen zu sein, ohne dabei zu verludern. Sie wollte zum Film, aber sie machte keine Staatsaffäre daraus. Offensichtlich schwadronierte sie nicht gern und hielt nicht viel davon, jemanden mit viel Gerede einzuwickeln.

»Ich hab Sie doch richtig verstanden, nicht wahr?« fragte Orlando. »Sie möchten zum Film?«

»Gern«, antwortete sie in einem Ton, als hätte er ihr ein Speiseeis mit Fruchtsirup angeboten.

»Schön. Ich verspreche Ihnen gar nichts, außer daß ich Ihnen innerhalb von drei Tagen durch Sam Bescheid zukommen lassen werde. So oder so. Mehr kann ich Ihnen nicht sagen. Einverstanden?«

»Einverstanden!«

Nach einigen letzten, unbedeutenden Worten zog Rawlie mit ihr ab. Orlando blieb noch auf einen Drambuie. Liköre machten ihn leicht krank, aber eine bedeutende, jetzt schon vergessene Persönlichkeit hatte ihn einmal darauf aufmerksam gemacht, daß man nach dem Essen in einem Restaurant einen Likör trinke. Dann zahlte er die Rechnung und ließ sich von Tullio heimfahren. Jimmy schlief schon. Miriam, die wegen einer Erkältung immer wieder die Nase hochzog, war noch wach, lag im Bett und las den *New Yorker*. Orlando entkleidete sich schweigend, putzte die Zähne, schlüpfte in seine Pyjamajacke, stieg ins Bett und nahm

Miriam, ohne daß sie etwas dagegen eingewendet hätte, die Zeitschrift aus der Hand. Er drehte das Licht ab. Schnell und ohne Zärtlichkeit drang er in sie ein und stellte sich vor, sie wäre Noreen Lawrence.

Weil es ein so köstlicher Spaß war, ein Spiel, das er – im Wettlauf mit der Zeit – zu gewinnen entschlossen war, ging Orlando mit stürmischer Begeisterung ans Werk. Er ließ sich vom Studio eine Liste aller Charakterschauspielerinnen vorlegen, die für die Rolle der Lehrerin in Frage gekommen wären, und lehnte sie alle ab. Ned Schaeffer schickte ihm ein Memo: »Warum auf einmal so heikel? Dachte, du wärst so in Eile, mit dem Film fertig zu werden.« Die von Vince Moschetta überbrachte Antwort lautete: »Geduld ist eine Tugend. Du wirst platt sein, wenn du den Ersatz für die Meade siehst. Orlando.«

Je entschlossener er wurde, Bullards Spießern zu zeigen, wer er war und was er sich ungestraft erlauben konnte, desto überzeugter wurde er auch, daß der Plan durchgeführt werden mußte. Während Rawlie und Gilmore das Drehbuch umarbeiteten, die weibliche Hauptrolle nicht so sehr hervorstrichen, sie aber gleichzeitig einer talentlosen Schönheit auf den Leib schrieben, ließ er sich die Kleine kommen. Er war entzückt, festzustellen, daß sie trotz ihres aufdringlichen Geschmacks bei Tag noch strahlender und lieblicher aussah, als sie ihm am Abend im »Scandia« erschienen war.

»Wären Sie bereit«, fragte er, »alles stehen und liegen zu lassen, einschließlich Essen und Schlafen, und sich auf den Terminplan zu konzentrieren, den ich für Sie vorbereitet habe?«

Die langen, gutgeformten Beine züchtig übereinandergeschlagen, saß sie ihm ruhig gegenüber. »Ja«, antwortete sie. Sie war immer noch alles andere als atemlos und immer noch nicht geneigt, ihm überschäumend oder wenigstens dankbar um den Hals zu fallen. Schweigend und sorgenvoll saßen sie auf den Stühlen und Polsterbänken im Büro herum: Nate West, sein Filmagent, Vince Moschetta, Generaldirektor des Unternehmens, Candy Rhodes, seine Privatsekretärin, die auch für den Nachschub von Kaffee und Whisky zu sorgen hatte, und Murray Travis aus der Ida-Bisigloni-Zeit, einer der Schmarotzer und Lakaien, die stets um ihn her waren.

Er benahm sich förmlich, teils weil er zuviel getrunken hatte und in Schweiß gebadet war, teils weil er, der immer hartnäckiger an seiner Absicht festhielt, den Spaß durchzustehen, sich fragte, was, zum Teufel, er da anstelle. Er hatte Miriam von seinem Plan erzählt, und sie hatte gemeint, es wäre nicht nur gefährlich, sondern auch kindisch, darauf zu beharren, eine unerfahrene Unbekannte in einem größeren Film einzusetzen, nur um seine Macht unter Beweis zu stellen. Nate West und Vince hatten ihm schon versichert, daß er ein Narr sei.

»Also gut«, sagte er, »dann versuchen wir's!« Mit einer Geste befahl er Candy, die Gläser vollzuschenken. »Nate West ist der beste Agent im Land – und mehr oder weniger auch der einzige ehrliche. Er wird mit Ihnen über das Finanzielle reden. Morgen abend, wenn die Drohnen alle heimgegangen sind, werden wir im Studio mit Ihnen Probeaufnahmen machen. Wir haben hier ein Organisationsgenie namens Liz Anthony – sie muß jeden Augenblick dasein –, die Sie bis morgen abend und vielleicht auch nachher unter ihre Fittiche nehmen wird. Sie wird sich um Ihr Haar kümmern, um Ihre Haltung, um Ihr Make-up und mit Ihnen zu einem Zahnarzt gehen, der nur darauf wartet, Ihnen provisorische Kronen einzusetzen. Sie hat ein Drehbuch für die Probeaufnahmen. Das wird sie mitbringen, und an dem wird sie mit Ihnen arbeiten, während Sie im Behandlungsstuhl sitzen. In diesem Stuhl werden Sie sich zwischen jetzt und morgen abend die längste Zeit aufhalten. Der Mann sagte mir, es wäre unmöglich, in so kurzer Zeit das zu tun, was wir haben wollen. Aber er wird es schaffen, und Sie werden diese Zeit benützen, um Mrs. Anthony aufmerksam zuzuhören und allen ihren Anweisungen zu folgen. Machen Sie sich um das Drehbuch keine Sorgen. Es ist ein wenig Handlung drin, und Sie müssen nicht allzuviel auswendig lernen. Die Probeaufnahmen mache ich mit Ihnen. Morgen abend probieren wir die Sache ein-, zweimal durch, und dann ist alles in Ordnung.« Er schwieg eine Weile. Wieder einmal war er von der Tatsache hingerissen, daß sich ihr Gesichtsausdruck kaum verändert hatte. »Ich hoffe, Sie haben keine weiteren Fragen!«

»Nein«, erwiderte sie sanft und schüttelte den Kopf. Aber er bemerkte, daß ihre Hand zitterte, als sie ihr Glas an die reifen, vollen Lippen führte.

Liz Anthony war eine lebhafte, sehr energische und enorm tüchtige Frau. Sie kam ins Zimmer, begrüßte die Anwesenden und nahm die Kleine sogleich ins Schlepptau. Noreen Lawrence blieb in der Tür stehen. »Auf baldiges Wiedersehen«, sagte sie und lächelte Orlando zu. Nichts in ihrem Lächeln oder in ihrem Benehmen deutete auf Dankbarkeit hin.

»Wenn dir das gelingt, Chuzpe-Sahib«, bemerkte Jeff Cutler, »verspreche ich dir zwei volle Seiten im Alten Testament.«

»Mir gefällt das Ganze nicht«, klagte Vince und schüttelte seinen fleischigen Kopf. »Du willst denen oben einen Streich spielen, Harry. Ich würde sagen, es steht zuviel für dich auf dem Spiel, als daß du dich auf so was einlassen solltest.«

»Candy«, wandte Orlando sich an seine Sekretärin, »wollen wir doch mal die Damen zu Wort kommen lassen. Wird's klappen?«

Sie zuckte die Achseln. »Das sollte es wohl – mit Ihrer und Liz' Unterstützung. Für eine Weile jedenfalls. Ich gebe zu, sie hat Feuer und sieht blendend aus. Ob das bis zur Leinwand anhält, steht auf einem anderen Papier. Im Augenblick kommt sie mir noch wie eine Schülerin an einer Zirkusschule für dramatische Kunst vor. Aber wenn sie ein bißchen beweglich ist, kann ich mir vorstellen, daß Liz eine Galatea aus ihr macht.«

Orlando drehte sich zu Vince und Nate zurück und spreizte die Finger. »Seht ihr? Auch mit einem Schnellsiederkurs kann man Filmstar werden.«

Vince schüttelte noch immer den Kopf.

Wahre Wunder waren bis zu dem Augenblick am nächsten Abend vollbracht worden, als Orlando seinen Wohnwagen im Studio betrat und sich bis auf die Unterhosen entkleidete, um sich von Patsy massieren zu lassen. Es war ein arbeitsreicher Tag gewesen. Er hatte eine Szene im Atelier gedreht, mit Rawlie und Wayne Gilmore über ihre Fortschritte beim Aufpolieren der Lehrerinnenrolle konferiert und war bemüht gewesen, Bullards großen Tieren aus dem Weg zu gehen. Aber Liz Anthony und ihre Heinzelmännchen berichteten ihm laufend über die Geschehnisse an der Lawrence-Front. Liz hatte ihn sogar einmal angerufen und ihm mitgeteilt, daß sich die Sache vielversprechend anließ. Ihre Heinzelmännchen meldeten sich häufiger und gaben im wesentlichen die gleichen Informationen durch. Sie fügten hinzu, daß die Lawrence im großen und ganzen mit den ihr allzu hastig übertragenen Aufgaben recht gut fertig wurde, von gelegentlichen Ausfällen gegen den Zahnarzt abgesehen.

Mit Jack Spencer, dem Kameramann, und einer kleinen Gruppe

von Technikern hatte Vince alles Nötige für die Probeaufnahmen in einem abseits gelegenen Atelier vorbereitet.

Kurz vor zehn klopfte Liz an die Tür. Sie meldete, daß der Schnellsiedestar fertig geschminkt und kostümiert draußen wartete. Orlando warf einen Schlafrock über und wies Patsy mit einem Knopfnicken an, die Damen einzulassen.

Die Veränderung war beachtlich. Noreen trat ein – eine Kombination von Ruhe, vager Ermattung und strahlendem Glanz, wie Orlando sie vor kaum mehr als sechsunddreißig Stunden wohl erträumen, nie aber hätte erwarten können. Dieser strahlende Glanz, dieser unwahrscheinlich strahlende Glanz ... Ihr Haar war ein Meisterwerk, und ihre Mandelaugen berückten ihn. Und dank der vollkommenen Zähne war das ehemals nur charmante, träge Lächeln absolut einmalig geworden.

»Ich glaub's nicht«, sagte er leise. Er konnte sich an ihrer Erscheinung nicht satt sehen. »Was Liz da vollbracht hat ...«

»Ein Magengeschwür für sich selbst«, seufzte Liz, ohne die Miene zu verziehen. Offenbar war sie aber doch auf ihre Schöpfung stolz. »Ich geh jetzt heim und schlafe vierzig Tage und Nächte. Und ich bin so fertig, daß ich das allein tun werde.«

»Das glaub ich zwar nicht, aber wenn du dieses Wunder vollbringen konntest, wirst du auch das schaffen.« Er küßte sie aufs Ohr, dankte ihr noch einmal und geleitete sie freundlich zur Tür. »Wenn du aufwachst, Liebling, sei nicht überrascht, daß ich das Vermögen der Bank von Amerika auf dein Konto überschrieben habe.«

»Ich wäre überrascht, wenn du das nicht tätest«, antwortete Liz Anthony. Sie nickte ihrer Schöpfung müde zu. »Viel Glück, ihr Leute aus dem Filmland«, fügte sie hinzu und begab sich zu Orlandos Wagen, wo Tullio schon wartete, um sie nach Hause zu bringen.

Orlando schloß die Tür und starrte Noreen an. Während Patsy begann, Harrys Kostüm für die Probeaufnahmen herauszulegen, zündete sich die Lawrence eine Zigarette an und blies eine Rauchwolke in die Luft. »Das Kostüm ist so eng, daß ich mich nicht einmal setzen kann«, sagte sie. »Seit gestern nachmittag in Ihrem Büro habe ich nicht nur nicht geschlafen, sondern auch keinen Bissen zu mir genommen – weil wir keine Zeit hatten und weil mich dieses elende Zeug im Mund peinigt. Sie könnten sich meiner erbarmen, indem Sie mir von jemandem eine Flasche Bourbon besorgen lassen.«

Orlando lachte. Er fühlte sich in seiner Haut nicht ganz wohl, weil er selber einen Drink in der Hand hielt. Dann befahl er Patsy, ihrem Wunsch nachzukommen. »Sie sehen müde aus.«

»Warum wohl, glauben Sie?«

»Wird der Alkohol Sie nicht noch müder machen, oder werden Sie zumindest nicht noch müder aussehen? Bis jetzt liegen wir gut im Rennen. Ich möchte nicht, daß Sie vor der Kamera einen weniger guten Eindruck machen.«

»Ich werde hinreißend aussehen. Was mir Sorgen macht, ist meine Rolle. Diese Liz hat mit mir geprobt und geprobt, und ich hab auch alles im Kopf. Aber wenn ich mir zuhöre, finde ich mich entsetzlich.«

»Liz ist anderer Meinung.« Er kippte einen Lehnstuhl so um, daß sie sich anlehnen konnte, ohne ihr Kostüm zu zerknittern, nahm Patsy das Glas aus der Hand und reichte es ihr. »Entspannen Sie sich jetzt. Während ich mich anziehe, wollen wir die Rollen durchgehen. Ich kenne meine und Sie, wie Sie behaupten, die Ihre. Können wir anfangen, oder wollen Sie noch Ihren Whisky in Ruhe zu Ende trinken?«

»Nein, fangen wir lieber gleich an. Wenn ich wirklich so entsetzlich bin, wie ich es zu sein glaube, wissen Sie's wenigstens gleich. Dann haben wir die Sache hinter uns, und es war mir ein Vergnügen, Sie kennengelernt zu haben.«

»Sie werden einen Oscar bekommen«, sagte er, trat hinter den Vorhang, zog rasch den Schlafrock aus und streifte ein Unterleibchen über. Er kam zu ihr zurück, um festzustellen, wie sie reagierte, wenn sie ihn in seiner Unterwäsche im Wohnwagen umhergehen sah. Sie reagierte überhaupt nicht.

Während sie trank und er sich ankleidete, besprachen sie die kurze Szene, die Wayne und Sam ursprünglich für ihn und Phyllis Meade geschrieben, dann aber schnell für einen talentlosen Ersatz umgearbeitet hatten. Orlando stellte einen Großstädter dar, der eine Lehrerin von einem Tanzvergnügen nach Hause begleitete: Ben, ein Schwätzer, der Sally, eine Superjungfrau von Lehrerin, die nicht viel redete und ihr möglichstes tat, um ihre Gefühle vor ihm zu verbergen, mit harmlosen Neckereien aufzog. Es war eine jener Szenen, die Phyllis mit feinfühligem Geschick und unterspieltem Witz hingelegt hätte. In der überarbeiteten Form aber war weit weniger Geschicklichkeit notwendig.

Sie begannen. Orlando wußte sofort, wieviel es geschlagen hatte. Sie war keine Phyllis — sie war nicht einmal Noreen Lawrence, wer immer auch Noreen Lawrence sein mochte. Aber ihr Vortrag war unendlich besser, weit weniger blechern und gehemmt und um vieles selbstbewußter, als er es selbst in seinen kühnsten Träumen für möglich gehalten hätte. Sie machten die ganze Szene vom Anfang bis zum Ende durch und verzichteten nur auf die Umarmung am Schluß.

Er war nun fertig angezogen. »Bei Gott, Mädchen«, strahlte er, »vielleicht steht Ihnen wirklich ein Oscar ins Haus!«

»Wann haben Sie jemandem das letzte Mal die Wahrheit gesagt?«

»Eben jetzt. Kommen Sie, machen wir's noch einmal durch, diesmal mit Schritten, Gesten und allem, was dazugehört.«

Sie stand blinzelnd da und streckte Patsy ihr leeres Glas entgegen. »Darf ich Ihnen etwas sagen? Ich habe keine feine Schule besucht, aber deswegen bin ich noch lange keine doofe Nuß. Ich weiß, was für mich auf dem Spiel steht, und daß das die Chance meines Lebens ist. Wissen Sie, woran ich die ganze Zeit denken muß? Daß mir meine Zähne wahnsinnig weh tun.«

»Schätzchen, ich laß mir ein neues Gebiß wachsen und schenke es Ihnen. Kommen Sie jetzt!«

Ihr Tempo ließ hie und da noch zu wünschen übrig, und zweifelsohne hätten ihr noch ein Dutzend Proben nicht geschadet, aber Orlando war hingerissen. Sie war verdammt gut, und das Wasser lief einem im Mund zusammen, wenn man sie bloß ansah. Von jetzt an konnte einfach nichts, aber auch nichts mehr schiefgehen.

Am Schluß der Szene sollte sie ihn anstarren und, von seinen Neckereien leicht verletzt und durch ihre eigenen Gefühle beunruhigt, zu ihm sagen: »Ich finde jetzt den Weg zu meiner Pension schon selber, danke schön.« Dann mußte er sie langsam und sehr zart in die Arme nehmen und erwidern: »Um nichts in der Welt würde ich Sie aufhalten wollen«, und ihr einen keuschen Kuß auf ihre verängstigten Lippen drücken. Nach der Umarmung sollte sie sich immer noch prüde geben, aber gleichzeitig durch Blicke erkennen lassen, daß sie aus der Ruhe gebracht worden war.

Dieses Finish ging arg daneben. Sei es, daß sie die große Schauspielerin mimen wollte oder ihre Rolle mit der Hauptrolle in

Lauffeuer verwechselte – jedenfalls vergaß sie völlig aufs Drehbuch, als der keusche Kuß begann. Sie preßte ihren Leib gegen den seinen und stieß mit der Zunge fast an seine Mandeln an.

»Oh, Lehrerin!« keuchte er.

Trotz der Schminke konnte er sehen, daß ihr Gesicht gerötet war. Ihre Augen waren ernst, erotisch ernst. Patsys Anwesenheit im Hintergrund schien sie ebensowenig zu stören wie ihn selbst. Er hatte das leicht erschütternde Gefühl, sie würde die ganzen Probeaufnahmen bis auf weiteres zum Teufel gehen lassen, wenn er auch nur den kleinsten Schritt in diese Richtung täte.

Er trat rasch zurück und räusperte sich. »Wo haben Sie methodische Schauspielkunst studiert?« fragte er und nahm sich eine Zigarette.

»*Was* studiert?«

Nur mit Mühe gelang es ihm, sein Zittern zu verbergen. Er grinste. »Schätzchen, ich hab das Gefühl, Miß Sally würde nicht so küssen. Nicht einmal im letzten Akt.«

»Entschuldigen Sie. Ich werde brav sein.«

Sie hörte ihn lachen und wollte wissen, was er so lustig fand. »Das ist mir auch noch nie passiert«, erklärte er, »daß ich froh war, wenn eine Frau wie Sie mir versprach, brav zu sein.«

Sie gingen ins Atelier, wo Scheinwerfer und Mannschaft schon bereitstanden. Orlando selber leitete die Aufnahmen. Vier Stunden später stellte er befriedigt fest, daß keiner von ihnen seine Zeit vergeudet hatte. Er war überzeugt, daß er es geschafft hatte, dankte allen Mitarbeitern und schickte sie nach Hause. Dann beauftragte er Emil Ritter, einen erstklassigen Cutter, sofort mit der Arbeit zu beginnen, und rief Noreen Lawrence zu sich.

»Jetzt müßten Sie eigentlich reif für ein Erholungsheim sein.«

»Ganz komisch«, sagte sie. »Vorher konnte ich mich kaum aufrecht halten, aber im Augenblick fühle ich mich, als könnte ich noch eine Woche so weitermachen.«

Er zwinkerte ihr zu. »Miß Sally, gehen Sie jetzt schön heidiheidi machen. Ich weiß nämlich ganz genau, daß Sie so reich und berühmt sein werden, daß Ihnen keine Zeit mehr bleiben wird, jemals wieder zu schlafen. Wie weit haben Sie's denn zu Ihrer Bude?«

»Um diese Tageszeit fast so weit wie bis zum Mond. ›La Cienaga‹.«

»Du lieber Gott! Das ist wirklich am Ende der Welt!« Er überlegte kurz. »Hören Sie, tun Sie folgendes: Sobald Sie sich umgezogen haben, lassen Sie sich von einem der Jungen zu meinem Wagen bringen. Sagen Sie Tullio, dem Chauffeur, er soll Sie ins ›Beverly Hills‹ führen. Ich hab dort eine nette kleine Besenkammer gemietet. Er wird Sie hinaufbringen und hineinlassen. Schlafen Sie sich aus, und warten Sie dort, bis Sie von mir hören.«

»Ins Hotel Beverly Hills? He, das ist ja ganz erste Klasse!«

»Nur Bauern fahren zweiter Klasse, Schätzchen. Also los! Ich muß jetzt arbeiten.«

»Arbeiten? Was haben Sie denn die ganze Nacht getan?«

»Gespielt.« Er ließ sie mit Absicht so stehen, lächelte schwach und ging, um dem Cutter zu helfen. Er zog es vor, sie im ungewissen zu lassen. In Emils Arbeitsraum knöpfte er sich den obersten Hemdknopf auf, spülte mit einem kleinen Whisky ein Dexamyl hinunter und ging an die Arbeit. Der Duft des Mädchens umgab ihn immer noch; der Duft, die Rundungen, die Linien und das Animalische an ihr. Sie im ungewissen lassen? Quatsch, dachte er. Die hat ganze Bände geschrieben. Die braucht nicht lang zu raten. Bei dem Gedanken, daß er sie Sam Rawlie wegnahm, zwickte ihn das Gewissen wohl ein wenig, aber eben nur ein wenig. Sie war ja nicht Sams Eigentum, und somit konnte man auch von keinem Diebstahl sprechen.

Heiter und ohne auf Vinces Bedenken zu achten, stieg Orlando unter die Brause, rasierte sich und setzte sich persönlich ans Telefon, um Ned Schaeffer, Roland Woodward, den Regisseur des Films, Papa Irving E. Bullard und einige sorgsam ausgewählte unbedeutende Vorstandsmitglieder für Punkt zwei Uhr in den Vorführraum A einzuladen. Er lehnte es ab, ihnen zu sagen, wozu. Er war freundlich, ließ aber durchblicken, daß er die Herren auch nicht eine Minute später als um zwei Uhr erwarte.

Zur festgesetzten Zeit trafen sie ein und nahmen in den Lederfauteuils Platz. Es fiel ihm leicht, die Neugierigen von den Wütenden zu unterscheiden. Die Neugierigen wollten nur wissen, wozu man sie um diese ungewöhnliche Stunde herbeordert hatte. Die Wütenden wußten es schon. Irgendwas von einem faulen Zauber war durchgesickert, den Harry Orlando die ganze Nacht und ohne nötige Vollmachten in einem Atelier getrieben hatte. Aber sie hielten sich zurück, weil sie befürchteten, den Künstler zu verärgern, der ihnen das meiste Geld einbrachte.

»Es kann losgehen«, rief er zum Vorführer hinauf und setzte sich neben Papa Bullard. Harry war jetzt müde, weil das Dexamyl seine Wirkung schon verloren hatte, und dazu noch ein bißchen nervös, weil er auf die Beruhigungspille noch nicht ansprach. Aber er war doch genügend entspannt, um zu wissen, daß er seinen Willen ohne jede Schwierigkeit durchsetzen würde.

Die Probeaufnahmen waren ein Kunstwerk, verdammt noch mal, und die Kleine war zum Fressen süß: ihre primitive, sinnliche Ausstrahlung wischte Orlando beinah von der Leinwand weg. Noch bevor das Filmchen zu Ende war und die Lichter wieder angingen, wußte er, daß er erreicht hatte, was er wollte.

Papa Bullard, ein ein Meter fünfzig großer Büffel, dessen unbeherrschte Wutausbrüche stadtbekannt waren, blieb eine Weile stumm sitzen. »Warum hast du das nicht vorher mit mir durchgesprochen?« fragte er dann.

»Ich wollte niemanden belästigen, Irving«, erwiderte Orlando scheinheilig. »Sie ist doch ganz groß. Darauf kommt es an, nicht wahr?«

»Sie hat wohl eine gewisse Begabung, aber ...«

»Ach was, Begabung«, begeisterte sich Orlando. »Sie ist ganz große Klasse! Du hast sie billig in der Hand, Irving, und sie wird die Meade ersetzen.«

Als er den Vorführraum verließ, mußte er in sich hineinlachen. Hinter ihm schwoll das Stimmengewirr an.

Bevor er Bullard allein im Chefzimmer aufsuchte, ließ er taktvoll eine Stunde verstreichen.

»Ich habe dir in diesem Haus immer deinen Willen gelassen, Harry«, sagte Bullard ernst und nickte ihm über den kilometerbreiten Marmorschreibtisch zu. »Ich hab dir immer nachgegeben, weil ich dich mag.«

Orlando nickte zurück. »Und ich hab dir immer phantastische Einnahmen gebracht.«

»Die andern sind über deine Art sehr verärgert. Woodward ist so wütend, daß er mit der Kündigung gedroht hat.«

»Laß ihn doch laufen! Ich werde Regie führen. Rollys ganze Einstellung ist sowieso veraltet. Ich mach dir aus diesem Film einen Kassenschlager.«

»Vierzig Jahre bin ich in dem Geschäft – und jetzt laß ich mir von einem Sänger Befehle erteilen!«

Orlando drückte einen Kuß auf Papas Glatze. »Red keinen

Unsinn, Irving. Kein Mensch ist so groß, daß er Irving Bullard Befehle erteilen könnte.«

Erschöpft von der langen Nacht, aber belebt von dem, was er soeben erreicht hatte, betrat er eine Stunde später seine Hotelwohnung. Er sehnte sich nach Schlaf und brannte danach, sie zu sehen.

Das breite Bett im Schlafzimmer war zerwühlt, aber der Raum leer. Wie ein geiler Ziegenbock stürmte er durch. Im Badezimmer bemerkte er Licht. Er riß die Tür auf.

Zufrieden, mit glänzenden Augen und Seifenschaum bis zum Hals, saß sie in der Wanne. Ein dunkelfarbiger Drink und eine brennende Zigarette im Aschenbecher standen in ihrer Reichweite auf dem Toilettesitz.

»Hallo«, begrüßte sie ihn mit heiserer Stimme, ohne sich überrascht zu geben. »Vor einer Stunde bin ich aufgestanden. Ich habe wie ein Murmeltier geschlafen. Dann guckte ich in den Kühlschrank. Der war voll, und da aß ich mich richtig satt. Wo sind Sie gewesen?«

»Ich bin eben mit dem Zeitungsaustragen fertig geworden.«

Sie kicherte. Er fragte sich, ob sie schon ein bißchen beschwipst war oder noch vom Abend vorher einen sitzen hatte. Aber wie dem auch war – sie schenkte ihm ihre volle, träge Aufmerksamkeit, und er fühlte sein Herz klopfen. »Wie haben Sie das genannt? Eine Besenkammer? Mein lieber Mann, Sie könnten die ganze Stadt, in der ich geboren und aufgewachsen bin, glatt hier ins Wohnzimmer stellen – mit all ihren Einwohnern, Polizisten, Hunden, Katzen und Schweinen – und hätten immer noch Platz für ein Dutzend Abtritte.«

Der Dunst aus der Wanne ließ ihn ein wenig schwindlig werden. Er stand immer noch in einiger Entfernung von ihr. Dann zog er sich die Jacke aus.

»Sie sind ja ein richtiges Flaschenkind«, sagte er spöttisch und deutete mit dem Kinn auf den Bourbon. »Wieviel führen Sie sich eigentlich innerhalb von vierundzwanzig Stunden zu Gemüte?«

»Für jeden andern zuviel. Für mich ist's gerade genug. Finge ich an zu zählen, würde es doch keinen Spaß mehr machen, nicht wahr?«

Sie stieg aus der Wanne und hüllte sich rasch in einen seidenen Morgenrock.

Sie räkelte sich ein wenig, der Morgenrock verschob sich, und ein elfenhaftes, spitzbübisches Lächeln breitete sich über ihrem feucht glänzenden Gesicht aus. Dann ging sie rasch ins Schlafzimmer.

Orlando begann sich das Hemd aufzuknöpfen und ging ins Badezimmer. Er schloß die Tür, entkleidete sich, rieb seinen Körper mit Kölnischwasser ein und zog einen Schlafrock an. Die Gier, mit der er das Appartement betreten hatte, war langsam abgeklungen und nun, da er an sein blödsinniges Losrasen denken mußte, vollends dahin. Das war eine Szene gewesen, die sich kein zweites Mal drehen ließ. Du lieber Himmel!

Endlich glaubte er sich wieder in der Gewalt zu haben. Er kehrte ins Schlafzimmer zurück.

Die Vorhänge waren zugezogen. In der Ecke brannte eine Stehlampe. Noreen lag auf dem Bett, Überzug und Decke waren glattgestreift. Von dem japanischen Morgenrock war nichts zu sehen. Ihr langes Haar fiel sanft über das Kissen, und ihre Augen und ihr Lächeln strahlten solche Ruhe aus, daß sie ihm wie ein liebliches, unbekanntes Wesen schien. Sie hatte die Fußknöchel graziös übereinandergeschlagen. Ihre Arme ruhten entspannt zu beiden Seiten des Körpers. Sie war fast engelhaft schön.

Orlando setzte sich neben sie auf den Bettrand und nahm eine ihrer Hände in die seinen. Die Zärtlichkeit ihres Lächelns war ansteckend. »Na, jetzt ist die Katze aus dem Sack«, sagte sie ruhig. »Trotz all dieser aufregenden Bilder von mir in den schmierigen Nacktmagazinen habe ich auf dem Oberdeck nur zwei gesunde Brustwarzen. Sam – Sam Rawlie nämlich – meinte, wenn ich einen Pulli trage, sehe ich aus, als würde ich Stachelbeeren schmuggeln.«

»Rawlie ist ein Witzbold«, sagte Orlando, der plötzlich auf ganz unsinnige Weise eifersüchtig geworden war. Er bewunderte die fließende, makellose Anmut eines Körpers, der sichtlich dazu geschaffen war, genossen und angebetet zu werden; den erlesenen Körper einer Göttin, der einer Hexe gehörte, die auf ihre Schwächen stolz war. »Das ist alles viel zu schön für diese schmierigen Hefte, viel zu schön für den schmierigen Rawlie.«

Ihre Augen schlossen sich, als er mit zartem Druck ihre kleinen, wunderbar geschmeidigen Brüste umfaßte. »Ist es auch zu schön für dich?« fragte sie mit heiserer Stimme.

»Wir wollen sehen«, murmelte er, beugte sich vor und küßte ihre leicht geöffneten Lippen. Göttin und Hexe, Hexe und Göttin!

Sie spürte das behutsame Vorwärtstasten seiner Zunge, und ihre Hand schlüpfte durch die Falten seines Schlafrocks, um sie lässig, aber erregend über seine Brust gleiten zu lassen.

Als der Schlafrock wie durch die Macht eines Zaubers von seinen Schultern fiel, da wußte Harry bereits, daß er an der Schwelle einer Enttäuschung für sie und für sich selbst stand; daß es zu schnell gehen würde. Er hatte plötzlich alles vergessen, die unzähligen Vorspiele und Taktiken des Hinauszögerns, die er so meisterhaft beherrschte. In der verzweifelten Hoffnung, daß er imstande sein würde, sich zurückzuhalten und zu bewähren, umschlang er Noreen in enger Umarmung und bemühte sich, an jemanden zu denken, der außerhalb dieses Zimmers und dieser verzehrenden Sehnsucht stand.

Ihre Knie preßten sich gegen seine Seiten. Sie umfing ihn, begann schnell, ihn voranzupeitschen. Er fühlte, daß alles zwecklos war. Zu ungestüm war sein Verlangen nach ihrem Fleisch. Es fing an, ohne daß er etwas dagegen hätte tun können; sie wand sich in feuriger Erwiderung, und er versuchte, Worte zu finden, um seine zügellose Eile zu entschuldigen.

»Komm!« stöhnte sie. »Nicht zurückhalten ...«

Dann kam der Sekundenbruchteil, da er glaubte, es doch noch zu schaffen, ihr mit einer Bewegung oder mit einer Gebärde doch noch beweisen zu können, daß es ihm möglich war, es hinauszuschieben und ein guter Liebhaber zu sein. Aber schon war die Sekunde vorbei. Aufgewühlt schrie die Hexe ihr Verlangen heraus; ihre Beine schlugen wild hin und her, und ihre Nägel drangen wie spitze Messer in seinen Rücken.

Und dann kam wild die höchste Lust über ihn und dauerte länger an, als er es für möglich gehalten hatte. Noreens Kehle entflohen wilde, gequälte Schreie, und er wußte, daß auch sie ihr Ziel erreicht hatte.

Schwer atmend lagen sie aneinandergeschmiegt, bis die Spannung aus ihnen gewichen war. Sie zündete zwei Zigaretten an, steckte ihm eine davon zwischen die Lippen und drückte ihn wieder zärtlich an sich. »Da hab ich mir einen richtigen Supermann gefunden«, schnurrte sie.

»Jedenfalls einen schnellen.«

Ausgelassen gab sie ihm einen leichten Klaps auf den Bauch. »Hör doch auf mit dem Unsinn! Seit jenem Abend im Restaurant war uns das bestimmt. Warum hätte es das erstemal nicht schnell gehen sollen? Es hat nicht länger als eine halbe Minute gedauert, aber es war ganz wunderbar für mich.«

»Du warst es doch, die's schön langsam haben wollte.«

Noreen lachte und liebkoste mit der Wange seine Brust. »Ich bin doch ein verrücktes Huhn. Eine richtige Mißgeburt, wenn du mich mit andern Frauen vergleichst — sofern sie keine Nymphomaninnen sind. Wenn mir ein Mann wirklich gefällt, dann braucht's nicht viel, um mich anzuheizen. Und du bist mir gleich unter die Haut gegangen. Das sollte ein Mädchen eigentlich nicht so offen sagen, stimmt's?«

Orlando wollte sie fragen, wieviel Männer ihr in den einundzwanzig Jahren untergekommen waren. Aber er unterließ es. Schließlich standen sie auf. Er legte ein paar Platten auf, und sie betätigte sich als Barmixerin.

Dann rief er zu Hause an und erzählte Miriam, daß eine unaufschiebbare Konferenz, die vermutlich die ganze Nacht hindurch dauern würde, es ihm unmöglich machte, heimzukommen.

Noreens Hand strich lässig über seine Haut. Harry legte den Hörer auf und lehnte sich zurück. Sie saß nackt mit gekreuzten Beinen neben ihm und lächelte. »Mußt du dich noch bei Mama melden?«

»Lassen wir das!« fuhr er sie an.

Sie nickte. Plötzlich war er sehr hungrig. Es fiel ihm ein, daß er den ganzen Tag nichts gegessen hatte. »Ich werde mal den Zimmerkellner kommen lassen. Vielleicht bist du auch wieder hungrig geworden. Möchtest du etwas?«

»Ja, ich möchte dir eine 'runterhauen, weil du so ein Verschwender bist«, antwortete sie und sprang auf. »Draußen in der Küche liegt genug Fleisch und anderes Zeug herum. Eine ganze Armee könnte man damit versorgen. Jetzt kannst du einmal sehen, was eine erstklassige Köchin fertigbringt. Hast du deine Steaks gern durchgebraten?«

»Halb und halb.«

Sie stand vor ihm, die Fäuste in die Hüften gestützt, und vollführte einen kleinen Bauchtanz. »Nur Geduld, Liebling. Bin schon unterwegs.«

»Ich komm gleich nach.« Orlando lachte und sah ihr zu, wie sie, das herausfordernde Gehen gewisser Sexbomben parodierend, in der Küche verschwand.

Die ganze Nacht hindurch tranken und aßen sie, nickten ein und wachten immer wieder auf, um sich hilflos und erschauernd ineinander zu versenken. Am Morgen verließ er das Bett und ging leise ins Wohnzimmer, von wo er Vince anrief. Seine Zunge lag ihm wie eine Türmatte aus Roßhaar im Mund. Er schwankte vor Erschöpfung, weil er zwei Nächte nicht geschlafen hatte. Aber die Vitalität in seiner Stimme und das herrliche Bündel Sinnlichkeit im Nebenzimmer gaben ihm neuen Auftrieb. Schlaf war etwas für Tote. »In einer Stunde bin ich im Wohnwagen«, sagte er zu Vince. »Erwarte mich dort!«

»Ich könnte wetten, daß sich auch noch ein paar andere Verehrer deiner Kunst im Wohnwagen einfinden werden«, sagte Vince. »Ned Schaeffer hat's auf dich abgesehen, und Woodward auch. Sie erheben ein Jammergeschrei über die Art und Weise, wie du mit ihnen umspringst. Ein Mäuschen hat mir erzählt, daß sie eine Aufsichtsratssitzung einberufen wollen, wenn Papa Bullard dir nicht ernstlich auf die Finger klopft. Warum mußt du auch so viel Staub aufwirbeln, wenn's gar nicht nötig ist? Was hast du denn davon, wenn du sie alle gegen dich aufbringst? Du hättest doch nichts anderes tun müssen als . . .«

»Kein Mensch ist gegen mich aufgebracht«, unterbrach ihn Orlando. »Die kochen doch auch nur mit Wasser, und nächste Woche ist alles wieder in bester Ordnung.«

Er legte auf, rief den Portier an und ersuchte ihn, dafür zu sorgen, daß in genau dreißig Minuten ein Taxi vor dem Hotel stand. Dann ging er ins Schlafzimmer zurück, um sich anzuziehen und zu rasieren. Brausen wollte er sich im Studio. Er drehte die Deckenbeleuchtung an. Eine zerzauste, gähnende Noreen rekelte sich verschlafen im Bett. Sie lächelte, als sie ihn erblickte, und streckte ihm die Arme entgegen.

»Was tust du eigentlich? Streckst du dich, oder langst du nach mir?«

»Das kommt drauf an. Wann gehst du?«

»Sehr bald.«

»Dann lange ich nach dir«, sagte sie und stieß die Bettdecke zurück. Orlando blinzelte und warf einen Blick auf die seidenen Unterhosen, in die er gerade steigen wollte. Dann aber überlegte er es sich und stieg ins Bett. Nach fünf Minuten war das Liebesspiel zu Ende und das befriedigte Kätzchen bereit, sich auf die andere Seite zu drehen und weiterzuschlafen.

»O nein«, sagte er, während er nun doch ernstlich daranging, sich anzukleiden. »Du gehörst jetzt zur arbeitenden Klasse, und es ist schon zehn. Um Punkt zwölf will ich dich im Atelier sehen.«

»Als ich den Leuten noch Hackbraten servierte, hatte ich's leichter«, meinte sie und gähnte.

»Leichter schon, aber nicht so gut. Jetzt möchte ich Kaffee haben. Mal sehen, wie schnell du aus den Federn hüpfen und einen fabrizieren kannst.«

Sie runzelte die Stirn. »Mit wem kommandierst du da eigentlich herum?«

»Mit dir, meine Göttin. Komm, los, mach schon!«

Ihr Unmut verflog. Sie erhob sich belustigt und trottete, immer noch nackt, in die Küche. Als er ihr zehn Minuten später folgte, war der Kaffee fertig. Er schluckte den seinen hinunter; sie goß in ihren in aller Ruhe eine ordentliche Ladung Bourbon.

»Weil wir gerade vom Herumkommandieren sprachen«, sagte er. »Ich möchte, daß du jetzt mit dem Feuerwasser 'nen Punkt machst; zumindest bis der Film einigermaßen im Kasten ist. Das meine ich ernst. Verstehst du?«

»Jedes Wort.« Sie lachte und nippte an ihrem Kaffee. »Aber dräng mich nicht. Schön langsam kommt es mir zum Bewußtsein, worum es hier geht. Aber ich kann allein auf mich aufpassen und bringe niemanden in Schwierigkeiten. Mach dir keine Sorgen um mich, und gib mir einen Kuß!«

Diese versteckte Frechheit irritierte ihn von neuem, und er entschloß sich, ihrer Aufforderung nicht nachzukommen. »Im Augenblick ziehe ich es vor, mir Sorgen zu machen. Vergiß nicht: Punkt zwölf Uhr.«

»Jawohl, Meister«, quittierte sie seine Ermahnung und machte einen übertrieben tiefen Knicks.

Immer noch verärgert, verließ er das Appartement. Obwohl er im Aufzug eine dunkle Brille trug und den Kopf gesenkt hielt, erkannten ihn die andern Fahrgäste schließlich doch, als sie ihn genauer ansahen.

»Wohin jetzt?« fragte Ricki, während er langsam durch die Willcock Avenue fuhr.

Jäh aus seinen Träumereien gerissen, schreckte Harry auf.

Wohin wirklich? »Ins Hotel zurück. Nein, warten Sie! Nestor

sollte doch um diese Zeit noch offen haben. Fahren Sie zu Ernie Nestor.«

Sie fuhren zu dem Jazzklub in der Siebenundfünfzigsten Straße, der zu vierunddreißig Prozent ihm gehörte. Trotzdem war Harry nur selten dort zu Gast, wenn er sich in New York aufhielt. Morgen vormittag würde Jimmy ihn besuchen kommen. Darum wollte er sich jetzt noch friedlich einen Drink gönnen und dann bald zu Bett gehen. Der Junge sollte einen ausgeschlafenen, soliden Vater begrüßen können. Aber das wäre doch albern gewesen, den Drink allein im Hotel zu kippen. Sicher saßen noch ein paar alte Freunde bei Nestor.

Ernie Nestor erspähte Orlando schon an der Tür, als er den Mantel ablegte. Er klopfte ihm mit seiner tellergroßen Pranke auf den Rücken und brüllte: »He, du Italiener! Was machst du denn da? Willst du mein Lokal in Verruf bringen?«

»Ich verspreche dir, nicht auf den Teppich zu pinkeln«, antwortete Orlando lächelnd und ließ sich in das rauchige Labyrinth des Nachtklubs hinunter.

Die alten New Yorker Kumpel waren da.

Die Mädels waren da.

Der Fusel war da.

»Jetzt gehen wir alle zu mir«, schlug er nach der dritten Runde vor.

Alle, oder fast alle, folgten der Aufforderung. Ernie schickte so viel Essen und Getränke mit, daß man ein Regiment damit hätte verpflegen können.

Um vier Uhr früh hatte die Party ihren Höhepunkt erreicht. Schwankend warf Orlando einen Blick auf die Uhr. Jimmy würde schon in wenigen Stunden an die Wohnungstür klopfen.

»'raus!« rief er mit lauter Stimme.

Die Gäste erstarrten.

»Alles 'raus! Sofort!«

Die Leute verabschiedeten sich. Alle, mit Ausnahme einer noch nüchternen Blondine namens Bootsy, die sich Hoffnungen machte. »Hier«, sagte Orlando und zog mit unsicheren Händen eine Hundertdollarnote aus der Tasche. »Jetzt ist Schluß! Du bleibst noch eine Stunde da, oder wie lang du eben brauchst, und machst alles blitzsauber. Einverstanden?«

»Jawohl«, erwiderte Bootsy und steckte den Geldschein in ihren BH. »Scheuermagd kommt sofort.«

»Du bist die Größte«, sagte er, grüßte militärisch und fiel ins Bett.

Um halb neun wachte er auf. Als sein Junge um neun eintraf, war er bereits rasiert und gebadet. Harry war von Jimmys Anblick begeistert. Gertenschlank, mit klaren Augen, einem festen Handschlag und einem Lächeln, das ehrlich und aufrecht war, sah er besser aus als Orlando selbst. Er trug einen Kamelhaarmantel; sein jungenhafter Adamsapfel hüpfte nervös auf und ab.

»Hol mir einen Stuhl«, sagte Orlando strahlend, »damit ich mich draufstellen und dir die Hand schütteln kann.«

»Wie geht's, Dad?«

Zwei Kellner brachten das Frühstück.

»Das sieht ja phantastisch aus«, meinte Jimmy.

Orlando rührte nichts an. Er hielt sich nur an den schwarzen Kaffee. Es fiel ihm schwer, das Unbehagen, das durch den Alkoholgenuß einer langen Nacht hervorgerufen worden war, zu tarnen. Der Junge beeindruckte ihn ungemein. Jimmy besaß die gleiche Zielstrebigkeit, die als Achtzehnjährigen auch ihn ausgezeichnet hatte. Der Junge schien aber klüger und vernünftiger, als er es damals oder überhaupt jemals gewesen war. Er hatte Mädchen, die ihm gefielen, und eine, die ihm besonders gut gefiel. Aber er beabsichtigte nicht, sich zu binden. Was die Zukunft betraf, würde er sich das vielleicht noch überlegen; aber er war sich doch schon ziemlich sicher, daß er Jurist werden wollte. Mit Ausnahme von Mathematik brachte er gute Noten heim, hatte unzählige Freunde und las eine Menge Bücher.

Außerdem schrieb er. Er gab zu, daß ihn der Anwaltsberuf mehr lockte als der eines Schriftstellers, aber ... Na ja, er hatte mit Kurzgeschichten herumgespielt, und ein paar davon, dachte er, seien gar nicht so schlecht.

»Hast du sie mitgebracht?« fragte Orlando. »Darf ich sie lesen? Vielleicht kann ich dir helfen, sie zu verkaufen.«

Der Junge errötete. »Ach, dazu hab ich dir das nicht erzählt ...«

»Wozu?«

»Daß du deinen Einfluß bei jemandem geltend machst, damit er sie mir abkauft. Ich wollte nur ...«

Orlando war wütend. »Was soll das heißen? Wer, zum Teufel, bist du denn? Ein armseliges Waisenkind, das man auf der Straße aufgelesen hat? Du bist mein Sohn! Daß du mir nie mehr so daherredest, als wärst du etwas Zweitklassiges! Wenn deine Geschichten nichts taugen – dann taugen sie eben nichts. Aber wenn sie gut sind, warum soll dir dein Alter dann nicht unter die Arme greifen?«

»Na ja, gut ... Ich habe tatsächlich ein paar mitgebracht ... Aber, mein Gott, Dad, darum mußt du nicht gleich ...«

»Willst du jetzt damit aufhören? Laß dir ja nie einfallen, du hättest kein Recht, mich um alles zu ersuchen, was du dir wünschst. Und wenn es die Sterne am Himmel wären!«

»In Ordnung!«

Es sollte noch Stunden dauern, bis Orlando wieder klar denken konnte, aber er las trotzdem zwei Geschichten durch. Jimmy saß neben ihm. Beide Geschichten ließen jugendliches Suchen und Umhertasten erkennen; sie waren für Harrys Geschmack etwas zu abstrakt, aber flüssig geschrieben und verrieten ausgeprägtes Stilgefühl. »Vielleicht ist die Schriftstellerei deine Zukunft, Junge«, meinte er, als er sie zu Ende gelesen hatte.

»Sagst du das nicht nur so, Dad?«

»Ich sage nie etwas ›nur so‹. Hast du schon einmal etwas von einem Schriftsteller namens Elliot Alwine gehört?«

»Wer hätte nicht? Er hat den Pulitzerpreis bekommen ...«

»... und einige der besten Kurzgeschichten geschrieben, die wir in Amerika haben. Elliot ist mein Freund. Er hat an einigen meiner Filme mitgearbeitet, aber dafür kann er nichts. Wie wär's, wenn ich ihn diese Geschichten lesen ließe?«

Jimmy schluckte. »Der große Elliot Alwine soll *mein* Geschreibsel lesen?«

»Ich hab dir schon gesagt, daß du aufhören sollst, dich als zweitrangig zu betrachten. Nie wäre mir in deinem Alter eingefallen, irgendwo zweite Geige zu spielen.« Er unterbrach sich und fuhr in ruhigerem Ton fort: »Als Familienvater habe ich mich allerdings nicht gerade ausgezeichnet. Ich bedauere das mehr als alle andern Fehler, die ich in meinem Leben gemacht habe, Jim, und das waren nicht wenige. Ich hoffe, du wirst das einmal besser machen als dein Alter. Verstanden?«

»Für mich bist du in Ordnung«, antwortete der Junge. Wahrscheinlich log er.

Orlando hätte sich gern nach Miriam erkundigt. Aber er unterließ es. Ungezwungener, als er es sich gewünscht hätte, plauderten sie über andere Leute und andere Dinge. Wenn immer wieder verlegene Pausen entstanden, so lag das weit mehr an ihm als an dem Jungen. Davon war Orlando überzeugt. Zu Mittag kam Patsy ins Zimmer. »Hallo, Jimmy«, sagte er und rieb sich verschlafen die Augen. »Wie geht's dir denn?«

»Wunderbar, Onkel Patsy«, antwortete Jimmy und stand auf. »Und dir?«

»Kann mich nicht beklagen.« Patsy sah zu Orlando hinüber. »Die Maschine geht um zwei.«

»Du hast recht«, antwortete Orlando und nickte. »Ich muß heute nachmittag in Washington sein, Junge. Aber ... hör mal, warum fliegst du nicht mit? Ich richte es so ein, daß du noch heute wieder zurück bist. Stell dir vor, dein alter Herr wird heute vom Präsidenten der Vereingten Staaten empfangen!«

»Mach Witze! Um was geht's?«

»Das ist zunächst noch streng geheim, aber du wirst es schon früh genug erfahren. Na, was hältst du von meinem Vorschlag? Patsy, besorg noch einen Platz.«

Der Junge wußte offensichtlich nicht, was er tun sollte. »Verflixt noch mal, Dad, ich komme vielleicht besser doch nicht mit. Mutti würde sicher nichts dagegen haben, und ich fände es toll; aber ich hab ihr versprochen, den Tag mit ihr und Großmutter zu verbringen. Mir ist schon an drei Wochenenden hintereinander immer etwas dazwischengekommen, so daß ich mein Versprechen nicht halten konnte. Du weißt ja, wie das ist ...«

Ich habe keine Ahnung, wie das ist, dachte Orlando. Wenn du was tun willst, dann tu's doch! »Natürlich, ich verstehe. Laß sie beide recht schön grüßen, hörst du?«

»Danke.«

»Und noch etwas, Jimmy«, sagte Orlando an der Tür und sah den Jungen zärtlich an, »paß auf dich auf! Ich meine nicht nur, wenn du über die Straße gehst. Werde mir ja kein Nichtstuer und Faulenzer.«

Er hatte ihn küssen wollen. Sie schüttelten sich die Hand.

Während sich Orlando anzog, stellte Patsy die Verbindung mit Elliot Alwine her. »Elliot«, sagte Orlando, »ich schicke dir zwei Kurzgeschichten per Luftpost expreß. Sie sind von meinem Sohn, und ich will deine ehrliche, ungeschminkte Meinung hören.«

»Ich werde mein Bestes tun«, versprach Alwine, der auf Harry Orlandos Filmhonorare angewiesen war, damit er sorgenlos seinen Roman schreiben konnte.

Sie verließen das Hotel, nahmen ein Taxi und erreichten La

Guardia gerade rechtzeitig, um noch Plätze in einer Verkehrsmaschine zu bekommen, die bald abflog.

Vom Flughafen in Washington aus rief Orlando Bill Temple an und fragte ihn, ob er ihm noch irgendwelche letzte Ratschläge für den Besuch bei Quinlan zu geben habe. »Versuch nicht, ihn zu überrumpeln, aber komm gleich zur Sache«, riet Bill. »Mit Joe Haywood konnte man sich verhältnismäßig leicht unterhalten. Aber Quinlan wird nervös, wenn man lange herumredet.«

Ein Taxi brachte Orlando zur Pennsylvania Avenue.

Im Weißen Haus wurde er ins Teezimmer geführt. Miles Quinlan erhob sich halb aus seinem Stuhl und lächelte schwach. Sonst war niemand anwesend.

»Wir sehen uns heute nicht das erste Mal, Mr. Orlando«, sagte er und bedeutete Harry, auf einem Stuhl Platz zu nehmen. »Ich glaube, wir trafen uns hier vor etwa zehn Jahren, unter der Regierung Foster, auf einer Party.«

»Sie haben ein ausgezeichnetes Gedächtnis, Mr. President.«

»Das ist das Wichtigste beim Regieren: das Gedächtnis. Sie waren in Begleitung Ihrer Gattin — einer entzückenden jungen Frau. Wie geht es ihr? Ist sie mit Ihnen nach Washington gekommen?«

»Wir ließen uns einige Monate nach dieser Party scheiden.«

»Ich verstehe ... Entschuldigen Sie. Na ja. Wenn ich Bill Temple richtig verstanden habe — er ist ein netter, junger Mann, und ich habe ihn und seine Rechtschaffenheit immer sehr geschätzt —, liegt es in Ihrer Absicht, all das aufzugeben, was Sie auf dem Vergnügungssektor erreicht haben, und unser Kulturaustauschprogramm neu zu gestalten. Temple hat mich über Ihre Qualifikationen unterrichtet und mir auch die Tatsache zur Kenntnis gebracht, daß Präsident Haywood diese Qualifikationen sehr hoch einschätzte. Ich bin überzeugt, daß, wenn es jemanden gibt, der über die Vergnügungsindustrie Bescheid weiß, Sie es sind. Ich persönlich habe für Filme und volkstümliche Musik nicht viel übrig, und ich bin in meinem ganzen Leben noch in keinem Nachtlokal gewesen — aber ich weiß natürlich, wer Sie sind.«

O weh, dachte Orlando. Der will mir ein Loch in den Bauch reden und mir dann den Laufpaß geben.

»Welche neuen Aspekte glauben Sie diesem Programm verleihen zu können? Meines Erachtens funktioniert es recht ordentlich.«

Orlando ging all die Punkte durch, die er mit Präsident Haywood besprochen hatte, und Quinlan hörte aufmerksam zu.

»Nein, Mr. Orlando«, sagte er schließlich. »Sie haben mich nicht überzeugt.«

»Wie bitte?«

»Ich sagte, Sie haben mich nicht überzeugt. Ich hege keinen Zweifel an der Lauterkeit Ihrer Absichten und an Ihren Fähigkeiten. Aber meiner Meinung nach befindet sich das Programm, wie es jetzt durchgeführt wird, in sachkundigen Händen.«

»Mr. President«, stotterte Orlando, und seine Handflächen waren plötzlich naß vor Schweiß, »wenn Sie mir erlauben ...«

»Wir machen die ersten Schritte mit einer neuen Regierungsmannschaft. Leider würden Ihre Vorschläge zu viele Veränderungen nach sich ziehen, die ich mir weder jetzt noch in absehbarer Zukunft leisten kann.«

»Mr. President, wenn ich Ihnen nähere ...«

»Sie werden mich jetzt entschuldigen müssen, Mr. Orlando.« Der Präsident erhob sich und streckte ihm die Hand entgegen – ein ganz gewöhnlicher Mann, der auf einmal zehn Meter groß war. »Ich danke Ihnen, daß Sie sich die Mühe genommen haben, zu mir zu kommen, aber ich habe jetzt wirklich einen anderen Termin.«

Irgendwie gelang es Orlando, das Haus der Temples zu erreichen. Bill und Mary wußten sofort, wieviel es geschlagen hatte. Mary schenkte ihm auf seine Bitte hin den stärksten Whisky ein, den es in der Stadt gab, und Bill sagte sanft: »Das war Pech, Harry.«

Orlando zündete sich eine Zigarette nach der andern an. Er versuchte seiner Erregung Herr zu werden. »Die Stimmen der Schwachsinnigen im Land sind diesem Roßknödel aus Ohio bei den Wahlen im November sicher«, sagte er.

»Ich weiß, wie du dich jetzt fühlst.«

»Warum sagen das die Leute immer? Kein Mensch weiß, wie ein anderer sich fühlt. Was mir mehr als alles andere die Galle hochtreibt, ist, wie er das gemacht hat! Er hatte doch schon lange vorher seine Entscheidung getroffen. Warum hat er mir nichts davon gesagt? Oder dir? Ich hätte mir die ganze Hetzjagd erspart. Verdammt, wie muß er das genossen haben, so einfach dazusitzen, sich von mir alles vorkauen zu lassen und mir dann einen Tritt zu geben!«

»Harry ...«

»Verflucht, was ich ihm vorgeschlagen habe, war alles so richtig! Was mach ich jetzt bloß?«

»Du wirst einsehen, daß es wohl eine furchtbare Enttäuschung, aber noch lange nicht das Ende der Welt bedeutet.«

»Was, zum Teufel, weißt du vom Ende der Welt?« brüllte Orlando. Aber er mäßigte sich sofort, weil Mary ins Zimmer kam, weil Bill ein Freund war und Freunde eine bessere Behandlung verdienten. »Ich hab ein Schild mit der Aufschrift ›Gib mir einen Tritt!‹ am Rücken hängen. Bedient euch! Kostet nichts!«

Er widmete sich dem Whisky und versank immer tiefer im Lehnstuhl. Vereinzelt drangen Wörter und halbe Sätze von Bills gutgemeintem Geplauder an sein Ohr. Er dachte an den ernüchternden Rückflug nach Kalifornien, betrachtete Bills farblose Frau und war irgendwie überrascht, festzustellen, daß sie jünger und eleganter aussah, als er sie von New York her in Erinnerung hatte. Sie hatte ihr dunkelblondes Haar jugendlich hochgesteckt, und der blaue Hosenanzug ließ die Umrisse einer guten, schlanken Figur erkennen. Er dachte an die sechsundvierzig Jahre – oder waren es schon fünfzig? – und daran, daß er ein Blatt im Wind war. Er dachte an Jimmy und daß es nun keinen Jimmy in einem vornehmen Haus geben würde. An Miriam dachte er nicht. Dann fiel ihm wieder ein, daß er mit leeren Händen nach Kalifornien zurückkehren würde.

»Ihr wart beide prima«, sagte er, als er das Gefühl hatte, nicht länger bei diesem glücklich verheirateten Paar bleiben zu können, das so mitleidsvoll auf ihn herabblickte. »Aber nun muß ich den silbernen Riesenvogel besteigen und in die Wirklichkeit zurückfliegen. Könnt ihr euch vorstellen, daß jemand von der Wirklichkeit spricht und damit Hollywood meint?«

Bill brachte ihn zum Flughafen. »Es tut mir leid für dich, Harry«, sagte er, »aber wenn es dir wirklich ernst damit ist, etwas für unser Land zu tun, so muß es doch hundert Aufgaben geben, die dich ausfüllen könnten. Und ich stehe dir hier jederzeit zur Verfügung.«

»Eine Aufgabe würde mich reizen – diesen Dummkopf Quinlan im Herbst aus Joe Haywoods Büro hinaus- und nach Ohio zurückzubefördern ...«

»Ach, komm ...«

»Dieser Bauerntölpel gehört nicht auf Haywoods Platz. Ich

meine es ernst. Ich werde alles daransetzen, um ihm die Wahl zu vermasseln.«

»Jetzt redest du wie ein kleiner Junge, der wütend um sich schlägt und dann mit dem einzigen Baseball seiner Mannschaft davonläuft. Du bist doch ein anständiger Mensch, Harry. Wir kennen uns so viele Jahre. Hör doch auf, wie ein Mafioso zweiter Klasse zu reden.«

»In Ordnung!« nickte Orlando nach einer Weile.

»Meinst du es ehrlich? Mary und ich haben dir nicht viel geholfen — eigentlich gar nicht —, aber ich würde es bedauern, wenn dich diese Sache noch mehr in Rage brächte. Hin und wieder erleiden wir alle einmal Rückschläge.«

»Ich hab auch ein paar erlitten. Nicht allzu viele. Ich bin sie nicht gewohnt.«

»Dann gewöhne dich dran.«

Orlando schüttelte Bill die Hand, dankte ihm, versprach ihm, Pearl Harbor nicht anzugreifen, und stieg ins Flugzeug ein.

Die Produktion von *Lauffeuer* wurde zu einer Mischung aus Irrenhaus und gnadenlos harter Arbeit. Orlando kümmerte sich um alles, führte Regie und spielte seine Rolle. Er unterbrach häufig Szenen, wandelte sie um, schaltete diesen optischen Gag oder jene Pointe ein, die dem Film möglicherweise einen völlig unorthodoxen Charakter geben würde. Aus einem Film, der den Mitwirkenden Spaß machte, sollte einer werden, der dem Publikum Spaß machte.

In jenen Tagen lebte Orlando von aufputschenden Mitteln, Whisky und Erregung. Den Höhepunkt stellte die Entdeckung dar, daß Noreen prächtig in die Atmosphäre allgemeiner Ungezwungenheit, die das ganze Affentheater charakterisierte, hineinpaßte. Sie ließ sich leicht führen und wurde mit jeder Stunde besser. Während der Dreharbeiten ließ er ihr ein eigenes Appartement im »Beverly Hills« zur Verfügung stellen; ein dummes Zugeständnis an die Anstandsregeln. Waren sie nicht beide im Atelier beschäftigt, so benützten sie seine Wohnung, und sein Bett war ihr gemeinsamer Treffpunkt. Hier kamen sie auch einmal spät in der Nacht, als sie in erschöpfter Umarmung lagen, zum erstenmal ausführlicher auf Sam Rawlie zu sprechen. Sie gestand Harry, daß Sam kochend zu ihr gekommen war und wissen wollte, ob sie es mit Orlando trieb. Sie hatte es zugegeben, weil es die Wahrheit war, und der verliebte und leicht angetrunkene Sam, der ihr eine Zeitlang Miete und Essen bezahlt hatte, war zusammengebrochen und hatte wie ein Baby zu weinen begonnen.

»Er tat mir leid«, vertraute sie Orlando an. »Netten Menschen bereite ich nicht gern Kummer.«

»Mach dir nichts draus«, erwiderte Orlando ungeduldig. Es war ihm immer noch unangenehm, daß er Sam verletzt hatte; Sam, der es nicht verdiente, verletzt zu werden. Noreens edle Gesinnung Sam gegenüber rührte ihn. »Entweder du vergißt ihn, oder du kehrst zu ihm zurück, wenn er wirklich ein so netter Mensch ist.«

»Vielleicht tu ich das, aber nicht heute nacht«, neckte sie ihn und rückte näher an ihn heran.

Üblicherweise bestand Orlando darauf, daß die Presse zu Filmen, bei denen er mitwirkte, keinen Zutritt erhielt. Als ihm aber klar wurde, daß er mit Noreen eine Erfolgsgeschichte in den Händen hielt, nahm er bei *Lauffeuer* eine Wendung um hundertachtzig Grad vor. Er wies Jeff Cutler an, in aller Eile einen attraktiven Lebenslauf für sie zu erfinden, der den Reportern und Klatschspaltentanten gefallen und die Leser entzücken würde. Cutler tat, wie ihm geheißen, und Noreen, die sorgfältig vorbereitet worden war, brachte eine Reihe schmissiger Interviews erfolgreich hinter sich. Die männlichen Zeitungsleute waren von ihr begeistert und die weiblichen neidisch. Wenn ihre Grammatik zuweilen versagte oder eine ihrer Antworten danebenging, nahm ihr das niemand übel.

Der einzige, der, wie erwartet, mit Windstärke zwölf daherkam, war der eben zurückgekehrte Stanton Lourie.

»Also schön«, sagte er beißend, »du wolltest den Leuten zeigen, daß du Benito Mussolini spielen kannst, und das ist dir auch gelungen. Wie ich höre, ist der Film ein einziges Durcheinander. Sollte er durch einen Glücksfall gegen meine Erwartung ein Erfolg werden, wird man dir alles verzeihen. Das ist es doch, worauf du dich verläßt?«

»Es *wird* ein Erfolg werden, Herr Doktor«, entgegnete Orlando. »Bleib mir mit deinem bösen Blick vom Leib. Die Popcornfresser werden sich die Kleider vom Leib reißen, wenn sie ihn gesehen haben.«

»Die Kleider vom Leib reißen – das ist das Stichwort und auch der Grund, warum ich fest entschlossen bin, dich auf deinen Geisteszustand untersuchen zu lassen. Gibt es denn gar nichts, das du für ein Stück Weiberfleisch nicht tun würdest? Du hast ihnen Geld gegeben, du hast ihnen Geschenke gemacht, du hast ihnen versprochen, sie zum Film zu bringen – und jetzt hast du das auch tatsächlich getan! Warum hast du dich nicht zuvor mit mir in Verbindung gesetzt? Du kanntest doch meine Reiseroute! Hast du dir nicht die Sekunde Zeit nehmen, dich an deinem Köpfchen kratzen und dir die möglichen Folgen ausmalen können, als du statt der Meade eine Katze im Sack genommen hast?«

»Du bist noch nicht lange genug zurück, Stan! Du mußt sie erst einmal sehen. Sie ist keine Katze im Sack, das garantiere ich dir.«

Sie befanden sich im Arbeitszimmer von Orlandos Haus im Canyon. Es lag im Kellergeschoß, außer Hörweite von Miriam und dem Personal. Lourie schritt in der Herrlichkeit seines englischen Maßanzuges auf und ab. »Nun, ich bin aber lange genug zurück, um sie ein wenig unter die Lupe genommen zu haben, Herr Professor Einstein. Ich empfehle dir wärmstens, dich zu setzen. Deine gegenwärtige Primadonna, mein Führer, steht Modell für gewisse Publikationen, die das Tier im Mann ansprechen sollen.«

Lourie drehte seine Aktentasche um und ließ eine Flut von Fotografien auf das niedere Kaffeetischchen stürzen.

»Du bist ein Idiot, Herr Professor Einstein. Bevor du mir mit faulen Witzen und Geistesblitzen kommst, führ dir die Kunstsammlung zu Gemüte, die ich mir da angelegt habe!«

Orlando betrachtete die Bilder. Sein Gesicht wurde weiß wie eine Wand. Das war Noreen – keine andere als Noreen – hoch aufgerichtet in schwarzen Schnürstiefeln, mit schwarzen Handschuhen und schwarzer Peitsche, die drohend über einem blonden, schwulen Bruder stand, der sich angstvoll vor ihr krümmte.

Es gab noch mehr Bilder, aber er wollte sie nicht mehr sehen. Er nippte an seinem Whisky, um sich nicht übergeben zu müssen. Mit einer Stimme, die nicht die seine war, stammelte er: »Das ist doch nicht deine Privatsammlung ...«

»Da hast du ausnahmsweise recht. Die schmierigen Privatdetektive und Spitzel, deren Dienste ich manchmal in Anspruch nehmen muß, hatten kaum angefangen, ein bißchen nachzugraben, als schon eine ganze Lawine auf mich zukam. Was ich dabei erfuhr und in diesem Augenblick redlich bemüht bin, dir zu erklären, du blöder, impulsiver Schafskopf, ist folgendes: Dieser Schmutz ist nicht Privatbesitz, sondern Handelsware, die in miesen kleinen Läden unter dem Ladentisch mit Gewinn verkauft wird.«

»Cutler kann damit fertig werden«, sagte Orlando mit schwacher Stimme. Er wagte es nicht, Lourie ins Gesicht zu sehen.

»Und alle Jahre wieder kommt das Christuskind«, versetzte Stan Lourie und schob die Greuelfotos wieder in seine Aktentasche. »Jetzt wird die Bombe platzen«, fuhr er in sanfterem Ton fort. »Ich fürchte, du wirst davon etwas abbekommen. Das tut mir leid. Aber ich ärgere mich trotzdem. Du zahlst mir ein anständiges Honorar, damit ich dich und Orlando Enterprises vertreten und dich vor unangenehmen Situationen bewahren soll. Eine Möglichkeit in dieser Richtung besteht darin, dich zu verteidigen. Die andere und für alle Beteiligten wesentlich angenehmere Methode ist die, so eine Situation erst gar nicht an sich herankommen zu lassen oder zumindest rechtzeitig Untersuchungen anzustellen. Ich hab dir das hundertmal gesagt. In neunundneunzig Fällen hast du mich bezahlt und meine Worte in den Wind geschlagen. Du oder einer deiner Verrückten hätte sich mit mir in Verbindung setzen sollen, bevor dieses Affentheater losging. Aber auf *die* Idee ist keiner gekommen. Ich werde alles tun, um den Namen Orlando herauszuhalten, wenn es zu einem Skandal kommt. Und es wird dazu kommen, darauf kannst du deinen letzten Dollar setzen. Ich bin schließlich kein Zauberer.«

»Ja«, nickte Orlando niedergeschlagen und sank in einen Lehnstuhl. »Geh jetzt, Stan. Bitte!«

Harry saß allein bei seinem Drink. Er wurde immer wütender. Diese verlogene, degenerierte Schlampe! Und dieses Schwein von einem Rawlie! Rawlie hatte gewußt, mit wem er sich da einließ, und er hätte damit nicht hinter dem Berg halten dürfen. Diese gemeine Hure ...

Es war eine schlimme und endlose Nacht, da er keinen Ausweg aus der Klemme finden konnte. Wie sehr sich Cutler und seine Leute auch bemühen würden, die Bilder, die im Umlauf waren, aufzukaufen – die Katastrophe war unabwendbar. Irgend jemand würde schon dafür sorgen. Eine nackte Monroe – nun gut. Aber eine obszöne Lawrence ... Es wäre jetzt logisch gewesen, den Hut zu nehmen, zu Bullard zu gehen und zu versuchen, sich herauszureden.

Aber das war unmöglich. Nach all den großen Worten, dem vielen Geld und der vielen Arbeit konnte er den Film nicht einfach in den Eimer werfen.

Am nächsten Morgen suchte er sie in der Garderobe auf und

teilte ihr mit, was er wußte. Er hatte sich fest vorgenommen, nicht die Beherrschung zu verlieren.

Sie blickte nicht so sanft drein, wie er es von ihr gewohnt war, aber sie geriet auch nicht in Wut. »Das war vor ein paar Jahren«, sagte sie. »Ich war völlig pleite, rauchte Marihuana und wußte monatelang gar nicht, was ich anfangen sollte. Es tut mir leid.«

»Leid?« schrie er. »Eines gefiel mir an dir von Anfang an. Ich habe dir geglaubt, als du gesagt hast, du würdest keinen Menschen anlügen. Du hast angeblich nur für die Nacktzeitschriften Modell gestanden. Gelogen hast du, und es war eine verdammt teure Lüge! Und mir wird man die Rechnung präsentieren. Jemand wird diese Bilder sehen und Alarm schlagen. Ich werde abstreiten, daß ich davon gewußt habe, als ich dir die Rolle gab, aber kein Mensch wird mir glauben. Was, zum Teufel, soll das heißen: du warst völlig pleite? Nur die dreckigste Sau kann so pleite sein, daß sie sich zu solchen Fotos hergibt, wie ich sie gestern gesehen habe. Ich hätte gute Lust, dir so einen Tritt zu geben, daß du nie wieder Modell stehen kannst.«

»Warum tust du's nicht?« fragte sie ernst, als versuchte sie, ihm behilflich zu sein. »Wenn du so sicher bist, daß das alle von mir erfahren werden — warum wirfst du mich dann nicht hinaus und fängst von vorne an? Du bist doch ein Mann der Tat, der sich von niemandem herumkommandieren läßt!«

»Oh, du bist mir eine große Hilfe! Du bist ja so klug und weise! Jetzt hör mir mal gut zu! Außer im Atelier läßt du dich vor niemandem blicken. Du sprichst mit keinem Menschen. Du weißt nicht mal 'ne Antwort, wenn dir der Friseur guten Morgen wünscht. Du bleibst im Hotel. Dort kannst du auch deine Gebete aufsagen, und bete besonders darum, daß nichts herauskommt und uns die ganze Partie versaut.«

Bevor er noch bei der Tür war, rief sie ihn zurück. »Es tut mir wirklich leid, Harry«, sagte sie mit Kleinmädchenstimme. »Ich möchte dir nur noch sagen, daß ich dich nicht verlieren will.«

»Meine Liebe«, antwortete er, »bevor ich dich jemals wieder anfasse, lasse ich mich eher mit Kind und Kegel auf einem Misthaufen nieder.«

Mit den Späßen und der ungezwungenen Heiterkeit bei den Aufnahmen war es jetzt für Orlando vorbei. Aber er bemühte sich, Künstler und technisches Personal von seinem Unmut, seinem Abscheu und seinen Befürchtungen nichts merken zu lassen. Die Aufnahmen gingen in relativ unvermindertem Tempo weiter. Er beauftragte Cutler, sich von ihr, soweit sie sich erinnern konnte, Namen und Adressen des Gesindels angeben zu lassen, für das sie Modell gestanden war. Cutler schickte sogleich seine Leute aus, um die Halunken aufzuspüren. Ein aufgebrachter Stan Lourie machte ihn immer wieder darauf aufmerksam, daß er das Schicksal herausfordere, wenn er Bullard nicht reinen Wein einschenke und von der Berg-und-Tal-Bahn nicht abspringe, bevor es zur Entgleisung käme.

»Nein«, sagte Orlando hartnäckig. »Die Dreharbeiten gehen prächtig voran. Ich war eine Zeitlang nervös, aber es wird nichts geschehen. Das wird ein Lustspielschlager werden, dem man den Harry Orlando schon von weitem ansieht.«

Am Samstag vor der letzten Arbeitswoche flog er nach Las Vegas, wo er sich in einem palastartigen Klubhotel, an dem er beteiligt war, ein wenig entspannte, Karten spielte und Al Barron traf, der eine Starrolle in der Show hatte. Miriam war mit Jimmy bei ihren Eltern in New York auf Besuch. In letzter Zeit verbrachte sie fast ebensoviel Zeit in New York wie zu Hause, da ihre Eltern abwechselnd erkrankten und wieder gesund wurden. Harry nahm sich nach Vegas ein Starlet mit, ein einfältiges, aber zuvorkommendes kleines Weibsstück, das klug genug war, nur dann den Mund aufzumachen, wenn man es etwas fragte. Außerhalb des Ateliers war er peinlich bemüht gewesen, sich von Noreen fernzuhalten. Er empfand Stolz darüber, daß ihm der Abschied so leichtgefallen war.

Im Hotel jedoch kam er drauf, daß er über diese Angelegenheit noch lange nicht hinweg war, daß sein Verlangen nach ihr unter der Oberfläche weiterschwelte und daß er sie auch hier, dreihundert Kilometer von Los Angeles entfernt, ständig vor Augen hatte. Natürlich war es pervers, dieses Hungern nach einer Frau, die ihm in Hollywood wochenlang auf seinen leisesten Wink hin zur Verfügung gestanden hatte und der er nun geflissentlich aus dem Weg ging. Er versuchte bei dem Starlet Trost zu finden, aber vergebens.

Al Barrons Conférence gefiel ihm. Sein flottes Geplauder war schlüpfriger, als es nötig gewesen wäre, aber er verstand es, seine verschiedenen Vortragsstücke attraktiv zu gestalten. Er hatte sein Publikum in der Tasche.

Harry konnte Barron auch als Freund gut leiden, oder zumindest als Menschen, mit dem er ausspannen konnte. Nach der letzten Show zogen sich die beiden um drei Uhr früh in Orlandos Appartement zurück, um Whisky zu trinken und Rummy zu spielen. Als das Püppchen schließlich draufkam, daß man ihm keine Beachtung schenkte, warf es ihnen den von der Starletgewerkschaft empfohlenen gekränkten Blick zu – komplett mit dem einstudierten schmerzlichen Lippenzucken.

»Geh schlafen!« befahl Orlando. »Ich komm später nach und deck dich schön zu.« Während Al die Flasche öffnete, mischte er die Karten.

Tödlich beleidigt verschwand die Puppe im Schlafzimmer und schloß die Tür.

Lächelnd und voll Bewunderung schüttelte Al den Kopf. »Seit wann bist du so ein Kostverächter? Ich hab ja für alles Verständnis, aber mit dem Kinderlutscher, den du da eben 'rausgeworfen hast, könntest du doch eine amüsante Nacht verbringen. Wenn ich so ein Persönchen schlafen schickte, würde es mir die Augen auskratzen.«

»Dir fehlt es eben an Selbstvertrauen, Freundchen.«

»Selbstvertrauen habe ich. Was mir fehlt, ist so ein kleiner Bettvorleger.«

Viele behagliche Viertelstunden lang spielten sie Rummy und tranken Whisky, ohne ein Wort zu sprechen. Orlando zweifelte keinen Augenblick daran, daß der polternde, leutselige, nicht gerade gescheite, aber talentierte Al in ein bis zwei Jahren seine große Zeit haben würde – und nicht nur in Nachtlokalen. Er war zwar nicht sehr fleißig – und das war vermutlich auch der Grund, warum er es bis jetzt noch nicht geschafft hatte –, aber andererseits noch nie über Leichen gegangen, hatte nie die Frau eines Freundes verführt und nie jemandem mit Absicht weh getan. Orlando hatte ihm wiederholt zu Engagements verholfen, zu Auftritten im Fernsehen, zu einer Rolle in *Lauffeuer*, was immer ihm das auch wert sein mochte. Aber er war davon überzeugt, daß es eine Menge wert sein würde, denn *Lauffeuer* mußte ganz einfach ein großer Erfolg werden.

Allmählich graute der Morgen. Al goß sich ein neues Glas ein. Orlando rief unterdessen das Beverly-Hills-Hotel an. Es dauerte eine Weile, bis Noreen aufwachte. Aber plötzlich wußte sie, wer er war, und ihre Stimme klang herzlich und begütigend.

»Ich bin in zwei Stunden bei dir«, sagte er. »Geh nicht weg.«

»Ich werde auf dich warten. Ganz bestimmt, Liebling.« Das war die Noreen, die er nur flüchtig kannte; jene Noreen, die das Weinen noch nicht vergessen hatte.

Er bereitete sich rasch auf den Rückflug nach Los Angeles vor.

»Willst du mit den Flügeln schlagen und losfliegen, Freundchen?« fragte Al und lächelte amüsiert.

»Nein, aber wenn ich den Fahrplan richtig im Kopf habe, fliegt in einer Stunde ein großer silberner Vogel ab. Ich weiß nur nicht, ob ich rechtzeitig am Flughafen sein kann.«

»Du kannst. Aber was geschieht mit dem Bettvorleger, den du da im Nebenzimmer aufs Eis gelegt hast?«

»Du scheinst persönliche Interessen zu haben ...«

»Na ja, es wäre doch eine Sünde, so ein fruchtbares Gelände brachliegen zu lassen.«

»Barron, der Naturschützer«, spöttelte Orlando. »Warte hier und laß den Diplomaten ans Werk gehen.« Er trat schnell ins Schlafzimmer und drehte die Deckenbeleuchtung an. So fand er sich besser zurecht. Das Sternchen wurde jäh munter, setzte sich auf und zog instinktiv die Decke an den Hals. Während er sein Smokinghemd gegen ein weißes Tageshemd tauschte und eine Krawatte auswählte, sagte er: »Tut mir leid, mein Schatz, aber ich muß sofort verreisen.«

»Verreisen? Auf wie lange?«

»Auf ein paar Wochen. Du kannst hierbleiben, wenn dir die Aussicht gefällt.«

»Wochen? Was soll ich denn hier anfangen? Ich kenn doch keinen Menschen.«

»Aber, aber! Du kennst doch Al! In der Kühle der Nacht wird er dich besser wärmen, als ich es könnte.«

Jetzt war sie hellwach und wütend zugleich. »Bist du verrückt?« zischte sie. »Wofür hältst du mich? Bin ich vielleicht so 'ne Art Büfett, an dem sich jeder bedienen kann? Daß ich mit dir hergekommen bin – na schön! Aber daß ich jetzt den Ausflug mit einem andern beende, da müßte ich ja eine Prostituierte sein oder so was. Nein! Ich verstehe genau, was du von mir verlangst. Da mach ich nicht mit!«

»Beruhige dich doch. Ich verlange gar nichts von dir. Ich mache dir nur einen Vorschlag. Al ist ein netter Junge. Er kann dir hier alles zeigen. Würde ich dir überhaupt so etwas vorschlagen, wenn er nicht nett wäre?« Er zog die Krawatte zurecht und griff nach einem Jackett. Das Mädchen tat ihm leid. Sie war ein leichtes Ding, und das war ihr Leben, welches sie freiwillig gewählt hatte. Und dennoch hatte sie ein gewisses Recht auf Menschenwürde – jeder hatte es, der sich nicht einfach hinlegte und die Welt auf sich herumtrampeln ließ. Er legte keinen Wert darauf, nur den gütigen Sklavenhalter zu spielen, setzte sich neben sie aufs Bett und nahm ihre Hand.

»Niemand kann dich zwingen, etwas zu tun, was du nicht tun willst, kleine Prinzessin, und ich am wenigsten«, sagte er. Einerseits fürchtete er, das Flugzeug zu versäumen; andererseits wollte er sie nicht allzu gekränkt zurücklassen. »Ich wollte, ich könnte bei dir bleiben, aber es geht einfach nicht. Wenn du Al nicht zum Freund haben willst, so ist das dein gutes Recht, und ich würde es selbstverständlich respektieren.«

Der Kinderlutscher begann allmählich zu schmelzen. »Also ... na gut«, meinte sie schließlich. »Du wärst mir lieber, aber ... na schön, ich bin einverstanden. Es soll nur keiner von mir denken, daß ich eine Prostituierte bin oder so was.«

»Das denkst du doch nicht von dir, oder? Siehst du! Was kümmert es dich dann, was die andern denken? Was gehn dich die Leute an?«

Er küßte sie. Im Wohnzimmer blinzelte er Barron zu.

Er gelangte rechtzeitig zur Maschine, die ihn zu Noreen bringen würde.

Es war noch früh am Morgen, als Orlando an diesem Sonntag sein Appartement im »Beverly Hills« betrat, den Hörer abnahm und Noreen anrief.

»Ich brauche eine gute Schnellimbißköchin, die mir ein Steak zubereitet, das ich hier im Kühlschrank habe«, sagte er. »Kannst du mir eine empfehlen?«

»Die Köchin wird in fünf Minuten bei dir sein.«

In vier Minuten war Noreen in seinem Wohnzimmer und in fünf in seinem Bett. An jenem Tag erfanden sie die Liebe. Noch nie zuvor hatten sich zwei Menschen mehr geben können.

Als die Aufnahmen zu Ende gingen, wußte schon jeder, der Orlando und Noreen miteinander sah, was los war; daß sie sich zurückhalten mußten, um sich nicht allzu nahe zu kommen, daß das Verlangen ihnen aus allen Poren drang. Sie waren so versunken in ihre Liebe, daß sie keinen Augenblick daran dachten, sie zu verheimlichen.

Jene, die sich um Orlando sorgten und auf die er hörte, versuchten mit ihm zu reden und ihm die möglichen Folgen seines Wahnsinns vorzuhalten. Wohl gaben sie zu, daß sein Erfolg nicht hauptsächlich von den braven Kirchgängern Iowas abhing, aber er müsse doch an seine eigene Familie denken.

Orlando anerkannte ihre Einwände, aber sie verärgerten ihn. Er wußte, daß es falsch war, was er tat. Nicht daß es ein Grund war, entrüstet aufzublicken, wenn ein Schauspieler mit seiner Partnerin ein Restaurant, einen Klub oder ein Theater betrat – es war in der Branche seit langem bekannt, daß eine neue Größe am Filmhimmel sich besser verkaufte, wenn sie sich in prominenter Begleitung zeigte. Leider unterließ er es aber, den stolzen Onkel zu mimen, wenn er sich mit Noreen sehen ließ. Er war verrückt nach ihr und noch nie in seinem Leben so glücklich gewesen. Es machte ihm nichts aus, daß er gegen die Regeln des Anstands verstieß.

Miriam aber machte es etwas aus. Zu Beginn seiner Karriere und noch lange nachdem seine große Zeit begonnen hatte, zweifelte sie kaum ernsthaft an seiner Treue. Selbst als ihr schließlich klar wurde, wie entsetzlich naiv sie gewesen war, als sie begriff, daß ein so ruheloser und berühmter Mann wie ihr Gatte einfach nicht stark genug war, ihr restlos treu zu sein, verkroch sie sich auch weiterhin in einfältige Selbsttäuschung, aber nur weil er sich außer Haus diskret benahm.

Jetzt aber war Harry nur mehr selten zu Hause. Alle Zeitungen brachten Bilder von ihm und dieser Noreen Lawrence, wie sie sich angrinsten, als wären sie eben aus dem Bett gestiegen oder könnten es kaum erwarten, sich wieder hineinzustürzen. Der Klatsch, der sich schon im ganzen Land verbreitete, drang auch an ihr Ohr. Sie war verletzt und empört, vor allem aber traurig.

Sie schwieg lange. Aber eines Tages fragte sie ihn, was das alles bedeuten sollte.

Orlando sah ein, daß es sinnlos gewesen wäre, Tatsachen abzuleugnen. »Ja«, seufzte er, »ich liebe diese Frau, Miriam. Ich kann mir nicht helfen.«

»Du kannst dir nicht helfen? Was bist du, ein Rohr im Wind? Nur ein kleiner Junge sagt so etwas. Was soll ich Jimmy erzählen?

›Dein Vater hat sich in eine andere Frau verliebt, weil er sich nicht helfen kann.‹ Wird er das verstehen?«

»Du hast recht . . .«

»Ich weiß, ich bin nicht die beste aller Ehefrauen. Ich hätte mich mehr für alles interessieren, hätte mehr Partys geben sollen, mehr . . . Ich hätte lebhafteren Anteil nehmen und mich bemühen müssen, dich besser zu verstehen, wenn du über Geschäfte und Filme gesprochen hast, was dir Sorgen macht und dich ärgert. Vielleicht bin ich nicht die richtige Frau für dich gewesen. Du hast mir das ohnehin auf die eine oder andere Weise oft genug zu verstehen gegeben. Aber erst jetzt höre ich es, erst jetzt verstehe ich, was du angedeutet hast. Sag mir, was du willst, Harry. Du meinst, du liebst diese Frau. Willst du dich scheiden lassen?«

Das Wort traf ihn mit aller Wucht. »Nein!« rief er aus.

»Also, was dann? Sag es mir! Sag mir, du wirst mit diesem Flittchen Schluß machen, wirst erwachsen werden, und ich soll auf dich warten. Sag mir irgend etwas! Ich will mich nicht scheiden lassen. Ich will nicht von dir fortgehen. Ich will nicht, daß du mich, daß du Jimmy verläßt. Aber ich bin *ich*, Harry. Was immer auch an mir nicht in Ordnung sein mag – wenn ich es auch nicht ändern kann, ich bin ich, und ich werde mir von dir nicht länger so weh tun lassen.«

Er hätte aufschreien und um Verzeihung bitten mögen.

Aber er konnte kein Wort hervorbringen, weil es keine Antwort gab und keinen Weg zurück. Er ließ sie stehen und verbrachte die Nacht im Gästezimmer. Nebenan schlief sein Sohn.

Lauffeuer hatte seine inoffizielle Premiere in Encino. Orlando saß steif in einer der hinteren Reihen des Theaters; neben ihm Noreen, die blendend aussah und einen harmlosen kleinen Schwips hatte. Die Reaktion des Publikums schien sie nicht sehr zu interessieren, denn sie begnügte sich damit, in der Dunkelheit ihre Fingerspitzen über Orlandos Schenkel gleiten zu lassen.

Die komischsten Szenen des Films, bei denen sich alle Beteiligten während der Aufnahmen vor Lachen den Bauch gehalten hatten, fielen in diesem Flohkino, das bis auf den letzten Platz ausverkauft war, völlig flach. Die erwarteten Lachsalven blieben fast alle aus.

Er sah Noreen auf der Leinwand und wußte, daß sie gut war. Er sah sich selbst, sah seine schlampige, improvisiert wirkende

Leistung, hörte die undisziplinierte Singstimme, die wie ein zweitklassiger Al Barron klang, und verkroch sich in seinem Sitz.

Als der letzte Zuschauer den Saal verlassen hatte, brachte man ihm die Rezensionskarten ins Büro des Geschäftsführers.

Zwei Prozent der Karten nannten *Lauffeuer* einen guten Unterhaltungsfilm; weitere zwei Prozent bezeichneten ihn als leidlich. Der Rest fand ihn langweilig und Schauspieler und Regie erbärmlich. Die meisten Zuschauer hatten freundliche Worte für Noreen, lobten ihr wunderbares Aussehen und sagten ihr eine große Zukunft voraus. Und die meisten warfen Orlando ein in jeder Hinsicht zweitklassiges Produkt vor.

Bevor sich noch jemand vom Studio mit ihm in Verbindung setzen konnte, fuhr er mit Noreen ins Hotel.

In jener Nacht trank und trank er. Umsonst bemühte sich die aufgekratzt-angeheiterte Noreen, ihn davon zu überzeugen, daß es einfach nichts gab, dessentwillen man sich Sorgen machen sollte. »Ich möchte am liebsten mit Musik feiern«, meinte sie. »Mit Bettmusik.«

Orlando schickte sie allein ins Bett und griff erst recht nach der Flasche. Das war die erste Niederlage, die er in diesem Geschäft einstecken mußte, und sie schmerzte. Nicht weil diese Dorftrottel in Encino den Film falsch gesehen hatten, sondern weil sie eben keine Dorftrottel waren und ein richtiges Urteil abgegeben hatten. Über seinen Film. Ja, sie hatten recht. Es war ein Amateurfilm; ein von netten Amateuren produzierter Dreieinhalb-Millionen-Amateurfilm. Er trug Harry Orlandos Namen und würde verdientermaßen zu einer kolossalen Pleite führen. Harry würde gut daran tun, die ganze Schuld auf sich zu nehmen.

Seine erste Niederlage; die Frucht des Hochmuts. Wenn er die Steinigung überlebte, wollte er wieder aufstehen, verdammt noch mal, und dafür sorgen, daß es die letzte gewesen war.

Es ließ sich nicht vermeiden, daß *Lauffeuer* in *Stillwasser* umgetauft wurde. Sowohl die Leute, die Orlandos ersten Fehltritt sehnsüchtig erwartet hatten, als auch jene, die ihn gut leiden konnten und in diesem Film nur einen argen Schnitzer sahen, nahmen es zur Kenntnis. Als man sich mit der schmerzlichen Tatsache abzufinden begann, daß auch jede Menge Neuaufnahmen den Film nicht vor einer Katastrophe bewahren konnten, sprach man im

Studio davon, ihn überhaupt nicht zur Aufführung freizugeben. Man entschloß sich aber doch dazu, nachdem Irving Bullard festgestellt hatte, daß selbst ein minimaler Kassenerfolg einer Pleite vorzuziehen war.

Die Kritiker gingen mit dem Film schärfer ins Zeug als das Publikum in Encino. Noreen aber gefiel ihnen, und die meisten prophezeiten ihr eine aussichtsreiche Zukunft. Die Schuld an dem Fiasko gaben sie Orlando. Das tat auch der Aufsichtsrat des Studios. Die Anmaßung, die zu der Katastrophe geführt hatte, war der Hauptgrund, warum einige der Herren Harry eine Klage anhängen wollten. Aber die Anwälte des Studios rieten davon ab und meinten, niemand könne beweisen, daß man Orlando nicht die Autorität zuerkannt hätte, nach seinem Gutdünken zu verfahren.

Orlando machte sich erbötig, auf seinen Vertrag zu verzichten, und war überrascht, als sein Angebot angenommen wurde.

Noreen nahm ihre eigene wachsende Popularität mit erstaunlicher Ruhe auf. Das Lob der Filmkritiker und die Mundreklame des Publikums taten das ihre. Wie wütend man auch auf Orlando sein mochte, das Bullard-Studio erkannte Noreens Fähigkeiten. Man wollte ihren Einfilmvertrag in den Papierkorb werfen und mit ihr ein langfristiges Abkommen treffen.

»Mach das ja nicht«, warnte Orlando sie. »Wart's ab! Du wirst bessere Angebote bekommen.« Sie befolgte seinen Rat. Drei größere Studios stellten sich mit großzügigen Vorschlägen ein, und Orlando und Nate West suchten den besten für sie heraus. Harry war überrascht, daß sie das alles so kalt ließ, als wäre es ihr völlig gleichgültig, ob sie nun ein großer Star werden sollte oder nicht. Sie liebte ihn — dessen war er sicher — und schien keinen größeren Ehrgeiz zu haben, als mit ihm zu schlafen. »Du bist ein Weltwunder«, staunte er einmal. »Die Leute stellen sich auf den Kopf, um dir all das zu bieten, was eine dämliche Landpomeranze sich nur wünschen könnte, und du zuckst nicht einmal mit der Wimper. Spiel dich doch wenigstens ein bißchen auf!«

Obwohl niemals mehr von den obszönen Fotos die Rede war, gelang es Harry dennoch nicht, sie ganz zu vergessen. Die Möglichkeit, daß die Bilder an die breitere Öffentlichkeit gelangen könnten, war nur mehr sehr gering; Jeff Cutler hatte die meisten bis an ihre Quelle verfolgt und mit seinen Leuten soviel als möglich aufgekauft und verbrannt – einschließlich der Negative. Der große Skandal war ausgeblieben. Wohl brachten die schäbigen Klatschblättchen und Filmzeitschriften Abdrucke der Fotos aus den Nackedeimagazinen. Wenn es in ihrer Absicht gelegen war, Noreen zu schaden, hatten sie ihr Ziel nicht erreicht. Solange das Publikum sie nur mit harmloser Nacktheit und nicht mit jenen Kellerfotos in Verbindung brachte, die er kannte, schien es wenig Anlaß zur Sorge zu geben.

Aber sie *hatte* dafür Modell gestanden, und vermutlich nicht gezwungenermaßen. Der Gedanke daran ließ ihn nicht los.

Er ließ durch Vince Moschetta in Santa Monica einen Strandbungalow mieten, wartete, bis Miriam und Jimmy eine ihrer Kurzreisen nach New York unternahmen, und befahl dann telefonisch dem Diener, seine Kleider und sonstigen persönlichen Habseligkeiten einzupacken und sie in den Bungalow bringen zu lassen.

Schließlich beauftragte er den aufgebrachten, aber hilflosen Stan Lourie, Miriam mitzuteilen, daß er sich von ihr scheiden lassen wollte. Er selber brachte nicht den Mut auf, es ihr persönlich zu sagen oder sie anzurufen.

Stan und die andern, die es besser hätten wissen sollen, machten Noreen dafür verantwortlich. In Wirklichkeit aber war sie mit ihrer Lage durchaus zufrieden gewesen und hatte selbst in Augenblicken, da sie sich am deutlichsten ihrer Liebe zu ihm bekannte, mit keinem Wort angedeutet, daß er sich von Miriam trennen solle. Orlando traf diese Entscheidung allein. Sie verwundete und quälte ihn, aber es war einzig und allein sein Entschluß.

Während sie auf Miriams Antwort warteten, verbrachten sie ihre Zeit soweit wie möglich miteinander. Die Werbeabteilung ihres neuen Studios begann sie als Star aufzubauen. Orlando mußte zugeben, daß es ihnen gelang, jenes erregende Klima zu schaffen, das eine Menge Leute veranlassen würde, über Noreen zu reden und Eintrittskarten zu kaufen, um sie zu sehen. Dabei kamen den Leuten von der Werbung die Fotos in den Nackedeimagazinen sehr gelegen. Sicher, es war ein beträchtlicher Unterschied zwischen diesen Bildern – Noreen halbnackt, mit sinnlichem Gesichtsausdruck – und einer niedlichen, jungfräulichen Monroe auf einem Kalenderblatt. Aber die Zeiten hatten sich geändert, und das nützten die Reklamefachmänner aus. Sie erfanden für Noreen eine Kindheit in drückender Armut, wobei sie sich hemmungslos, wenn auch unbewußt, an Dickens anlehnten, und warteten mit herzzerreißenden Erklärungen dafür auf, aus welchem Grund sie sich hatte dazu hergeben müssen, für solche Publikationen Modell zu stehen.

»Ach du lieber Schwan«, sagte Noreen, als sie dieses überzeugende Gefasel tonnenweise zu Gesicht bekam. »Jetzt bin ich also eine Florence Nightingale. Das hätte nicht einmal Münchhausen fertiggebracht.«

Immer noch war sie von den Vorgängen rund um ihre Person amüsiert, aber nicht beeindruckt. Orlando nahm eine größere Anzahl neuer Platten auf und wirkte bei einigen Benefizvorstellungen mit, deren Veranstaltern er schon vor einiger Zeit sein Erscheinen zugesagt hatte. Aber er hielt Nate West hin, der mit Filmleuten verhandelte, und sagte eine geplante TV-Show ab, um sich ganz Noreen zu widmen. Sie war jetzt seine hauptamtliche Galatea.

Immer noch kein Wort, immer noch kein Zeichen von Miriam. Die Zeitungen berichteten, daß Harry Orlando sein Haus im Canyon verlassen hatte, und die Kolumnisten arbeiteten bis zur Erschöpfung, um den Beweis dafür zu erbringen, daß er mit Noreen zusammenlebe und sie heiraten wolle. Miriam sprach mit niemandem, der Kugelschreiber oder Mikrofon bei sich trug, und Orlandos Umgebung hielt es ähnlich.

Noreen bereitete sich auf ihren ersten Imperial-Film vor; einen biblischen Schinken in Farbe, in welchem sie baden, die römischen Soldaten, die sie geschändet hatten, segnen und an einem Kreuz sterben mußte – in einem zerfetzten Gewand, das ein gutes Stück ihrer Schenkel zeigte. Ein Regisseur, der es verstand, Antitalente so weit zu bringen, daß sie strahlten wie Lynn Fontanne, sollte ihr über die Klippen helfen. Orlando trank mit ihr, schwamm mit ihr, ließ Bücher kommen, stopfte sie ihr ins Hirn und sprach zu ihr von Welten, die nichts mit jenen unterhalb des Nabels zu tun hatten. Diese paar Wochen im Bungalow waren eine ununterbrochene Folge glückseligen Auskostens und köstlichen Erschauerns. Harry fragte sich, wie ein Mensch auch nur das Recht haben konnte, von all diesen Seligkeiten des Erdendaseins zu träumen, geschweige denn sie zu genießen.

Miriam willigte in die Scheidung ein. Sie dachte nicht daran, sie anzufechten. Wollte ihr Gatte das Haus im Canyon haben – es stand zu seiner Verfügung. Sie würde mit ihrem Sohn nach New York übersiedeln, und zwar so bald wie möglich, und sich mit einem Drittel von Harrys jährlichem Nettoeinkommen zufriedengeben. Nein, mit Reportern wollte sie nichts zu tun haben. Sie hatte nicht mit ihnen gesprochen, als ihr Leben noch heiter und schön gewesen war, und sie würde auch jetzt nicht mit ihnen sprechen. Niemals.

»Heiraten wir«, schlug Orlando ein paar Tage später vor, nachdem er begonnen hatte zu begreifen, daß Miriam fort war.

»Wozu?« fragte Noreen.

»Du hast doch eine Schwäche für Versager, oder?«

»Schon, aber ich weiß nicht, ob mir das Verheiratetsein behagt. Ich war verheiratet, und ich kam mir vor wie in einer Erziehungsanstalt. Tu dies, tu das. Ich weiß nicht, ob das ein so glänzender Gedanke ist.«

Als Noreen die Hälfte des Bibelschinkens hinter sich hatte und Orlando immer stärker an Schlaflosigkeit zu leiden begann, wurde die Scheidung ausgesprochen. Ein Friedensrichter in Bel Air traute sie – das war das erste Mal, daß Orlando Noreens wahren Namen, Anna Roche, hörte. Dann flogen sie nach Mexico City.

Reporter und Fotografen flatterten wie hungrige Möwen um sie herum. Auf schnellstem Weg wurden sie vom Flughafen in die Fürstengemächer eines Hotels gebracht, wo Orlando, noch bevor der Hausdiener die Tür hinter sich schloß, erkannte, daß er wahnsinnig gewesen und immer noch wahnsinnig war. Er hatte nicht mehr Anlaß gehabt, Noreen zu heiraten, als ... na ja, als Al Barron.

Auch Noreen sprudelte nicht vor Heiterkeit über. Die Orchidee, die sie zur Hochzeit bekommen hatte, war verwelkt, sie hatte an beiden Beinen Laufmaschen und blickte finster drein. Sie schaute vom Zimmerfenster auf die schimmernde Stadt hinunter und sagte in viel zu ruhigem Ton: »Bei meinen ersten Flitterwochen konnte ich auch bei einem Fenster hinaussehen. Auf der einen Seite eines kleinen Hinterhofs stand ein großes Reklameschild, auf der andern raubten sie gerade einen Mann aus. Diese Aussicht ist unbedingt ein Fortschritt.«

»Fein«, meinte Orlando.

Achselzuckend entledigte sie sich ihrer Kostümjacke, blieb aber am Fenster stehen und hielt den Blick von ihm abgewendet. »Na ja. Wollen mal sehen! Wir sind auf der Hochzeitsreise. Also gehört sich's ja wohl, daß wir ins Bett gehen.«

Orlando mußte sich setzen. Hätte Miriam jemals so etwas gesagt — er wäre aus dem Zimmer gestürmt.

Die kurzen Flitterwochen — Noreen mußte in vier Tagen wieder im Atelier sein — waren für ihn eine einzige Qual. Die Veränderung bei ihr, die in dem Augenblick eingesetzt zu haben schien, als sie angekommen waren, nahm so drastische Formen an, daß er kaum glauben konnte, mit derselben Frau beieinander zu sein, die so unglaublich auf ihn abgestimmt, so völlig in ihm aufgegangen war. Ihre kühle Amüsiertheit und die durch nichts zu erschütternde Gelassenheit blieben. Dennoch war sie weit fort von ihm, selbst wenn sie liebenswürdig plauderte oder sich im Orgasmus aufbäumte. Plötzlich stand eine Wand zwischen ihnen.

Sie wollte das Nachtleben von Mexico City genießen, aber merkwürdigerweise nur das in den kleinen Seitengassen, in den miesen Bumslokalen, wo die Gerüche scharf waren, die Lichter uringelb und die Massen und der Zigarettenrauch erstickend. Gehorsam begleitete Orlando sie von einer Spelunke in die andere. Sie nahmen einen Drink an dieser armseligen Bar und einen andern an jenem schmutzigen Tisch mitten im Gedränge. Die Preise waren hoch, die Luft verbraucht, der magische Kontakt zwischen ihnen auf unerklärliche Weise gebrochen. Er saß da und fragte sich, ob sie ihn jemals wirklich geliebt hatte und wie lange das schon zurücklag.

Die Band legte mit einem kitschigen Flamenco los, einem von diesen unechten, wie sie die amerikanischen Touristen aus der Provinz beeindruckten. Noreen äußerte den Wunsch, mit Orlando zu tanzen. »Nein«, sagte er, »wir würden uns nur lächerlich machen.«

»Was ist los mit dir? Bist du schon ganz verkalkt?« höhnte sie. »Mensch, bevor diese verdammten Flitterwochen zu Ende sind, werden wir noch die Alterspension beziehen.«

In diesem Augenblick erschien am Tisch ein aus einem Diskontladen entsprungener Gigolotyp mit dem dazugehörigen fettglänzenden Haar und einstudiert lüsternem Mund. Er erkundigte sich mit betontem, allzu vertraulichem Akzent, ob die feine Señora ihm die Ehre erweisen würde, mit ihm zu tanzen.

»Hau ab!« fuhr Orlando ihn an.

Noreen erhob sich – etwas schwankend, denn sie war den Lötlampenfusel, den sie seit ihrer Ankunft ständig tranken, noch nicht gewohnt – und drehte sich ihm zu. »Ich werde tanzen«, erklärte sie herausfordernd.

Orlando faßte den schmierigen Kerl ins Auge. Er versuchte zu einem raschen Entschluß zu kommen. Ich kann sie an den Haaren aus dem Lokal zerren, dachte er. Ich kann dem Burschen die Luftröhre einschlagen, wenn er den Helden spielen will. Ich kann richtig auf die Pauke hauen, nicht wahr?

Aber er blieb sitzen und verfolgte sie mit finsteren Blicken. Noreen schwankte mit dem abgetakelten Casanova der überfüllten Tanzfläche zu und hob ihre makellosen Arme in die von schlechten Filmen her bekannte Flamencopose.

Die Musik war erbärmlich und Noreens Darbietung peinlich protzig. Sie wußte nicht, was sie da aufführte. Die andern Tanzpaare zogen sich langsam zurück und klatschten im Takt. Angefeuert folgte sie dem Fußaufstampfen, Fingerschnalzen und den spanischen Aufschreien des Kerls und genoß jede Sekunde ihrer letztklassigen Zirkusnummer, ohne zu ahnen, daß alles über sie lachte.

Sie hatte noch nicht genug, als der Tanz zu Ende war. Laut setzte die Musik wieder ein, veranlaßte sie dazu, sich noch mehr lächerlich zu machen und sich in eine Soloparodie einer hüftenschwingenden Señorita hineinzusteigern. Orlando hielt sich zurück, solange er konnte. Dann aber sprang er auf, um das widerliche Schausiel zu beenden. »Komm, los, wir gehen!« brüllte er und packte sie am Arm.

»Laß mich los!« schrie sie zurück, ohne auf die Umstehenden zu achten, und entwand sich ihm. Der Gigolo tauchte mit einem dünnen Lächeln an ihrer Seite auf, als wüßte er noch nicht recht, ob er sich einmischen oder aus einer Szene heraushalten sollte, die ihn im Grunde nichts anging. Noreen klammerte sich fest an ihn. Das versetzte Orlando noch mehr in Wut. Er riß die zwei auseinander und packte Noreen abermals am Arm. »Laß mich los!« kreischte sie. Der Gigolo, nun von beiden Seiten bedrängt, unternahm einen schüchternen Versuch, sie zu verteidigen.

Zitternd vor Demütigung und Ekel versetzte Orlando ihm einen sauberen, scharfen rechten Haken in den Bauch, der den Mann rücklings zu Boden warf. Bevor er sich noch erheben konnte, begann Noreen mit schrillen Flüchen wie besessen auf Orlandos Gesicht und Brust einzuschlagen.

Sekundenlang war er starr. Dann stolzierte er zum Tisch zurück, ließ ein paar Geldscheine darauffallen und marschierte aus dem Saal.

Er kehrte ins Hotel zurück.

Bei Tagesanbruch kehrte Noreen zurück. Unter ihren tiefliegenden Augen zeichneten sich dunkle Ringe ab. Sie war immer noch so gekleidet wie am vergangenen Abend, nur daß sie keine Schuhe anhatte und der Rock einen klaffenden Riß aufwies. Ganz klein schien sie ihm und sehr hilflos.

Endlich richtete Noreen den Blick auf ihn. »Gib mich auf«, sagte sie. »Du kannst die Ehe für nichtig erklären lassen und den Leuten erzählen, was du willst – warum wir den Ehering so schnell angesteckt und wieder heruntergenommen haben. Ich hasse mich selber, habe mich immer gehaßt und werde mich immer hassen. Aber ich leg mich mit jedem ins Bett, der mich nur anrülpst.«

»Der Kerl, dem ich heute nacht eine 'reingehauen habe – hat er gerülpst?«

Sie nickte. »Ja. Tausende seines Schlags können einem wie dir nicht das Wasser reichen. Es hat mir den Magen umgedreht, aber ich ging mit ihm auf sein Zimmer.«

»Mein Gott«, flüsterte Orlando.

»Willst du Einzelheiten hören?«

Eine lange Weile blieb er stumm. Dann hörte er sich sagen: »Packen wir und fahren wir heim.«

Harry saß am Fenster der Düsenmaschine, die ihn aus Miles Quinlans Washington forttrug und starrte auf die Wolken hinunter. Er bemühte sich, Noreen zu vergessen. Wieder dachte er daran, wo er sich in diesem Augenblick wohl befinden würde, wenn Joe Haywood noch am Leben wäre und der Krautkopf Quinlan in Rotary-Clubs Vorträge hielte.

Ich habe einiges dazu beigetragen, daß Joe Haywood gewählt wurde, dachte er. Soll ich jetzt die Hände in den Schoß legen und Daumen drehen, nur weil dieser Idiot Quinlan mir die Tür gewiesen hat?

Quinlan wird kandidieren. Er ist keine Kanone.

Also schön. Wollen mal sehen, wer noch kandidieren will.

So schnell geb ich nicht auf.

Auch auf der Fahrt vom Flughafen in die Stadt zurück mußte Bill Temple immer noch an diese verrückte Nancy Brice denken. Er machte einen Umweg und lenkte den Wagen zum Haus seines Freundes, des Anwalts Morris Broderick. Irene Broderick begrüßte ihn freundlich, Morris würde gleich kommen, sagte sie.

Er trank mit Morris ein Glas Bier und erzählte.

»Das ist doch wohl nur ein Sturm im Wasserglas, Morris, nicht wahr? Du bist doch der große Rechtsverdreher. Du kennst dich doch aus. Ich brauche mir doch keine Sorgen zu machen, nicht wahr?«

»Ich hoffe es, Bill.«

Temple gab sich einen Ruck. »Was soll das heißen?«

»Die Geschichte ist so phantastisch, daß sie auf groteske Weise plausibel klingt. Ich kann dir nichts dazu sagen, bevor ich nicht einige Informationen eingezogen habe. Das werde ich unverzüglich tun und dir dann gleich Bescheid geben.«

»Was meinst du ... Brauche ich mir keine Sorgen zu machen?«

Broderick zuckte die Achseln. »Diese Schmutz-und-Schund-Prozesse sind manchmal unangenehm. Ich kann mich täuschen, aber meiner Meinung nach hat diese Miß Brice nicht ganz saubere Hände. Irgend jemand muß irgendwann einmal die amerikanischen Verlagsrechte des Buches erworben haben. Daran dürfte sie nicht unbeteiligt gewesen sein. Anscheinend hat sie das Geschäft gemacht, ohne sich die Mühe genommen zu haben, dich davon in Kenntnis zu setzen. Aber, wie gesagt, ich muß vorerst herausbringen, inwieweit du von dem betroffen bist, was die da in Alabama ausgeheckt haben. Bis dahin rühr dich nicht.«

»Ich muß ununterbrochen an das Buch denken. Es war doch eine Parodie pornographischer Bücher! Wie kann jemand so etwas ernst nehmen?«

»Das spricht ja dann alles zu deinen Gunsten.«

»Wie können wir denn wenigstens zu einem Exemplar kommen?«

»Bei einem jener Kioske, die solche Bücher verkaufen, würde ich sagen«, meinte Broderick. »Aber wozu Zeit verschwenden und jetzt eines aufspüren? Du würdest es lesen und dich höchstens aufregen, weil du dich immer fragen wirst, wie eine Jury darauf reagieren würde. Du hast doch etwas Besseres zu tun, als den Masochisten zu spielen.«

»Mein Name darf in keinen Skandal hineingezogen werden, Morris!«

»Jetzt werde mir nicht hysterisch! Das ist doch sonst nicht deine Art.«

»Ich komme mir nur so verdammt hilflos vor.«

»Du bist aber nicht hilflos. Soviel ich weiß, haben wir noch Gesetze in diesem Land. Jetzt sei friedlich, trink dein Bier und erzähl mir, wer gegen Quinlan kandidieren wird.«

»Wer macht sich darüber schon Sorgen!«

»Du zum Beispiel, wenn du nicht gerade kindisch bist. Also: Wer hat die besten Aussichten, Quinlan zu schlagen?«

»Die nächsten dreißig Tage oder so, bis die Flitterwochen nicht vorbei sind, keiner. Lloyd Reynolds und Bartell sind gute, solide, verantwortungsbewußte und gemäßigte Leute. Aber ich kann bei ihnen keinen politischen Sex-Appeal entdecken, kein Image, das sich verkaufen läßt.«

»Also dann vielleicht Grant Campbell?«

Temple machte ein finsteres Gesicht. »Ich beiße mir dabei auf die Zunge, aber es könnte sein. Und wenn dem so ist, können wir alle unsere Koffer packen und auswandern.«

Morris Broderick lachte und schüttelte den Kopf. »Du bist wirklich eine hysterische alte Jungfer, Bill!«

»Mach etwas in dieser Alabamasache, Morris.«

Temple verabschiedete sich. Er war eine Spur mehr davon überzeugt, daß Broderick, ein ausgezeichneter Anwalt, möglicherweise doch recht hatte. Vielleicht machte er sich wirklich mehr Sorgen als nötig. Aber auf der Fahrt ins Büro kam er an einem Laden vorbei, in dem er, bevor er das Rauchen aufgab, immer seine Zigaretten gekauft hatte; ein Laden, wie er sich erinnerte, in dem fast ein ganzer Wandverbau mit Taschenbüchern vollgestopft war. Er parkte den Wagen und trat ein. Das Licht war schlecht und die Luft verbraucht.

Er ging an zwei schäbig gekleideten Männern vorbei, die beim Ladentisch standen, und lenkte seine Schritte zu den Regalen, Stellagen und Ständern, auf denen sich eine kaum übersehbare Vielfalt pikanter Zeitschriften und Taschenbücher befand. Über dreien dieser Ständer war eine Karte mit dem handgeschriebenen Wort LIEBESGESCHICHTEN befestigt. Temple zuckte ein wenig zusammen.

Die Bücher hatten absurd geschmacklose Titel — *Allzeit Alice* und *Das Mädchen auf dem Rücksitz* —, und auf den abscheulichen Umschlägen waren überlebensgroße Busen, haarige Arme und Peitschen zu sehen. Er drehte die Ständer und fand Berge idiotischer Erotika — *Das verschwiegene Motel, Das Luderchen in der Pension* und sogar *Zappelndes Zuckerpüppchen* — mit ernstgemeinten Waschzetteln und Umschlagzeichnungen von Superweibern mit Superkörpern, in deren Augen sich superphantastische Superekstasen widerspiegelten. Diese Erzeugnisse, auf Einfaltspinsel zugeschnitten, konnten doch wohl nur entsetzliche, witz- und geschmacklose Entgleisungen sein, die kein Mensch ernst nahm ...

Die zwei Männer vorn am Ladentisch unterhielten sich leise. Vielleicht über ihn, dachte Temple, über einen erwachsenen Mann, der sich für solchen Mist interessierte. Der Gedanke machte ihn verlegen, aber er konnte sich nicht davon losreißen. Noch nicht. Er drehte weiter an den Ständern.

Und er fand *Die stolze Dirne*. Von C. S. Poole.

Mit zitternden Händen griff Temple nach dem Buch und blätterte es in verzweifelter Eile durch. Der Name der einen Heldin kam ihm bekannt vor, und auch jener Absatz, trotz der vielen Jahre seit Paris. Das Buch war tatsächlich die hirnverbrannte Satire, die er und Gene damals auf ihrem Zimmer produziert hatten.

Nur ... daß eben etwas fehlte, wie er mit kaltem Entsetzen feststellte, als er eine ekelerregende Szene nach der andern durchsah. Da gab es haufenweise überdeutliche Beschreibungen lechzender Genitalien in Tätigkeit, alles ganz ernst gemeint und ohne den parodistischen Ton, den er und Gene Spellman angeschlagen hatten. An dem Buch war herumgepfuscht — nein, es war neu geschrieben worden. Das Komische, Lächerliche war entfernt und durch eindeutige, unverkennbare Pornographie ersetzt worden.

Und das war die Fassung, um die es in Alabama ging. Ganz klar.

»Na, Meister, wie ham mas denn?« hörte er jemanden sagen. Er drehte sich um und sah einen der beiden schäbigen Männer neben sich stehen. »Kaufen Se oder kucken Se bloß?«

Schuldbewußt nahm Temple alle fünf Exemplare aus dem Fach und kaufte sie dem erstaunten Mann ab.

Er raste zu Broderick zurück, zeigte ihm die Bände und schwor, daß man den Inhalt völlig verändert hatte. Schweigend blätterte der Anwalt in einem der Bücher. Dann sagte er: »Du hast natürlich keine Abschrift des Originals.«

»Morris, das war vor zwanzig Jahren! In Paris! Und Gene ist tot. Gott allein weiß, was damit geschehen ist.«

Broderick nickte.

Allmächtiger, fragte sich Temple, wird mich das ruinieren?

VI

Patsy Orlando fuhr seinen Bruder zu Grant Campbells Haus in West Hollywood.

Auf dem Rücksitz redete Orlando sich zum dutzendstenmal ein, daß er deswegen noch lange keinen Pakt mit dem Teufel schloß, wenn er Campbells Einladung zum Dinner annahm.

Sie würden plaudern. Weiter nichts.

Wahrscheinlich würde ihm Campbell große Versprechungen machen und sie, wenn er's ins Weiße Haus schaffte, vielleicht sogar erfüllen.

Ich muß wirklich nicht ganz bei Trost sein, dachte Orlando. Ich weiß doch nur zu gut, wer Campbell ist, was er darstellt, was er tun würde, wenn er an die Macht käme.

Er staunte über seine Fähigkeit, sich selbst zum Narren zu halten. Er nahm mit Recht an, daß etwas ganz offensichtlich nicht koscher war, und redete sich gleichzeitig ein, daß alles seine Richtigkeit haben würde, wenn er es nur wirklich wollte. Ich bilde mir ein, ich könnte Campbell von seinen halsabschneiderischen Freunden fort auf den Pfad der Tugend locken, dachte er. Ich glaube es, weil ich es glauben will. Und ich will es glauben, weil ich es nicht ertragen kann, daß man mich hinausgeworfen hat.

In meinem ganzen Leben gab ich mich nie geschlagen.

Warum machte ich mit Noreen weiter? Aus dem gleichen idiotischen Grund; es gab einfach keine Situation, von der ich nicht glaubte, daß ich sie nicht meistern könnte.

Und warum bereite ich mir in letzter Zeit so fleißig mit meiner Vergangenheit selber Schmerz? Bin ich am Ertrinken? Hat mir die Zukunft so wenig zu bieten? Warum verfolgt mich diese Noreen, die mir so weh getan hat?

Wie damals, als wir aus Mexico City zurückkamen.

Orlando brachte Noreen in das Haus, das Miriam und Jimmy mittlerweile geräumt hatten. Er war halsstarrig und unfähig, der Welt, sich selber oder beiden seinen Fehler einzugestehen. Er gab eine Party für hundert Freunde und unterkühlte Feinde, um ihnen seine Freude an seiner jungen Frau vorzuführen. Er und Noreen spielten mit großem Erfolg die wahnsinnig glücklichen Gastgeber. Sie war reizend und offensichtlich in ihn verliebt, und für ein paar

Stunden war Mexico City nur ein häßlicher, masochistischer Alptraum gewesen.

Eines Samstags brachte er Noreen zu einem Psychoanalytiker namens Latham, von dem er viel Gutes gehört hatte. Sie brauchte an diesem Tag keine Drehaufnahmen für ihren Bibelschinken zu machen und hatte widerspruchslos in diesen Besuch eingewilligt. Harry wartete in einem Vorraum, bis er gerufen wurde. Nachdem Noreen den Behandlungsraum verlassen hatte, sagte Latham, ein Mann mit zerfurchtem und ausdrucksvollem Gesicht: »Ihre Gattin ist eine seelisch gestörte junge Frau, Mr. Orlando. Sie ist im Grunde außerordentlich deprimiert und bringt ihre Depressionen und starken Minderwertigkeitsgefühle auf zerstörende Weise zum Ausdruck. Sie ist sich zum Teil dessen bewußt, und das müssen wir ihr hoch anrechnen. Ob sie stark genug ist, sich einer Behandlung zu unterziehen — sei es durch intensive Analysen oder daß sie sich in ärztliche Pflege begibt —, steht auf einem andern Blatt.«

Die brutale Offenheit schüchterte Orlando ein. »Was meinen Sie mit ärztlicher Pflege?« fragte er heiser. »Meinen Sie eine Irren . . . eine Anstalt?«

»Das wäre zu empfehlen, da sie dann unter der Aufsicht eines Psychiaters stünde. Sie könnte bei mir oder bei einem andern Arzt mit Analysen beginnen, aber sie müßte fünfmal in der Woche kommen, und das viele Jahre hindurch. Das wäre sehr kostspielig, und trotzdem könnte ein verantwortungsbewußter Arzt keine Heilung garantieren. Ihre Frau hat ein schwer angeschlagenes Ego, Mr. Orlando. Sie reagiert darauf wie ein Kind, das sich unterhalten will. Einem unwiderstehlichen Drang folgend, versucht sie, ihr Verlangen zu befriedigen: nicht heute, nicht nächste Woche, sondern gleich. Sie wird mit den Minderwertigkeitsgefühlen fertig, indem sie sie negiert, indem sie auf einer von vornherein fixierten Ebene sofortiger Befriedigung lebt, die sie jedoch nie zufriedenstellt. All das kann sie nicht aufrechterhalten. Das weiß sie, und darum leidet sie darunter und gerät trotzdem immer wieder in die Tretmühle. Sie kann in ihrer Karriere etwas leisten. Aber ihr beruflicher Aufstieg wird ihr nicht für immer Kraft geben. Sie kann kein normales Leben mit Ihnen oder mit sonst einem Mann führen, den sie liebt und der sie wieder liebt, sosehr sie sich auch bemüht, da sie sich guten Menschen gegenüber, die ihr zugetan sind, so entsetzlich minderwertig fühlt.«

»In einer Stunde haben Sie eine Menge herausgefunden«, sagte Orlando mit hohler Stimme.

Der Gedanke an eine Irrenanstalt ließ in Harry groteske Bilder von jungen Frauen hochkommen, die in Sack und Asche auf Gummisohlen umherschleichen. Er erwähnte Noreen gegenüber nichts davon. Sie begab sich in Dr. Lathams ärztliche Behandlung. Sieben geschäftige Wochen lang, in denen das Bibelepos zu Ende gedreht und sie von ihrer Gesellschaft anschließend für einen neuen Film, die Neufassung einer Carole-Lombard-Komödie, verpflichtet wurde, war sie wieder Orlandos Noreen – das herrlich gurrende Weibchen, das goldene Mädchen, seine göttliche Noreen. Er machte weiterhin Urlaub, lehnte jede Arbeit ab, da er zu sehr damit beschäftigt war, auch einmal sein Leben und Noreen richtig zu genießen und sich an ihren großen Fortschritten als Schauspielerin und Frau zu erfreuen. Freunden, die ihn besuchten, sagte er scherzend, er trage sich mit dem Gedanken, seinen Namen auf Mr. Noreen Lawrence ändern zu lassen.

Er entschloß sich erst, wieder an die Arbeit zu gehen, als seine Berater ihn daran erinnerten, daß niemand im Showgeschäft es sich leisten könne, unbegrenzt Urlaub zu machen, und daß selbst ein Harry Orlando aufs Meer hinaustreibe, wenn er die Ruder zu lange gleiten ließe. Er glaubte ihnen und erklärte sich schließlich einverstanden, mit der Arbeit zu beginnen.

Mit dem Vorbehalt, daß die Höhe seiner Gage vor den Fachblättern geheimzuhalten war, nahm Orlando schließlich das beste Angebot an: elf Wochen zu je fünfzigtausend Dollar für ein Musical der Kennington-Studios. Aber auch die Direktoren ließen ihm durch Nate West eine Bedingung stellen: Orlando hätte sich ordentlich zu benehmen. Beim ersten Anzeichen schlechter Laune, beim ersten Hinweis darauf, daß er seinen Verpflichtungen nicht nachzukommen gedachte, würden sie den Vertrag lösen.

Die Aufnahmen begannen für Orlando unter einem guten Stern. Noreen arbeitete fleißig und ohne sich zu beklagen tagsüber im Atelier und kehrte am Abend in bester Laune und liebevoll zu ihm zurück.

Das unangenehme Aufsehen, das Harry erregt hatte, als er wegen Noreen Frau und Kind verließ, klang allmählich ab. Aber die Zeitungsartikel lehrten ihn, sich die Presse vom Hals zu halten. Die gehässigsten und verdrehtesten Geschichten waren von einigen jener Reporter und Kolumnisten geschrieben worden, von denen er immer angenommen hatte, daß sie auf seiner Seite stünden. Einer der wenigen Journalisten, die ihn fair behandelten, war ein Kolumnist namens Ray Calaway, dessen Artikel in vielen Zeitungen erschienen; ein junger Mann, den er nicht kannte, der sich durchsetzte und dem es ein leichtes gewesen wäre, sich auch der Haut-den-Orlando-in-die-Pfanne-Fraktion anzuschließen.

Calaway hatte über die Scheidung und Wiederverheiratung geschrieben, ehrlich und ohne Gehässsigkeit, und eines Abends sagte Orlando zu Noreen: »Laden wir den Onkel doch zu unserer nächsten Party ein.« Er schrieb dem Kolumnisten einen seiner seltenen Dankeschönbriefe und bekam keine Antwort, was ihn noch mehr für den Zeitungsmann einnahm. Es war ein klarer Hinweis darauf, daß Calaway kein Speichellecker war.

Zwei Wochen nachdem Orlando zu filmen begonnen hatte, lernten er und Noreen Calaway ganz zufällig bei einer Dinnerparty im Hause Grant und Millie Campbells kennen. Er konnte Campbell, der vierzig war und zehn Jahre jünger aussah, gut leiden. Campbell war kein sehr guter Schauspieler, wurde aber immer wieder zu Filmen verpflichtet, da er der saubere, anständige Typ war, der auf der Leinwand aufrichtig und echt wirkte. Er war auch im Leben ein netter, guter Kerl, der seine freie Zeit dazu verwendete, sich für eine gerechte Behandlung der Neger und Mexikaner in Kalifornien einzusetzen. Campbell war weder ein Weltweiser noch ein Angeber, und obwohl sie keine intimen Freunde waren, bewunderte Orlando seinen Mut und war immer bereit, auf Grants Ersuchen eine Bittschrift zu unterschreiben oder bei einer Wohltätigkeitsveranstaltung mitzuwirken.

Grant begrüßte ihn an jenem Abend herzlich, meinte, es würde eine tolle Party werden, hieß Noreen willkommen, gratulierte Orlando zu seinem Glück, achtete darauf, daß er einen Drink bekam und daß Noreen Leute fand, mit denen sie sich unterhalten konnte, und schleppte ihn dann zur Hollywoodschaukel in den Garten hinaus.

»Jetzt kommt was«, sagte Orlando gutgelaunt.

»Na klar«, versetzte Grant. »Harry, im Laufe dieses Monats machen wir eine Protestversammlung für Homer Dean im Pan-Pazifik-Auditorium. Es wäre für uns natürlich eine große Hilfe, wenn wir ankündigen könnten, daß du dabei singst oder sprichst oder sonst was machst. Ich weiß, es ist ein heißes Eisen ...«

»Womit alles gesagt ist«, erwiderte Orlando. Homer Dean war

ein dreiundzwanzigjähriger farbiger Dreher, der in der Todeszelle von San Quentin saß, weil er bei einer Wirtshausrauferei einen Mann erschlagen hatte. Obwohl er nur wegen Mordes hätte verurteilt werden sollen, teilte der Staatsanwalt der Presse unter dem Siegel der Verschwiegenheit mit, Dean wäre Kommunist. Es gab eine Menge verärgerter Leute, die behaupteten, Dean wäre nur seiner politischen Überzeugungen wegen zum Tod in der Gaskammer verurteilt worden.

»Mit der Versammlung«, erläuterte Grant, »wollen wir ein Feuerchen unter unserem Schlafwandler von einem Gouverneur anzünden und ihn zwingen, die Todesstrafe auf lebenslänglich herabzusetzen. Dean ist genausowenig ein Roter wie du oder ich. Und es wurde nie ein Beweis dafür erbracht, daß er einer war. Man hat nur herausgefunden, daß er Mitglied einer linksgerichteten Organisation war. Na und? Aber selbst wenn er Kommunist wäre — was hat das zu sagen? Wir sind der Meinung, daß ihn nur die allgemeine Hysterie in die Gaskammer bringen will. Wir brauchen Leute auf unserer Seite, die mit dem Kommunismus nichts zu tun haben wollen. Dein Name könnte uns sehr viel helfen.«

»Moment mal! Wenn ich dort aufs Podium steige, wer sitzt neben mir? Gus Hall und drei alte Weiblein? Ich weiß, daß du mich nicht als Zielscheibe aufstellen willst, Grant. Aber in bezug auf Politik bin ich ein unschuldiges Kind. Das klingt vielleicht nicht sehr mutig, aber ...«

»Mutig nicht, aber realistisch«, räumte Campbell ein. »Zunächst einmal werde ich dasein, und ich bin genauso ein Kommunist wie Eleanor Roosevelt. Ich will ganz offen mit dir sein, Harry. Ich habe mit einigen interessanten Leuten gesprochen« — er zählte die Namen einiger erfolgreicher Schauspieler und Schauspielerinnen auf —, »und sie sagten ungefähr das gleiche wie du. Aber sie gaben mir ihr Wort, daß sie mittun und sprechen würden, wenn sich nur jemand fände, der die Sache in Gang brächte. Und viele von ihnen bezeichneten dich als besten Mann.«

»Ich fühle mich geschmeichelt. Also schön, Grant, das Geschäft ist abgemacht. Ich werde kommen.«

»Mensch, das ist fein«, sagte Campbell. »Jetzt kann's richtig losgehen!«

Harry wußte nicht, ob er über Grants pfadfinderische Begeisterung lachen oder weinen sollte.

Es gab kaltes Büfett, und die Gäste, von denen er etwa die

Hälfte kannte, sahen nicht wie Genossen aus, die sich verschworen hatten, das Capitol in die Luft zu sprengen. Noreen, die in ihrem enganliegenden Kleid aus grüner Seide prächtig anzusehen war, unterhielt sich mit einem kinnlosen, bebrillten jungen Mann von etwa dreißig Jahren, der sich Harry mit dem Namen Ray Calaway vorstellte.

»Ich wußte nicht, daß ihr euch kennt«, sagte Orlando.

»Wir wurden eben miteinander bekannt«, erklärte Noreen, »und wir haben herausgefunden, daß wir beide aus New Orleans kommen.«

Calaway erhob sich. Nicht genug, daß er unansehnlich war, er hatte auch einen Buckel.

»Endlich lernen wir uns kennen«, sagte Orlando. »Ich hab Ihnen ein Briefchen geschrieben. Können Sie sich vielleicht erinnern, ob Sie's bekommen haben?«

»Doch, ja«, nickte Calaway. »Ich fürchte, es war ungezogen, Ihnen nicht zu antworten. Aber – ehrlich gestanden, ich dachte, irgend jemand, der für Sie arbeitet, hätte es routinemäßig abgeschickt.«

»Da kennen Sie Harry nicht«, mischte sich Noreen lächelnd ein. »Zeitungsleuten schreibt er nur, wenn er ihnen wirklich etwas zu sagen hat. Und das erledigt er persönlich.«

»Dann bitte ich um Entschuldigung. Ich verspreche Ihnen, auf Ihren nächsten Brief zu antworten.«

»Sie haben einige Leute heruntergekanzelt, die ich mag, und einige, die ich nicht mag«, sagte Orlando, »aber mir gegenüber waren Sie fair. Warum eigentlich? Sooft ich mich schneuze, schreiben siebzehn Reporter, ich hätte die Fahne bespuckt. Warum sind Sie anders? Habe ich Ihre Mutter einmal aus einem brennenden Haus getragen?«

»Nicht daß ich wüßte. Ich habe Sie schon immer bewundert. Sie waren mein Hobby. Als Sie Ihren ersten großen Schallplattenerfolg hatten, begann ich mir Einklebebücher über Sie anzulegen.«

»Einklebebücher? Ich dachte, das wäre was für Schwule und alte Jungfern«, scherzte Orlando. Im nächsten Augenblick hätte er sich die Zunge abbeißen mögen. Vielleicht war Calaway schwul. Wahrscheinlich nicht, überlegte er. Der arme Kerl war zu häßlich, um andersrum zu sein; den würde nicht einmal ein Schwuler haben wollen.

»Ich bin weder das eine noch das andere«, lautete Calaways eisige Antwort.

Orlando gefiel Calaways unabhängige Einstellung. Er fand im Lauf des Abends Gelegenheit zu einem neuerlichen Meinungsaustausch. Unter anderem fragte er ihn auch, was er von Campbells geplanter Veranstaltung halte.

»Wollen Sie wissen, wie ich als Journalist über Ihre Teilnahme an der Versammlung denke oder als Mensch?«

»Beides.«

»Wenn Dean sterben muß, sollte er meiner Meinung nach sterben, weil er ein Möder ist, nicht weil er ein Roter oder ein Nazi oder jungfräulich oder schwul oder sonstwas ist, das Ihnen und mir nicht paßt. Meine persönliche Ansicht ist, daß er deswegen sterben muß, weil der Staatsanwalt Gouverneur und der Gouverneur Präsident werden will. Ich kann's nicht beweisen, aber ich vermute es.«

»Und meine Teilnahme an der Versammlung?«

»Sie wären ein Dummkopf, wenn Sie sich auf etwas Derartiges einließen.«

Orlando zog die Augenbrauen in die Höhe. »Warum, Ray?«

»Weil Dean sterben wird, selbst wenn Gott, Gottes Sohn und der Papst sich für ihn verwenden würden. Grant Campbell ist politisch unbedeutend. Er ist kein Kommunist und hat keine Hintergedanken bei seinen Plänen. Aber er ist ein reiner Tor, ein sentimentaler, reiner Tor. Wenn er diese Veranstaltung, diese Protestversammlung oder wie er es nennen will, abhält, werden ihm höchstens ein paar Verrückte einen Strick daraus drehen wollen. Aber wenn *Sie* dort erscheinen, werden Sie von einer Menge Leute als Towarisch Harry angesehen werden. Haben Sie das nötig?«

»Und wie steht's mit den andern, die laut Campbell auch kommen sollen? Hastings, Janice Ayres ...«

Calaway schnaubte verächtlich. »Die denken doch nicht daran, sich sehen zu lassen. Warum sollten sie auch? Campbell ist gerade einfältig und vertrauensselig genug, ihren Versprechungen zu glauben, aber ich weiß es besser: Die einzigen Leute, die kommen werden, sind die, die immer dabei sind, wenn es sich um Anliegen linker Organisationen handelt. Vielleicht irre ich mich, aber ich glaube, Sie würden einen Fehler machen.«

»Danke, Ray. Hören Sie mal, warum kommen Sie morgen nicht zu uns ins Haus, und wir trinken ein paar Gläser?«

»Gern.«

Ray Calaway kam am Sonntag. Er und Orlando saßen neben dem Swimming-pool und plauderten, während Noreen oben an ihrer Rolle für Montag arbeitete. Sie tranken Whisky und sprachen über viele Dinge. Orlando erkannte immer deutlicher, daß Ray Calaway äußert intelligent und trotz seiner kaltschnäuzigen Reserviertheit ein Mann war, dem man vertrauen konnte. Ein gutes Dutzend Buchverleger hatten sich schon lautstark für Harry Orlandos Autobiographie interessiert, waren aber immer wieder abgewimmelt worden. Er hatte keine Zeit und auch keine Lust. Er brauchte das Geld nicht, und – der wahre Grund – er hatte noch keinem Bücherschreiber so weit getraut, daß er ihm als Ghostwriter genehm gewesen wäre. Nun fragte er Calaway, ob er Lust hätte, mit ihm gemeinsam an einem Buch zu arbeiten. Calaway sagte ja.

Zwei Abende später saßen sie im Arbeitszimmer und begannen. Ein Magnetophon surrte ohne Pause. Orlando erzählte kunterbunt durcheinander. Er wußte, daß eine ganze Menge ausgelassen werden mußte, aber irgendwie sollte ja ein Anfang gemacht werden. Rays Geschicklichkeit beim Aussuchen und Ausmerzen glaubhafter Episoden würde die Spreu schon vom Weizen scheiden. Sie kamen überein, den Reinertrag des Buches – der zweifelsohne eine sechsstellige Zahl erreichen würde – halb und halb zu teilen. Orlando wollte seine Hälfte wohltätigen Zwecken widmen.

Wochenlang arbeiteten sie Abend für Abend, und es ging gut voran. Orlando, auf dem Höhepunkt seiner Leistungskraft angelangt, bot tagsüber im Atelier so gewissenhafte Leistungen, daß sich selbst die Kenningtons, die lange Zeit arge Befürchtungen gehegt hatten, zufrieden die Hände rieben. Eineinhalb Wochen vor der Protestversammlung für Homer Dean rief Grant Campbell an und erinnerte ihn an sein Versprechen. Hastings, Janice Ayres und all die andern konnten es angeblich kaum erwarten.

»Hab ich dir nicht zugesagt? Ein Mann – ein Wort«, sagte Orlando.

Er sprach über die Veranstaltung weder mit Hastings noch mit Janice Ayres oder den andern. Er setzte auch nicht Ray Calaway oder sonst jemanden, der versuchen könnte, ihn umzustimmen, von seinem Entschluß in Kenntnis. Es war eine gute Sache, und er hatte sein Versprechen gegeben.

Ray erfuhr trotzdem davon und zuckte die Achseln. »Machen Sie, was Sie wollen. Aber wir verlieren einen ganzen Abend.«

»Das nenne ich Fleiß«, meinte Orlando und lachte.

Noreen, die sonst an allen Menschen Gefallen fand, gab zu, daß sie Calaway nicht leiden konnte. »Ich weiß nicht, woran es liegt«, meinte sie. »Er ist so häßlich. Er hat so eine — Ausdünstung. Er kriecht herum. Er tut so, als wäre er hier zu Hause.«

»Und er versteht sein Geschäft. Wir kommen prächtig miteinander aus. Wenn er dir so auf die Nerven geht, Kleine, dann halt dich von ihm fern.«

»Das wird mir nicht schwerfallen.«

Die Veranstaltung war für einen Montagabend, acht Uhr, angesetzt. Einen Tag vorher kam Vince Moschetta keuchend und sorgenvoll mit der Nachricht angetanzt, daß alle Stars, die ihr Erscheinen angesagt hatten, wegen schwerer Erkältung einer nach dem andern absagten. Vince meinte, Orlando solle doch so klug sein, ebenfalls nicht hinzugehen. »Nein, zum Teufel«, antwortete er. »Die, auf die's ankommt, werden dasein. Campbell hat mir sein Wort gegeben.«

Harry traf mit seiner bewährten Dreimanncombo, Musikern, die sein Repertoire und seinen Stil in- und auswendig kannten, um acht Uhr im Theater ein. Er fand bald heraus, daß außer ihm und Grant Campbell keine Künstler von Rang anwesend waren. Calaways Voraussage hatte ins Schwarze getroffen. Jene Künstler, die sich auf ihren Auftritt vorbereiteten — das waren die Ausrangierten, die Linken mit der Faust in der Luft, die gesichtslosen Larven von Männern und Frauen, die schon als Studenten der dreißiger Jahre randaliert hatten. Der halbvolle Saal verstärkte noch den Eindruck, daß die ganze Sache mehr als faul war. Das unruhige Publikum schien sich aus Karikaturen zusammenzusetzen. An verschiedenen Stellen des Auditoriums wurden plump bemalte Schilder mit der Aufschrift NIEDER MIT DEM FASCHISMUS — FREIHEIT FÜR HOMER DEAN geschwenkt.

Während Roland Bostwick, der alte, kranke Negerbariton, der seit langer Zeit der Kommunistischen Partei angehörte, auf der Bühne stand und ein Protestlied gegen die Lynchjustiz sang, packte Orlando Campbell am Arm.

»Jetzt laß dir mal eine Erklärung einfallen«, sagte er zornig.

»Harry, ich weiß, im Moment schaut die Sache . . .«

»Das ist ja fein! Warum hast du mich nicht wenigstens daran

erinnert, daß ich Hammer und Sichel mitnehme? Ich komme mir ja ausgesprochen nackt vor.«

»Das ist nicht fair, Harry. Ich hab erst vor fünfzehn Minuten erfahren, daß die wichtigsten Leute nicht kommen können. Das ist die reine Wahrheit, ich schwöre es dir! Es wird dich niemand daran hindern, auf die Bühne zu gehen und frisch von der Leber weg zu sprechen. Es geht nur um Gerechtigkeit für Homer Dean. Du kannst mehr Leute überzeugen als alle Bostwicks der ganzen Roten zusammen.«

Orlando seufzte. »Kommt, Leute«, sagte er zu seinen Musikern und bedeutete ihnen mit einem Wink, ihm zu folgen.

»Wohin gehst du?« fragte Campbell erschrocken.

»Grant«, erwiderte Orlando traurig, »ich glaube, du verstehst wirklich nicht, was du angerichtet hast. Meinst du, ich könnte allein vor diese Verrückten treten und die Fahne schwenken, ohne daß etwas von dieser Verrücktheit an mir haften bliebe? Gott schütze mich vor gutherzigen Schwachköpfen.« Er fühlte sich nicht verraten, sondern war über seine Dummheit verärgert. Er führte seine Combo durch eine Seitentür auf die Straße. Die Fotografen knipsten, und die Reporter hüpften um ihn herum und wollten eine Erklärung von ihm haben. Wortlos bahnte er sich einen Weg zu seinem Wagen.

Er kam kurz nach neun nach Hause, etliche Stunden, bevor man ihn erwartete. Der Kammerdiener teilte ihm mit, Mrs. Orlando habe sich schon früh zurückgezogen, um ihre Rolle zu studieren, und Mr. Calaway hielte sich im Arbeitszimmer auf und spiele dort die Bänder ab. Orlando eilte die Treppe hinauf, drei Stufen auf einmal nehmend. Noreen war spurlos verschwunden. Er stürzte wieder hinunter. Im Arbeitszimmer brannte Licht. Das Tonbandgerät lief, aber im Raum war niemand.

Um Gottes willen!

Leise, aber mit wachsender Erregung irrte er über das Gelände, hörte nichts, sah nichts und bemerkte dann doch einen Lichtschimmer hinten im Stall. Er riß die Tür zur Vorratskammer auf. Calaway stand neben einem schmalen Feldbett; sein mißgestalteter, halbnackter Körper spannte sich in plötzlicher Angst. Noreen lag vollkommen nackt auf dem Bett. Sie hielt den Atem an, und ihre Hand schoß zum Mund.

Einen Augenblick lang schien die Zeit stillzustehen. »Also,

Noreen«, sagte Orlando dann ruhig, beinahe liebevoll, »zieh dein Höschen an. Und dann geh.«

Sie gehorchte schnell, wortlos, ohne sich umzusehen. Mit steinernem Gesicht betrachtete Orlando den verwirrten Calaway, der hastig bemüht war, in seine Kleider zu schlüpfen. Der zu Tode erschreckte kleine Mann tat Orlando fast ein wenig leid.

»Bevor Sie etwas sagen, Harry«, stieß er hervor, »mich trifft keine Schuld.«

»Natürlich nicht. Sie können nichts dafür.«

»Ob Sie mir's glauben oder nicht, sie begann mir schon am zweiten Abend nachzustellen, als wir mit dem Buch anfingen. Ich schwöre es Ihnen. Wenn Sie nicht da waren, schlich sie um mich herum, versuchte intim zu werden und sagte, wir sollten doch zusammenkommen. ›Was er nicht weiß, macht ihn nicht heiß.‹ Sie rief mich Dutzende Male an, Harry, ich schwöre es Ihnen, bei Gott! Und dann, heute abend, weil Sie doch erst spät heimkommen sollten, gab sie mir keine Ruhe und ... nun ja ... Sie haben recht, ich kann nichts dafür. Ich wußte, es war ein Fehler ...«

»Ja, Ray, es war ein Fehler«, bestätigte Orlando in ganz vernünftigem Tonfall und begann auf Calaway einzuschlagen. Er bearbeitete ihn unbarmherzig mit den Fäusten. Als der Mann sich nicht mehr aufrecht halten konnte, schleuderte er ihn zu Boden, sprang auf ihn und trat ihn immer und immer und immer wieder in die Geschlechtsteile, bis der Gärtner herbeistürzte und seinen Dienstherrn zur Seite drängte.

Der Gärtner sah auf den regungslosen Calaway hinunter. »Boß«, flüsterte er, »ich glaube ... vielleicht ist er tot.«

»Dann begraben Sie ihn«, antwortete Orlando.

Ganz langsam ging er zum Haus zurück und die Treppe hinauf ins Schlafzimmer. Völlig ruhig wandte er sich an Noreen: »Owen sagt, dein kleiner Liebhaber wäre vielleicht tot. In zehn Minuten hast du dieses Haus verlassen, oder du bist auch tot.«

Dann ging er auf die Toilette, entkleidete sich, begab sich in den Heißluftraum und schwitzte.

Owen, der Gärtner, hatte soviel Verstand, um Vince Moschetta anzurufen, der mit seinem eigenen Arzt angesaust kam. Calaway atmete noch. Der Arzt ließ eine Ambulanz kommen, die den Mann in ein Privatkrankenhaus brachte.

Am nächsten Tag blieb Orlando zu Hause. Er weigerte sich,

Anrufe des Studios oder anderer Leute entgegenzunehmen. Die Morgenzeitung veröffentlichte ein Bild von ihm, wie er stirnrunzelnd die Protestversammlung verließ, und darunter einen verantwortungslos unvollständigen, maßlos verfälschten Artikel, in dem berichtet wurde, Harry Orlando, der »Ehrengast«, hätte die Veranstaltung verlassen, ohne die Bühne betreten zu haben. Außerdem ließ der Schreiberling mit der üblichen Berufung auf »informierte Kreise« durchblicken, Orlando sei nicht ausgerissen, weil er gegen Dean oder den Kommunismus sei, sondern weil man ihm – entgegen einer Abmachung – kein genügend großes Orchester zur Verfügung gestellt habe.

Über Calaway war in der Zeitung nichts zu finden.

Orlando blieb in seinem Bau, empfing niemanden und sprach kein Wort. Dann kam die Polizei mit einem Haftbefehl und brachte ihn, unrasiert und in einem alten Anzug, aufs Revier, wo die Blitzlichtlampen aufleuchteten und er unter der Anklage tätlicher Beleidigung und gewalttätigen Angriffs in Haft genommen wurde. Stan Lourie holte ihn gegen eine Kaution von fünftausend Dollar aus der Zelle und setzte ihn auf der Heimfahrt davon in Kenntnis, daß Calaway ein gebrochenes Kinn, zahlreiche Quetschungen, Rippenbrüche und schwere innere Verletzungen davongetragen und seinen Anwalt beauftragt hatte, Harry auf drei Millionen Dollar zu verklagen.

»Calaway kann nicht sprechen, aber seit er wieder bei Bewußtsein ist, hat er einen ganzen Abenteuerroman zusammengeschrieben«, erzählte Lourie. »Er sagt, du hättest ihn als Ghostwriter für deine Autobiographie beschäftigt, daß ihr miteinander vertraut wurdet und daß er dich ausdrücklich davor gewarnt habe, an der kommunistischen Protestversammlung für Homer Dean teilzunehmen. Außerdem sagt er, du wärest nach der Veranstaltung so aufgebracht gewesen, daß du in deiner Trunkenheit plötzlich auf ihn losgegangen seist und versucht hättest, ihn umzubringen ... Harry ...«

»Wo ist Noreen?« unterbrach ihn Orlando. »Hast du eine Ahnung?«

Lourie seufzte. Er kam sich vor, als hätte er zu leeren Wänden geredet.

»Nein. Aber vielleicht wirst du mir zuhören, nachdem du dich ausgeschlafen und rasiert hast. Du bist in ernsten Schwierigkeiten.«

Jeff Cutler bat ihn um eine Erklärung, um irgend etwas, das er den Zeitungen sagen konnte. »Erzähl ihnen, was du willst«, sagte Orlando. Nate West rief an und teilte ihm mit, daß die Kenningtons dabei waren, ihn durch einen anderen Schauspieler zu ersetzen; zunächst einmal wegen der traurigen Berühmtheit, die Orlando erlangt hatte, im besonderen aber, da er wiederholten Aufforderungen, zur Arbeit zu erscheinen, nicht nachgekommen war. Im übrigen stießen sie dunkle Drohungen wegen einer Schadenersatzklage aus, da er die Produktion aufgehalten habe. »Die Kennington-Boys haben sich schon immer als sehr urteilsfähige Leute erwiesen«, bemerkte Orlando und legte den Hörer auf.

Die Presse entdeckte, daß Noreen aus dem Haus im Canyon ausgezogen, aber noch nicht bereit war, sich mit den Reportern über ein Zerwürfnis zu unterhalten. Sie wohnte, während sie die Lombard-Komödie zu Ende drehte, im »Ambassador«, angeblich allein. Harry fühlte sich so einsam und verlassen, daß er sich über einen unerwarteten Anruf Al Barrons freute, dem zwei Zwillingsschwestern über den Weg gelaufen waren; zwei verdammt gutaussehende Bambinas, die darauf heiß waren, die diversen Sehenswürdigkeiten zu genießen.

»Na, dann wollen wir ihnen ein paar zeigen«, sagte Orlando, und Barron kam mit den zwei weißblonden, gutgelaunten Bambinas namens Franki und Jonni daher. In einem Kabriolett, das nur selten verwendet wurde, verstaute man zwei Kisten Whisky, und mit Orlando am Steuer machten sich die zwei Paare auf den Weg nach Palm Springs.

Ein paar Tage lang machte die Sache großen Spaß. Die Zwillinge waren in Aussehen, Figur, Stimme und Bettgewohnheiten so identisch, daß Orlando überzeugt war, es mit Franki zu treiben, die sich dann als Jonni entpuppte, während Al in bestem Glauben Jonni vernaschte, von der sich dann herausstellte, daß sie Franki war. Das Ganze war unglaublich amüsant. Für Orlando aber nur so lange, bis seine Sehnsucht nach Noreen so überwältigend wurde, daß er Franki (oder war es Jonni?) plötzlich aus dem Bett warf und wie im Fieber ans Telefon stürzte. Schließlich gelang es ihm, Noreen an den Apparat zu bekommen.

»Komm nach Hause!« sagte er.

»Ja.«

Er sauste in den Canyon zurück. Lachend und weinend fielen sie sich in die Arme.

Am Tag nachdem sie ihren Film beendet hatte, flogen sie schnurstracks nach New York, um Jimmy zu besuchen. Als sie ankamen, erfuhren sie, daß Jimmy mit Mutter und Großeltern nach Florida gefahren war. Orlando und Noreen flogen nach Rom und nach Paris und dann nach London. Sie reisten meist nachts, da sie den Reportern, Fotografen und Gaffern entgehen wollten. Nie waren sie länger als nur wenige Sekunden voneinander getrennt, genossen und liebten sich wie beim erstenmal und überzeugten sich gegenseitig davon, daß alles, was geschehen war, einer nebelhaften Traumwelt angehörte. Als sie einmal in einem Lokal im West End saßen, erklärte Noreen in einer plötzlichen Anwandlung von Nüchternheit, daß sie ihm einiges zu gestehen hätte. Er erfuhr, daß sie die Behandlung bei Dr. Latham schon kurz nach Beginn abgebrochen hatte, da der Arzt sie dazu hatte bringen wollen, auf einen Monat das Trinken einzustellen. Häßliche Worte waren gefallen, und sie ging einfach nicht mehr hin. Orlando unterbrach sie erst, als Noreen von ihrem unwiderstehlichen Drang zu sprechen begann, es einmal, nur ein einziges Mal, mit dem häßlichen, mißgestalteten Calaway zu versuchen.

»Behalt's für dich«, meinte er. »Es ist nie passiert.«

Sie kehrten nach Los Angeles und in die harte Wirklichkeit zurück.

Calaway war aus dem Krankenhaus entlassen worden und widmete sich seiner Vendetta in einer Reihe von Druckerzeugnissen. Als er sich bereit erklärte, an der Autobiographie mitzuarbeiten, wetterte er, hätte er sich nicht im Traum gedacht, daß der Sänger der sowjetischen Lebensweise so zustimmend und einem demokratischen Regierungssystem so ablehnend gegenüberstünde. Er habe alles versucht, Orlando zu bekehren und ihm seinen kommunistischen Tick auszureden, aber feststellen müssen, daß Orlando Amerika am schärfsten kritisierte, wenn er betrunken war. Er besitze Tonbänder, tobte er weiter, die die zweifelhaften Verbindungen des Sängers bewiesen. Er würde sie zum gegebenen Zeitpunkt vorlegen.

»Was ist denn auf diesen Bändern, von denen er da plappert?« wollte Stan Lourie wissen.

»Das ist doch ein Wahnsinniger«, entgegnete Orlando. »Wir haben ein paar Wochen lang ins Mikrofon gesprochen, um uns sozusagen anzuwärmen, bevor wir mit meinem Lebenslauf beginnen wollten. Kilometerlange Bänder mit leerem Gerede. Schön, ich hab mich vielleicht darüber aufgeregt, was die Neger mitmachen mußten, als ich aufwuchs, und was so viele von ihnen heute noch mitmachen. Und ich sagte, es wäre bedauerlich, daß die Roten während der Depression anscheinend die einzigen waren, die zumindest so taten, als wäre ihnen an den Minoritäten und an den Gewerkschaften etwas gelegen.«

»Na großartig! Du hast ihn diese philosophischen Ergüsse aufzeichnen und heimnehmen lassen?«

»Herrgott, Stan, das ist doch alles durcheinandergemischt«, protestierte Orlando. »Das, womit er da angibt, hab ich doch gar nicht so gesagt. Ich habe einige Mißstände in unserem Land kritisiert, gleichzeitig aber sehr deutlich ausgesprochen, daß ich, kaum daß ich hinter den Ohren trocken war, herausfand, was für eine durch und durch faule Sache der Kommunismus ist. Laß ihn doch diese Bänder abspielen, sooft er will! Er hat sich da vielleicht ein paar Lästereien herausgesucht ... Aber warte nur, bis man sie im Zusammenhang hört! Dann fängt er sich in der eigenen Schlinge.«

»Und woher willst du wissen, daß er so ein Gentleman sein wird, die Bänder so abzuspielen, wie sie aufgenommen wurden? Er behauptet, du hättest darauf bestanden, bei der Teegesellschaft für Homer Dean den Standpunkt der Roten zu vertreten, und daß du ihn zusammengeschlagen hast, weil er dir das ausreden wollte.«

»Das ist eine Lüge.«

»Warum *hast* du ihn zusammengeschlagen?« fragte Lourie sanft.

Orlando zögerte. »Es war etwas anderes. Zum Teufel damit.«

»Sehr schön! Zum Teufel damit. Das ist ja eine elegante Verteidigung. Dein Pfadfinderfreund Grant Campbell hat öffentlich erklärt, es sei die Anwesenheit von Salon- und anderen Kommunisten gewesen, die dich veranlaßt hätte, die Veranstaltung zu verlassen, und er habe gegen dieses Gesindel gar nichts unternehmen können. Er fügte aber auch hinzu, daß er dir freie Hand gelassen habe, dir und ihm aus der Patsche zu helfen. Du hättest bloß für Dean sprechen und gleichzeitig die Infiltration durch diese Elemente verurteilen müssen. Aber das hast du auch nicht gemacht und ihn die Sache allein ausbaden lassen. Du hattest eine einmalige Gelegenheit, deinen Standpunkt im Dean-Prozeß zu präzisieren. Du hast sie dir entgehen lassen. Die Zeit verstreicht, aber der Klatsch bleibt, mein lieber politischer Naivling.«

»Ich bin nicht der Typ, der zu Kreuze kriecht.«

»Und wenn es sich nur darum handelt, die Dinge beim Namen zu nennen?«

»Auch dann nicht, solange man mich unter Druck setzt.«

»Mhm. Hast du die Absicht, irgend jemandem einmal anzuvertrauen, was dich veranlaßt hat, beinahe zum Mörder zu werden, als du Ray Calaway aufs Dach stiegst?«

»Nein.«

»Wie männlich!« schnaubte Stan Lourie.

Orlando wäre gern wieder an die Arbeit gegangen, aber die Filmleute wollten nichts von ihm wissen. Das Fernsehen bezog einen Wollen-mal-abwarten-Standpunkt, was soviel hieß, daß es mit ihm auch nichts zu tun haben wollte. Er sang ein paar Evergreens für ein neues Plattenalbum, aber seine Stimme war so unsicher, seine Technik so fehlerhaft, der Ausdruck und die Wärme so matt und glanzlos, daß sich das Album entsetzlich schlecht verkaufte. Die Nachtlokale, seine letzte Rettung und einst seine verläßlichste Domäne, hießen ihn noch immer willkommen. Er schloß einen Vertrag auf zwei Wochen in Las Vegas ab. Aber er war ebenso schlecht, müde, gedankenverloren und verschlossen wie bei den Schallplattenaufnahmen. Jene Leute, die auf ihrem Weg in die Spielsäle stehenblieben, taten dies zum größten Teil nur deshalb, weil Noreen Lawrence bei jedem seiner Auftritte in der Nähe der Bühne saß. Alle kannten sie, und alle wollten sie sehen. Nach dem fünften Abend löste er den Vertrag.

Sein Name fiel sogar im Senat der Vereinigten Staaten. Senator Russell Connors aus Maine bezeichnete ihn als ehebrecherischen, atheistischen Mitläufer der Kommunisten, der lieber Gott auf den Knien danken sollte, daß ihm sein Land die Möglichkeit gegeben hatte, so große Erfolge zu erringen, statt Tag und Nacht den Feind zu loben, der bestrebt war, alle weißen Christen unter die Erde zu bringen.

Harry kündigte eine Gegenklage auf fünf Millionen Dollar gegen Calaway und all jene an, die sein Gewäsch veröffentlichten. Er sei auf eine Weise verleumdet worden, die seinem Ruf und seinen Einkünften geschadet hätte.

Und dann begannen die Streitereien.

Noreen erwiderte in einem Hotelaufzug das Lächeln eines Liftboys. Im Zimmer wurde Orlando, der schon einige Whiskys in sich hatte, betrunken und gemein. Er beschuldigte sie, dem jungen

Aufzugswärter angedeutet zu haben, daß sie ihren Spaß mit ihm haben wollte. Noreen begann zu toben und marschierte aus dem Zimmer. Er folgte ihr auf den Fersen und holte sie nach demütigen Entschuldigungen wieder zurück.

Sie stritten sich, wenn sie ihm das Pfefferfaß reichte und er sie anfuhr, er habe doch ganz deutlich um Salz gebeten. Sie zankten, wenn sie ihm am Morgen ausgezeichneten Toast machte und er sich beklagte, daß die Rinden verbrannt waren. Sie gerieten sich in die Haare, wenn sie so viel tranken, daß er im Bett nichts zustande brachte, und er belferte, daß ihm das nie passiert war, bevor er ihre Bekanntschaft gemacht hatte. Es gab einen Krach, als sie eine Party besuchten, Noreen eine halbe Stunde lang verschwunden war und völlig zerrauft wieder auftauchte. Als sie heimkamen, hatte sie kein Höschen an, und er fand es, als er ihre Handtasche durchsuchte. Jawohl, schrie sie ihn an, sie hätte auf der Party mal 'ne schnelle Nummer gedreht. Jawohl, und das mache sie überall, jede Stunde einmal, weil er immerzu an ihr klebe und ihr nicht von der Falte gehe. Ja, sie lege sich mit jedem ins Bett, ob der Betreffende nun Lust dazu habe oder nicht. Ja, ja, ja.

Er brüllte, aber er steckte alles ein. Er war überzeugt, daß er sie sonst verlieren würde.

Schwitzend kehrte Orlando in die Gegenwart zurück. Der Wagen rollte in die Garage des von einer gepflegten Hecke umgebenen, unauffälligen Hauses. Millie Campbell begrüßte ihn mit aufrichtiger Freude, die ihn angenehm berührte. »Der Meisterkoch ist im Garten«, sagte sie. »Ich hoffe, du bist hungrig. Grants Steaks sind zu gut, als daß man sie an mäkelige Esser verschwenden darf.«

»Ich bin immer hungrig. Millie, wie schaffst du es bloß, immer wie siebzehn auszusehen?«

Sie lachte. »Sie sind ein gräßlicher Schwindler, mein Herr. Und ich hör so was so gerne.« Sie gingen ins Haus. »Was ist mit deinem Bruder, Harry? Will er ... eh ... sich nicht uns anschließen?«

»Nein. Er sitzt lieber im Wagen und hört Radio. Der gemeine Kerl läßt sich keinen Sänger entgehen, sofern es nicht Harry Orlando ist. Aber schau, daß er was von dem Steak abbekommt! Einverstanden?«

Sie gingen in den Garten. Pfadfinder Campbell stand beim Grill. Er trug tatsächlich eine riesige weiße Kochmütze und eine Schürze mit lustigen Zeichnungen. »Hallo, Sportsfreund!« rief er. »Ich hoffe, du hast einen gesegneten Appetit mitgebracht. Meine Steaks sind zu gut, als daß ich sie an mäkelige Esser verschwenden würde.«

Ihr zwei Komiker solltet eure Witze vorher absprechen, dachte Orlando. Er schüttelte seinem Gastgeber die Hand. »Ob das wohl der Hut ist, unter den der Herr Senator die Interessen seiner Wähler zu bringen pflegt?« sagte er.

»Nur keine Beleidigungen, mein guter Mann! Hier bin ich der Gutsherr, und ich trage jeden Hut, der mir Spaß macht.«

Die Hausfrau reichte Getränke — Scotch für Orlando, Soda für die Campbells —, und man plauderte unwichtiges Zeug, bevor und während man die köstlichen Steaks verzehrte, die wirklich zu gut für mäkelige Esser waren. Nachher rauchte Orlando eine Zigarre. Das tat er nicht oft. Millie saß nicht weit weg, verhielt sich aber auf eine Weise zurückhaltend, die klar zum Ausdruck brachte, daß sie nicht im Traum daran dachte, sich in ein Gespräch unter Männern einzumischen.

»Wie ich höre, steht es mit deiner Nominierung nicht zum schlechtesten«, sagte Orlando schließlich.

»Das höre ich auch«, versetzte Campbell gelassen. »Offen gestanden — bis vor einer Woche war ich gar nicht so sicher, ob ich mich überhaupt bewerben sollte. Ich habe mich und Millie immer wieder gefragt: Würde ich wirklich einen tüchtigen Präsidenten abgeben? Im Gegensatz zu all dem, was du und ich über Politiker und Schauspieler wissen, habe ich nie besonderen Wert darauf gelegt, meinen Namen in den Schlagzeilen und mein Bild in den Zeitungen zu sehen. Von einem war ich immer überzeugt: Wenn ich nicht wirklich der beste Präsident unseres Jahrhunderts werden kann, wäre es ein Unsinn, mich den Strapazen einer solchen Schlacht auszusetzen. Ich hab schon Wahlkämpfe geführt, und ich kann dir sagen: Das ist kein Honiglecken.«

»Ich darf annehmen«, entgegnete Orlando höflich, »daß du mit dir gekämpft — und gewonnen hast.«

Campbell blinzelte. Erwachsene Männer sollten nicht blinzeln, dachte Orlando. »Du hast den Nagel auf den Kopf getroffen. Wie ein Rudel Panther werde ich um die Nominierung und dann um die Präsidentschaft kämpfen.«

»Viel Glück!«

»Wollen wir zur Sache kommen, Harry? Ich weiß, daß du die

Opposition wählst und wie sehr du Joseph Haywood bewundert hast. Aber ich würde dich gern in meiner Mannschaft haben.«

Orlando blies einen Rauchkringel. »In welcher Eigenschaft? Als dein Vizepräsident? Oder Verteidigungsminister?«

»Harry, der Spaßvogel«, sagte Campbell, und das strahlende Lächeln wurde immer breiter. »Ich will meine Karten aufdecken ...«

»... und die Späne fallen lassen, wie sie fallen.«

»Wie bitte?«

»Nichts. Leg deine Karten auf den Tisch.«

»Einige meiner Freunde nennen mich einen Idealisten, aber in meinem Innersten bin ich ein sehr praktischer Mann. Dein Einsatz für Haywood hat ihm enorm geholfen. Deine Unterstützung würde das gleiche für mich – ich meine, für uns alle bedeuten. Wenn es menschenmöglich ist, bin ich bereit, dir zu geben, was du haben willst. Du brauchst es nur zu sagen.«

»Also schön«, erwiderte Orlando mit abgewogener Beiläufigkeit, »ich will es dir sagen. Mach dich von Victor Wades Freunden und all den andern Rassenpolitikern und Querköpfen, von all diesem Gesindel los.«

Millie schien verärgert, aber sie sagte nichts.

»Harry«, entgegnete Campbell ernst, »glaubst du wirklich, daß ich die Meinung dieser Spinner teile? Glaubst du denn das wirklich? Gerade *ich*, der ich ...«

»Nein, aber ich habe auch noch nicht bemerkt, daß du dir große Mühe gegeben hast, deine Schoßkinder loszuwerden. Ich weiß nicht, ob du mit ihnen Händchen hältst, Grant. Aber in der Öffentlichkeit sieht es jedenfalls so aus. Meinst du nicht, daß du ihr eine Erklärung schuldig bist, so oder so?«

»Du hast völlig recht«, stimmte Campbell eifrig zu. »Und die werde ich auch abgeben, sobald die Zeit reif ist.«

»Reif? Warum nicht heute? Oder gestern?«

»So einfach ist das nicht, Harry. Ich befinde mich in einer Zwangslage. Die Zeiten, da sich jeder arme, aber ehrliche Bauernjunge nach der Pennsylvania Avenue 1600 auf den Weg machen konnte, sind leider vorbei. Heutzutage kostet das ein Vermögen. Aber ich hab's leider nicht. Ich gebe ohne weiteres zu, daß es unter meinen lautstärksten Beifallschreiern Leute gibt, die Menschen wie du und ich, na, sagen wir, zu keiner Gartenparty einladen würden ...«

»Gehören auch Victor Wades Freunde zu denen?«

Campbell schien zu schwanken. »Was diese Bewegung betrifft, bin ich nicht ganz deiner Meinung. Ich gebe zu, daß einige ihrer Erklärungen bis zu einem gewissen Grad extrem klingen, aber es gibt auch ein paar prächtige Amerikaner in dieser Organisation.«

»Sie ist reaktionär bis ins Mark, und das weißt du ganz genau«, widersprach Orlando.

»Eines geb ich gern zu: Ich hänge mein Mäntelchen nach dem Wind. Ich nehme ihr Geld und alle Hilfe, die sie mir geben können. Aber sobald ich drin bin, bekommen sie einen Tritt.«

»Das klingt ja wie eine todsichere Sache.«

»Nein, todsicher ist sie natürlich nicht, aber es ist zu machen, solange ich ihnen nichts verspreche. Das habe ich bis jetzt so gehalten, und das werde ich auch weiterhin tun. Du redest so, als hätte ich nur Verrückte, Querköpfe und Fanatiker hinter mir. Ich bin für freie Wirtschaft im weitesten Ausmaß, für Freiheit und für jeden Menschen, der sich der Verantwortung sich selbst gegenüber bewußt ist. Wenn die Spinner mich mit diesem Programm unterstützen, dann gibt es auch Millionen reifer, anständiger Amerikaner, die mir auf diesem Weg folgen werden.«

»Du regst dich ja so auf, Grant!«

»Natürlich reg ich mich auf! Was kann ich dafür, wenn unter den Typen, denen mein Gesicht gefällt, auch Gesindel ist, das du und ich nicht einmal anspucken würden? Hast *du* nur Bischöfe unter deinen Verehrern?«

»Nein, Grant«, entgegnete Harry ruhig. »Jetzt spiel nicht gleich verrückt. Ich hoffe nur, daß man dir nicht ein paar Schläger auf den Leib hetzt. Sobald du im Weißen Haus bist – wenn du's schaffst –, wirst du ja wohl nicht das Heer im Stechschritt paradieren lassen.«

»Jetzt hast du den Nagel auf den Kopf getroffen«, stimmte Campbell ihm begeistert zu. »Alles, woran ich glaube, wird ein Opfer der Reglementierung – ob es jetzt der Stechschritt ist oder das Ausfüllen von tausend Formularen, damit man zu einer Schachtel Büroklammern kommt. Wir sind wirklich beide aus demselben Holz geschnitzt, Harry, ob du's jetzt zugeben willst oder nicht. Du bist allein die Leiter des Erfolgs hinaufgeklettert. Du hast nie von der Regierung erwartet, daß sie dir die Schnürsenkel bindet. Und diese Unabhängigkeit hat dir bestimmt nicht geschadet.«

»Ich bin eben ein braver Junge.«

»Willst du mir helfen, Harry?« fragte Campbell ernst und eindringlich. »Du bist der Typ des wirklichen Liberalen, den ich brauche ... der bedächtige Typ, auf den bedächtige Menschen hören. Willst du ihnen sagen, daß ich keine Hörner trage?«

»Es ist spät geworden, Freunde, und ich muß morgen früh aus den Federn. Ich weiß wirklich noch nicht, was ich tun werde, Grant. Laß mich nachdenken. Ich werde mich bei dir melden.«

»Du wirst einen Sieger unterstützen, das verspreche ich dir.«

»Hast du nicht gesagt, du könntest keine Versprechungen machen?«

Die Campbells lachten.

Sie begleiteten ihn zum Wagen. Als Campbell einige Schritte vorausging, um das Gartentor zu öffnen, drückte Millie Orlandos Hand und flüsterte: »Er ist wirklich ein guter Mensch, Harry.«

»Ich weiß. Ich melde mich wieder. Danke fürs Essen! Wenn du's nicht ins Weiße Haus schaffst, Freundchen«, wandte er sich an Campbell, »verschaffe ich dir einen komfortablen Posten als Steakgriller. Aber den idiotischen Hut mußt du zu Hause lassen.«

Auf der Rückfahrt beschäftigte Orlando sich in Gedanken mit dem Mann, der Campbell hieß, und mit seinen eigenen Möglichkeiten. Campbell ist weich in den Knien, dachte er, aber er ist aufrichtig. Könnte ich ihn dem Mann von der Straße schmackhaft machen? Versuchen könnt ich's ja. Könnte ich in Washington einen tollen Job bekommen? Verdammt, ich könnte alles kriegen, was ich will. Fast zumindest. Und vielleicht dazu beitragen, daß etwas Wertvolles geleistet wird. Den Menschen helfen, besser durchs Leben zu kommen – und mir auch.

Nach reiflicher Überlegung bat Orlando am nächsten Tag Stan Lourie um seinen Besuch.

»Schau dir einmal Lloyd Reynolds und Mark Bartell an«, sagte er. »Stell fest, wer ihre engsten Vertrauten sind. Versuche herauszufinden, ob einer von ihnen oder beide meine Unterstützung zu ihrer Nominierung annehmen würden – meine hundertprozentige Unterstützung.«

»Harry, der Königsmacher ... Ich dachte, dieses Kapitel wäre schon abgeschlossen«, bemerkte Lourie säuerlich.

»Reynolds wäre mir lieber ... Was ich so höre und lese, ist er der bessere Mann ... Aber ich würde Bartell helfen, sollte Reynolds sich für mein Angebot nicht erwärmen. Sieh zu, daß mein

Vorschlag von den richtigen Leuten überbracht wird und alles sehr diskret zugeht.«

»Du hast mir schon einige Aufträge erteilt, die eines Lachkabinetts würdig gewesen wären, aber dieser ...«

»Halt keine Reden, Stan!«

»Also schön, keine Reden. Was willst du als Gegenleistung? Sicher werden sie froh sein, dich auf ihrer Seite zu haben – aber wenn du ihnen deine volle Unterstützung anbietest, werden sie wissen wollen, was du dafür verlangst.«

»Tut nichts zur Sache. Ich kann helfen. Sag ihnen das!«

»Natürlich kannst du helfen, aber wozu? Was sollen sie dir dafür versprechen? Den Schlüssel zur Präsidententoilette? Einen Ministerposten? Was? Du weißt doch, daß sie das fragen werden.«

»Laß sie fragen. Zu reden und nichts zu sagen ist doch deine Spezialität. Folg nur meinen Anweisungen.«

»In Ordnung«, sagte Lourie und seufzte. »Aber es wird nichts dabei herauskommen.«

Und so war es auch. Eine Woche später rief Lourie zurück und berichtete, die Textierungen wären wohl verschieden, das Ergebnis aber das gleiche gewesen. Sowohl Reynolds als auch Bartell würden die Unterstützung Harry Orlandos und seiner vielen Freunde und Verehrer begrüßen, vermuteten aber, daß er eine Gegenleistung erwarte. Zu diesem Zeitpunkt wären sie allerdings nicht geneigt, irgendwelche Versprechungen zu machen.

Wenn es möglich wäre, dachte Orlando, Pfadfinder Campbell dazu zu bringen, die Querköpfe über Bord zu werfen, könnte es ein aufregendes Feuerwerk geben.

Und es war die einzige Chance.

VII

Bill Temple wurde an einem Dienstagabend verhaftet.

Eine einfache Erkältung, die nicht länger als zwei Tage hätte dauern sollen, plagte ihn schon seit fast einer Woche, da es ihm fast unmöglich war, im Bett zu bleiben. Je öfter er es verließ, desto länger stand seine Temperatur auf 38,3, plagten ihn Kopfschmerzen, pfeifender Atem und bleierne Müdigkeit. Das Bett war etwas, in dem man schlief und sich liebte, wenn man Zeit hatte. Aber nie hatte Temple die Fertigkeit erworben, darin zu arbeiten, zu lesen oder auch nur auszuruhen. Seine Bettlägerigkeit war ihm lästig.

An jenem Dienstag, immer noch mit einer Temperatur von 38,3, sah er endlich ein, daß es nicht anders ging. Er entschloß sich, liegenzubleiben. Er wachte spät auf, versuchte eine Weile zu lesen und zu arbeiten, machte einige Anrufe und schlief nachmittags ein wenig. Einmal weckte ihn das Telefon. Schlaftrunken nahm er nach dem vierten Läuten den Hörer ab, da das Geräusch ihn störte. Mary war wohl ausgegangen.

»Ist dort die Putzerei Abington?« fragte eine Männerstimme.

»Falsch verbunden.«

»Entschuldigen Sie.«

Temple legte den Hörer wieder auf und schlief bis fünf. Um halb acht schlürfte er einen Teller Rindsuppe und versuchte sich auf die Nachrichten im Fernsehen zu konzentrieren, als Mary den Kopf ins Zimmer steckte und ohne besondere Besorgnis sagte:

»Unten stehen drei Herren, die dich sprechen wollen. Sie sind von der Polizei.«

Wie durch einen Nebel von Aspirin, kodeinhaltigem Hustensaft und Mattigkeit schoß Bill Nancy Brices Name durch den Kopf.

»Hast du ihnen gesagt, daß ich krank bin?«

»Natürlich, aber sie meinten, sie müßten dich sprechen.« Plötzlich erkannte sie, daß etwas nicht stimmte. Sorgenvoll trat sie an sein Bett.

Temple erklärte ihr hastig, worum es ging. »Du wirst sie wohl heraufkommen lassen müssen«, sagte er. Sie hielt die Hand vor den Mund und konnte kein Wort herausbringen. »Geh nur, Mary! Es wird schon alles in Ordnung kommen.«

Wortlos und verstört verließ sie das Zimmer. Temple wünschte, sein Gehirn wäre jetzt nicht so vernebelt, da er klar denken mußte. Er setzte sich auf und rieb sich den Kopf, um seine Mattigkeit zu vertreiben. Er dachte an seine Stellung und an seine Frau und — ohne jede Logik — an Violet, das Hausmädchen: *Wenn* die Männer des Buches wegen da waren, so wollte er, daß Violet, eine religiöse, prüde Person, mit der er wenig zu tun hatte, nichts davon erführe. Und mit Erleichterung erinnerte er sich dann, daß sie heute ihren freien Tag hatte.

Er beugte sich vor und wollte eben seine Hausschuhe anziehen, als zwei junge Männer, beide in braunem Regenmantel und keiner älter als dreißig, mit Mary das Zimmer betraten. Beide waren ernst und feierlich, und einer von ihnen hielt einen langen Bogen Papier hoch und fragte: »Sind Sie Gerard W. Temple, alias C. S. Poole?«

Bill blinzelte und entsann sich plötzlich — als hätte das etwas ausgemacht —, daß er unrasiert war. Unrasiert, so hatte Mary schon häufig gescherzt, sehe er aus wie ein Zuchthäusler. »Mein Name ist Temple«, erwiderte er.

»Ich habe hier einen Haftbefehl für Sie. Ziehen Sie sich an und gehen wir.«

»Meine Brille«, ersuchte er Mary. Dann wandte er sich mit zitternder Stimme an den jungen Mann: »Darf ich das sehen, bitte? Und wohin wollen Sie mich bringen?«

Man gab ihm Haftbefehl und Brille. »In Untersuchungshaft«, antwortete der Mann. Temple versuchte das Schriftstück zu lesen. Er sah seinen Namen und einen langen, maschinengeschriebenen Text mit den Wörtern »obszön« und »Post der Vereinigten Staaten« und »Kaution fünftausend Dollar«. Er verstand alles und nichts. Der Haftbefehl wurde ihm grob aus den Händen gerissen.

»Sie können ihn doch nicht so aus dem Bett holen«, mischte sich Mary ein. »Er ist krank. Er liegt schon eine Woche mit Fieber«.

Der zweite junge Mann, der noch kein Wort gesprochen hatte, stand im Hintergrund. Temple konnte nicht beurteilen, ob er verlegen oder gelangweilt war oder einfach nur mit einer Arbeit, für die er bezahlt wurde, fertigzuwerden wünschte. Der eine junge Mann hingegen schien an seiner Autorität und am Ernst der Lage Gefallen zu finden. Ohne Mary zu beachten, trat er einen Schritt vor und sagte: »Kommen Sie jetzt! Wenn Sie Ihren Pyjama anbehalten wollen, ist das Ihre Sache.«

Temple griff nach seinem Schlafrock, der über dem Fußende des Bettes lag, und begann sich zu erheben. Er war nicht sicher, ob er stehen konnte ... nicht wegen der Erkältung und der Arzneien, die er den ganzen Tag über zu sich genommen hatte, sondern weil ihn tödliches Entsetzen überkam. Nun stand er aufrecht und berührte die Oberfläche des Nachttisches, als wollte er sich vergewissern, daß er ihn aushalten würde, falls es nötig sein sollte, sich darauf zu stützen. Er wandte sich an Mary. »Ruf Broderick an!«

»Wer ist Broderick?« wollte der junge Mann wissen.

Der Gestapo-Ton gab Temple vorübergehend Kraft. »Mein Anwalt.«

»Das ist nicht nötig. Nach Ihrer Einlieferung können Sie telefonieren. Jetzt haben wir keine Zeit dazu.«

»Was soll das heißen, wir haben keine Zeit?« fragte Mary zornig.

»Wir haben keine Zeit«, wiederholte der junge Mann und blickte Temple mit gerunzelter Stirn an. »Sie tun ja nichts dazu, damit wir endlich weiterkommen ... Wie gesagt, wenn Sie im Pyjama ...«

Immer noch schreckerfüllt, schlurfte Temple zur Kommode und wies Mary mit einem Ruck seines Kopfes an, Broderick anzurufen. Sie verließ den Raum. Mit steifen Fingern öffnete er drei Laden, bis ihm einfiel, daß er seine Unterwäsche in der vierten aufbewahrte. »Ich warte unten, Ralph«, sagte der zweite junge Mann und ging. Vielleicht wollte er nach Mary sehen.

»Gehen Sie mit ihm«, sagte Temple und knöpfte sich seine Pyjamajacke auf.

»Nein, ich bleibe da«, entgegnete der Polizist, setzte sich und zündete sich eine Zigarette an.

»Wozu?«

»Damit ich Sie sicher hinunter und in den Wagen bringen kann.«

Temple drehte ihm den Rücken zu und begann sich anzukleiden. »Sie sprechen, als würde ich versuchen zu fliehen ... als wäre ich ein Verbrecher ...«

»Stimmt genau«, erwiderte Ralph gelassen. »Sie sind flüchtig. Ob Sie ein Verbrecher sind oder nicht — das zu beurteilen steht mir nicht zu.«

Flüchtig! Gerechter Gott!

»Ich möchte mich rasieren.«

»Keine Zeit.«

Temple drehte sich um. »Wollen Sie mir vielleicht erklären, wieso dazu keine Zeit ist? Was ist das für ein Unsinn – keine Zeit?«

»Regen Sie sich nicht auf, Gerard«, wies ihn der junge Mann zurecht, und Temple empfand das Wort »Gerard« als tiefste Erniedrigung. »Tun Sie, was ich Ihnen sage, und wir werden gut miteinander auskommen. Wenn Sie sich aber unbedingt wichtig machen wollen – nun, ich habe das Recht, Sie vom Boden aufzulesen und hinauszutragen.«

Das saubere weiße Hemd, das Temple aus der Lade nahm, hatte tausend Knöpfe, aber schließlich löste er sie und empfand vorübergehend ein angenehmes Gefühl, als er die Frische des Kleidungsstückes auf seinem fiebernden, ungebadeten Leib verspürte. Wo blieb Mary nur mit einem Bescheid von Broderick?

Endlich kam sie mit seinem Anzug und einem Schmetterlingsbinder. Sie versuchte den jungen Mann, der mit gekreuzten Beinen in ihrem Frisiersessel lungerte, zu ignorieren.

»Broderick ist nicht zu Hause«, berichtete sie. »Er wird vor Mitternacht nicht zurückerwartet.«

»Das ist fein! Versuche, ihn oder einen seiner Partner zu erreichen. Ich muß so schnell wie möglich wieder nach Hause kommen können.«

»Selbstverständlich.« Sie schmiegte sich an ihn und setzte flüsternd hinzu: »Versuche ruhig zu bleiben. Du bist kein Verbrecher. Hör auf, dich als einer zu fühlen.«

»Gib mir meine Pillen und den Hustensaft und versuch's noch mal mit Broderick.«

Ralph hatte ihn gehört. »Sie haben das Recht, sich Pillen und Hustensaft mitzunehmen, Gerard«, mischte er sich ein, »aber ich möchte Sie darauf hinweisen, daß man Sie mit dem Zeug nicht 'reinlassen wird.«

Mary, die nur selten aufbrauste, drehte sich jäh um. »Sie haben kein Recht, ihn ›Gerard‹ zu nennen!« fuhr sie den jungen Mann an. »Nennen Sie ihn ›Mr. Temple‹ oder ›He, Sie‹, aber – Polizeimarke hin, Polizeimarke her – Sie sind nicht einmal wert, ihm die Schuhe zu putzen. Also spielen Sie sich nicht auf!«

Der junge Mann zuckte die Achseln, ohne sich betroffen zu fühlen, und stand auf. »Soll mir recht sein«, meinte er höflich, während sie die Phiole und die Flasche vom Nachtkästchen nahm und ihrem Mann überreichte. Dann sagte er barsch: »Jetzt sind Sie ja fertig, *Mister* Temple. Gehen wir!«

Temple war aber noch lange nicht fertig. Er hatte weder seine Hose angezogen, noch die Krawatte umgebunden. Er beschloß, sich nicht zu beeilen, gerade weil man ihn drängte. Mary hatte recht. Er war kein Verbrecher, wie auch immer der phantastische Haftbefehl lautete und gleichgültig welchen Verbrechens irgendein Staatsanwalt ihn beschuldigte.

Er machte sich fertig. Mary band ihm die Krawatte um und sagte leise: »Kopf hoch, Bill. Es kommt schon wieder alles in Ordnung.«

Er nickte. In Gegenwart des jungen Mannes, der ihn nicht aus den Augen ließ, konnte er es nicht über sich bringen, sie an sich zu drücken und zu küssen. Schweigend verließ er das Schlafzimmer. »Ich dachte, du hättest von drei Herren gesprochen«, sagte er, als sie die Treppe hinunterstiegen. »Ich hab nur zwei gesehen.«

»Du wirst tief beeindruckt sein«, entgegnete Mary mit gekünstelter Heiterkeit, »wenn ich dir erzähle, daß der dritte Herr beauftragt wurde, den Hinterausgang zu bewachen. Vermutlich um dich an einem Fluchtversuch zu hindern. Ist das nicht phantastisch?«

»Allerdings.«

Unten angelangt, öffnete der junge Mann die Eingangstür und wies ihn mit einer Geste an, vorauszugehen. Temple aber blieb stehen und nahm den Überzieher aus Marys Händen. Diesmal hielt er sie fest und küßte sie. »Bleib am Telefon«, murmelte er.

»Ich habe nicht die Absicht, mich jetzt mit einer Schachtel Bonbons vor den Fernsehapparat zu setzen. Bitte, sei nicht aufgeregt, Liebling.«

Liebling ...

Ralph steuerte den Wagen. Neben ihm saß der Polizist, der den Hinterausgang bewacht hatte. Der zweite, der mit ins Schlafzimmer gekommen war, saß neben Temple. Jemand stellte lärmende Musik im Radio an, und die drei Männer begannen sich zu unterhalten, als wäre Temple nicht da. Er versuchte, ihrem Gespräch zu folgen, wenn auch nur, um zu hören, ob sie über ihn redeten. Der Mann neben ihm erzählte von einem Pärchen, das zwei Beamte namens Rudy und Denison am Nachmittag eingefangen hatten. »Kotzen könnte man, was es für Tiere gibt«, entrüstete er sich. »Sie sind verheiratet und nehmen beide Rauschgift, aber das genügt ihnen noch nicht. Sie haben ein fünfzehn Monate altes Baby — so was Süßes habt ihr noch nicht gesehen —, und dem geben sie Zuckerwürfel, die mit Heroin getränkt sind! Mein Gott! Damit es sich an diesen Dreck gewöhnt!«

»Jesus!« erwiderte Ralph. »Was willst du wetten, daß die nicht im Knast bleiben? Die lassen sich doch gleich irgendeinen Itzig kommen, so einen Kurpfuscher, der uns die Ohren volljammert, und schon sind sie wieder frei.«

»Verdammt noch mal«, sagte der junge Mann neben Temple. »Was für eine Welt ist das, in der Eltern ihren Babys Rauschgift geben?«

»Eine Scheißwelt, Frank! Hast du das noch nicht herausgefunden?« fragte Ralph. »Scheiße, wohin du schaust.«

Was wird jetzt geschehen? fragte sich Temple, unfähig, die Frage laut zu äußern.

Ich war in meinem Leben nicht im Gefängnis. Ich habe nie ein Strafmandat bekommen.

Bin ich ruiniert?

Jahrhunderte später hielt der Chevrolet vor einem sauberen Gebäude mit der Aufschrift *Bundesuntersuchungsgefängnis*. Zwei der jungen Männer führten Temple hinein. Hinter einem langen Schreibtisch saß ein Beamter in Zivilkleidung und kaute an einer häßlichen Zigarre. »Ihre Brieftasche, Gerard«, sagte der Polizist namens Ralph und streckte die Hand aus. Temple gab sie ihm. Er hielt den Atem an vor Angst, der Polizist könnte die lebenswichtigen Papiere untersuchen. Aber das tat er nicht. Er nahm nur das Geld und einen kleinen Scheck heraus, den Temple für eine Buchkritik bekommen und endossiert hatte, um ihn bei seiner Bank zu deponieren. »Das sind einunddreißig, zweiunddreißig, dreiunddreißig Dollar in bar; ein Zehner, vier Fünfer und drei Einer«, leierte Ralph vor dem Zivilisten herunter, der alles in ein Buch eintrug. »Hier ist ein endossierter Scheck über fünfundzwanzig Dollar. So, und wie steht's mit Kleingeld?«

Temple klopfte sich auf die Taschen. »Hab ich keines.«

»Kein Kleingeld. Und jetzt den ganzen Schmuck.« Temple reichte ihm seine Armbanduhr. »Ich sagte, den *ganzen* Schmuck, Gerard. Ein Ring ist auch Schmuck.«

»Das ist mein Ehering.«

»Ich sagte, den *ganzen* Schmuck.« Temple gab ihm den Ring.

»Jetzt leeren Sie alle Ihre Taschen aus und legen alles auf diesen Tisch. Wenn Sie ein Taschentuch haben, können Sie es behalten.«

»Was ist mit meiner Brille?« fragte Temple, während er seine Taschen durchsuchte. »Ich kann ohne sie nichts sehen.«

»Wie ist das mit der Brille, Dan?« erkundigte sich Ralph.

»Optische Gläser?«

»Ja«, erwiderte Temple.

»Brillen sind o. k.«, erklärte der Zivilist. »Wenn Sie ein Futteral haben, legen Sie's auf den Tisch.«

Temple tat, wie ihm befohlen. Er holte alles aus den Taschen: ein Schlüsselbund, zwei Briefe, die er vergessen hatte zur Post zu geben, eine Phiole mit Pillen, eine Flasche Hustensaft, ein Notizbuch, zwei Umschläge, auf denen er sich in seiner unleserlichen Handschrift einige Termine vorgemerkt hatte, eine Rolle mit Life-Saver-Pfefferminzpastillen, einen abgebrochenen Bleistift, ein paar alte Zeitungsausschnitte, die er vor langer Zeit in den Mantel gestopft hatte, eine halbe Rolle Magentabletten und eine Stange Kaugummi mit Fruchtgeschmack. »Könnte ich meine Pfeife behalten?« fragte er. »Ich rauche nicht. Ich kaue nur manchmal am Stiel, wenn ich arbeite.«

»Solange Sie bei uns sind, brauchen Sie nicht zu arbeiten«, sagte Ralph. »Auf den Tisch damit. Jetzt kommen Sie!« Er warf einen Blick auf den anderen jungen Mann und fragte: »Für wann bist du verabredet, Eddie?«

»Sobald ich hier fertig bin. Ich bin ohnedies schon spät dran. Shirl wird mir den Kopf waschen.«

»Warte! Ich bring dich hin.«

Ein Summer ertönte. Ralph öffnete eine hohe Tür aus Eisenstangen und machte eine unmißverständliche Geste: »Hinein mit dir, Gerard. Angenehme Träume!«

Temple betrat eine Zelle und hörte die Tür hinter sich zuschlagen. Ein etwa zwanzigjähriger Bursche mit einem Filzhut, einem schäbigen Wintermantel und ausgefranstem Schal saß auf einer Holzbank, schnippte mit den Fingern und flüsterte mit sich selbst.

Zum erstenmal dachte Temple an die Möglichkeit, daß man ihn in einer Zelle mit Psychopathen, Rauschgiftsüchtigen oder Gewalttätern untergebracht hatte. Die letzte Viertelstunde war er verhältnismäßig empfindungslos gewesen, aber jetzt begann er zu schwitzen. Würden sie so etwas tun? Ihn mit Psychopathen in eine Zelle sperren? Und wenn – würde er etwas dagegen sagen oder tun können?

Der nervöse Junge wollte ihm auf der Bank Platz machen, aber Temple schüttelte den Kopf. Über dem Schreibtisch des Zivilisten draußen hing eine Uhr. Temple hatte die Zeit abgelesen, als man ihn gebracht hatte, konnte sich aber nicht mehr erinnern, wie spät es gewesen war. Ohne seine Armbanduhr kam er sich plötzlich nackt und hilflos vor.

Wieder ertönte der Summer. Die Tür ging auf, und ein hochnäsig wirkender, ausgezeichnet gekleideter Mann trat ein. Die Tür schlug hinter ihm zu. Er grinste Temple an und sagte: »Heute geht das Geschäft, wie?«

Was kommt jetzt? dachte Temple. Wo ist Broderick oder sonst jemand, der mich hier herausholt?

Das Warten war endlos. Zwei teilnahmslos dreinschauende, abgerissene Männer wurden von einem anderen Zivilisten hereingeführt, der hinter sich die Tür zuschlug, durch die Zelle zu einer anderen Stahlgittertür ging und »Ho!« rief. Nach einem Summerton öffnete sie sich. Der Mann trat zur Seite und bedeutete Temple und den andern, mitzukommen. Sie folgten dieser Aufforderung und gelangten in einen großen, kalten Raum. Ein untersetzter Mann mit einem bunten Hemd und Hosenträgern saß an einer Schreibmaschine. Am Tischrand stand ein Metallschild mit dem Namen S. Loughran. Ohne aufzusehen, rief er: »Wijomlik!«

Der nervöse Junge stürzte zu dem steiflehnigen Stuhl neben der Schreibmaschine. Temple hörte, wie er im Stakkato auf Fragen antwortete, die ihm gestellt wurden, sah zu, wie er sich entkleidete und einer raschen, oberflächlichen Untersuchung unterzogen wurde. Temple sehnte sich nach einer Rasur und nach seiner Pfeife. Es gab viele Türen. Männer mit Amtsmienen gingen geschäftig hin und her. Temples Kehle war unerträglich trocken, und er ging in den kleinen Waschraum, wo er ein Becken, aber kein Glas fand. Er ließ das Wasser laufen, bis er zu der Überzeugung gelangte, daß es so lau bleiben würde. Schließlich trank er aus zitternden, hohlen Händen. Als er zurückkam, war einer der teilnahmslosen, abgerissenen Männer aggressiv genug geworden, um sich bei Loughran zu beschweren, daß ihm eine frische Packung Zigaretten, die er mitgebracht hatte, weggenommen werden sollte. »In die Kiste!« befahl Loughran. Der Mann seufzte und ließ die ungeöffnete Packung Winston durch den breiten Schlitz einer mit einem

Vorhangschloß versehenen Holzkiste fallen, die neben dem Tisch auf dem Boden stand. »Los jetzt, zieh dich aus und häng deine Kleider auf! Jetzt weißt du ja schon, was du zu tun hast, Frenchie.«

Der teilnahmslose Mann wurde untersucht und bekam einen Bademantel aus Baumwolle. Er schien zu wissen, durch welche Tür er zu gehen hatte. »Temple!« rief Loughran dann, ohne den Blick zu heben.

Loughran las den Haftbefehl oder eine Abschrift davon und spannte ein Stück Papier in die Schreibmaschine ein. Er tat seine Arbeit wie ein Roboter; ein Mann, der Schreibmaschine und Schreibtisch seit fünfzig Jahren nicht verlassen hatte; ein Mann ohne Gefühl, der aber sein Geschäft verstand. Temple trat an den Stuhl heran und setzte sich.

»Ihr voller Name«, sagte Loughran.

Pause. »Gerard W. Temple.« Er hatte seinen ersten Vornamen schon vor Jahren unter den Tisch fallen lassen, aber vielleicht würde er ihm jetzt als Deckmantel dienen, da er ja auf dem Haftbefehl angeführt war.

»Keine Initialen. Den vollen Namen.«

»Das W steht für William.«

»Adresse.«

Temple gab sie an.

»Geschäftsadresse.«

Pause. *»The New York Ledger-Dispatch.«*

Loughran zuckte nicht mit der Wimper.

»Beruf oder Beschäftigung.«

Pause. »Korrespondent.«

»Geburtstag, Monat und Jahr.«

Temple gab Auskunft. Er beantwortete eine Unzahl von Fragen betreffend seine Größe, Gewicht, Religion, Familienmitglieder und so weiter und so weiter. Der Kopf wurde ihm schwer.

Und dann: »Was haben Sie an?«

»Bitte?«

»Beschreiben Sie Ihre Kleidung und die Farben.«

»Ich habe einen . . . eh . . . blauen Mantel, grauen Hut, braunen Anzug, blaue Krawatte, ein . . .«

»Blauer Schmetterlingsbinder mit Tupfenmuster.«

»Ah ja. Weißes Hemd. Schwarze Schuhe. Braune Socken.«

»Unterwäsche.«

»Das Unterhemd ist weiß.«

»Unterhose.«

Temple sah nach. »Weiß. Und ein weißes Taschentuch.«

»Gut. Jetzt hängen Sie alles auf den Bügel, den Sie hinter sich sehen. Ziehen Sie auch Ihre Schuhe aus. Oben können Sie sie wieder tragen. Lassen Sie alles dort – außer Ihrem Taschentuch, wenn Sie's mitnehmen wollen.« Temple gehorchte und kehrte an den Schreibtisch zurück. Loughran war aufgestanden. »Jetzt strekken Sie Ihre Arme nach vorne ... ja, so, und lassen Sie mich Ihre Finger sehen. Jetzt zeigen Sie mir Ihre Arme und Achselhöhlen. Gut, und jetzt Ihre Fußsohlen. Schön, jetzt heben Sie Ihren Hodensack, damit ich mal einen Blick hinwerfen kann. Jetzt drehen Sie sich um, beugen sich vor und ziehen die Hinterbacken auseinander. In Ordnung. Nehmen Sie Ihr Taschentuch, wenn Sie wollen, ziehen Sie sich die Schuhe an, nehmen Sie sich einen Bademantel von dort drüben und gehen Sie durch diese Tür und die Treppe hinauf.« Loughran setzte sich an seine Schreibmaschine, sah sich ein neues Papier durch und rief: »Gorman!«

»Entschuldigen Sie«, sagte Temple, »ich möchte telefonieren.«

»Können Sie oben machen. Gorman!«

Der Bademantel war viel zu groß und dünn wie Papier. Temple stopfte sein Tuch in die einzige Tasche. Er zitterte jetzt mehr vor Kälte als aus Angst. Er ging die Treppe hinauf und kam zur einer verschlossenen Stahlgittertür. Rechts und links waren weitere Stahltüren und dahinter größere und kleinere Zellen. Zwei uniformierte Beamte plauderten an einem Schreibtisch. Sie unterhielten sich etwa fünf Minuten, obwohl sie ihn beide vor der Tür stehen sahen. Schließlich ließ ihn einer ein, verschloß die Tür hinter ihm und sagte: »Dort hinein! Warten Sie, bis Sie gerufen werden.« Dann plauderte er mit seinem Kollegen weiter.

»Entschuldigen Sie«, sagte Temple. »Man hat mir gesagt, ich könnte hier telefonieren.«

»Wer hat Ihnen das gesagt?« fragte einer der Uniformierten.

Ein kalter Schauer lief Temple über den Rücken. »Der Mann unten. Loughran.«

»Warten Sie, und wenn Sie gerufen werden, gehen Sie in diesen Raum.«

Temple stand vor dem Eingang. Er sah einen schlanken Neger mittleren Alters mit altmodischen, rahmenlosen Augengläsern und einem Wald von weißen Haaren hinter einer Schreibmaschine sitzen. Einer der abgerissenen Männer wurde eben aufgefordert, sich zu erheben und irgendwohin zu gehen, wo Temple ihm mit den Blicken nicht mehr folgen konnte. Es war doch unglaublich, daß ihn niemand telefonieren lassen wollte. Er mußte unbedingt Mary anrufen, ihre Stimme vernehmen, sie sagen hören, daß sie Morris Broderick oder einen seiner Leute erreicht hatte und daß er mit der Kaution schon unterwegs war.

Neues Entsetzen packte ihn. Hatte dieser Gestapomann namens Ralph in all der Verwirrung überhaupt erwähnt, daß sie ihn ins Bundesuntersuchungsgefängnis brachten? Mein Gott, war es möglich, daß Broderick, selbst wenn Mary ihn erreicht hatte, nicht einmal wußte, wo man ihn gefangenhielt?

Das war unwahrscheinlich.

Aber aus dem Bett geholt und ins Gefängnis gesteckt zu werden — war das nicht unwahrscheinlich?

Der Neger rief ihn zu sich, hob den Blick zu ihm und lächelte sogar, während er ihm fast die gleichen Fragen stellte wie Loughran unten. Er ließ Temple ein Testament zugunsten Marys unterschreiben (»für den Fall, daß Sie hier sterben, bevor Sie wieder entlassen werden«) und führte Temple dann zu einem Tisch, um ihm die Fingerabdrücke abzunehmen. »Entspannen Sie sich. Geben Sie mir einen Finger nach dem andern und überlassen Sie alles andere mir.« Auch er hatte keinerlei Interesse an Temples Namen oder Geschäftsadresse gezeigt.

»Ich möchte Sie etwas fragen«, sagte Temple.

»Schießen Sie los!«

»Darf ich oder darf ich nicht telefonieren? Dieser Loughran unten sagte, ich könnte hier einen Anruf machen.«

»Das hätte Loughran nicht sagen sollen. Kein Gefangener darf hier oben telefonieren. Um was geht's denn — um die Kaution?«

»Ja, zum Teil.«

»Haben Sie bei Ihrer Verhaftung nicht den Anwalt verständigt?«

»Meine Frau versuchte es. Er war nicht daheim, und sie nahmen mich mit, bevor ich noch herausfinden konnte, was los war. Aber selbst wenn sie meinen Anwalt erreicht — ich bin mir ja gar nicht sicher, daß er weiß, wo ich bin. Ich meine ... ich kann mich nicht mehr erinnern, ob man mir sagte, daß ich hierhergebracht werden würde, bevor ich mein Haus verließ oder erst später.«

»Aha. Na, machen Sie sich darüber keine Sorgen. Haben Sie mit

Ihrem Anwalt über diese Geschichte gesprochen, bevor Sie verhaftet wurden?«

»Im großen und ganzen, ja.«

»Dann weiß er, daß das eine Bundessache ist und was er zu tun hat. Sie bleiben sowieso die ganze Nacht hier. So, und jetzt die andere Hand . . .«

»Die ganze Nacht!«

»Außer Ihr Anwalt erwischt einen Richter oder einen Sheriff, der jetzt noch Ihre Entlassung unterschreibt. Halten Sie das für sehr wahrscheinlich?«

»Ich fürchte, nein . . .«

»Es ist nicht so arg. Im Vergleich zu anderen Untersuchungsgefängnissen ist das hier das ›Ritz‹. Wenn Ihr Anwalt vor morgen früh nichts zuwege bringt, kommen Sie morgen vor den Sheriff. Können Sie die Kaution nicht stellen, bleiben Sie unser Gast. Aber selbst wenn Sie's können, ist der Sheriff doch der einzige, der Ihre Entlassung verfügen kann. Ich fürchte, der Anruf, den Sie oder Ihre Frau gemacht haben, ist der einzige, der Ihnen zusteht. Wer hat Sie hergebracht? Ein Polizeibeamter?«

»Drei. In Trenchcoats.«

Der Neger lachte in sich hinein. »Es ist nicht ganz leicht, die Farbe loszuwerden. Waschen Sie sich da die Hände und reiben Sie sich die Fingerspitzen fest mit diesem Bimsstein ab. Einer von den Polizisten hat seinem Kollegen da unten wahrscheinlich gesagt, daß Ihr Anruf bereits gemacht und Ihr Anwalt benachrichtigt worden ist oder von jemandem verständigt werden wird.«

Temple hatte das Gefühl, mit einem Menschen mit Herz zu sprechen. »Warum haben mich diese Leute, vor allem einer, so behandelt? Wenn ich der Chef einer Rauschgiftbande wäre oder jemanden mit einer Axt erschlagen hätte, könnte ich es vielleicht noch verstehen. Sie haben wohl nicht Hand an mich gelegt, aber . . .«

»Oh, ich kenne das! Ich habe es sogar selbst mit angesehen«, sagte der Mann. »Die meisten dieser Burschen sind in Ordnung und benehmen sich anständig, aber manche haben zu viele Kriminalromane gelesen oder sind schon zu lange bei dem Geschäft. Sie haben zuviel gesehen, um immer liebenswürdig zu sein. Und die Neuen tragen die Nase hoch und reißen das Maul auf. Das ist nicht richtig, aber es gibt ja so vieles auf der Welt, das nicht richtig ist. So, jetzt stellen Sie sich dort drüben hin, damit ich Sie fotografieren kann.« Er hängte ein Schild mit Name und Nummer um Temples Hals, stellte ihn so hin, wie er ihn brauchte und schlurfte zu seiner Kamera. »Schauen Sie nach vorn. Gut. Jetzt drehen Sie sich zur Seite und schauen Sie zur Wand. So, fertig.«

Nachdem er sich wieder an seinen Tisch gesetzt hatte, trat Temple auf ihn zu, sah ihm ins Gesicht und sagte: »Danke.«

Der Mann war überrascht. »Wofür? Weil ich Sie fotografiert habe?«

»Sie sind ein guter Mensch.«

»Schon recht, ich hab jetzt keine Zeit. Gehen Sie da den Gang hinunter und durch diese Tür durch. Der nächste!«

Hinter der Tür saß ein alter Mann in Hemdsärmeln an einer Schreibmaschine, einen brennenden Zigarettenstummel zwischen den blassen Lippen. Mit einer Handbewegung wies er Temple an, sich zu setzen. An der Wand standen sechs Betten. Die Hälfte davon war besetzt. »Voller Name«, krächzte der alte Mann, die dürren Finger sprungbereit über der Maschine.

»Gerard William Temple.«

Über die Hälfte der Fragen waren bereits zweimal gestellt und beantwortet worden. »Alle Kinderkrankheiten gehabt?«

»Ja.«

»Süchtig oder jemals süchtig gewesen?«

»Nein.«

»Krankheiten außer Masern, Ziegenpeter, Windpocken und so weiter. Führen Sie sie der Reihe nach an.«

»Also, Blinddarmoperation, als ich elf oder zwölf war. Die Mandeln herausgeschnitten mit siebenundzwanzig. Gehört das dazu? Migräne. Infektiöses Drüsenfieber vor drei Jahren. Sonst nichts.«

»Jemals Syphilis oder Tripper gehabt?«

»Nein.«

»Allgemeiner Gesundheitszustand jetzt?«

»Ich bin heute abend mit einer Erkältung und Fieber von zu Hause weg.«

»Das ist bedauerlich, weil es in den Zellen saukalt ist«, sagte der Alte und schrieb weiter, ohne aufzuschauen. »Viel Decken gibt's nicht, aber vielleicht haben Sie Glück. Sonst noch was?«

»Ich habe einen kleinen Bruch.«

Ein dicker Mann mit einem zerknitterten weißen Mantel und Bartstoppeln am Kinn tauchte plötzlich von irgendwoher auf und fragte: »Was heißt ›kleiner Bruch‹? Meinen Sie inzipient?«

»Schon möglich«, räumte Temple ein.

»Inzipient. I-n-z-i-p-i-e-n-t.«

»... e-n-t«, buchstabierte der Alte und schrieb. »Also schön«, sagte er dann zu Temple und reichte ihm ein Handtuch, »nehmen Sie das, gehen Sie den Gang entlang und suchen Sie sich ein Bett.«

»Kann ich etwas gegen meine Erkältung haben? Wo ist der Arzt hin?«

»Wie hoch ist Ihr Fieber?«

»Als ich das Haus verließ, hatte ich 38,3.«

»Das ist kein Fieber. Sie werden schon nicht gleich sterben. Gehen Sie den Gang 'runter, und suchen Sie sich ein Bett.«

Der hohe, geräumige, von allen Seiten vergitterte Saal, den Temple betrat, enthielt sechzehn Gestelle mit je zwei übereinander angeordneten Betten. Die unteren waren bereits alle besetzt. Nur wenige der Männer hatten sich schon niedergelegt, und erst einer schien zu schlafen. Die andern, die sich hier anscheinend wie zu Hause fühlten oder sich stoisch mit den Tatsachen abgefunden hatten, gingen plaudernd umher. Einige saßen und lasen, andere legten Patiencen oder spielten Schach. In einer Ecke stand ein Abort ohne Brille und ohne Toilettenpapier. Aus einem Lautsprecher kam lärmende Radiomusik, so schrill und ohrenbetäubend, daß Temple zum dutzendenmal an diesem Abend an Kafka denken mußte. Auf einer Seite des langen Behelfstisches, an dem einige der Männer in den gleichen papierdünnen Schlafröcken Karten oder Schach spielten, sah er alte Zeitungen und einen Stoß abgegriffener Bücher liegen, darunter *David Copperfield*, *Bob, Sohn der Schlacht*, *Verlorene Horizonte* und Joseph Haywoods *Krieg der Ideen*.

Fast alle sahen ihn, aber keiner schenkte ihm Beachtung. Er suchte nach einer Schlafstelle, verwünschte das schmerzhafte Kreischen der Musik, fragte sich, wie lange das wohl dauern würde, wunderte sich, daß die Sorgen um sein eigenes Schicksal, um Mary und Mutter und seine Karriere ihn nicht übermannten, und empfand dankbar, daß ein betäubendes Gefühl der Unwirklichkeit ihn erbarmungsvoll umfing.

Er war von der dicken Freundschaft überrascht, die diese Männer (waren es Häftlinge, waren es Gefangene?) zu verbinden schien, und wie gefaßt die meisten waren. Er war einigermaßen überzeugt, daß keiner gewalttätig war oder werden würde, hielt sich aber vorsichtig und diskret von jenen fern, die ihm zu ruhig schienen. Auch die Burschen mit den langen Koteletten mied er. Schließlich zog es ihn zu einem alten Mann hin, der erschöpft auf seiner Pritsche saß und mit traurigen Augen auf den kalten Boden starrte. Der Mann sah auf, sie nickten einander zu, und Temple fragte, ob das obere Bett frei sei.

»Ja, ja, das ist frei«, erwiderte der Alte. »Ich würde Sie unten schlafen lassen, aber ich hab einen Bruch.«

Der Beamte hatte recht gehabt: Es war wirklich saukalt. »Könnten Sie mir bitte sagen, wo ich hier eine Decke und ein Polster bekomme?« fragte Temple. »Oder sind Sie auch erst seit kurzem da?«

»Fast schon eine Woche. Ich glaube, Sie müssen einen der Aufseher um eine Decke bitten, wenn Sie selber keine finden. Aber ich weiß es nicht ganz genau. Auf meinem Bett lag eine Decke, als ich herkam.«

Temple wartete, bis jenseits der Gittertür ein Aufseher erschien, und ersuchte um Decke und Polster. »Nehmen Sie Ihr Handtuch als Polster«, sagte der Beamte. »Mit Decken schaut's schlecht aus. Aber vielleicht finden Sie eine.«

»Ich habe Grippe.«

»Hm. Ich will mal sehen, aber ich kann nichts versprechen.«

Der alte Mann schien dankbar, als Temple sich neben ihn setzte. Er schüttelte sorgenvoll den Kopf, streckte ihm dann eine schlaffe Hand entgegen und stellte sich vor: »Hyman Liebowitz.«

»Freut mich«, sagte Temple und schüttelte die Hand, ohne aber seinen Namen zu nennen. Sobald Temple zu erkennen gab, daß er bereit war, dem Alten zuzuhören, ließ sich dieser nicht mehr lange bitten. Er war vierundsechzig Jahre alt, hatte eine Frau und zwei wundervolle Töchter, beide mit Akademikern verheiratet, immer hart gearbeitet und ein anständiges Leben geführt. Er hatte Geld gebraucht und sich geschämt, seinen Schwiegersohn darum anzugehen, obwohl er es ihm geliehen hätte, und sich achtzehntausend Dollar von seinem Chef »ausgeborgt«, der eine Hypothekenagentur betrieb. Er war erwischt worden, noch bevor er mehr als die Hälfte zurückgezahlt hatte. Man hatte ihn bereits verurteilt. Er war zuckerkrank. Eine Tochter und ihr Mann hatten sich von ihm losgesagt, und jetzt wartete er auf seine Überstellung ins Zuchthaus. »Das ist eine schreckliche Sache«, seufzte er und öffnete eine kleine Metallschachtel, der er einen Zigarettenstummel entnahm. »Ich hab nicht gelogen und niemandem die

Schuld zugeschoben. Ich habe geschworen, das Geld bis auf den letzten Pfennig zurückzuzahlen, und ich hatte auch schon damit angefangen. Und jetzt bin ich da und muß sechs Monate sitzen. Man sagte mir, ich wäre noch glimpflich davongekommen. Ich bin vierundsechzig und krank, und das sind sechs Monate meines Lebens.«

Temple entdeckte etwas, das ihn beschämte: Der Kummer des Alten berührte ihn nicht. Er hatte sich allmählich an die plärrende Musik gewöhnt, lief ziellos auf und ab und wartete auf die Decke. Gelegentlich kehrte er zu dem Alten zurück, als dürfte er ihn nicht verlassen. Endlich brachte ihm der Aufseher eine braune Decke. Sie war abgenützt und dünn, aber besser als gar nichts. Er kletterte damit die Metalleiter zu seinem Bett hinauf; dabei empfand er ein leichtes Schwindelgefühl und geriet ein wenig in Verlegenheit, als ihm der Schlafrock über das Hinterteil hinaufrutschte, während er, auf der schmalen Fläche hockend, die Decke seitwärts über das gebrauchte Leintuch zog. Unruhig warf er sich unter der Decke hin und her, bündelte das Handtuch zu einem Polster und wünschte die Rock-'n'-Roll-Musik, die immer noch aus dem Lautsprecher dröhnte, zum Teufel.

Plötzlich gingen die Lichter aus, aber er sah einen Strahl in der Ferne und konnte irgendwo draußen eine Wanduhr erkennen. Es war zehn. Liebowitz hatte ihm gesagt, daß die Beleuchtung erst um sechs Uhr früh wieder eingeschaltet werden würde. Acht Stunden im Dunkeln . . .

Wenige Minuten nachdem die Lichter verloschen waren, hörte er Hyman Liebowitz schnarchen. Unglaublich. Unglaublich war auch, daß die entsetzliche Musik weiterplärrte. Er bemerkte, daß er immer noch seine Brille aufhatte; er sah zur Uhr hinüber — zehn Uhr sieben —, und nur wenige Meter entfernt erblickte er vier Männer um einen Tisch sitzen und Karten spielen, obwohl das Licht schwach war und zur andern Seite hin strahlte. Knapp einen Meter über ihm war ein Stahlgitter angebracht. Er hakte seine Brille ein und begann mit der Geometrie.

Um elf Uhr zehn, mitten in einem tieftraurigen Blues, verstummte die Musik plötzlich. Temple lauschte einer Kakophonie von Schnarchtönen und konnte es nicht fassen, daß jemand in dieser Umgebung schlafen konnte. Ein Mann gab angstvoll wimmernde Töne von sich. Nach ein paar Minuten schloß ein Aufseher die Tür auf; ein zweiter ging, den Strahl der Taschenlampe auf den Boden gerichtet, zwischen den Bettgestellen durch, um nachzusehen. Der Mann hatte zu winseln aufgehört, bevor der Beamte ihn erreichte.

Für Temple gab es nur Fragmente geometrischer Probleme und altindischer Texte. Er dachte an Männer, die er kannte und die diese Nacht nicht in Zorn oder sehr großer Furcht verbracht hätten, obwohl sie keineswegs tapferer waren als er. Das schmerzte ihn, denn er fühlte sich schwach, hilflos und schuldig und nahe daran, die Beherrschung zu verlieren. Und obwohl er sich dagegen wehrte, kamen schließlich die Alpträume. Er sah Titelseiten mit Bildern von sich, unrasiert und in Handschellen, wie er versuchte, sein Gesicht vor den Fotografen zu verbergen. Er sah seine Mutter, Mary und das Hausmädchen und — o du Allmächtiger! — den Präsidenten, der gerade von Temples Verhaftung erfuhr.

Es war fast drei Uhr früh, und die Bartstoppeln im Gesicht trieben ihn schier zur Verzweiflung.

Kurz vor sechs setzte er sich die Brille auf, blickte auf die Uhr und stellte fest, daß er doch ein wenig geschlafen hatte. Die Zähne klapperten vor Kälte, aber er blieb liegen, bis Licht und Lautsprecher wieder eingeschaltet wurden. Dann kletterte er die Leiter hinunter. Liebowitz saß da und stierte traurig auf den Boden, als hätte er seit einer Woche nicht mehr geschlafen.

Das Frühstück, klärte der Alte ihn auf, würde um dreiviertel sieben ausgegeben werden. Temple trank etwas lauwarmes Wasser und wartete, bis ein Mann in den Saal kam — ein Zivilist, dessen Autorität sich nicht verleugnen ließ. »Darf ich fragen, ob . . «

»Der ganze Mist dort auf dem Tisch«, unterbrach ihn der Beamte und wies auf einen unordentlichen Haufen Zeitungen, »nehmen Sie das alles weg und werfen Sie's in den Kübel da drüben.«

»Ja«, sagte Temple. »Wie kann ich erfahren, ob mein Anwalt mit der Kaution schon bei der richtigen Stelle ist?«

»Kommen Sie heute früh vor den Sheriff?«

»Ja.«

»Wir holen Sie und die andern, die heute entlassen werden sollen, gegen halb neun ab. Nehmen Sie die Zeitungen dort weg.«

»Bin schon dabei. Besteht die Möglichkeit, daß ich meine Frau anrufen kann oder daß jemand anderer mit ihr spricht?«

Der Beamte gab ihm ein Formular. »Geben Sie Ihre Gründe

an, warum dieser Anruf erfolgen soll, und warten Sie auf Mr. Santella.«

»Danke. Ich ... eh ... ich habe keinen Bleistift.«

»Da kugelt irgendwo einer 'rum. Räumen Sie endlich die Zeitungen weg. Wo liegen Sie?«

»Dort drüben. Das obere Bett.«

Der Beamte schlurfte schwerfällig hinüber und warf einen finsteren Blick hinauf. »Ich kenne ein paar Schweine, die ihr Bett besser zusammenbauen. Also los! Machen Sie das ordentlich.«

Temple packte nervös die Zeitungen zusammen, stopfte sie in den Abfalleimer und kletterte die Leiter hoch, um seine Bettstelle, so gut er konnte, in Ordnung zu bringen. Als er wieder herunterkam, war der Beamte verschwunden. Temple las das Formular durch. Die Erlaubnis, einen Anruf machen zu dürfen, hieß es da, hinge von dessen Dringlichkeit ab. In einer eigenen Spalte konnten die Gründe im einzelnen angegeben werden. Er fragte fast jeden Mann im Saal nach einem Bleistift, aber keiner konnte ihm einen leihen. Er ersuchte einen Aufseher und bekam zur Antwort: »Da muß irgendwo einer 'rumliegen.« Temple erwiderte, es gäbe keinen, und bat den Aufseher, ihm einen zu bringen. Es wäre dringend. »Ich werde sehen, was ich tun kann«, antwortete der Mann und ging davon. Temple überlegte inzwischen, was er schreiben sollte. Er würde Mr. Santella ersuchen, Mary anzurufen, um ihr zu sagen, daß es ihm gutginge, und um ihr eine Mitteilung für Broderick durchzugeben.

Aber der Aufseher kam nicht wieder.

Liebowitz und Temple gingen durch die nun offene Tür und eine ächzende Treppe hinunter in einen überfüllten Eßraum. Jeder nahm ein Tablett, Löffel und Gabel. Sie mußten sich anstellen, bis sie einen Teller Hafergrütze, einen dicken Pfannkuchen, ein paar Streifen fetten, schmierigen Speck, eine Schnitte verbrannten Toast und Kaffee zugeteilt bekamen. Liebowitz schlang sein Frühstück hinunter und beklagte sich, daß der Kaffee wie Urin schmecke. Temple fand das Essen unaussprechlich schlecht, den Kaffee aber genießbar, jedoch nur, weil er heiß war. Er trug sein Tablett zu einem Tisch und ging schnell wieder nach oben, wo er sich vergeblich bemühte, einen Bleistift aufzutreiben.

Kurz nach halb neun kam der Beamte mit zwei Kollegen zurück und verlas mehrere Namen, darunter auch den von Temple.

Er wurde in den Raum zurückgebracht, wo er seine Kleider aufgehängt hatte, und zog sich rasch an.

Überrascht stellte er fest, daß er sich angekleidet viel selbstsicherer fühlte. Er unterschrieb einen Schein und wurde mit fünf anderen Männern in einen langen, schmalen Raum geführt, wo er eine Dreiviertelstunde lang vor einer Holzwand saß und geduldig einem der Burschen mit den langen Koteletten zuhörte. »Meine Frau, der Teufel soll sie holen, hat mich ganz schön 'reingelegt«, erzählte der Jüngling. »Ich nehme an, sie hält zu mir, und ich schreib ihr einen Scheck aus, weil ich's gut mit ihr meine, und was tut sie? Geht zur Polizei und petzt, ich schlage sie die ganze Zeit und würde eine andere Frau aushalten. Alles Mumpitz. Klar, ich hab eine Kleine, aber die hat ihre eigene Bude und zahlt selbst ihre Miete – ich halte keine andere Frau aus. Wenn einer lebensmüde ist, braucht er sich nur eine Frau anzuschaffen, die das Blaue vom Himmel haben will, und wenn er ihr's nicht auf 'nem silbernen Tablett präsentiert, rennt sie zur Polizei und zum Kadi. Und findet sich womöglich noch 'nen Kadi, der für so 'ne Frau Verständnis aufbringt. Scheiße.«

Endlich erschienen noch mehr Beamte. Sie forderten Temple und die anderen auf, ihnen zu folgen. Sie wurden in einen Gang neben jenem Raum geführt, wo sie ihre Habseligkeiten abgegeben hatten. Dort traten sie in Doppelreihen an, und Temple wurde mit Handschellen an die langen Koteletten gefesselt. Der Anblick der Dinger an seinem Handgelenk und das Geräusch, als sie zuschnappten, schüchterten ihn ein; den andern aber schienen diese Armbänder nichts auszumachen.

Sie wurden durch die Hintertür eines langen Polizeiwagens geschleust und eine Ewigkeit später ins Erdgeschoß des Bundeshauses gebracht, das er, der politische Korrespondent, noch nie betreten hatte. In einer bemerkenswert gut geheizten Zelle mußten sie sitzen und warten. Nach etwa zehn Minuten wurde ein Mann aufgerufen; die Tür öffnete sich, und ein Zivilist nahm ihn in Empfang. Die Prozedur wiederholte sich mit den andern, bis Temple allein übrigblieb.

Wieder packte ihn die Angst. Sollte es ein Versehen gegeben haben? War es möglich, daß man ihn bis hierher, so nahe an die Freiheit, herangeführt hatte, nur um ihn wieder ins Gefängnis zu stecken, weil Broderick ihn nicht finden konnte? Er dachte an die Stöße, die Berge von Papier, die man so leicht verlieren konnte.

Vielleicht jagte Broderick in der ganzen Stadt herum, nur um von Leuten wie Loughran in die Irre geführt zu werden.

Die Kaution ... Temple mußte an die Kaution denken. Fünftausend Dollar ... drei große Nullen. Hatten er und Mary überhaupt soviel auf ihrem gemeinsamen Konto? Das Haus gehörte nicht ihm; er war nur Mieter. Der Safe fiel ihm ein. Er hatte keinen Dunst, was er an Staatspapieren besaß, aber er und Mary hatten doch wohl ein paar tausend Dollar in Aktien, oder?

»Temple«, hörte er und sprang auf.

Er wurde hinausgebracht, und man teilte ihm mit, daß das Geld für die Kaution beschafft worden sei. Dann führte man ihn in ein kleines Zimmer, wo ihm ein junger Mann, der ihm gleich bekannt vorkam – ach ja, das war doch der eine der drei Polizisten von gestern abend, der noch am wenigsten unfreundlich gewesen war –, zunickte und ihm abermals die Fingerabdrücke abnahm. »Wie haben Sie die Nacht verbracht?«

»Ich versuche immer noch eine Erklärung dafür zu finden, warum man mich aus meinem Haus gezerrt hat«, antwortete Temple. »Ich dachte immer, so was gäbe es nur in Sibirien und nicht bei uns.«

»Halten Sie bitte Ihre Finger locker, Mr. Temple.«

Der Klang seines Namens ließ ihn aufhorchen. Temple sah den Mann an. »Was bedeutet Ihnen mein Name?«

»Ich weiß, wer Sie sind«, antwortete der junge Mann unbefangen, »und wenn Sie das beruhigt – wir gehen am Abend heim und lassen unsere Arbeit hier zurück. Wir pflegen nicht zu klatschen.«

Temple glaubte ihm kein Wort. Er entschloß sich, nicht weiter auf dieses Thema einzugehen.

»Und was Sibirien betrifft – wir würden es bedauern, wenn Ihnen unser Vorgehen nicht korrekt erschienen sein sollte. Aber wir hatten Grund zu der Annahme, daß Sie sich dem Zugriff der Behörden zu entziehen suchten.«

»Entziehen?« Temple schüttelte den Kopf. »Hätten Sie mich nicht wenigstens außerhalb meines Hauses verhaften können?«

»In der Regel tun wir das auch, aber es ist nicht immer möglich. Unseren Berichten zufolge hatten Sie Ihr Haus seit einer Woche nicht verlassen. Sie hätten ja genausogut noch eine Woche oder ein Jahr daheimbleiben können. Erinnern Sie sich an einen Telefonanruf gestern nachmittag, als jemand mit der Putzerei Abingdon sprechen wollte?«

»Undeutlich.«

»Das war ich.«

Temple rieb seine Fingerspitzen mit Bimsstein ab und wusch sich die Hände. Der junge Mann riß einen Umschlag aus Manilapapier auf, schüttelte Temples Habseligkeiten auf den Tisch und sagte: »Würden Sie bitte nachsehen, ob alles da ist, was Sie gestern abend abgegeben haben, und dann hier unterschreiben? Außer den Schlüsseln können Sie jetzt alles an sich nehmen. Die bekommen Sie, wenn Sie uns verlassen.«

Temple setzte sich, stellte fest, daß nichts fehlte, und unterschrieb. »Warum kann ich meine Schlüssel nicht gleich haben?«

»Vorschrift. Es könnte sein, daß Sie vor Ihrer Entlassung noch einmal in eine Zelle zurück müssen. Es hat Fälle gegeben, wo Gefangene versucht haben, mit ihren eigenen Schlüsseln Zellentüren zu öffnen. Ist natürlich sinnlos, aber die Vorschrift besteht nun einmal.«

Anschließend wurde Temple in ein Büro gebracht, wo ein überaus höflicher junger Mann sich als Staatsanwalt vorstellte: »Ich habe Ihnen einige Fragen zu stellen, Mr. Temple«, sagte er. »Sie brauchen mir nicht zu antworten. Tun Sie es aber dennoch, ist es meine Pflicht, Sie darauf aufmerksam zu machen, daß Ihre Aussage gegen Sie verwendet werden kann.«

»Wir wollen ... nein, sprechen Sie mit meinem Anwalt.«

Dann wurde Temple in einen Gerichtssaal geführt. Mary und Broderick saßen an der Wand ihm gegenüber. Er beobachtete seine Frau mit einer Mischung aus Freude und Schmerz; Freude, daß sie gekommen war, Schmerz, daß er ihr so vor die Augen treten mußte. Broderick eilte auf ihn zu, begrüßte ihn und ersuchte schließlich einen Richter um Herabsetzung der Kaution auf eine nominelle Summe; sein Klient wäre nie zuvor verhaftet worden, sei ein Mann von Charakter und ...

»Es bleibt bei fünftausend Dollar«, lautete die Antwort.

Wieder eine Ewigkeit später schritten Temple, seine Frau und sein Anwalt auf eine Tür zu, über der *Ausgang* geschrieben stand. Er vermied es, Mary zu küssen oder auch nur ihre Hand zu nehmen. Er kam sich unsagbar schmutzig vor und konnte sich nicht vorstellen, daß er sie anfassen sollte, bevor er sich rasiert und gebadet hatte.

Er schwieg. Morris Broderick bezahlte im Kassenraum die Kaution und erledigte die Formalitäten. Temple fiel ein, daß er vergessen hatte, die Schlüssel zurückzuverlangen. Überrascht stellte er fest, daß er seine Wohnung gestern mit Fieber verlassen hatte und über Nacht die Erkältung losgeworden war.

»Willst du jetzt etwas frühstücken?« fragte Mary und nahm seine Hand.

»Nein. Ich möchte ein sehr großes Glas Whisky.«

»Zum Trinker taugst du aber nicht besonders.«

»Stimmt. Aber zum Knastschieber noch viel weniger.«

Mary wollte lachen, unterließ es aber, als sie etwas sah, das sie in all den Jahren, seit sie Bill Temple kannte, nicht gesehen hatte: er weinte. Nicht leise und versteckt, sondern hier, in aller Öffentlichkeit. Der Raum war voller Menschen, und sie alle blieben stehen und starrten Bill Temple an, der schluchzend sein Gesicht an der Brust seiner Frau barg.

VIII

Am Tag nach der offiziellen Verlautbarung, daß der Tod Präsident Haywoods und der anderen Passagiere nicht auf einen Sabotageakt zurückzuführen war, veröffentlichte das Hauptbüro von Victor Wades Freunden eine öffentliche Erklärung: Dem amerikanischen Volk sollten die Gründe bekanntgegeben werden, warum die verantwortlichen Regierungsstellen, die doch genau wüßten, daß Haywood auf Befehl der Sowjetunion ermordet worden sei, ihr Schweigen nicht gebrochen hätten.

Am selben Tag versuchte Orlando, sich auf *Die Liebe schlägt Krawall* zu konzentrieren; trotz ständiger Unterbrechungen bekamen sie den Film allmählich in den Kasten. Immer noch quälte Harry die Erinnerung an die Abfuhr, die der hochnäsige Miles Quinlan ihm erteilt hatte.

Wenn er nicht an diese beschämende Episode dachte, war es Noreen, die ihm immer wieder und immer häufiger in den Sinn kam. War es schon so lange, war es erst so kurze Zeit her, daß der letzte Vorhang gefallen war? Waren nur neun Jahre vergangen, seit sie ihn auf allen vieren hinter sich her hatte kriechen lassen?

In den Wochen und Monaten, die Calaways Rachekampagne folgten, arbeitete Orlando nicht, und seine Bankguthaben verringerten sich entsprechend rasch. Außer Musiktantiemen und vereinzelten Dividenden gab es keine wesentlichen Eingänge, denn niemand wollte etwas von ihm wissen. Stan Lourie riet ihm, alle nutzlosen Mitesser zu entlassen oder wenigstens ihre Gehälter herabzusetzen, aber Harry fühlte sich verpflichtet, seine Leute soweit wie möglich zu halten. Es war ja nicht ihre Schuld, daß er sich in Schwierigkeiten befand.

»Wessen Gehalt soll ich denn herabsetzen?« knurrte er Lourie an. »Soll ich bei dir anfangen?«

Er war wütend, als Noreen vorschlug, sie sollten von ihrem Geld leben, das sie jetzt reichlich besaß. Aber er wußte im geheimen, daß ihnen gar nichts anderes übrigblieb, wenn sich ihm keine neue Geldquelle erschloß und sie den kostspieligen Aufwand beibehalten wollten, an den Harry Orlando gewöhnt war. Noreen teilte ihrem Studio mit, daß sie im nächsten Film ihren Gatten als Partner wünschte; sollte das den Herren nicht passen, sagte sie, würde sie bis auf weiteres nicht mehr filmen.

Lourie hatte Bedenken. »Wenn du jetzt einen neuen Film mit Noreen anfängst«, warnte er, »wirst du mit deiner Gegenklage kaum durchkommen. Wir behaupten ja, daß deine Einkünfte auf Grund von Calaways Verleumdungen und Ehrabschneidungen gesunken sind. Dieser Film . . .«

»Dieser Film ist ein Knochen, den mir meine Frau zuwirft; das wissen wir doch alle«, erwiderte Orlando. »Wenn ich heute nicht mehr da bin, habe ich das nur den Lügen dieses Hurensohns zu verdanken.«

Er wußte, daß er nicht ganz die Wahrheit sprach. Wäre er noch auf Draht gewesen und hätte er nur noch die Hälfte seiner alten Durchschlagskraft besessen – er hätte von den Dächern schreien können, daß er kleine Mädchen belästigt hatte, und wäre trotzdem Harry I. geblieben. Er arbeitete nicht, weil ihm der Schwung fehlte, den Noreen ihm genommen hatte. Es war nicht ihre Schuld, auch wenn er es ihr bei den ständigen Streitereien immer wieder vorwarf.

Noreen konnte ihm nicht helfen. Aber sie hatte immer geglaubt, sich selbst helfen zu können.

Während Stan Lourie mit Calaways Anwalt zusammenhockte, um eine annehmbare außergerichtliche Lösung zu finden, und die Anwälte von Calaways Zeitungssyndikat Stan dazu bringen wollten, die Gegenklage herunterzudrücken, erklärte sich Noreens Studio immerhin dazu bereit, Orlando für ihren nächsten Film zu verpflichten. Sie mußte sich nur zu einer Werbetour für das Bibelepos entschließen, das eben anlief.

Orlando fuhr mit ihr.

Sie zankten weiter, aber die Spannung zwischen ihnen schien nachzulassen. Er saß in einem Hotelzimmer in Minneapolis und wartete, da sie versprochen hatte, Punkt fünf wieder dazusein, und jetzt war es schon Viertel vor sechs. Als er schon zu kochen begann, kam sie daher, gefolgt von zwei Kellnern, die einen Servierwagen mit einer meterhohen Geburtstagstorte hereinrollten. Das riesige Ding war mit sechsunddreißg bunten Kerzen und einer Karikatur Harry Orlandos geschmückt, die von Miniaturreproduktionen seiner zehn erfolgreichsten Platten einschließlich Titel und Datum ihres Erscheinens umgeben war.

»Ich trau mich gar nicht in die Nähe.« Er war gerührt. Während er den Kellnern ein Trinkgeld gab, begann sie die Kerzen anzuzünden. »Wenn ich die Torte anschneide – was kommt da 'raus? Eine ganze Girltruppe?«

»Na klar, und splitternackt dazu«, sagte sie in Festtagslaune.

»Das haben sie doch nicht über Nacht gebacken!«

»O doch! Als wir gestern abend ankamen und du schon eingeschlafen warst, habe ich mich nach der größten und besten Bäkkerei in Minneapolis erkundigt. Dann bin ich hingefahren und habe alle zweitausendzweihundert Mann antreten lassen. Sie haben die ganze Nacht und den ganzen Tag gearbeitet.«

»Du bist verrückt! Was hat das gekostet?«

»Zwei Vermögen. Das Lustige ist, daß wir beide Torte nicht mögen.« Sie zündete die letzte Kerze an und forderte ihn mit einem breiten, siegessicheren Lächeln auf: »Also, jetzt blas mal richtig!«

Statt dessen packte er sie, vor Glück fast weinend, und sie taten es zweimal, noch bevor die Kerzen ausgebrannt waren. Es schien, als wäre Orlando der einzige Mann gewesen, der sie jemals besessen hatte.

In Milwaukee besuchten sie eine Party für Kinobesitzer. Noreen verschwand auf eine Stunde mit einem Mann, der den Typ des erfolgreichen jungen Geschäftemachers repräsentierte, und überließ Harry den sadistischen Händen einer Dame mit natürlichem blauem Haar und violettem Hut. Sie wollte von ihm genaue Auskünfte darüber erhalten, was sie augenzwinkernd »Hollywoods schlüpfrige Seite« nannte. Er teilte ihr mit, daß sich in Hollywood die größte Baptistengemeinde der Vereinigten Staaten und Kanadas befand.

»Ach, Sie wollen mich bloß aufziehen«, flötete der violette Hut. »Ich weiß, die Stadt ist eine Brutstätte von . . . nun ja, skandalösen Dingen . . . wenn Sie wissen, was ich meine.«

»Wollen mal sehen. Meinen Sie die Gerüchte, denen zufolge Lassie dem Transvestismus verfallen ist?«

»Was?«

»Ja, das stimmt schon. Und wußten Sie auch, daß die Haare auf Tarzans Brust in Wirklichkeit von Betty Boops Dingsbums stammen, wenn *Sie* wissen, was ich meine?«

»Also – in meinem ganzen Leben habe ich noch nie . . .«

»Ja, das dachte ich mir schon, schöne Frau, aber vielleicht versuchen Sie's mal«, sagte er und ging Noreen suchen. Schließlich kam sie wieder, verstört und zerzaust.

In Detroit war sie einen ganzen Abend lang heiter und bester Laune. Nachts, als sie allein waren, weinte sie wie ein junges, verängstigtes Mädchen und schwor, sie würde sich umbringen, wenn er sie jemals verließ. Er hielt sie in den Armen, bis sie eingeschlafen war, strich ihr übers Haar und küßte ihr Stirn und Wangen.

In ihrer Heimatstadt New Orleans fragte Orlando sie nach ihrer Familie. Sie antwortete, es gäbe niemanden, an dem ihr etwas läge, aber sie erinnere sich an ein tolles Nachtlokal in der Bourbon Street. Es erwies sich als Stammlokal von Lesbierinnen, und ein recht geschmackloses noch dazu. Die künstlerischen Darbietungen in dem rauchigen Saal, bei denen es vornehmlich darum ging, daß man erraten mußte, wer der »Mann« und wer die »Frau« war, langweilten Orlando und faszinierten Noreen. Sie schlug eine Party mit den »Künstlerinnen« vor – eine Superparty. Er lehnte ab und brachte sie ins Hotel zurück, wo sie einen Großteil der Nacht damit verbrachten, sich böse Blicke zuzuwerfen.

Auf der ganzen Reise konnte Orlando nicht über die Tatsache hinwegkommen, daß so viele Leute wußten, wer Noreen war, daß sie sich für sie interessierten, sie liebten, ihre Filme liebten, sich um ihre Autogramme rissen und um die Gunst, ihr die Hand reichen zu dürfen. Er konnte aber auch nicht übersehen, daß sie trank, ohne Unterbrechung trank, wenn sie nicht unter Leuten war, und es dennoch verstand, die schwitzenden, klebrigen Massen immer wieder von neuem zu bezaubern. Sie interessierten sich auch für Harry Orlando, der ja vor langer Zeit *der* Harry Orlando gewesen war, aber das Scheinwerferlicht strahlte jetzt auf Noreen, da sie es verdiente. Er war auf der Tournee oft zornig und verbittert, doch die Eifersucht spielte dabei keine wesentliche Rolle. Noreen genoß die Verehrung, die ihr entgegengebracht wurde, auf ihre unnachahmliche Weise; sie schwelgte darin, und Orlando hoffte, daß es ewig so bleiben würde.

Sie kamen nach Washington, wo der Film vor ausverkauften Häusern gespielt wurde. Während eines Interviews, das Noreen gab, traf sich Orlando mit Bill Temple auf einen Drink. Bill war jetzt Reporter für politische Fragen – ein außerordentlich kluger junger Mann, den Orlando bewunderte und hochschätzte.

»Du siehst aus wie eine Mumie, die man schlecht einbalsamiert hat«, sagte Bill, als sie sich die Hände schüttelten.

Orlando starrte in die Ferne und nickte. »Ich hebe die Welt eben nicht mehr aus den Angeln. Meine neue Karriere ist Kartoffeln schälen.«

»Wessen Schuld ist das?«

»Meine. Aber das hilft mir auch nicht weiter.«

»Und wer ist an dieser ganzen unerfreulichen Prozessiererei schuld, von der ich jeden Augenblick lese?«

Orlando, der sonst immer davor zurückschreckte, jemandem etwas anzuvertrauen, erzählte Bill Temple die ganze Geschichte in allen Einzelheiten.

Bill hörte aufmerksam zu. »Wie lange willst du noch mit der Dame zusammenbleiben?« fragte er schließlich.

Orlando nickte wieder. »Ich weiß. Wir stecken in einer Sackgasse. Ich sehe keinen Ausweg. Solange wir noch zusammenbleiben, werde ich mein Nachtwandlerleben fortführen. Ich bin verrückt nach ihr . . .«

»Dann gibt's für dich wohl keine Rettung, Harry«, meinte Bill achselzuckend. »Und das tut mir leid, denn du bist ein großes Talent – nicht nur als Künstler, auch als Mensch. Zumindest *warst* du es, als ich dich das letzte Mal sah. Es ist sehr edel von dir, wenn du dich von einem so niederträchtigen Schweinehund wie diesem Calaway durch den Dreck zerren läßt, nur damit nicht der Name deiner Frau beschmutzt wird. Aber wann wirst du endlich aufhören, Kartoffeln zu schälen?«

»Bald«, lautete die Antwort. Es klang nicht sehr überzeugend.

Bill ließ einige Verbindungen spielen, und Orlando und Noreen erhielten eine Einladung ins Weiße Haus zu einem Ball anläßlich des Geburtstags von Präsident Fosters Gattin. Es war keine sehr exklusive Angelegenheit – so ziemlich alles, was in Washington lebte und einen Frack besaß, war gekommen –, aber für Orlando bedeutete es eine kräftige Belebungsspritze. Die Fotografen knipsten ihn und Noreen gemeinsam mit Senatoren und sogar mit dem Präsidenten. »Unsere große Partei«, erklärte Foster, der, von allen unbemerkt, ein Glas zuviel geleert hatte, »ist Harry Orlando zu großem Dank verpflichtet. Er hat viel Zeit und Mühe aufgebracht, um zur Wahl und Wiederwahl der besten Köpfe unseres Landes entscheidend beizutragen.«

Was sagst du nun, Calaway? dachte Orlando.

Das war auch einer der wenigen Abende gewesen, da Noreen es sich unsinnigerweise einfallen ließ, zuviel zu trinken. Sie hatte nie reizender ausgesehen, und sie bezauberte alle, die sie umringten. Aber sie ignorierte hartnäckig Orlandos strenge Blicke, sooft sie nach einem neuen Glas langte. Einmal sah er Senator Miles Quinlan aus Ohio – oder war es Iowa? – gedankenverloren neben ihr stehen und verzückt in ihren Ausschnitt starren, während sie mit jemand anderem plauderte. Plötzlich drehte sie sich um und sah, wohin Quinlans fromme Hundeaugen blickten. »Nein, mein Süßer«, sagte sie mit breitem Lächeln und laut genug, daß es ein gutes Dutzend Leute hören konnten, »ich trage keinen Büstenhalter.« Dann wandte sie sich wieder vergnügt ihrem Gesprächspartner zu.

Quinlan lief puterrot an. Die rundliche Dame neben ihm, vermutlich seine Frau, war sprachlos und offensichtlich empört.

Etwas später, als Orlando eben den Kellnern befahl, ihr keine Drinks mehr zu servieren, steuerte Noreen schwankend aufs Orchester los. Einen Sektquirl hin und her schwenkend, erklärte sie den belustigten Musikern fröhlich: »Ich habe noch nie ein Salonorchester dirigiert.«

Bill Temple klopfte Orlando auf die Schulter. »Unternimm schnell etwas, sonst erleben wir im Weißen Haus eine Polizeirazzia.«

Orlando lotste sie aus dem Ballsaal, so rasch und geschickt er konnte.

Auf dem Weg ins Hotel und selbst noch im Aufzug summte sie monoton vor sich hin; die Mitfahrenden versuchten, sie nicht anzustarren. Im Schlafzimmer stolperte sie, fiel zu Boden und schlief auf der Stelle ein. Orlando ließ sie liegen. Er sank auf einen Lehnstuhl im Wohnzimmer und blieb bewegungslos eine halbe Stunde lang sitzen. Dann kehrte er ins Schlafzimmer zurück, hob sie aufs Bett und deckte sie zu.

Dann waren sie wieder in Hollywood, wo die Dreharbeiten für den neuen Film in Kürze beginnen sollten. Calaway beschloß, sich mit fünfzigtausend Dollar in bar zufriedenzugeben. Eigentlich war es der Direktor des Zeitungssyndikats, der den Beschluß faßte, als ihm klar wurde, daß die Dreckschleuderei auf lange Sicht nicht der geeignetste Weg war, die Auflage zu erhöhen.

Lourie war überrascht, als Orlando ihm befahl, den Vergleich anzunehmen und die Gegenklage fallenzulassen. »Du mußt doch diese Beschuldigungen zurückweisen!«

»Ich muß gar nichts«, entgegnete Orlando. »Ich sehne mich nur nach Ruhe. Ich bin zu müde für Gerichtssäle und Besprechungen mit Anwälten. Ich möchte nur allein sein.«

Laß den Motor laufen war ein Musical. Orlando konnte sich nicht immer auf seine Stimme verlassen. Sie war eingerostet, und manchmal waren die Töne nicht so weich und satt, wie sie hätten sein sollen. Aber als er die ersten Playbacks hörte, war er überrascht. Sie klangen besser, als er erwartet hatte. Der Film war ein Sammelsurium von Klischees – reiche Erbinnen, arme Sänger und wenig Handlung –, aber technisch geschickt gemacht, denn er brachte Noreens Temperament, ihre blendende Figur und ihr komödiantisches Talent ausgezeichnet zur Wirkung. Orlando war sich dessen bewußt, daß er die flotte Leichtigkeit und selbst den Gesang zu oft nur markierte; er nahm seine alten Tricks zu Hilfe, doch anscheinend bemerkte es keiner, denn niemand nahm sich die Mühe, darauf zu achten. Es war Noreens Film, und wenn Orlando auch nicht gerade die Leistung seines Lebens bot, war sich der Regisseur doch der Tatsache bewußt, daß er es mit einem Berufsschauspieler zu tun hatte, von dem nicht zu befürchten war, daß er den Film gefährden könnte.

Der jugendliche Liebhaber war ein von starken Gefühlen bewegter, ölig-hübscher Typ aus Chicago namens Vito Romano. Er ließ die Nasenflügel beben, um Bewegung auszudrücken, und verwendete vor einer Aufnahme eine volle Stunde darauf, herumzuspringen, angestrengt nachzudenken und Posen einzunehmen, damit es ihm nachher gelang, die Rolle eines unbekümmerten, blind seinem Glück vertrauenden Studenten darzustellen. Er wirkte männlich, gefiel sich in unpassenden Gemeinplätzen und machte einen stolzen, wenn auch verschwitzten Eindruck. Orlando zweifelte keinen Augenblick daran, daß er Noreen zwischen den einzelnen Aufnahmen regelmäßig befriedigte. Beweise hatte er keine. Orlando tat nichts und sagte wenig; selbst dann nicht, als sich der Kerl, der immer nur auf überhohen Absätzen einherstolzierte, eines Tages frech vor ihm aufpflanzte und erklärte: »Miß Lawrence hat viel Feuer!«

Orlando nickte.

»Sie könnte die Gabler spielen. Die Blanche Du Bois. Die Desdemona.«

Orlando verzog keine Miene.

»Es macht Ihnen doch nichts aus, wenn ich ihr das sage, nicht wahr?«

»Absolut nicht. Passen Sie nur auf, daß Sie sich bei ihr keinen Tripper holen.«

Nach einem langen Arbeitstag fanden sie entweder in wilder Schlacht oder in noch wilderer Leidenschaft zusammen. Während der Aufnahmen stürzte sie zweimal wütend aus dem Haus, nur um Stunden später reuevoll zurückzukehren und ihn unter Tränen und Beteuerungen um Verzeihung zu bitten, daß sie ihn so schlecht behandelt hatte. Zweimal verließ er sie und war so lange todunglücklich, bis er wieder zu Hause war. Er bemühte sich ernsthaft, es mit anderen Frauen zu treiben, um sich selbst für viele Dinge den Beweis zu liefern. Aber der einzige Beweis, der ihm gelang, war der, daß er es nicht ertragen konnte, von Noreen fern zu sein.

Zu alldem kam eine neue Sorge: Der Alkohol begann sie einzuholen, wenn nicht gar zu überholen. Sie trank nicht mehr als zuvor — und das war eine Menge —, aber sie war immer gut damit fertig geworden. Jetzt begann sie nach dem dritten Glas zu nuscheln, und ihre Augen wurden glasig. Manchmal kippte sie um. Am nächsten Morgen gab sie dann zu, sich übernommen zu haben, und gelobte Besserung.

Aber das war nur Gerede. Mit einemmal ließ sich das morgendliche Schnäpschen, der Rachenputzer, nicht mehr verschieben, wenn sie es eilig hatte oder nicht in Stimmung war; es wurde zu einer unbedingten Notwendigkeit, bevor sie sich baden oder die Zähne putzen konnte. »Teufel«, sagte sie, »es ist noch immer billiger als Heroin.«

Als der Film fertig war, fingen die Zänkereien erst so richtig an. Es gab eine Unmenge von Partys, die sie besuchen wollte, und sie beklagte sich, daß er sie nicht aus dem Haus ließ.

»Weil du säufst«, erklärte er ihr eines Abends. »Du trinkst nicht, du säufst. Du weißt nicht, wann du aufhören mußt und in wessen Gesellschaft du es dir erlauben kannst, zu saufen. Die Leute, die mit zwei Drinks nach dem Nachtmahl auskommen, glotzen dich nur dumm an, wenn du dich vollaufen läßt. Du fällst mehr als unangenehm auf!«

»Sieh mal einer an, wen der Verein christlicher Abstinenzlerinnen mir da ins Haus geschickt hat! Ich hab dich auch schon erlebt, als du nicht mehr gerade stehen konntest, Hochwürden.«

»Aber nie in der Öffentlichkeit. Nie vor Leuten, die sich verletzt fühlen könnten.«

»Verletzt?« Ihr Lachen klang schrill. »Wo hast du denn *das* schwule Wort ausgegraben? Da hab ich mir vielleicht 'nen schwulen Prediger angelacht! Das sollen ja die ärgsten sein.«

Angewidert und zutiefst bekümmert hörte er sie kreischen. Er haßte es, ihr Vorhalte zu machen, denn er haßte es auch, wenn man ihm welche machte. Er wollte ihr sagen, daß es noch etwas in ihr gab, das er liebte und das er beschützen mußte, und daß er ihr Gekreische und ihre Affäre mit Vito Romano und den Verlust der eigenen Persönlichkeit nur aus diesem Grund ertrug.

Aber er irrte. Er wußte gar nicht mehr, was dieses Etwas war.

Sie nahmen eine Einladung zu einer Party in Bert und Bonnie Noahs Haus in Pacific Palisades an. Noreen schien sich wieder etwas beruhigt zu haben. Bert war ein Komiker mit traurigem Gesicht, der im Radio groß angekommen war und jetzt als Typ des besten Freundes des Helden, der nie sein Mädel kriegt, mit gleichem Erfolg zum Film übergesiedelt war. Er und Orlando waren Freunde. Bert brachte ihm Toleranz und Mitgefühl entgegen und gab ihm keine Ratschläge, obwohl er von Harrys Schwierigkeiten zumindest eine Ahnung hatte. Und das war ihm wesentlich wichtiger, als Orlando andere Freunde und Mitarbeiter wissen ließ.

Noreen benahm sich recht ordentlich, bis ihr plötzlich der Gedanke kam, Orlando, der sich den ganzen Abend über kaum gerührt hatte, liebäugle mit Bonnie Noah. Mitten im Wohnzimmer bekam sie einen Anfall, beschimpfte ihn und die entsetzte Bonnie auf das gemeinste. Auf dem Heimweg gestand sie ihm, daß sie nicht, wie versprochen, zwei, sondern ein Dutzend Drinks oder noch mehr zu sich genommen hatte. Er ließ sie bei der Auffahrt zum Haus aussteigen und raste davon; mit weißen Knöcheln umklammerte er das Lenkrad.

Sie trennten sich.

Und versöhnten sich wieder.

Bert Noah wurde vom Fernsehen für eine Serie verpflichtet. Er ließ nicht eher locker, bis Sender und Sponsor sich bereit erklärten, Orlando als ersten Gaststar einzuladen. »Gefälligkeit?« entrüstete sich Bert. »Du bist es, der mir eine Gefälligkeit erweist, mein Kleiner. Ich reiße die blöden Witze, aber du gibst der Sendung Klasse.«

Die Einladung, aber auch Noreens Begeisterung am Tag seines Auftritts gaben Orlando neue Kraft. »'ran ans Mikrofon und zeig's Ihnen, Pappy!« rief sie.

Das tat er auch; zum Teil deshalb, weil sie in letzter Zeit weniger trank und so unverzagt zu ihm hielt. Seine Stimme war noch immer rauh. Aber das echte Gefühl war da, der magische Kontakt mit dem Publikum war wiederhergestellt und seine Leistung so einwandfrei, daß sich die Kritiker im ganzen Land in wahren Lobeshymnen überboten.

»Was ist nur aus dem kleinen Bert geworden?« scherzte Noah ohne jede Bosheit und Eifersucht. Er selbst war ebenfalls ausgezeichnet angekommen, und der Erfolg seiner Serie schien gesichert.

»Du mußtest eben gegen einen Meister ankämpfen«, witzelte Orlando und umarmte den kleinen Kerl, der ihn ins Leben zurückgerufen hatte.

Mit einer überglücklichen Noreen an seiner Seite begann er in Las Vegas vor einem halbleeren Haus zu singen. Er beendete das Engagement am vierzehnten Abend in einem Saal, vor dem die Gäste den Kellnern extravagante Trinkgelder zusteckten, damit sie ihn überhaupt betreten durften. Eine Kette von Fernsehstationen bot ihm eine wöchentliche Schau an; die Sponsors rissen sich um ihn. Die Gage war nicht außergewöhnlich hoch, und seine Berater wollten Zeit zum Feilschen gewinnen, aber er winkte ab und unterschrieb die Verträge. Seine erste Show mit Al Barron als Stichwortgeber, hübschen Mädchen und Bert Noah als geehrtem Gaststar war ein durchschlagender Erfolg. Orlando sang sich das Herz aus dem Leib und überwachte das ganze Programm wie ein gütiger Herrscher, der um das Wohl seiner Untertanen besorgt ist.

Noreen griff wieder häufiger zur Flasche und begann an Gedächtnisstörungen zu leiden. Mehrmals am Tag gab es Augenblicke und ganze Minuten, über die sie sich keine Rechenschaft geben konnte. Sie befand sich an einem Ort, völlig wach und guter Dinge, und plötzlich an einem ganz andern, ohne daß die Zeit vergangen zu sein schien. Zutiefst erschreckt teilte sie Orlando mit, sie sei fest entschlossen, das Trinken aufzugeben — und goß ein eben gefülltes Glas ins Spülbecken. Sie stellte sich auf Ingwerbier um, und die Gedächtnisstörungen hörten auf.

Orlandos Fernsehshows waren nicht alle gut; einige waren sogar – wie er selbst zugab – entsetzlich. Gelegentlich ließ ihn seine Stimme unerwartet im Stich. Aber der Harry-Orlando-Schwung kam wieder, langsam, aber sicher, und die Zahl der Zuschauer der Show stieg stetig an.

Noreen begann mit einer weiteren Neufassung eines Lombard-Films. Sie stürzte sich mit nichtalkoholischer Lebensfreude in die Arbeit, und abends konnten sie und Orlando das Glück nicht fassen, eine so wunderbare Ehe zu führen. Die Gedächtnisstörungen wären ein Glück gewesen, erklärte sie immer wieder; ihr Verstand sei jetzt klar wie nie zuvor. Sie aß wie ein Scheunendrescher und schlief wieder besser.

Sie sprachen von einem Baby.

»Stell dir das doch vor«, spaßte sie eines Abends. »Die Dame, die sich in den Fremdenbüchern des Hotels mit ›Ich und wen es gerade freut‹ eingetragen hat – ausgerechnet die soll jetzt einem Baby die Brust reichen? Das ist doch verrückt!« Sie hatte der Köchin freigegeben und grillte Hackfleischpasteten im Garten. Sie sah bezaubernd aus, als sie so barfuß dastand, in engen, tadellos gearbeiteten Shorts und Bolerobluse, das ebenholzschwarze Haar in begeisternd kitschige Zöpfe geflochten, das feine Gesicht ohne jedes Make-up. »Wie willst du denn ein Baby lehren, von meiner Brust zu trinken?«

»Du bringst ihm zuerst das Lesen bei, und dann gibst du ihm eine Gebrauchsanweisung«, sagte Orlando, außer sich vor Glück. »Also gut, schaffen wir uns ein Baby an. Angeblich ist das seit wenigstens einem Jahr große Mode.«

»Wie kommen wir zu so was? Haben sie das bei May vorrätig? Dort habe ich Kredit.«

»Man bekommt sie umsonst durch ... wie nennt man das doch gleich ...? Durch Geschlechtsverkehr.«

Ihre Augen weiteten sich mit gespieltem Erstaunen. »Kann man damit auch Babys machen? Ich sag's ja immer: Kaum zu glauben, was man alles schafft, wenn man sich hinlegt.«

»Du Verrückte«, sagte er voll überströmender Liebe und umschlang ihre nackte Hüfte, während sie die Pasteten umdrehte.

»Paß auf, daß du nicht mit den Fingern in der Geschirrspülmaschine hängenbleibst, Pappy. Jetzt muß ich mal diesen Fraß servieren und hinterher die Teller waschen.« Als er sie fester umschlang und mit den Lippen ihren Nacken liebkoste, ließ sie die Hände sinken. »Du verwirrst die Köchin«, flüsterte sie. »Warum tust du das?«

»Weil ich etwas Anstößiges zu vermelden habe. Seit fast zwei Jahren bin ich mit derselben Hinterwäldlerin verheiratet und immer noch verrückt nach ihr.«

Noreen ließ die Spatel fallen. »In diesem Haus muß die Köchin aber auch *alles* für den Chef tun«, hauchte sie.

Mehr schwebend als gehend erreichten sie das Gartensofa. »Das mit dem Baby«, sagte sie warnend, »das kommt später einmal, nicht heute. Hörst du?«

Nun, da Noreen dem Ingwerbier verfallen war und ihre Ehe ernst nahm, fühlte Orlando neue Kräfte. Sie kamen überein, daß es Zeit war, das Haus im Canyon mit neuem Leben zu erfüllen und selbst einmal eine Party zu geben. Sie luden die Noahs ein, Stan Lourie und seine Frau, Al Barron und seine augenblickliche große Liebe, der er ewige Treue geschworen hatte, Liz Anthony, die Noreen für die Probeaufnahmen zu *Lauffeuer* vorbereitet hatte, und ein paar große Tiere aus Noreens Studio, die meisten großen Tiere, die mit Orlandos Fernsehshow zu tun hatten, Zeitungsleute, denen sie beide trauten, jene, die zu ihnen gehalten hatten und immer halten würden, Freunde und Freunde von Freunden, die Altmodischen und die Neumodischen – kurz: alle Leute, die schon längst hätten kommen sollen.

Die Party war für halb zehn Uhr abends angesetzt. Die Kellner kamen schon früher und bezogen ihre Stellungen rund um den langgestreckten Innenhof und den Swimming-pool, wo das Fest stattfinden sollte. Orlando gab sich einen Ruck und nahm den Oberkellner zur Seite. »Ich möchte Sie bitten, Ihre Barmixer auf die unauffälligste und dezenteste Weise davon in Kenntnis zu setzen, daß Mrs. Orlando unter keinen Umständen etwas Stärkeres als Ingwerbier serviert werden darf. Haben wir uns verstanden?«

»Durchaus, Sir.«

»Geben Sie ihnen eindeutige Weisungen, aber machen Sie keine große Affäre daraus.«

»Überlassen Sie alles mir.«

Noreen trug ein enganliegendes schwarzes Abendkleid. Sie sah hinreißend aus. Die unwichtigeren Gäste, die Direktoren der mittleren Gehaltsklassen und ihre Frauen, trafen als erste ein. Dann kamen die Zeitungsleute, die sich sofort über die alkoholischen Getränke hermachten. Die kleine, aber erstklassige Kapelle, die Orlando engagiert hatte, spielte bekannte Melodien. Dann kamen die großen Kanonen, Freunde und andere. Noreen begrüßte sie liebenswürdig, nannte jeden einzelnen beim Namen und schmeichelte ihnen schamlos; eine großzügige bezaubernde Gastgeberin, in Bel Airs antiseptischer Umgebung geboren und aufgewachsen, weitab von den düsteren Elendsvierteln von New Orleans.

Orlando war von gelassener Heiterkeit; schöne Stunden lagen vor ihnen.

Um elf Uhr konnte Noreen nicht mehr gerade stehen. Als die steiferen Gäste einen Augenblick nicht hinsahen, forderte Orlando Noreen auf, nach oben zu gehen, und suchte wütend den Barmixer, der ihr Ingwerbier mit Schnaps versetzt hatte. Sie habe ihm einen Zehner zugesteckt, erklärte dieser bekümmert, damit er das den ganzen Abend so mache.

Orlando ließ den Oberkellner kommen. »Haben Sie diesem Schweinehund Ihre Anweisungen gegeben?«

»Ja, natürlich«, stotterte der Mann.

»Es war ein Zehner, und ich dachte . . .«, begann der Barmixer.

»Schauen Sie, daß Sie weiterkommen, und zwar sofort!« befahl Orlando, und der Barmixer hastete davon. »Sie sind mit so phantastischen Empfehlungen zu mir gekommen«, zischte er den Oberkellner an. »Und dann entpuppen Sie sich als miese, kleine Laus.«

»Mr. Orlando, dieser Barmixer ist neu. Ich mußte ihn nehmen, weil . . .«

»Ich will Ihnen sagen, was Sie mit Ihren Ausreden tun können, Sie Schleicher. Ich habe in meinem Leben nie welche gebraucht, und darum erwarte ich die gleiche Zivilcourage auch von andern erwachsenen Männern, besonders von solchen, die mit übertriebenen Empfehlungen bei mir aufkreuzen. Was heute abend hier geschehen ist – daran sind Sie schuld, nicht Ihr Handlanger. Und ich werde dafür sorgen, daß sich das in der Stadt herumspricht, mein Freund. Jetzt sehen Sie zu, daß wenigstens der Rest des Abends ordnungsgemäß verläuft, und dann hauen Sie ab.«

»Mr. Orlando, dieser Barmixer . . .«

»Schnauze!« fuhr Orlando ihn an und ließ ihn stehen. Konnte denn nie etwas klappen?

Er erblickte Liz Anthony. In ihren mitfühlenden Augen konnte er lesen, daß sie ganz genau wußte, wie es um Noreen stand. »Du hast sie ja schon einmal auf Vordermann gebracht«, sagte er. »Geh doch hinauf und versuche, sie ins Bett zu lotsen. Bitte, Liz!«

»Natürlich, Harry.«

Sorgenvoll und verärgert kehrte er zu seiner Party zurück. Mit gekünsteltem Gleichmut spielte er den Gastgeber, solange er konnte, lachte mit den andern über ein Ballett, das Al mit seiner augenblicklichen großen Liebe improvisierte, plauderte mit der Frau des Vizepräsidenten der Werbefirma, die die Interessen des Sponsors der *Harry Orlando Show* vertrat, hörte mit halbem Ohr Bert Noah zu, der ihn von seiner Absicht in Kenntnis setzte, sich von Bonnie scheiden zu lassen, erklärte allen Frackträgern, die sich nach Noreen erkundigten, sie hätte Migräne, und kümmerte sich darum, daß die Gäste genug zu essen und zu trinken hatten. Als es schließlich nichts Wichtigeres mehr zu tun gab, als nach Noreen zu sehen, entschuldigte er sich und lief die Treppe hinauf.

Liz war wirklich eine große Hilfe. Sie liebkoste Noreen. Und Noreen genoß es.

Liz Anthony fühlte als erste seine Anwesenheit. Sie befreite sich aus Noreens Umarmung, richtete sich auf und griff hastig nach einem Kissen, um ihre schwingenden Brüste zu bedecken. Noreens golden schimmernder Leib wand sich noch in Lust; es dauerte länger, bis die Glut ihrer Sinnlichkeit erlosch. Sie hielt die Augen geschlossen, und geiles Stöhnen vermengte sich mit ihrem keuchenden Atem. Als ihre Arme ins Leere stießen, krächzte sie: »Wo ... wo bist du?«

Orlando stand mit hängenden Schultern in der Tür, konfus und doch erstaunt, daß er nicht ganz so überrascht war, wie er es hätte sein sollen. Er war empört und unglücklich zugleich. Liz räusperte sich, um etwas zu sagen, aber da hatte er auch schon ihr stahlgraues Haar in der Faust und riß sie vom Bett. Er schleuderte sie zu Boden, raffte ihre Kleidungsstücke zusammen und warf sie ihr ins Gesicht.

»Wenn ich mich wieder umdrehe«, sagte er, »wäre es besser für dich, du hättest dieses Haus und Kalifornien bereits verlassen.«

Sie erwiderte nichts, suchte ihre Sachen zusammen, die rundherum verstreut lagen, und stand langsam auf. Wieder packte er sie beim Haar, riß sie hoch und schlug ihr ins Gesicht, wieder und wieder und wieder, so heftig und mit solcher Wut, daß sie abermals zu Boden fiel. Aber sie stand auf und gab keinen Laut von sich.

»Du schwuler Hund, du gemeines Vieh!« kreischte Noreen vom Bett aus. Liz Anthony ging. Er schlug hinter ihr die Tür zu und beugte sich über seine Frau, die er liebte, die ihn anekelte und die obszön über das Bett ausgespreizt lag.

»Warum?« flüsterte er mit rauher Stimme. »Warum?«

»Warum was?« Die Frage kam wie aus einem fernen Land. Sie begann unmotiviert zu kichern. »Warum ich sie drü-ber ge-gelassen ha-habe? Weil bei dir nicht mehr genug los ist, Hochwürden, weil's bei dir nicht mehr zündet. Und weil du ein schwules Paket bist. Es ist mir erst jetzt aufgefallen, aber das bist du, in deinem Innersten bist du das, ein winzig kleiner schwuler Spaghettifresser. Und wenn du ein warmer Bruder bist, na, dann wahre ich eben die Familientradition ... und ... und ... o Gott, Harry, ich bin ja so schlecht, und ich hab solche Angst!«

»Ja«, sagte er, »schlecht.«

Sie nickte und schloß wieder die Augen. »Habe ich dir erzählt, wie mich einmal zu Hause fünfzehn Burschen in eineinhalb Stunden durchgezogen haben? Fünfzehn Burschen ... Sie stellten sich alle in einer Reihe auf, und der eine, dieser Buzz McCrory, kontrollierte mit der Stoppuhr, und in eineinhalb Stunden hatten sie mich alle. Ich hab dir nie gesagt, was für eine berüchtigte Schlampe du geheiratet hast, nicht wahr? Oh, ich hab noch 'ne Masse Erinnerungen, von denen ich dir erzählen werde, wenn wir erst lange, graue Bärte haben. Wir werden beide lange, graue Bärte haben. Dann werden wir im Schaukelstuhl vor dem Kamin sitzen, und ich werde dir von den schönen alten Zeiten erzählen ...«

Ekel stieg in ihm hoch. Er verließ das Schlafzimmer und schloß die Tür hinter sich ab.

Bert Noah bemerkte, wie verstört er war. »Was ist los, Italiener?«

»Der Tag bricht an, Hebräer«, antwortete Orlando und ging mit ihm zu den Gästen zurück.

Im Hof stürzte er einen Drink hinunter und versuchte das schmutzige Bild loszuwerden. Er tat alles Erdenkliche, um sich zu beweisen, daß alles in bester Ordnung war. Es war eine mühselige Arbeit, Interesse an dem Geplapper dieser alten Idioten und Idiotinnen vorzutäuschen. Aber nach etwa zehn Minuten war er schon ziemlich sicher, daß er es schaffen, daß er diese Nacht überleben würde, ohne jemanden merken zu lassen, daß die Welt um ihn herum in ihren Grundfesten erbebte.

Er stand eben neben der Kapelle, als Mr. Heatherton, einer der Vizepräsidenten der Fernsehgesellschaft, sehr höflich die Bemerkung fallenließ, seine Frau wäre entzückt, den Vorzug genießen zu dürfen, ein Lied von ihm gesungen zu hören. Harry hätte lieber die Alpen überquert als gesungen, aber man war nicht unhöflich Leuten gegenüber, die in Direktionsstühlen saßen; besonders jetzt nicht, da er auf seinem Wiederaufstieg noch manche Hürde zu nehmen hatte.

Er lächelte und nickte zustimmend, gab dem Klavierspieler Anweisungen und zündete sich eine Zigarette an. Der Zauber wurde sogleich wirksam. Obwohl niemand ankündigte, daß Harry Orlando singen würde, versammelten sich erst einige wenige, dann mehr, und schließlich alle Gäste um ihn herum, wollten ihn sehen und hören. Er stützte einen Ellbogen auf das Klavier, und die ersten sanften Töne strömten über seine Lippen.

»Wir küßten uns beide,
du und ich;
die Liebe umfing uns,
dich und mich.
Es war so schön, wenn wir umschlungen lagen . . .
jetzt fleh ich drum, dich einmal noch zu sehn,
ich will dir etwas Liebes sagen . . .«

Das Klagelied kam aus seiner tiefsten Seele, und er gab seinen Gästen jenen Harry Orlando, vor dem alles ringsum verstummte. Schwermütig und unendlich rein erklangen die Töne, bis er bemerkte, daß der eine oder der andere unter den Zuhörern allmählich unruhig wurde. Da war etwas hinter ihm — was, das wagte er sich nicht vorzustellen —, das langsam und auf ganz seltsame Weise die Aufmerksamkeit der Gäste von ihm ablenkte.

»Ich starre auf des Zimmers Wände
und seh die Schatten deiner Hände,
warum ist alles nun zu Ende . . .«

Noch bevor er diese Strophe beendet hatte und sich in Gedanken bereits auf die nächste vorbereitete, wußte er, daß Noreen in dieser neuen Szene mitspielen würde.

»Ich bin ganz sicher, daß du's weißt...«

Sie trug einen Morgenrock aus billiger Seide – er hatte ihr Dutzende der schönsten und teuersten gekauft – und kam langsam auf das Klavier zu. Sie ging so unnatürlich kerzengerade, daß sie nur andere Betrunkene hatte täuschen können – und so betrunken war hier noch keiner. Ihr Haar sah zum Fürchten aus. Abgesehen von den Lippenstiftspuren war ihr Gesicht ein fleckiges Weiß. Sie trug keine Schuhe und grinste blöd vor sich hin. Ihre zitternden Finger vermochten kaum die Zigarette festzuhalten. Sie war Lichtjahre von jenem damenhaften, hinreißenden Geschöpf entfernt, mit dem er eben noch die Gäste willkommen geheißen hatte. Mein Gott, dachte er, wie hat sie das bloß geschafft, aus dem versperrten Zimmer zu entkommen? Einer von den Dienstboten wahrscheinlich hat ihr geholfen. Es war eine Nacht der Narren.

Aller Augen waren auf sie gerichtet, keiner konnte den Blick von dieser seltsamen Erscheinung abwenden. Orlando packte die Wut; nein, zum Teufel, er würde ihre jämmerliche Zurschaustellung nicht dadurch aufwerten, daß er sich ebenso schockiert zeigte wie die anderen.

Er nickte dem Pianisten ruhig zu, beendete den Refrain, ohne einen Takt auszulassen, wiederholte den Übergang und sang das Lied zu Ende.

Noreen stand nun neben dem Klavier und klatschte laut in die Hände. »Bra-vo, bra-vo – laß uns den König der Könige feiern, den königlichsten König von allen!« Ihr ungelenker Versuch zu salutieren löste den nur lose geknüpften Gürtel, und der billige Morgenrock teilte sich.

Orlando stand da wie vom Donner gerührt, unfähig, sich zu bewegen.

Dafür bewegte sie sich. Sie vergaß die kerzengerade Haltung, schwankte mit glasigen Blicken hin und her und klammerte sich haltsuchend an Heatherton, den nicht mehr allzu jungen Vizepräsidenten der Fernsehgesellschaft. »Das gibst du doch zu,

Schnuckelputz, daß unser Harry der königlichste König aller Könige ist, nicht wahr?« babbelte sie und begann Heathertons kahlen Kopf zu reiben. Der alte Mann trat so abrupt zurück, daß sie ihr Gleichgewicht verlor und der Länge nach auf den harten Steinboden fiel. Der Morgenrock ging nun ganz auf, und einige Damen stießen keuchende Seufzer aus, als die Scheinwerfer die Aufmerksamkeit aller Gäste auf das grell aufleuchtende nackte Fleisch zogen.

Vor Schrecken starr, glotzte Orlando sie an. Einige der Herren stürzten herbei, um ihr zu helfen. Al Barron fuhr ihr mit seinen großen Händen unter die Achselhöhlen, aber sie entwand sich ihm, packte ihn schrill auflachend an der Jacke und zog ihn zu sich hinunter, so daß er auf sie zu liegen kam. »Jetzt ... geht's *los!«* schrie sie und umschlang ihn mit Armen und Beinen.

Er mußte Gewalt anwenden, um sich zu befreien.

Betäubt und gelähmt ließ sich Orlando kraftlos auf einen Klappstuhl fallen. Das war doch wohl alles nur Einbildung. So etwas konnte einfach nicht geschehen! Aber es *geschah,* und er wußte es, saß da und stierte auf seine Frau. Es war ihm nicht möglich, sich vom Stuhl zu erheben; erst mußte er wieder zu Atem kommen. Er hoffte, daß dies nie der Fall sein würde.

»Allein ... ich mache alles allein ...«, murmelte sie vor sich hin, während sie alle auf die Seite winkte, sich halb aufrichtete, abermals hinfiel und schließlich wieder auf die Füße kam, indem sie sich auf die Armlehne eines Schaukelbettes stützte. Sie torkelte dem Swimming-pool zu; der Morgenrock schleifte am Boden nach.

Die Gäste blieben stumm; mit gellendem Kreischen taumelte Noreen dahin. »Wer will noch mal, wer hat noch nicht? Bei mir kriegt man's gratis – wer zuerst kommt, mahlt zuerst!« Ein gurgelndes Lachen brach aus ihrer Kehle. »Harry? O nein, der nicht. Haha! Nicht Harry, der König der Könige! Er singt ... Harry singt, und alles erstarrt in Ehrfurcht, wenn er loslegt. Und dann hat man ihn im Bett und wartet darauf, daß das Leintuch zu brennen anfängt, und wißt ihr, was man dann vom König der Könige bekommt?« Sie kicherte und gab einen ekelhaften Laut von sich. »Nichts! Harry, die große Kanone, ist gar keine so große Kanone ...« Wieder lachte sie auf, grell und gemein, und taumelte weiter.

»Willst du sie nicht aufhalten?« flüsterte Bert Noah Orlando ins Ohr.

»Nein«, anwortete Orlando. »Laß sie.«

Nun war sie bei der Leiter angelangt, die zum Sprungbrett hinaufführte, und plötzlich begann sie mit erstaunlicher Behendigkeit zu klettern. Sie lachte dabei, rief unzusammenhängende Wörter hinunter und erreichte endlich die letzte Sprosse. Orlando saß leicht vornübergebeugt, ihr Lachen war nun kein Lachen mehr, sondern ein gequältes, katzenartiges Winseln.

Jetzt war sie ganz oben, machte ein paar Schritte auf dem schmalen Brett. Plötzlich verstummte das Winseln, und sie stand da im gleißenden Licht der Scheinwerfer. »He, schaut nur her, wie hoch oben ich bin! Hat keiner geglaubt, daß die kleine Noreen mal so hoch kommen würde!« rief sie. Dann ließ sie den Morgenrock fallen. »Ihr könnt mich alle . . .«, kreischte sie, verlor den Halt und stürzte ins Wasser.

Orlando sprang auf und lief, um seine Frau vor dem Ertrinken zu retten.

Die Gäste, hätte man glauben sollen, waren Orlandos Freunde, und Freunde, so nimmt man allgemein an, können den Mund halten. Aber am nächsten Tag wußte es die ganze Stadt einschließlich der Laufjungen.

Die Ärzte hatten schwere Verletzungen befürchtet, als Orlando Noreen in ein Krankenhaus brachte. Mit Bert und Al an seiner Seite war er nervös auf und ab gegangen. Endlich kam Dr. Parris heraus und teilte ihm mit, daß Untersuchung und Röntgenbilder keinen Hinweis auf irgendwelche Verletzungen ergeben hätten. »In ein paar Tagen ist sie wieder völlig in Ordnung«, meinte der Arzt. »Sie möchte Sie jetzt gern sehen.«

»Sagen Sie ihr, daß ich schwimmen gehen mußte«, erwiderte Orlando kurz. Er winkte Noah und Barron, mit ihm zu kommen.

Bert mußte fast laufen, um auf der Straße mit ihm Schritt zu halten. Er wollte wissen, was Orlando nun vorhatte.

»Arbeit. Harte Arbeit.« Harry blieb stehen und wandte sich den beiden zu. »Aber zuerst will ich euch eines sagen: Ihr seid meine besten Freunde. Und wenn einer von euch jemals ihren Namen in meiner Gegenwart fallenläßt, sind wir geschiedene Leute. Das ist mein voller Ernst!«

Er nahm sich den besten Gesangslehrer, den er finden konnte, und arbeitete, ohne Zigaretten und Alkohol, bis seine Stimme wieder auf Glanz war. Nacht für Nacht blieb er auf und las, wie er nie zuvor gelesen hatte, las was ihm in die Hände kam: Staatswissenschaften, Geschichte, Politik, Biographien, Romane und Dostojewski, Melville, Tolstoi, Dreiser und Twain. Gelegentlich trank er ein Glas, aber nicht zügellos; dazu fehlten Zeit und Wille. Nebenbei hielt er sich eine kleine, ausgewählte Einheit williger Bettvorleger, von denen keine Noreen nur irgendwie ähnlich sein durfte; er gab sich aber mit den Schönen nicht allzulange ab, denn auch dazu fehlten Zeit und Wille. War es zu Beginn seiner Karriere wichtig gewesen, größer und besser zu sein als die Konkurrenz, so kam es jetzt darauf an, noch größer und noch besser zu sein. Mit zusammengebissenen Zähnen arbeitete er wie besessen an einem Comeback, bei dem jedem Hornochsen in Gottes Tiergarten das Wort »passé« im Halse steckenbleiben mußte.

Und es gelang ihm, innerhalb eines Jahres. Er investierte jeden verfügbaren Dollar in seine TV-Show, engagierte die besten und teuersten Mitarbeiter, übernahm die Regie, und die Harry-Orlando-Show rückte auf den ersten Platz vor. Er legte seine ganze Seele — oder was ihm davon verblieben war — in seine Platten und persönlichen Auftritte, und die Zuhörer erinnerten sich an das, was er gewesen war, und konnten nicht genug bekommen. Die zwei Filme nach *Laß den Motor laufen* waren Kassenschlager; kein Wunder, denn er hatte die besten Mitarbeiter ausgesucht.

Er ließ sich von Noreen scheiden.

Er erfuhr, daß sie einen weiteren Film zum größten Teil durchgestanden hatte, aber noch vor Beendigung der Dreharbeiten völlig dem Trunk verfallen war. Mit Hilfe von Umgruppierungen und Drehbuchkorrekturen, Heranziehung eines Doubles für Fernaufnahmen und Einsatz von Technikern, denen alle Tricks vertraut waren, wurde der Film schließlich vorführreif gemacht.

Ihre Gesellschaft löste den Vertrag. Kein anderes Studio wagte sie anzufassen. Sie heiratete einen religiösen Fanatiker aus Arkansas, Mitglied eines Abstinenzlervereins, und ließ sich bald wieder scheiden. Dann hatte sie eine propagandistisch hochgespielte Affäre mit einem Damenfriseur, der sich als Muskelprotz und Supermann aufspielte und, wie sie später einem der wenigen Freunde, die ihr noch geblieben waren, gestand, schwuler war als sämtliche Homosexuellen Kaliforniens zusammen.

Drei Jahre nach der Scheidung erhielt Orlando die letzte Nachricht von ihr: Noreen lebte auf einer fernen türkischen Insel mit einer Leibwache katzbuckelnder junger Männer. Sie hatte stark an Gewicht zugenommen und schwor jedem, der es hören wollte, daß sie ein großer Star werden würde und es nur eine Frage der Zeit war, daß Hollywood sich wieder um sie riß. Dann hörte man nichts mehr von ihr.

Es gab Zeiten, da Orlando nicht an sie dachte.

Eine Menge Jahre, dachte Orlando jetzt, während er versuchte, die qualvolle Vergangenheit zu vergessen. Eine Menge Jahre, und sie haben mich fast alle Nerven gekostet.

Er seufzte und zwang sich, an die Gegenwart mit ihren Problemen zu denken: an die Produktion eines Films mit dem Titel *Die Liebe schlägt Krawall.*

Und an einen Bauerntölpel namens Miles Quinlan, den man Mores lehren mußte ...

IX

Bill Temple schrieb in seinem Arbeitszimmer die letzten Sätze eines Artikels über Victor Wades Freunde. Es gab kaum einen Augenblick, da er nicht mit ihnen haderte. Die von Multimillionär Victor Wade aus Houston vor zwei Jahren gegründete Organisation hatte von Anfang an nach Gleichgesinnten gesucht; Leuten, die bereit waren, »den gottlosen Kommunismus überall dort wirksam zu bekämpfen, wo er sich ausbreitete: in der Regierung, in den Schulen, in den Kirchen, in den Gemeinwesen«. Die Grundeinstellung der Gruppe — derzufolge jedes Mißgeschick und jedes Unglück im Leben auf den Einfluß verräterischer und unheilvoller Kräfte zurückzuführen war — störte Temple zunächst nicht mehr als andere geistig gesunde Menschen. Die Verfassung, hatte er einmal geschrieben, gebe jedem Bürger das Recht, einen Narren aus sich zu machen.

Temple war es, der auf Grund eines Hinweises entdeckte, daß Wade und seine Freunde mehr waren als nur Unsinn verzapfende Anachronismen. Er erbrachte den Beweis, daß der Vorstand der Gruppe von Rassenfanatikern und gefährlichen Tölpeln durchsetzt war. »Unser einziges Ziel liegt darin«, verkündete Victor Wade, »jeden einzelnen loyalen, wahren amerikanischen Bürger seines unveräußerlichen Rechtes bewußt zu machen, sich gegen die Feinde der Freiheit zur Wehr zu setzen. Wir verfolgen keine andern Absichten.« In Wirklichkeit aber hatten Stoßtrupps der Organisation, die eindeutig von oben gesteuert wurden, ohne viel Aufsehen und recht erfolgreich in vielen kleinen Gemeinden Programme zur Förderung der geistigen Gesundheit zum Scheitern gebracht: Mitglieder, die in Elternbeiräten saßen, überredeten widerstandslose Mehrheiten dazu, hier ein Lehrbuch einstampfen zu lassen, da es die Geschichte der Vereinigten Staaten nicht patriotisch genug behandelte, dort einen Lehrer mit einem komisch klingenden fremdländischen Namen zu entlassen, da er irgendwelche gefährlichen Ansichten vertrat. Bibliothekare und Buchhändler fühlten sich dem starken Druck ausgesetzt, Bücher aus Regalen zu verbannen, die ihrer politischen, ethischen oder moralischen Tendenz wegen angeblich die Sache der Revolutionäre förderten. Eine erstaunliche Anzahl liberaler oder gemäßigter Kandidaten für öffentliche Ämter hatte auf Grund irreführender Angriffe seitens der Freunde Victor Wades Niederlagen erlitten – Angriffe, die nichts mit der liberalen oder gemäßigten Einstellung der Kandidaten zu tun hatten, sondern auf Gerüchten über deren sexuelle Entgleisungen und längst vergessene jugendliche Aufwallungen basierten.

Wades Leute leugnen entrüstet, sich solcher Methoden zu bedienen oder sie auch nur zu unterstützen; und in jedem einzelnen Fall legte Temple unwiderlegbare Beweise vor, daß sie gelogen hatten. Wades Leute brandmarkten ihn als Einfaltspinsel oder als Agenten der gottlosen Russen. Sie gingen noch weiter: Sie bedrohten die Zeitungsherausgeber und Inserenten und taten ihr möglichstes, um die Veröffentlichung seiner Artikel in all jenen Blättern zu unterbinden, die sie regelmäßig abdruckten. In elf Fällen waren sie erfolgreich.

Mit der Zeit erfüllte die Tätigkeit der Organisation Temple mit wachsender Sorge. Je unsinniger ihre Erklärungen wurden, je gehässiger die Taktik ihrer Angriffe auf Menschen, Ideen und öffentliche Einrichtungen war, die nicht ganz ihren Vorstellungen entsprachen, desto stärker schwoll die Zahl ihrer Mitglieder an. Sie schien über unerschöpfliche Mittel zu verfügen. Ihre Anhängerschaft rekrutierte sich nicht nur aus böswilligen Ignoranten, sondern zu einem überraschend großen Teil auch aus Leuten des Mittelstandes, die sich für solide und anständige Bürger hielten. Was Bill Temple am meisten beunruhigte, war die Tatsache, daß viel zuwenig rechtschaffene Männer und Frauen der verblüffenden Entwicklung der Organisation Beachtung schenkten und die Öffentlichkeit auf die drohende Gefahr aufmerksam machten.

Temple tippte die letzte Zeile seines Artikels und ließ sich erschöpft in den Stuhl zurückfallen. Er wünschte, die Worte auf dem Papier würden nicht gar so sehr einem Haufen toter Ameisen gleichsehen. Die Nacht im Kittchen – ein Erlebnis, das teils Alptraum, teils kalte, entsetzliche Wirklichkeit war, wenn er daran zurückdachte – hatte ihn erschöpft und entnervt. Er fühlte sich sehr alt und trotz Morris Brodericks Rat, Ruhe zu bewahren, sehr verängstigt.

Mary brachte Kaffee. »Fertig?«

Er nickte. »Fertiger geht's nicht. Der Kaffee duftet wunderbar. Du triffst immer den richtigen Zeitpunkt.«

»Darf ich den Artikel lesen?«

Er nickte abermals. »Bediene dich, aber du wirst dich wahrscheinlich übergeben müssen. Wenn ich das, was ich in letzter Zeit zusammenschmiere, im ersten Semester einer Hochschule für Zeitungswissenschaft vorlegen müßte, würde ich geteert, gefedert und hinausgeschmissen.«

Das war nicht bloß gescherzt. Noch beschwerte sich niemand, aber Temple wußte, daß die Artikel, die er in der letzten Zeit geschrieben hatte, unelegant und steif waren. Schuldbewußt warf er Mary einen Blick zu. Sie hatte seit jener Nacht im Arrest kein Wort mehr über diese Angelegenheit verloren, aber sie war ohne Zweifel darüber gekränkt, daß sie die Einzelheiten von Broderick statt von ihm hatte erfahren müssen.

Schweigend blätterte sie die Seiten um. Er kaute am Bügel seiner Brille und überlegte, ob er wieder rauchen sollte. Von einer heimlichen Zigarette hie und da abgesehen, hatte er es aufgegeben; aber nach der Nacht im Kittchen stand er unter ständiger nervöser Spannung, und mit ihr war der unwiderstehliche Drang nach Tabak in ihm aufgekommen. Nach Morris' vergeblichem Versuch, die Kaution von fünftausend Dollar herabzusetzen, konnte er jetzt nichts anderes tun, als auf die Vorladung aus Tuscaloosa zu warten und sich einzubilden, daß er nicht völlig hilflos war. Es galt jetzt nur, die Nerven nicht zu verlieren.

Mary hatte den Artikel zu Ende gelesen. »Grant Campbell wird dich nicht um deine Hand bitten, wenn er das sieht«, sagte sie lächelnd.

»Welchen Teil meinst du?«

»Alles, was du über ihn schreibst«, antwortete sie und las laut vor: »›Es ist zweifellos Senator Campbells gutes Recht, zu leugnen, daß er eifrig bemüht ist, sich von seiner Partei zum Kandidaten für die Präsidentschaft nominieren zu lassen; klügere und unendlich geeignetere Kandidaten für ein öffentliches Amt haben dieses kokette Spiel gespielt, seit es in den Vereinigten Staaten freie Wahlen gibt. Sollte er sich aber dennoch einmal entschließen, mit diesem Theater Schluß zu machen, dann erhebt sich die bange Frage, zu welchem Zeitpunkt er uns armen Sterblichen sein ganzes Vertrauen zu schenken gedenkt.‹«

Früher einmal hatte Mary seine Artikel oft laut vorgelesen – zu ihrem und seinem Vergnügen. Bill begann sich zu entspannen. Lag wieder etwas von der vertrauten Wärme und Zuneigung in ihrer Stimme?

»›Das wundersam Erstaunliche am politischen Leben Campbells – Schauspieler damals, Schauspieler heute – ist die Tatsache, daß die jungenhafte Aufrichtigkeit, die ihm aus allen fotogenen Poren zu dringen scheint, in Wahrheit nur an der Oberfläche liegt. Campbell, Pascha der Platitüden und Kalif der Klischees, ist bestrebt, allen Menschen alles zu bieten. Er ergeht sich in herzerquickenden Banalitäten über den Schutz der Menschenrechte, und wir hängen gebannt an seinen Lippen, bewundern seine Gedankengröße und merken nicht, wie abgedroschen all das klingt. Aber dann werfen wir einen Blick in die Vergangenheit und stellen fest, daß Mr. Campbell die Menschen so sehr liebt, daß er konsequent gegen sie stimmt. Das tut auch Russell Connors aus Maine, aber der hat zumindest so viel Anstand, offen zu sagen, daß unsere Regierung von Verrätern beherrscht wird; daß, würde es einen Gott im Himmel geben, jeder Polizist jeden Nichtpolizisten verhaften müßte; daß die Bürgerrechte von Josef Stalin und die bürgerlichen Freiheiten von Caligula erfunden wurden; daß unsere Welt erst lebenswert wäre, würde jeder Häuserblock von einem Freund Victor Wades kontrolliert werden.

Dürfen wir den wahren Grant Campbell ersuchen, Farbe zu bekennen und uns zu verraten, woran er glaubt – abgesehen von der amerikanischen Küche? Auch wir glauben ganz fest an die amerikanische Küche – aber damit sind wir noch lange nicht Präsident der Vereinigten Staaten.‹«

Mary legte die Blätter zurück. »Du bist ein rechter Unruhestifter«, sagte sie, und er vermeinte einen Anflug von Stolz in ihrer Stimme zu hören. »Dieser Artikel wird dir eine Menge Post eintragen.«

»Daran liegt mir nichts. Ich möchte Campbell so lange in den Hintern kneifen, bis er Farbe bekennt. Weil wir gerade von Post sprechen – war sie heute schon da?«

Violet, das Hausmädchen, brachte ihm die Briefe. Einer darunter kam vom Amtsgericht der Vereinigten Staaten, Büro des Schriftführers, Tuscaloosa, Alabama, und trug den Vermerk »Dienstsache«. Es war eine eingeschriebene Sendung, und Violet hatte den Empfang bestätigt. Er öffnete ihn mit zitternden Fingern.

Der Inhalt lautete:

VEREINIGTE STAATEN VON AMERIKA, *Kläger*
kontra
C. S. POOLE, *dessen wahrer Name* GERARD WILLIAM
TEMPLE *lautet.*
In obiger Rechtssache
WIRD ANGEORDNET
daß das Untersuchungsverhör in derselbigen im Gerichtssaal des Gerichtsgebäudes der Vereinigten Staaten, Tuscaloosa, Alabama, anzuberaumen ist.

Der Termin war für den Vierzehnten, ein Uhr nachmittags, angesetzt.

Heute war der Achte.

Er rief Broderick an.

»Die Kerle haben's ganz schön eilig, was?« meinte Broderick.

»Ich bin doch eine Gefahr für die Republik, hast du das vergessen? Morris, um Gottes willen, kannst du mir nicht aus der Patsche helfen?«

»Du weißt doch, daß ich das nicht kann. Du hast Freunde hier in Washington, einflußreiche Freunde. Vielleicht ...«

»Nein.«

»Du hast recht. Ich möchte dich bitten, mir die Vorladung zu schicken. Ich lasse sie nur fotokopieren und sende sie dir gleich wieder zurück. Ich bin schon dabei, den besten Anwalt in Tuscaloosa zu suchen. Ich werde ihm eine ausführliche Darstellung des Sachverhalts geben.«

In seinen Tagen als Polizeireporter hatte Temple vielen Untersuchungsverhören beigewohnt; dennoch mußte er Broderick jetzt fragen, wie sich die Sache abspielen würde.

»Du hebst deine Hand und schwörst, daß dein Name dein richtiger Name ist; der Richter verliest entweder die ganze Anklageschrift oder jene Punkte, die dich betreffen; dann ziehst du deinen Mantel wieder an, setzt deinen Hut auf und kommst wieder heim.«

»Könnten sie das nicht auf dem Postweg machen? Oder durch ein hiesiges Gericht?«

»Schon, aber sie tun's nicht.«

»Soll das nun heißen, daß ich einer Formalität wegen die lange Reise auf meine Kosten machen muß?«

»Genau.«

»Das ist doch unglaublich«, murmelte Temple.

»Immer mit der Ruhe, Bill«, sagte Broderick, wie er es schon unzählige Male nach jenem Morgen gesagt hatte, da Bill aus dem Untersuchungsgefängnis entlassen worden war. »Einer der Anklagepunkte betrifft deine ›Verabredung‹ mit dem Verleger, obszöne Druckschriften durch die Post der Vereinigten Staaten zu versenden. Das ist natürlich Unsinn, und dieser Punkt wird auch fallengelassen werden. In einem weiteren wirst du beschuldigt, ein obszönes Buch geschrieben zu haben, das durch die Post der Vereinigten Staaten versandt wurde. Solltest du tatsächlich vor Gericht gestellt werden, gibt es etliche Möglichkeiten, ihn zu widerlegen.«

»Verstehst du nicht, daß es hundert Gründe gibt, warum ich einfach nicht vor Gericht gestellt werden darf?«

»Immer mit der Ruhe. Selbst schuldige Angeklagte haben ihre Rechte, und unschuldige noch viel mehr. Ich weiß, das Ganze ist sehr lästig, aber noch lange kein Grund, die Nerven zu verlieren.«

Mary wollte mit ihm nach Alabama fliegen, aber das war Bill nicht recht. »Ich fliege am selben Tag wieder zurück«, sagte er. »Du fliegst ohnedies nicht gern. Was sollte es also für einen Sinn haben, daß du mich begleitest?«

Sie wurde bockig. »Weil ich nicht immer übersehen werden will. Ich möchte nützlich sein. Wenn ich neben dir sitzen und eine Zeitung lesen kann, habe ich zumindest das Gefühl, mich nützlich zu machen.«

»Sollten sie mir tatsächlich den Prozeß machen, dann wird der Moment gekommen sein, da ich dich brauche. Dann wirst du mir nützlicher sein als alles andere in der Welt.«

»Was hast du nur für einen unwiderstehlichen Hang zum Einzelgänger!«

»Du redest Unsinn«, sagte er. »Morris hat mir versichert, daß kein Grund zur Sorge besteht. Wozu soll ich dich in die ganze Geschichte hineinziehen?«

Temple schrieb ein paar Artikel im voraus und flog am Morgen des Vierzehnten allein nach Tuscaloosa. Vom Flugplatz fuhr er mit dem Taxi in das Anwaltsbüro von Emmett Reeves, eines schlaksigen, grobknochigen jungen Mannes, der für einen Verteidiger viel zu einfältig und schlapp aussah. Aber Morris hätte ihn nicht empfohlen, wäre er von seinen überragenden Qualitäten nicht überzeugt gewesen.

Sie begrüßten einander und plauderten über das Wetter.

»Ich freue mich, Sie kennenzulernen, Mr. Temple«, begann Reeves. »Unser Lokalblatt bringt Ihre Kolumne nicht, aber ich versäume es nie, sie zu lesen, wenn ich meine Verwandten in Birmingham besuche. Ich gehöre zu Ihren Bewunderern. Meine literarische Tätigkeit beschränkt sich jetzt leider auf Schriftsätze, aber an der Universität habe ich ein paar Literaturpreise bekommen.«

»Was ist hier los, Mr. Reeves?«

Reeves verstand sogleich, daß jetzt nicht die Zeit für unverbindliches Geplauder war. »Der Prozeß läuft jetzt schon die neunte Woche. In etwa zehn Tagen dürfte er reif für die Geschworenen sein. Ihr Fall wird gesondert behandelt, da man Sie nicht finden konnte. Mr. Brosnick – heiß er so? Nein, Broderick. Mr. Broderick hat Ihnen ja wohl gesagt, daß das heute nur eine Formalität ist und Sie nachher unsere schöne Stadt wieder verlassen können. Er hat mir geschrieben, wie Sie in die Sache verwickelt wurden und so weiter. Aber wir haben noch ein wenig Zeit – zum Gerichtsgebäude sind es nur knappe hundert Meter von hier –, und vielleicht möchten Sie mir selber ein paar Einzelheiten erläutern.«

»Wie läuft der Prozeß?« fragte Temple.

»Ich habe ihn in letzter Zeit nicht aus der Nähe verfolgt, aber kein vernünftiger Mensch sagt ein Urteil voraus, bevor . . .«

»Wie ist die Stimmung in der Stadt, Mr. Reeves? Was liegt in der Luft? Was sagt Ihnen Ihre Nase?«

Pause. »Die Wahrheit, Mr. Temple?«

O Gott, dachte Bill.

»Ja, Mr. Reeves, die Wahrheit.«

»Na ja, so wie die Sache aussieht, würde ich sagen, daß es zu einem Schuldspruch kommen wird. Wohlgemerkt, das ist nur eine Vermutung. Ich habe in den letzten neun Wochen ein paarmal hineingeguckt, noch bevor dieser Mr. Broderick sich mit mir in Verbindung gesetzt hat, denn mein Freund Andy Starett ist der Staatsanwalt. Andy ist ein ziemlich liberaler Mann, so wie ich. Er hat es nicht darauf angelegt, den Verleger der Kicher-Bücher und seine Frau – sie gehört auch zu der Firma – hinter schwedische Gardinen zu setzen, und es juckt ihn auch nicht, die Autoren und Fotografen auf Staatskosten verpflegen zu lassen. Ich kenne Richter Acker seit vielen, vielen Jahren, und der ist nur bestrebt, die ganze Sache hinter sich zu bringen und sich andern Dingen zuzuwenden. Das wird sich alles zu Ihren Gunsten auswirken.«

»Aber?«

»Aber das Beweismaterial ist nahezu erdrückend. Es sind nicht nur diese pornographischen Bücher, sondern auch die Nacktmagazine und die sadistischen Bilder mit diesen Weibern mit hohen Stiefeln und Peitschen. Ich sage Ihnen, ich hab ein paar dieser Zeitschriften gesehen, in denen die Modelle zwölf und dreizehn Jahre alt sind und gerade erst die Pubertät erreicht haben. Das, fürchte ich, wird ins Auge gehen. Ich bin bestimmt nicht prüde, aber ich habe selbst eine dreizehnjährige Tochter, und ich kann Ihnen sagen, mir hat's den Magen umgedreht. Ich würde bis zu meinem letzten Atemzug für das Erste Verfassungsänderungsgesetz kämpfen, aber ich hätte gute Lust, alle diese Schurken in kochendes Öl zu werfen. Und zehn von den zwölf Geschworenen sind Frauen mittleren Alters mit Blumenhüten.«

Reeves hatte *Die stolze Dirne* gelesen, nachdem Mr. Broderick ihn mit seiner Vertretung betraut hatte. Ja, Mr. Broderick hatte darauf hingewiesen, daß das Buch umgeschrieben worden war, um obszöner zu wirken, als es von den Autoren ursprünglich beabsichtigt war. »Das zu beweisen wäre nicht ganz einfach, sollte Ihnen tatsächlich der Prozeß gemacht werden«, meinte Reeves, »aber ich würde mir an Ihrer Stelle keine Sorgen machen. Es wird schon alles in Ordnung kommen. Der Staatsanwalt ist ja nur hinter den großen Schweinen, hinter den Drahtziehern her. Ich bin ziemlich sicher, daß ihn der Rest gar nicht interessiert.«

Anschließend gingen sie ins Gerichtsgebäude. Das Untersuchungsverhör dauerte genau sechs Minuten, die längsten in Temples Leben. Ganze Stöße von grellfarbigen Taschenbüchern und Magazinen lagen auf harten, braunen Tischen. Die Geschworenenbank war leer, aber ein gutes Dutzend Menschen saß im Raum verteilt. Die zwei Anklagepunkte wurden verlesen — eine Flut zusammenhangloser Wörter, die er kaum aufnehmen konnte —, und eine eintönige Stimme fragte ihn, ob er verstanden hätte, daß er im Fall einer Verurteilung mit fünf Jahren Gefängnis oder einer Geldstrafe in der Höhe von fünftausend Dollar oder beidem zu rechnen habe.

Temple wurde gefragt, ob er sich schuldig bekenne. Er räusperte sich und antwortete: »Nein.« Emmett Reeves ersuchte den Richter um Herabsetzung der Kaution auf zweieinhalbtausend Dollar. Der Antrag wurde abgelehnt. Reeves ersuchte, es möge seinem Mandanten erlassen werden, sich persönlich im Gerichtssaal einfinden zu müssen, sooft ein Antrag gestellt werde. Dem wurde stattgegeben. Er ersuchte um dreißig Tage Zeit, um seinen ersten Antrag stellen zu können. Auch diesem Ersuchen wurde stattgegeben.

»Verdammt«, sagte Reeves, als sie durch die Vorhalle gingen. »Hinten saß ein Reporter von unserer Zeitung.«

Sie traten auf den Gehsteig hinaus. »Sie haben meine Adresse«, sagte Temple so eindringlich er konnte. »Sollte mein Name morgen in der Zeitung erwähnt werden, bitte ich Sie, mir den Ausschnitt unverzüglich zu senden.«

»In Ordnung«, antwortete Reeves und setzte sich seinen schikken Strohhut auf. »Aber ich würde mir an Ihrer Stelle keine Sorgen machen. Wie gesagt, der Prozeß läuft jetzt schon an die neun Wochen, und der Zeitung fällt schon nicht mehr viel dazu ein — vorderhand zumindest. Aber selbst wenn Ihr Name erwähnt wird — es wird nicht viele Leser geben, die sich für diese Geschichte noch so interessieren, daß sie sich ihn merken würden. Es wäre ein Name mehr, weiter nichts.«

»Dennoch . . .«

»Ich verstehe. Keine Sorge!«

Alle sagen dasselbe, dachte Temple: Ich soll mir keine Sorgen machen.

Sie schüttelten einander die Hände; der Anwalt wünschte ihm einen guten Rückflug, ermahnte ihn abermals, sich keine Sorgen zu machen, und fügte hinzu: »Wenn Sie wieder in unsere schöne Stadt kommen, müssen Sie unbedingt länger bleiben!«

Trinken hatte Temple selten gereizt, aber jetzt brauchte er dringend ein Glas. Er bog um die Ecke, betrat die nächstbeste Bar, setzte sich an die verbeulte Theke und bestellte einen Scotch mit Wasser extra.

Der Whisky lief zu leicht durch die Kehle und erzielte keinerlei Wirkung. Temple bestellte einen zweiten.

Bald stellte sich eine Art innerer Ruhe ein, aber noch wagte er es nicht, aufzustehen und diesen trübseligen Ort schnell wieder zu verlassen. Er war froh, daß das Lokal dunkel, fast leer und der Musikautomat nicht in Betrieb war. »Ist Ihnen heiß genug?« witzelte der Barmixer. Temple nickte und drehte den Kopf zur Seite.

Machen Sie sich keine Sorgen . . . Bill Temple kannte Washington und die Bundesgerichtsbarkeit zu gut, um nicht mehr über Keine-Sorge-Fälle zu wissen als Reeves. Obwohl ihm die Möglichkeit, tatsächlich eingekerkert zu werden, da er unschuldig in die unsauberen Manipulationen noch unsauberer Leute verwickelt worden war, zu grotesk erschien, um ernsthafterer Erwägung standzuhalten, bedrückte sie ihn ordentlich. Seit jener Nacht im Gefängnis wachte er oft auf, und dann glaubte er Gitterstäbe um sich zu sehen.

»Keine Sorge!« schärften Broderick und Reeves ihm ein, aber was sie ihm nicht sagten, war: »Der Fall Temple wird vom Verfahren gegen diese schmutzigen Ganoven gesondert behandelt, und wir garantieren, daß das Gewitter vorüberziehen und Mister Temple nie vor den Geschworenen wird stehen müssen.«

Ein Prozeß ... Geschworenengericht ... mein Gott ...

Plötzlich vernahm Temple den Namen Grant Campbell.

Er schaute auf. Ein Fernsehgerät war eingeschaltet, und der Barmixer wollte eben einen andern Kanal einstellen. »Lassen Sie das«, ersuchte Temple.

»Das ist so'n Frauenprogramm«, erklärte der Mann. »Ich wollte eben auf eine Tanzparty umschalten.«

»Eine kleine Weile nur, bitte.«

Und da war auch schon Grant Campbell mit seinem biederen Bauerngrinsen, an den Händen nicht einen, sondern gleich zwei protzige Siegelringe. Er wurde zu Beginn der Sendung *Frauen sind Frauen* einem Forum vorgestellt, das aus drei ehemals blühenden Berühmtheiten der Filmwelt bestand. Leiterin der Sendung war Rona Lister, ein geschwätziger Drachen mit Doppelkinn, vielen Ringen und Halsketten und so kunstvoll strohblond gefärbtem Haar, daß man es beinah riechen konnte. »Wie entzückt wir Mädchen sind, daß wir Sie für die heutige Sendung *Frauen sind Frauen* gewinnen konnten, Senator Campbell«, gurgelte sie, wobei sie mit ihrer Stimmgabelstimme die R so hart anschlug, daß es Temple durch Mark und Bein fuhr.

»Auch ich bin entzückt ...«, wollte Campbell beginnen.

»Nur allzu gern entsinnen wir uns noch Ihrer hervorragenden Leistungen in vielen Erfolgsfilmen, wie zum Beispiel ... lassen Sie mich mal meine Notizen beäugen ... *Aufstand am Alamo, Swanson von der Marineinfanterie, Neue Wege zur Hölle.* Soviel ich weiß, wurden Sie für einen Oscar nominiert.«

»Ach nein, haha, Miß Luster«, flötete Campbell zurück. »Viele meiner Freunde hofften damals darauf – 's ist ja schon so lange her –, aber zu einer Nominierung hab ich's leider nie gebracht.«

Die durch ein Namensschild als Pat Vine identifizierte Berühmtheit raspelte: »Wie ich immer sage: ›Geht *eine* Nominierung durch die Lappen, kommt die *andere* auf Schusters Rappen.‹«

Das verstanden alle, sogar Campbell, und die Mattscheibe ging vor Lachen und Lächeln, Kichern und Grinsen beinahe über.

»Vielen Dank, was immer Sie damit auch sagen wollten«, strahlte Campbell und zwinkerte ihr zu.

»Soll dieses Zwinkern ein Hinweis darauf sein, Mr. Senator«, fragte Rona Lister, »daß Ihr Name noch vor Ende dieses Sommers hoch am politischen Firmament unseres Landes stehen könnte?«

»Nun ja, Miß Luster ...«

»Lister. Rona Lister. So wie Joseph Lister, der Wissenschaftler mit den Ratten. Das ist einer meiner kleinen Scherze, Senator Campbell.«

»Der Name Luster würde mir passender erscheinen.«

Dies führte zu weiterem schleimigem Frohsinn, und dann begann das Interview. Campbell wurde geradezu mit Samthandschuhen angefaßt.

Was veranlaßte den Senator zu der Annahme, er verfüge über das nötige geistige Rüstzeug, um die Regierung übernehmen zu können?

»Kein Mensch sollte so arrogant sein, zu behaupten, nur er könne die Geschicke unseres Landes lenken«, erwiderte er plötzlich ernst. »Ich dachte lange und angestrengt nach, bevor ich meine Entscheidung traf — und ich darf hinzufügen, daß ich auch um Erleuchtung gebetet habe. Ich möchte Ihr Präsident sein, weil ich glaube, daß nach vielen, vielen Jahren die Zeit für ein Wiederauferstehen der Freiheit und für eine Wiedergeburt des amerikanischen Traums gekommen ist. Und damit meine ich nicht vier Freiheiten oder vierzehn oder vierzig — ich meine die eine, einst jedem Amerikaner gewährleistete Freiheit, befreit von dem stetig wachsenden Druck einer Bundesregierung vom Typ Großer Bruder nach besten Kräften seinen eigenen geistigen Horizont zu erweitern. Es war unser Unglück, daß wir den Glauben an die Fähigkeit des Menschen verloren haben, aus eigenem Antrieb voranzukommen. Solange wir diesen Glauben nicht wiederfinden, solange unsere Bürger nicht von neuem erlernen, was die Gründer unserer Republik sie vor knapp zwei Jahrhunderten zu lehren versuchten —, daß der Mann, der sein eigenes Geschick in die Hand nimmt und freiwillig seinem weniger vom Glück begünstigten Nachbarn unter die Arme greift, die wahre Moral und den wahren Glauben verkörpert –, solange sie diese Lektion nicht wieder erlernt haben, werden die Vereinigten Staaten, von der Welt ganz abgesehen, sich in eine immer stärker wuchernde Bürokratie verwandeln. Ich sage das aus innerster Überzeugung. Meine Einstellung ist einfach und positiv. Man mag mich sentimental nennen; das macht mir nichts aus. Thomas Jefferson war es, der jene Regierung als die beste bezeichnete, die am wenigsten regiert. Wenn das in Jeffersons Tagen richtig war, warum nicht in unseren? ›Selbstbeherrschung‹, ich gebe es zu, ist ein abgedroschenes Wort, aber das gleiche läßt sich von ›Liebe‹ und ›Treue‹ sagen. Ich ertappe mich dabei, daß ich eine Rede halte, obwohl ich es mir fest vorgenommen habe, das nicht zu tun.« Eines seiner gewinnendsten Lächeln verschönte seine Züge. »Aber ich bin felsenfest davon überzeugt, daß man die Freiheit herabwürdigt, wenn man sie in fingerhutgroßen Dosen austeilt.«

Temple fiel auf, daß die Rede nur wie eine Wahlrede *klang*. Campbell war ein ausnehmend geschickter Schauspieler. In seinen Augen strahlte Aufrichtigkeit, leuchtete gesundes Volksempfinden. Apfeltorte sprach aus seiner Stimme, Kirchweih und Jahrmarkt – alles, was echt, patriotisch und schön war. Von Demagogie nichts zu merken – es war alles reinster, edelster Amerikanismus.

Und er war ungeheuer wendig bei den nun folgenden Fragen. Jawohl, der internationale Kommunismus sei fraglos eine Gefahr, die es zu vernichten gelte; dies ließe sich am besten und schnellsten erreichen, indem man die Liebe zu Gott weltweit propagiere. Jawohl, die öffentliche Wohlfahrt schwäche die Fürsorgeempfänger, statt sie zu stärken, doch wäre es herzlos, das Problem der Armen unter den Teppich zu kehren und zu ignorieren; der menschliche Weg zu seiner Lösung bestünde darin, sich dem Würgegriff der Gewerkschaften zu entwinden und für »offene Betriebe« einzutreten, die organisierte und nichtorganisierte Arbeiter zu gleichen Bedingungen beschäftigen; dort würden alle wirklich Arbeitswilligen Posten finden – dank ihres Könnens und nicht dank ihrer Verbindungen zum Großen Bruder. Jawohl, es gebe noch Reste von Rassendiskriminierung in Amerika, aber die ließen sich praktisch über Nacht liquidieren, wenn nur einige der aggressiven Bürgerrechtskämpfer – meist Opfer sowjetischer Täuschung – sich heraushalten wollten und die guten, anständigen Amerikaner – von denen es viele Millionen mehr gab, als gewisse

Bürokraten ahnten – in die Lage versetzen würden, ihre lokalen Probleme ohne störende Einmischung selber zu lösen.

Das ging so weiter, dreißig Minuten lang, und Temple war von der Leichtigkeit, mit der Campbell das alles verzapfte, mehr und mehr beeindruckt.

»Klingt gar nicht so dumm, was der Kerl da sagt, meinen Sie nicht auch?« kommentierte der Barmixer.

Diese alten Mädchen waren von Campbell richtig angetan, stellte Temple fest. Und dieser Mann hinter der Theke fand, es klänge gar nicht so dumm, was er da sagte. Und wie würde das weitergehen?

Gegen Ende der Sendung brachte eines der Weiblein Campbells Unterstützung durch Victor Wades Freunde zur Sprache. Campbell ließ sich nicht aus der Ruhe bringen. »Darf ich darauf in einer Weise antworten, wie ich dies bisher bei andern Gelegenheiten nicht getan habe?« fragte er höflich, nachdem er kurz überlegt hatte. »Ich habe schon immer gesagt und ich wiederhole es noch einmal, daß ich für die Unterstützung aller Einzelpersonen und Gruppen dankbar bin, die mir guten Willens zuhören und meinen Traum von einem schöneren Amerika aufrichtig gutheißen. Ich bin für die Unterstützung aller Einzelpersonen und Gruppen dankbar, die nicht auf der Liste subversiver Elemente des Justizministeriums stehen, und bis vor einer halben Stunde, als ich mich auf den Weg nach hier machte, waren Victor Wades Freunde auf dieser Liste nicht zu finden.

Warum fragen Sie mich nur nach der Unterstützung oder angeblichen Unterstützung, die mir von der Rechten zuteil wird?« fuhr er, wieder ganz der Charmeur, fort. »Es gibt eine Anzahl anständiger Bürger aus der Mitte des politischen Spektrums, die meine Ansichten teilen, und darunter einige, die rückhaltlos meine Partei ergriffen haben.«

Eine Spur von Schüchternheit machte sich in seinem Lächeln bemerkbar, als er ersucht wurde, Namen zu nennen. Er erwähnte zwei Senatoren, denen man eine eher gemäßigte Haltung nachsagte, sowie die einflußreiche Gattin eines längst nicht mehr einflußreichen Zeitungsverlegers.

Und dann kam der Knüller. »Ich darf Ihnen auch mitteilen«, sagte er und machte ein etwas ernsteres Gesicht, »daß ein guter alter Freund, ein Mann, der der konservativen Sache noch nie besonders gewogen war, mir und über mich einige recht schmeichelhafte Dinge gesagt hat. Es ist derselbe Harry Orlando, der sich seinerzeit sehr aktiv für die Wahl Joseph Haywoods einsetzte.« Er lächelte sieghaft. »Sie sehen also: Es stimmt ganz einfach nicht, daß meine Freunde nur einem fest umrissenen Teil des politischen Gedankenlebens angehören. Man kann verschiedene Wege einschlagen, um zu einem besseren Amerika zu gelangen. Aber in einem Punkt sind wir uns alle einig: Ein Amerika, das . . .«

»Es tut mir schrecklich leid, Senator«, unterbrach ihn Rona Lister, »aber die böse Uhr dort an der Wand sagt mir, daß die Zeit für unsere heutige Sendung *Frauen sind Frauen* abgelaufen ist.«

Wie betäubt starrte Temple immer noch auf den kleinen Bildschirm, als der Barmixer schon längst auf die Tanzparty umgeschaltet hatte.

Es war fast zehn, als Temples Flugzeug auf dem Washingtoner Rollfeld aufsetzte. Er rief Broderick an, um ihm über die Ereignisse des Tages zu berichten; dann Iris Graham, seine Sekretärin, in ihrer Wohnung, weil er hören wollte, was sich in seiner Abwesenheit zugetragen hatte. Es hatte Post und Anrufe gegeben, meldete Iris, aber nicht, was nicht bis morgen hätte warten können. Temple erkundigte sich, ob sie ein Echo auf Campbells Ankündigung gehört habe, Harry Orlando hätte ihm seine Unterstützung zugesagt. Sie wußte nicht, wovon er redete. Das war ein gutes Zeichen, denn Iris wußte immer über alles Bescheid.

Dann rief er Mary an und verständigte sie von seiner Ankunft. Ihre Stimme klang besorgt, und sie wollte Einzelheiten hören. Es gebe nichts Nennenswertes zu berichten, antwortete er; es sei alles so gelaufen, wie Broderick es vorausgesagt hatte, und er habe jetzt nur noch einen Wunsch: Nach Hause zu kommen und sofort schlafen zu gehen.

Dies würde nicht ganz einfach sein, vertraute Mary ihm flüsternd an. »Brian Garrett sitzt im Wohnzimmer. Ich spreche von der Küche aus. Er kam vor einer Stunde unangemeldet vorbei. Er ist nach Baltimore unterwegs und wollte dich sehen. Er schwärmt noch immer von den Ravioli, die wir uns in Alexandria zu Gemüte führten, als er das letzte Mal da war. Er wartet hier auf dich; er will dich dazu überreden, jetzt mit uns hinauszufahren und das Experiment zu wiederholen.«

»Ravioli? Hast du ihm nicht gesagt, daß ich heute abend vermutlich nicht in Stimmung sein würde, nach Alexandria hinauszufahren und Ravioli zu essen?« Er hatte sich nie für den plump vertraulichen Garrett begeistern können. Er war einer von Marys alten Verehrern, völlig harmlos, pflegte aber auf der Durchreise zu den ungelegensten Zeiten aufzukreuzen. Garrett, der mit Textilien Unmengen verdiente und bei jeder Gelegenheit Farbfotos von Mutti und den Kinderchen aus der Tasche zog, war ein lästiger Mensch. Aber er versuchte freundlich zu sein, und Mary fand ihn nett und unterhaltend. Aus diesem Grund hatte Temple sich nie dazu entschließen können, ihm nahezulegen, seine Besuche einzustellen.

»Ich habe ihm gesagt, daß du müde sein wirst«, erwiderte Mary. »Ohne Angabe von Gründen freilich. Wenn du jetzt heimkommen willst und es dir recht ist, komplimentiere ich ihn gleich hinaus.«

»Ich möchte schlafen. Ich möchte nichts reden, sondern nur schlafen. Ich kann gleich hinauf und ins Bett gehen, wenn du so scharf auf die Ravio . . .«

»Es liegt mir nichts an den Ravioli. Ich möchte hier auf dich warten.«

»Und ich möchte gleich schlafen gehen.«

Mit meinem Kopf an deiner Schulter, dachte er, aber er konnte es nicht aussprechen.

Er hörte sie seufzen. »Schön, Bill«, sagte sie ruhig. »Du möchtest das Haus gern für dich haben.«

»Das habe ich nicht gesagt.«

»Gesagt hast du's nicht. Aber du wirst es haben.«

Er legte nach ihr auf. Ich bin geistig wirklich nicht ganz gesund, dachte er.

Brian Garrett fuhr mit Mary in Richtung Alexandria. Er war gesprächig und sah so gut aus wie immer. Sie konnte es noch nicht ganz verstehen, daß er, einer der beliebtesten Burschen in ihrer Heimatstadt in West-Virginia, an ihr, der ungelenken, ewig schluckenden Mary Abbott, dem am wenigsten hübschen der drei Abbott-Mädchen, besonderen Gefallen gefunden hatte. Das Kroppzeug machte einen weiten Bogen um sie, aber Brian fand besonderen Gefallen an ihr, ging mit ihr aus, kaufte ihr sogar Blumen und nahm sie auf den Abiturientenball mit.

Während er jetzt so dahinfuhr, machte er wieder seine verschleierten, halb zotigen Anspielungen: Welch berauschendes Erlebnis es war, der erste bei ihr gewesen zu sein. »Erinnerst du dich noch an unsere Heimfahrt vom Abiturientenball?« fragte er. »Es war Viertel nach zwölf, und das Orchester spielte ›Drei Uhr früh‹. Kleinstadtleben! Wir gingen in das kleine Gasthaus und verlangten immerzu nach Ketchup, und das war ihnen gerade ausgegangen. Dafür hast du dich mit Zwiebeln zufriedengegeben. Und du hast dich aufgeführt, als hättest du noch nie in deinem Leben rohe Zwiebeln gegessen.«

»Das war die Nacht, wo du auch immer auf die Toilette laufen mußtest.«

»Na, also darüber wollen wir lieber . . .«

»Wir waren im Gasthaus, und du hast mich geradeheraus gefragt, ob du mich schon nach Hause bringen müßtest. Ich sagte nein. Ich sah dich an wie Marlene Dietrich und meinte, ich könnte noch länger ausbleiben. Das war der Augenblick, wo du anfingst, dich zu räuspern und die Toilette aufzusuchen.«

Brian lachte. »Wir waren schon die Richtigen!«

»Wie es der Zufall will«, sagte Mary nach einer kleinen Pause, »kann ich auch heute länger ausbleiben.«

Sie parkten. Nervös, als wäre er schon wieder auf der Suche nach einer Toilette, umschwärmte Brian sie mit Zärtlichkeiten. Sie hörte sein Keuchen und versuchte sich einzureden, daß er nur ein Mittel war, ein Werkzeug, kein Mann, sondern nur ein Ding, das ihre Qualen lindern sollte. Sie ließ es zu, daß er ihre Kleidung durcheinanderbrachte; sein röchelnder Atem drang zu ihr empor. Die Wärme seiner Hände ließ sie erschauern; erregt wartete sie auf das, was nun geschehen würde. Und dann rückte sie plötzlich von ihm ab, weil es nicht geschehen durfte.

»Was hast du?« fragte er.

»Bitte, fahr mich heim, Brian«, antwortete sie ganz ruhig. »Verzeih mir. Ich möchte nicht hierbleiben, und ich möchte auch nicht nach Alexandria. Fahr mich, bitte, nach Hause.«

Vom Gehsteig aus konnte sie sehen, daß im Obergeschoß Licht brannte. Bill war daheim und – so hoffte Mary – wartete auf sie. »Ich muß mich entschuldigen, Brian.«

Orlando hatte *Frauen sind Frauen* nicht gesehen, aber er hörte davon und war wütend. Er ließ sich eine Aufzeichnung der Sendung besorgen und zu Hause vorführen.

Wohl hatte Grant Campbell nicht das Recht gehabt, Orlandos

Namen auf diese Weise zu mißbrauchen; aber als Harry jetzt auf die Leinwand sah, stellte er überrascht fest, daß sein Zorn gar nicht so berechtigt war. Eigentlich war die ganze Sendung recht wirkungsvoll aufgezogen – wenn man den Magen für solche Süßholz raspelnden Weiber hatte. Der Pfadfinder gab sich verteufelt aufrichtig und anständig; eine Menge unentschlossener Wähler mochten sich wohl dazu entscheiden, diesem braven Kerl ihr Vertrauen zu schenken. Das beeindruckte Orlando am meisten, da es ihn am meisten überraschte. Er hatte angenommen, daß die einfältige Bauernschläue des Pfadfinders von Intelligenzquotienten über sieben allzu leicht durchschaut werden würde.

Ferner hatte er vermutet, daß *Frauen sind Frauen* bestenfalls von braven Hausmütterchen gesehen wurde, wenn sie nachmittags am Bügelbrett standen. Aber seine Freunde bombardierten ihn mit Anrufen. Wie konnte es diese miese Figur anzudeuten wagen, daß Harry Orlando, der graduierte Liberale, Partei für ihn ergriff? »Ich werde das in Ordnung bringen«, versprach er.

Als die Sache von den Kolumnisten aufgegriffen wurde und die Zeitungen entsprechende Artikel brachten (mit Überschriften wie etwa »Seltsame Bettgefährten?«), überraschte und beeindruckte es ihn noch mehr, daß Campbells wenige Worte ein so starkes Echo hervorgerufen hatten. Dann rief Jeff Cutler, sein Public-Relations-Mann, an. Seine Stimme klang gehetzt. »Ich habe sämtliche Zeitungen und Nachrichtenagenturen am Hals. Ich weiß nicht, was ich ihnen sagen soll. Du mußt eine Erklärung abgeben.«

»Ruf mich in zehn Minuten zurück.« Das tat Cutler, und Orlando las ihm vor, was er sich in dieser Zeit zusammengereimt hatte. »Ich kenne und schätze Grant Campbell seit so vielen Jahren, daß es uns beiden fast unangenehm ist, so weit zurückzudenken. Ich hege schwerwiegende Bedenken in bezug auf die bigotten Fanatiker, die in dem Wahn leben, er wäre ihr Leitstern. Aber es steht für mich außer Frage, daß Grant ein aufrechter und anständiger Mann ist, der von diesem schmierigen Pack und seinen verrückten Ideen nichts wissen will. Meine Freunde und ich sind zum gegenwärtigen Zeitpunkt nicht bereit, uns für einen bestimmten Kandidaten einzusetzen. Aber ich möchte eines festhalten: Wer Grant Campbell einen Extremisten nennt, kennt den Mann nicht so gut, wie ich ihn kenne.«

»Du machst Spaß! Das kann doch nicht dein Ernst sein.«

»Halt den Mund und gib das an die Zeitungen weiter.«

»Harry ...«

»Halt den Mund, hab ich gesagt!«

Cutler seufzte. »Wie Sie befehlen, Doktor Goebbels ...«

»Laß diese Geschmacklosigkeiten! Mach mich nicht böse.«

»In Ordnung; auf Wiedersehen! Oder soll ich mich mit ›Sieg Heil!‹ verabschieden?«

Harrys Erklärung hatte ein neuerliches Sperrfeuer von Anrufen und Telegrammen zur Folge. Orlando entschloß sich, niemandem zu antworten und die ganze Sache noch einmal gründlich zu überdenken. Nur ein einziges Ferngespräch führte er — mit Bill Temple, der ihn fragte, wann er den Verstand verloren habe.

»Ich konnte mir denken, daß du nicht begeistert sein würdest, bulliger Bill«, gab Harry zu. »Aber ich habe nur die Wahrheit gesagt. Ich habe mit dem Pfadfinder ein langes Gespräch geführt. Er hat eine Menge unausgegorener Ideen, die ich ihm nicht abnehme. Aber ich bin davon überzeugt, daß er nicht falschspielt.«

»Sieh mal einer an! Überzeugt bist du also, du weiser Politiker? Wie ist es denn zu diesem plötzlichen Gesinnungswechsel gekommen? Bist du vielleicht böse, weil Quinlan dir einen Korb gegeben hat?«

»Zum Teil. Aber nur zum Teil.«

»Ach herrje!« meinte Bill. »Hör mal, willst du dir selbst einen Gefallen tun, dich eine Woche lang nicht aus dem Haus rühren und dir ein Schloß vor die Klappe legen?«

»Warum gerade eine Woche?«

»Mein Syndikat schickt mich an die Ostküste. Ich soll eine Artikelserie über die Rassenunruhen in Los Angeles schreiben. Ich nehme Mary mit. Ich komme in einer Woche zurück; dann setzen wir uns zusammen, und ich werde versuchen, dich wieder zur Vernunft zu bringen.«

»Abgemacht, Brillenschlange. Ich freu mich schon.«

Orlando zog sich gehorsam von Politik und politischen Persönlichkeiten zurück. Er erinnerte sich der Kurzgeschichten seines Sohnes Jimmy und besuchte Elliot Alwine, seinen besten Drehbuchautor. »Halte mit deiner ehrlichen Meinung nicht hinter den Berg«, sagte er.

»Der Junge hat zweifellos Talent«, räumte Alwine ein.

»Dann können wir also die Geschichten an Zeitschriften verkaufen?«

»Das habe ich nicht gesagt. Sie verraten Stilgefühl und enthalten ein paar recht interessante Charakterisierungen, aber so, wie sie sind, würde sie kein Magazin nehmen, das etwas auf sich hält.«

»Sie müssen ein bißchen bearbeitet werden. Vielleicht könntest du sie hier und dort aufpolieren. Es würde dem Jungen viel bedeuten — und mir auch, Elliot.«

»Ich möchte nicht ungefällig sein, Harry«, erwiderte Alwine, »aber mit Bearbeiten und Aufpolieren kann man laienhaft geschriebene Geschichten nicht reif zur Veröffentlichung machen. Für die ersten Arbeiten eines Anfängers sind die Geschichten deines Sohnes überdurchschnittlich gut, aber zum gegenwärtigen Zeitpunkt kann man sie nur als ›vielversprechend‹ bezeichnen.«

Orlando überlegte kurz. »Elliot, ich möchte, daß du dir diese zwei Geschichten vornimmst und sie druckreif machst. Es interessiert mich nicht, wie du das anstellst, aber bemüh dich. Mensch, von einem Fachmann wie dir kann der Junge mehr lernen als von einem ganzen Stoß von Absagebriefen.«

Alwine kniff seine achatfarbenen Augen zusammen. »Das solltest du dir noch gut überlegen, Harry, wenn du willst, daß aus deinem Sohn ein guter Autor werden soll. Es widerspricht nicht nur dem Ethos; es würde dabei auch nichts herauskommen. Wenn dein Junge so ist, wie du ihn mir beschrieben hast, wäre er damit nicht einverstanden.«

»Ich brauche keine Moralpauken«, erwiderte Orlando, »und vor allem nicht von dir, Freundchen. Ich hab dich quengeln hören, wie sehr du diese miesen Filme haßt; aber wenn die Kohlen stimmen, hockst du dich flink hinter die Schreibmaschine und produzierst deinen eigenen netten, harmlosen, wirklichkeitsfremden Mist. — Stimmt's?«

»Das ist etwas an . . .«

»Das ist gar nichts anderes. Ich will für meinen Jungen das Beste; was ist daran auszusetzen? Ich dulde nicht, daß er vom Establishment herumgestoßen wird, wie ich es wurde. Aus ihm wird etwas ganz Großes werden, und er wird es auch ganz allein schaffen. Aber jetzt ist er noch ein wenig unsicher, wie das bei Jungen seines Alters eben ist. Er braucht nur eine Belebungsspritze, ein bißchen öffentliche Anerkennung. Das gibt ihm Selbstvertrauen und bringt ihn auf den richtigen Weg. Er hat's nicht leicht mit mir als Vater.«

»Du siehst das ganz falsch, Harry.«

»Kannst du's machen?«

»Ja, aber ...«

»Dann mach's. Ich zahl dir fünftausend.«

»Ich ...«

»Das sind fünf-tau-send zuzüglich zu dem netten Gehalt, das du brav jede Woche kassierst und weiter kassieren wirst, solange du für mich arbeitest.«

Alwine wollte schon fragen, ob das eine Drohung sein sollte. Aber er unterließ es.

Wenige Tage vor der Ankunft Bill Temples und seiner Frau las Orlando zufällig eine Notiz in einer Klatschspalte, die ihn nicht weiter hätte berühren sollen. Er hatte sich seit langem geschworen, die Lügen und Pseudowahrheiten zu ignorieren, die in den betreffenden Blättern abgedruckt wurden – aber er war trotzdem wütend. Es hieß da: »Ist etwas Wahres an dem Gerücht, daß Harry Orlando und seine Partnerin in *Die Liebe schlägt Krawall*, die niedliche Linda Wilder, in Kürze die Ringe tauschen wollen? Plaudertaschen berichten, daß die Samtkehle immer noch um Noreen Lawrence trauert, die tragische Schönheit, von der Orlando sich in grauer Vorzeit scheiden ließ, und daß Linda ihn an Noreen erinnert. Wie dem auch immer sei – unsere Leser mögen nicht überrascht sein, wenn Hollywoods Junggeselle Nr. 1 in Kürze die Hochzeitsglocken läuten läßt. Übrigens: Was ist aus der armen Noreen Lawrence geworden?«

Die Meldung war absurd, denn er war nur ein einziges Mal mit der Wilder aus gewesen. Und sie war gemein, weil sie Noreens Namen erwähnte.

Warum?

Wo war Noreen wirklich?

Was, zum Teufel, kümmerte ihn das?

Wie kommt es, daß man mich bis jetzt nicht wegen fortschreitender Verblödung verhaftet hat? dachte er. Ich mache alles falsch – alles. Seit man mir den Schnuller fortgenommen hat, habe ich so ziemlich alles falschgemacht. Ich hab's immer gut gemeint und beinah alles in meinem Leben versaut, weil ich unüberlegt handle.

Natürlich hatte Miriam recht. Ich hätte sie und Jimmy nie verlassen sollen, um Noreen zwei Jahre lang den Hampelmann abzugeben.

Und natürlich stimmt die Meldung. Es war in grauer Vorzeit, und ich trauere immer noch um sie.

Wo ist sie?
Was geht's mich an?
Warum kann ich nicht vergessen?

Die Temples quartierten sich im Beverly-Hills-Hotel ein und wurden von Orlando zum Abendessen ins »Scandia« gebeten. Sie trafen sich zeitig, denn wenige Stunden später sollte Bill auf Einladung der Polizeidirektion von Los Angeles die Nacht über in einem Funkstreifenwagen den Bezirk Watts aus der Nähe beobachten. Mary wollte ein Konzert im Hollywood Bowl besuchen; Orlando hatte ihr nach vielen Bemühungen eine Eintrittskarte verschaffen können.

Sie begannen mit den Cocktails. Orlando trank dreimal soviel, wie die Temples konsumierten. Ohne besonderen Grund eigentlich: Er hatte das Gefühl, an diesem Abend alles zu vertragen. Auf einmal fragte Bill, der offensichtlich zum Vorwürfemachen aufgelegt war, mit ernster Stimme: »Bist du über deine Campbell-Halluzination hinweg – ja oder nein?«

Mit einigem Unbehagen versuchte Orlando der Frage eine scherzhafte Wendung zu geben. »Wir wollen doch vor der gnädigen Frau keine schmutzigen Wörter gebrauchen.«

»Welches schmutzige Wort meinst du – Halluzination oder Campbell?«

»Frag mir kein Loch in den Bauch, wo wir doch hier so gemütlich beieinandersitzen«, antwortete Orlando ruhig, aber mit bittendem Unterton. »Laßt uns essen, trinken und fröhlich sein.«

Bill zuckte die Achseln. Während eines üppigen Mahles wurde zwanglos geplaudert, wurden Erinnerungen an alte Zeiten ausgetauscht. Für Orlando war Mary Temple immer noch eine miese Vogelscheuche, auch wenn sie jetzt etwas besser in die heutige Zeit paßte als früher. Zwischen ihr und Bill schien eine seltsame Spannung zu herrschen, obwohl sie nach außen hin nichts davon merken ließen. Mary war an diesem Abend lebhafter, und Orlando fühlte sich deshalb um eine Spur mehr zu ihr hingezogen als früher.

»Ich habe vor kurzem einen alten Film von Ihnen gesehen«, sagte sie. »Ich weiß gar nicht, wieso ich ihn bei der Erstaufführung verpaßte.«

»Wie hieß er?«

»*Mr. Thompson geht auf Reisen.* War es ein großer Erfolg? Könnte ich mir schon vorstellen!«

»Beaucoup groß, wie wir Intellektuelle hier sagen.«

»Ich fand ihn sehr lustig. Und ich habe Sie falsch eingeschätzt. Ich wußte nicht, daß Sie ein so guter Schauspieler sind.«

Wollte sie ihm schmeicheln? *Thompson* war einer seiner besten Filme gewesen. Harry war damals blendend bei Stimme und in Form, daran konnte es keine Zweifel geben.

Nein, sie war nicht der Typ, der schmeichelte. Das wußte er zu schätzen und sagte es Bill auch. »So aufrichtige Komplimente kann ich gar nicht genug bekommen, Brillenschlange. Ich bin imstande und entführe dir diese brillante und kluge Kritikerin.«

»Sie steht dir zur Verfügung«, sagte Bill und zuckte die Achseln. »Für einen Freund tue ich alles.«

Mary hob ihre Hand an den Ausschnitt ihres Kleides und lachte nervös. »Was würden Sie bloß mit mir anfangen?« fragte sie. »Welche Nummer würden Sie mir in Ihrem Harem zuteilen?«

»Nummer eins. Meinem Freund aus der Zeitungswelt hier zuliebe, und weil ich einen sehr guten Geschmack habe«, erklärte Orlando feierlich.

Mary verzichtete auf die Nachspeise, dankte Orlando für die Einladung, wünschte ihrem Mann Glück zu seinem Funkstreifenabenteuer, verabschiedete sich und fuhr ins Konzert. Orlando ließ sie durch einen Kellner zum Parkplatz und zu seinem Wagen geleiten, wo Tullio schon wartete, um sie in den Bowl zu bringen. »Du hast eine reizende Frau, bulliger Bill«, bemerkte Orlando, nachdem sie gegangen war. »Sie spricht nicht viel, aber man sieht, daß du's mit ihr nicht schlecht getroffen hast.«

»Sie ist goldrichtig«, bestätigte Bill. »Ich wünschte, ich könnte ihr deutlicher zu verstehen geben, daß ich das weiß.« Er deutete auf Orlandos Glas. »Hör mal, führst du dir heute nicht mehr zu Gemüt als sonst?«

»Das übliche Quantum«, log Orlando. »Was meinst du damit, du wünschtest, du könntest ihr das deutlicher zu verstehen geben?« Und er log weiter: »Ich hatte den Eindruck, daß ihr prächtig miteinander auskommt.«

Bill seufzte. »Wir sind beide gute Schauspieler, selbst wenn wir kein Publikum haben. Ich behandle sie nicht gut. Ich will sie bei mir haben, und wenn sie da ist, jag ich sie davon. Es ist mir unverständlich, daß sie mich nicht schon längst zum Teufel geschickt hat.«

»Du bist zu streng mit dir. Mann, du bist doch ein wahrer Felsen von Gibraltar! Es gibt doch keine Schwierigkeiten, die du nicht mühelos bewältigst.«

»Wie wahr! Würdest du gern erfahren, wie rüstig ich wirklich bin?« fragte Bill mit heiserer Stimme. Er ließ eine lange, gelegentlich zusammenhanglose, unglaubliche und schreckliche Geschichte vom Stapel. Von einem Buch war die Rede, von einem Haftbefehl, einer Nacht im Gefängnis und einer sonderbaren Reise nach Tuscaloosa. Es klang nach einem ausgewachsenen Alptraum. Orlando hatte ihn noch nie so gesehen, so durcheinander, so aufgewühlt, so aus der Fassung gebracht. Er stellte Bill Dutzende von Fragen, und Bill beantwortete die, die er beantworten konnte, und gab seiner Sorge über jene Ausdruck, auf die er überhaupt keine Antwort wußte.

»Das ist die verrückteste Geschichte, die ich jemals gehört habe!« rief Orlando aus. »Ich versuche nicht, sie als belanglos abzutun – ich sehe ja, wie sie dich quält –, aber sie ist trotzdem verrückt. Mein Gott, warum haben sie sich gerade *dich* ausgesucht? Die Welt ist voll von abgefeimten Verbrechern, und du bist ein Mensch, der keiner Fliege etwas zuleide tun kann. Das ist doch heller Wahnsinn! Kann ich etwas für dich tun?«

»Du hast soeben etwas getan«, antwortete Bill mit einem dummen, aber herzlichen Lächeln. »Ich hab dich den ganzen Abend lang angejammert. Ich mußte es mir einmal von der Seele reden. Mit einem Menschen sprechen, dem ich vertrauen kann. Es hat mir sehr geholfen. Es tut mir leid, daß ich deine Zeit . . .«

»Ach, Unsinn! Wie oft habe ich mich mit meinen hirnverbrannten Problemen an deiner Schulter ausgeweint.«

Sie bestellten frische Drinks und verfielen abermals in belangloses Geplauder, bis Temple auf die Uhr sah und feststellte, daß es Zeit war, an sein Stelldichein mit der Funkstreife zu denken. Er trank sein Glas aus und seufzte. »Harry«, sagte er dann, »ich habe das Thema den ganzen Abend nicht berührt, weil du es so wolltest. Aber es ist zu wichtig, um einfach nur den Kopf in den Sand zu stecken: Wie steht es mit dir und Grant Campbell?«

»Kein Grund zur Besorgnis, bulliger Bill.«

»Harry, es liegt mir fern, dir in die Rippen zu treten, nachdem du mich zum Essen eingeladen und mir Trost gespendet hast. Aber ich meine es ernst. Wie lange ist es jetzt her, seit du dich auf Campbells Seite geschlagen hast?«

Orlando bestellte einen frischen Whisky. Dann schwieg er eine Weile. »Es ist noch nicht definitiv«, antwortete er schließlich, »aber ich gebe zu, daß ich es ernstlich in Erwägung ziehe, mir ein Grant-Campbell-Abzeichen ins Knopfloch zu stecken.«

»Was hat er dir versprochen, wenn er gewählt wird?«

Pause. »Den Mond, die Sonne und die Sterne.«

»Kulturaustausch?«

»Was ich will.«

Bill runzelte die Stirn. »Und was willst du wirklich, Harry? Was würdest du in einer Regierung Campbell wollen, die Victor Wades Totschlägertrupps freie Hand ließe? Wie würdest du dich darauf einstellen? Wie bald würdest du dich diesen Kommandos anschließen?«

»Du weißt doch, daß es nicht soweit kommen wird.«

»Ich weiß nur, daß es eine Zeit gab, da du an den Politiker Campbell nicht denken konntest, ohne dich zu übergeben.«

»Ich muß etwas tun, Bill«, erwiderte Orlando sanft, beinah flehend. »Bevor ich sterbe, muß ich wissen, daß ich auch noch etwas Bedeutenderes geleistet habe, als Lieder zu singen, Geld zu verdienen und Weiber ins Bett zu nehmen. Ich kann etwas Gutes tun. Mit Campbell werde ich schon fertig. In dem Augenblick, da ich diese Totschläger auch nur rieche, werfe ich sie schon hinaus.«

»Ein Rausschmeißer also! Auch das noch! Ein Rausschmeißer im Weißen Haus.« Temple schüttelte den Kopf. »Ich hab dich immer für einen vernünftigen Menschen gehalten. Gewiß, du hast Dummheiten gemacht und leichtsinnig gehandelt. Aber mit deinem gesunden Menschenverstand ist es dir immer wieder gelungen, die Situation zu retten. Aber das ist völlig idiotisch. Mit diesem aalglatten Gesindel wirst du doch nicht fertig.«

»Mit Grant Campbell?« Orlando lächelte. »Bill, ich bitte dich! Schön, zugegeben, Campbells Weste ist vielleicht nicht ganz rein, und die Läuse, die er um sich hat, sind wirklich Totschläger. Aber ich bin jetzt fünfundvierzig Jahre alt, und ich habe das Recht, mitzumischen. Ich habe mehr Geld verdient, als ich je verbrauchen kann, mehr Frauen geküßt, als ich Haare auf dem Kopf habe, alles gegessen und getrunken, was wert ist, gegessen und getrunken zu werden — was bleibt sonst noch? Mit fünfundvierzig Jahren bleibt mir nur mehr das. Und Grant Campbell ist der einzige, der mir eine echte Chance bietet, für unser Land und für unsere Welt etwas Gutes zu tun.«

Der Kellner brachte den fünften oder den fünfzigsten oder den fünfhundertsten Whisky. Orlando stürzte ihn hinunter und verlangte noch einen.

Bill schwieg. Es war ein drohendes, unheilvolles Schweigen. »Harry«, sagte er dann, »ich weiß, wieviel Einfluß du und deine Freunde ausüben können. Wenn du deine Pläne nicht aufgibst, werde ich alles in meiner Macht Stehende tun, um dich fertigzumachen.«

»Bill!«

»Ich war noch nie so ernst wie jetzt«, fuhr Bill Temple gelassen fort. »So ein irregeleiteter SS-Mann, dem man den Nationalsozialismus in der Schule frühzeitig mit dem Abc eingedrillt hat, tut mir leid; manchmal kann ich ihn sogar verstehen.«

»Hör mal . . .«

»Hör *du* mal! Der Mann, den ich fertigmachen werde, ist derselbe Mann, der genau weiß, daß er dem Bösen nicht Vorschub leisten sollte, der es aber vorzieht, sich selbst zu belügen und seine Handlungsweise mit Vernunftgründen zu rechtfertigen, bis er mit im Sumpf steckt. Ich habe es noch nie ernster gemeint, Harry. Wenn du in dieser Richtung weitermachst, werde ich dich und Campbell vom Erdboden wegfegen.«

Der Alkohol, die Drohungen, der zornige Ton seines Freundes – all das wirkte auf Orlando ein. »Komm mir nicht in die Quere, Brillenschlange«, sagte er ruhig.

»Komm dir selbst nicht in die Quere, Harry!«

»Mensch, Bill, ich hab dir doch alles erklärt! Ich hab dich nicht angelogen. Du bist mein bester Freund. Und ich sag's dir noch einmal: Komm mir nicht in die Quere!«

»Machst du weiter?«

»Ich mache weiter«, erwiderte Orlando. Er wünschte, das wirbelnde Drehen hinter seiner Stirn würde sich legen.

»Ganz wie du willst. Ich muß dich jetzt allein lassen. Es tut mir leid, Harry.« Er stand auf. »Wenn du Campbell auch nur in die Nähe kommst, schlag ich dich ans Kreuz.«

»Das klingt ja wie eine Kriegserklärung!«

»Stimmt«, sagte Bill und ging davon.

Orlando blieb beim Tisch hocken, statt ihn zurückzurufen, und ließ sich vom Kellner wieder und immer wieder das Glas füllen.

Dieser dreckige Hurensohn! Sein Freund, sein bester Freund quasselte da blöd herum, wollte ihn fertigmachen.

Dumme Jungen redeten so, dumme Jungen, die in der Bronx an den Ecken standen. Aber Männer über vierzig ...

Und was soll ich jetzt tun?

Tullio wartete bereits im Wagen, als Orlando endlich aus dem Restaurant kam. Er schwankte ein wenig und ließ sich auf dem Rücksitz nieder. »Wohin, Boß?« fragte Tullio.

Ja, wohin?

»Du solltest Mrs. Temple doch um dreiviertel elf vom Bowl abholen und ins Hotel bringen, oder?« fragte Orlando.

»Stimmt.«

»Wie spät ist es jetzt?«

»Jetzt ist's so um zehn herum.«

»Losfahren!«

»Losfahren?«

»Fahr irgendwo herum bis dreiviertel elf, und dann holen wir Mrs. Temple ab und bringen sie ins Hotel. Verstanden?«

»Verstanden!«

»Verstanden«, wiederholte Harry. Mary Temple, die Vogelscheuche, die sich verriet, wenn sie nervös war, und die die Hand an den Ausschnitt legte ... Wollen mal sehen, Mary Temple, Ehefrau eines Freundes, der mich fertigmachen will ...

Mir wirst du nichts befehlen, Bill. Du nicht und auch sonst keiner meiner besten Freunde, du gemeiner Knastschieber!

Ich bin betrunken. Und ich bin verrückt. Ja, ich bin verrückt. Kommandiert mit mir nicht herum!

Niemand. Mit mir kommandiert niemand herum.

Während sie durch die Straßen fuhren, bediente Orlando sich an der kleinen, aber sehr gut ausgestatteten Bar des Rolls-Royce und dachte an Mary Temple. Es erschütterte ihn, daß er imstande war, eine solche Rache auch nur zu erwägen; Rache an dem einzigen Menschen, der ihm um seiner selbst willen helfen wollte, der niemals versucht hatte, ihn auszunützen. Was soll diese Vendetta? dachte er. Ich war schon auf viele Leute böse, aber ich habe noch niemandem bewußt weh getan. Niemals. Das weißt du sehr gut, Bill. Und warum willst du mir an den Kragen? Du, mein bester Freund?

Habe ich Noreen jemals weh getan? Frag sie doch! Sie wird's dir sagen. Wir waren verrückt nach einander, wir konnten kaum die Hände still halten, wenn wir beisammen waren. Und ich hatte allen Grund, sie umzubringen; aber ich hab ihr niemals weh getan.

Ich bin noch immer verrückt nach ihr. Ich hab sie seit Jahren nicht mehr gesehen, und ich kann meine Hände noch immer nicht still halten ...

Um dreiviertel elf war er stark betrunken. Er saß im Wagen und sah Mary Temple aus dem Konzert kommen. Tullio öffnete ihr die Tür. Sie schien überrascht.

»Kundendienst in höchster Vollendung«, begrüßte Orlando sie lächelnd. Er bemühte sich, die Tatsache vor ihr zu verbergen, daß er ziemlich voll war. »Orlandos Mietwagen ist stets zur Ihrer Verfügung.«

»Ich ... fühle mich geehrt«, entgegnete sie verwirrt.

»Hierzulande ist es bald Mitternacht, und ich könnte nicht einschlafen, wenn ich nicht wüßte, daß Sie wohlbehalten im Hotel sind. Tullio und ich bringen Sie hin!«

»Das ist wirklich sehr rücksichtsvoll von Ihnen.«

»Ich will Ihnen was sagen, Mary. Je weiter wir fahren, desto länger dauert's noch bis Mitternacht. Machen wir doch alle noch einen Sprung zu mir und trinken wir noch ein Gläschen, bevor wir Sie im Hotel abliefern. Was halten Sie davon?«

»Ich ... lieber nicht. Es war ein langer Tag, und ich sollte schon längst im ... sollte schon längst schlafen.«

Orlando zuckte die Achseln. »Beverly-Hills-Hotel, Tullio!« wies er den Fahrer an. Tullio fuhr los.

Mit heiserem »Danke« lehnte sie einen Drink aus der Rolls-Bar ab. Er mischte sich einen, setzte sich absichtlich weit von ihr weg und fragte: »Wie war das Konzert?«

»Wunderbar. Ich liebe Mozart.«

»Soso, Mozart? Wußten Sie, daß ich der größte lebende Fachmann für Mozart bin? Ich weiß zufällig, daß der kleine Wolfi Mozart sein erstes Werk im Alter von zweiundachtzig Jahren komponiert hat. Er war als ältestes Wunderkind Europas bekannt.«

Sie lachte. Es war ein höfliches Lachen; das Lachen einer Frau, die ihre Unsicherheit nur schwer verbergen konnte. »Wie ging Ihr Dinner mit Bill zu Ende?«

»Oh, lukullisch, lukullisch. Ich habe ihn zu seinem kleinen G-Man begleitet. Ein toller Kerl, unser Bill.«

»Ja . . . natürlich . . .«

»Das klingt nicht sehr begeistert, Mary.«

»Wie . . . wieso?«

»Ich glaube, Sie haben mich nicht ganz verstanden. Wenn Sie meine Ansicht teilen, daß Bill ein toller Kerl ist, wenn Sie ihn abgöttisch lieben und er Sie zur glücklichsten Frau der Welt macht, dann sollten Sie Ihrer Begeisterung deutlicher Ausdruck geben. Natürlich können Sie mich auch auffordern, mich zum Teufel zu scheren.«

Sie begann zu merken, worauf er hinaus wollte. Sie wurde unruhig, aber sie forderte ihn trotzdem nicht auf, sie in Ruhe zu lassen.

»Ich fürchte, ich kann Ihnen nicht ganz folgen.«

Orlando kicherte. »Nein, aber ich folge Ihnen — in Ihr Hotel.«

Der Wagen blieb vor dem »Beverly Hills« stehen. »Laden Sie mich doch noch auf einen kleinen Drink ein, Mary«, sagte er.

Sie nahm sich sehr zusammen, dieses Bündel Elend, aber sie wußte, daß sie am Ende ihrer Kräfte war. »Es ist spät«, meinte sie, »und Bill und ich, wir nehmen nie Whisky aufs Zimmer, wenn wir in einem Hotel sind.«

»Das Hotel stellt Ihnen doch wohl ein Wasserglas zur Verfügung, nicht wahr? Mehr brauchen wir nicht.« Er zeigte ihr eine verschlossene Flasche Scotch, die er in die Tasche steckte. »Offen gestanden, Mary, wir sollten uns ein wenig aussprechen. Es gibt da Dinge, die Bill betreffen, und die Sie wissen sollten.«

»Die Bill betreffen?«

Sie gingen hinauf.

Er war es, der den Riegel vorschob. Sie sah es, aber sie sagte nichts. Sie war zu sehr damit beschäftigt, Schonbezüge zurechtzuzupfen und mit dem Finger über glatte Oberflächen zu wischen. »Was wollten Sie mir von Bill erzählen?« fragte sie, während er den Whisky in ein Wasserglas füllte.

»Sie sind zum Zerreißen gespannt«, bemerkte er. »Sooft wir beide uns begegnen, sind Sie verkrampft. Sind Sie immer so oder nur in meiner Gegenwart?«

Sie legte ihre Hand an den Ausschnitt. »Sie haben heute abend viel getrunken«, erwiderte sie. »Sonst würden Sie so etwas nicht sagen. Ich bin in Ihrer Gesellschaft nicht steifer als sonst. Ich . . . ich bin ein Mensch, der sich von Natur aus nicht leicht entspannt.«

»Dann sollten Sie's lernen, Mary. Solange Sie noch jung und

gesund sind, bevor die Maschine noch rostig wird, sollten Sie lernen, sich zu entspannen. Oder es sich von einem Freund lehren lassen. Sie betrachten mich doch als Freund, nicht wahr?«

»Sagen Sie mir, was ich von Bill wissen sollte. Weiß er, daß ... Sie die Absicht hatten, mit mir zurückzufahren?«

»Offen gestanden – ich hatte den Eindruck, daß es Bill höchst schnuppe war, was mit Ihnen geschehen würde. So oder so. Ich liebe ihn wie einen Bruder, aber ich halte ihn für einen Narren. Er sollte sich größere Mühe um Sie geben. Und wenn er es nicht kann, sollte es sonst jemand tun ... jemand, der das versteht«, sagte er mit einschmeichelnder Stimme und stellte das Glas nieder.

Sie erschauerte, als er ihren bloßen Arm berührte. »Man müßte sich viel Mühe um Sie geben, Mary.«

Orlando war überrascht, daß sie sich nur wenig wehrte. Er hatte mit mehr Widerstand gerechnet.

Aber fast nichts dergleichen geschah. Gar nichts. Sie stieß leise, wimmernde Schreie aus, als er sie küßte, und ihr Körper zuckte zurück und krümmte sich, als seine Hand sich langsam, aber entschlossen unter ihr Kleid schob. Allem Anschein nach versetzte sie das, was sich da anbahnte, in entsetzliche Unruhe. Sie war weit davon entfernt, sich ihm in die Arme zu werfen, aber sie wehrte sich nicht.

»Sei zärtlich«, flüsterte sie.

Die Lichter verloschen, aber Minuten später, als sie im harten, warmen Bett lagen, hatte Orlando den Eindruck, daß sie gar keine Vogelscheuche war. Im schattenhaften Dunkel des Zimmers konnte er trotz seines beeinträchtigten Sehvermögens einen Körper erkennen, der einer Venus gehörte, nicht einer Vogelscheuche namens Mary Temple. Zärtlich glitten seine Finger über ihre weiche Haut. Sie bestätigten es ihm: Neben ihm lag eine Frau, die keine Vergleiche zu scheuen brauchte, nicht einmal mit Noreen.

Verdammt, Schluß damit! befahl er sich. Schluß mit Noreen!

Als er ihr Wimmern, ihr Stöhnen und ihre geflüsterten Bitten um Zärtlichkeit nicht länger ertragen konnte, drang er in sie ein. Dieser Stoß war Gewalt, diese Wut, diese Angst und dieser Haß – aber auf wen? Weswegen? Und dieser Stoß war Seelenqual, und die Stöße kamen schneller und schneller, und sie hielt ihn so fest, daß er den Höhepunkt fast nicht empfand.

Nicht daß es ihm etwas ausmachte. Er hatte erreicht, was er erreichen wollte – was immer das auch gewesen sein mochte.

Er hatte schlafen wollen, aber plötzlich war sie ganz hastige Geschäftigkeit, eiliges Umherlaufen und dringendes Bitten, er möge sich sofort ankleiden und gehen. Bill könne jeden Augenblick kommen, flehte sie. Als wäre ihr diese Möglichkeit eben erst in den Sinn gekommen.

Er verhielt sich schweigsam. Er blickte nicht zurück, als er den Raum verließ, und er sagte nicht gute Nacht.

Warum sollte er auch? Er hatte das Unwiderrufliche, Unverzeihliche getan, dessentwegen er gekommen war.

Mary Temple schob das Fenster neben ihrem Bett so hoch wie sie konnte und ließ frische Luft in das Zimmer. Es war zu spät, die Bettwäsche zu wechseln – zu spät oder zu kompliziert; sie zog das Bett ab und kehrte das zerknitterte Leintuch nach oben. Dann trug sie die Whiskyflasche und das Wasserglas ins Badezimmer. Sie warf es mit Wucht in den Abfalleimer und hoffte, es würde zerbrechen; den Inhalt der Flasche leerte sie in die Klosettmuschel. Dann versteckte sie das Ding in ihrem Schrank, den Bill nicht benützte.

Schließlich nahm sie eine Schlaftablette und spülte sie mit einem Glas Wasser hinunter. Und hoffte verzweifelt, sie würde schon schlafen, wenn Bill heimkam.

X

Es gab in Miles Quinlans Partei eine Anzahl sparsam veranlagter Leute, die allen Ernstes vorschlugen, den Parteikonvent von vier Tagen auf einen zu reduzieren. Quinlan würde zweifelsohne im ersten Wahlgang nominiert werden, denn es gab keine nennenswerten Gegner. Alle Welt wußte auch, daß die Nominierung seines Mitkandidaten – Wilson Gates', eines beliebten und tüchtigen Überbleibsels aus dem Haywood-Team – eine ausgemachte Sache war.

Je näher der Parteitag heranrückte, desto überzeugter wurden selbst die ewigen Schwarzseher in der Partei, daß Quinlan im November gewählt werden würde – und möglicherweise mit überwältigender Mehrheit. Die Wirtschaft war gesund, die Arbeitslosigkeit auf einem Tiefpunkt angekommen, der Handel blühte, und auf der ganzen Welt herrschte Frieden. Die Meinungsumfragen brachten erstaunliche Ergebnisse. Sie bewiesen, daß nur wenige Wähler dem ausdruckslosen Miles Quinlan aus Ohio zugetan waren. Aber sehr viele von ihnen vertraten – zumindest im gegenwärtigen Zeitpunkt –, die Ansicht, er habe es verstanden, die von Joseph Haywood eingeschlagene Politik mit Erfolg weiterzuführen. Am überraschendsten aber war, daß sich jene Persönlichkeiten, die zu Haywoods glühendsten Anhängern gehört hatten, da sie in ihm die Verkörperung der Jugend und des intellektuellen Wagemuts erblickten, nun hinter diesem gesichtslosen Mann aus Ohio sammelten. Sicher, einige taten es nur nach und nach; aber selbst der vorsichtige William Temple begann zu schreiben, Miles Quinlan wäre alles andere als ein Narr; allein die Tatsache, daß er für eine fortschrittliche Gesetzgebung eintrete, beweise das Gegenteil.

Die ewigen Schwarzseher waren aber auch noch aus einem anderen Grund überzeugt, daß Quinlan siegen würde. Die Opposition schien sich in äußerster Verwirrung zu befinden. Von Mark Bartell konnte man sich kaum ein Bild machen. Wer Grant Campbell war, wußte wahrscheinlich das ganze Land, aber die Möglichkeit einer Nominierung oder gar der Wahl wurde im allgemeinen als schlechter Witz abgetan. Wollte er überhaupt eine Chance haben, mußte er bald seine ausweichende und zweideutige Haltung aufgeben und etwas Konkretes oder Aufrüttelndes sagen; aber bis jetzt hielt er immer noch an seinen hochtrabenden Gemeinplätzen fest. Lloyd Reynolds' Fähigkeiten waren unleugbar; ebenso unleugbar war allerdings auch die Tatsache, daß er jeglichen Sex-Appeals entbehrte.

Das gleiche galt für Quinlan. Aber Quinlan saß schon im Weißen Haus und Lloyd Reynolds nicht.

Es gab Zeiten, da konnte Orlando es kaum glauben, daß er jene impulsive Erklärung für Campbell abgegeben hatte. Gott und die Welt hatten sie gelesen, und die Berichte häuften sich, denen zufolge eine Menge Leute, die Campbell ursprünglich ablehnend gegenübergestanden waren, ihre Haltung überdachten – einfach darum, weil ein so patenter Kerl wie Harry Orlando ihn schätzte. Er weigerte sich halsstarrig, irgend jemandem – außer in einsamen Augenblicken sich selbst – einzugestehen, daß der Pfadfinder im besten Fall eine doofe Nuß sei, argwöhnte jedoch – und in diesen einsamen Momenten ganz besonders –, daß er unmoralisch handelte, wenn er Campbells Chancen auch nur im geringsten verbessern half. Harry Orlando hin, Harry Orlando her – anscheinend machte Quinlan, dieser rachsüchtige Hurensohn, seine Sache gut. War ihm das Glück auch weiterhin hold, konnte er noch ein ganz toller Präsident werden. Ist es kleinlich von mir, gegen ihn zu sein? fragte sich Orlando.

Nein. Man kann mir vieles nachsagen. Aber kleinlich bin ich nicht.

Danny Maxwell rief an. Danny war ein guter Schauspieler, ein Neger, der fünf Oscars verdient hätte und mit einem ausgezeichnet worden war; ein guter Freund von früher, der mit Orlando gemeinsam bei vielen Wohltätigkeitsveranstaltungen mitgewirkt hatte – für die NAACP, für den CORE, für Arbeitslose, Schulen und sozialen Wohnungsbau.

»He, Italianski«, begrüßte Danny ihn.

»He, Mohrenkopf. Was gibt's Neues?«

»Das Neue ist, daß ich vor ein paar Tagen zurückgekommen bin und eine Geschichte gehört habe, von der ich nur hoffen kann, daß mein Gehör mich getäuscht hat. Seit wann knutschst du dich mit Grant Campbell?«

»Ich hab ihm noch nicht mal die Hand geküßt«, erwiderte Orlando nervös. »Er ist nicht ganz der miese Vogel, für den ich und viele andere ihn gehalten haben. Aber knutschen tun wir deshalb noch lange nicht. Ich weiß, was du denkst, aber da bist du . . .«

»So? Na, dann sag mir mal, was ich denke.«

Dannys Stimme klang zu tief, zu herrisch, und Orlando kam sich wie ein kleiner Junge vor. »Daß ich meiner Gesinnung untreu werde; daß ich seine Haltung bei der Abstimmung über die Bürgerrechte in Kalifornien vergessen habe, die uns alle nicht zu Begeisterungsstürmen hingerissen hat.«

»Wieder eine goldene Uhr gewonnen! Genau das denke ich.«

»Dann leg deinen Liberalismus mal für ein paar Minuten aufs Eis und sei friedlich. Ich kann jetzt nicht so darauf eingehen, besonders nicht am Telefon; aber ich habe allen Grund, mit gutem Gewissen zu behaupten, daß Campbell in bezug auf Bürgerrechte, bürgerliche Freiheiten und eine Reihe anderer Dinge nicht halb so schlimm . . .«

»Nein, halb so schlimm ist er nicht. Er ist *ganz* schlimm. Ich sehe ihn geradezu vor mir, wie er ein paar schwarze Komiker für die Ruhmeshalle vorschlägt, um damit seine Fortschrittlichkeit unter Beweis zu stellen. Mein lieber Italianski, Kampfgefährte in vielen Schlachten, was zum Teufel führst du im Schild?«

»Ich sag dir doch, ich kann jetzt nicht weiter darauf eingehen. Jetzt noch nicht. Aber wenn wir uns in den nächsten Tagen einmal treffen könnten, werde ich dir alles erklären.« Orlando begann langsam zu schwitzen.

»Ich frage nicht nach Einzelheiten.« Danny ließ nicht locker; seine Stimme war noch immer tief und herrisch. »Ich bin hier auf dem Flugplatz in Louisville. In fünf Minuten geht meine Maschine, und ich habe genausowenig Zeit wie du. Aber wenn du mich fragst, ob ich Lust hätte, mit einer Gruppe von Ku-Klux-Klan-Männern gemeinsam meine Mutter zu lynchen, würde ich, ohne zu überlegen, nein sagen. Ich würde nicht sagen: ›Ich kann jetzt nicht darauf eingehen.‹ Gib dem Mohrenkopf jetzt eine klare und deutliche Antwort. Verfolgst du mit deinem blütenweißen Campbell ein bestimmtes Ziel – ja oder nein?«

»Wir wollen uns doch in den nächsten Tagen einmal zusammensetzen . . .«

»Jesus Christus!« zischte Danny und hängte auf. Seine Stimme klang noch immer in Orlandos Ohr – ein Ausdruck tiefsten Abscheus.

Stan Lourie, seiner Lebensphilosophie nach Konservativer, gab zu, er zöge es in Erwägung, Campbell zu wählen; aber er versuchte nichtsdestoweniger, Orlando dazu zu bringen, sich jeglicher politischen Betätigung zu enthalten. Rod Keyes meinte, er wäre ein Esel, wenn er Campbell auch nur in die Nähe käme. Orlando fuhr Rod barsch an, er möge sich um seinen eigenen Dreck kümmern. Dann mußte er zusehen, wie sein Freund erblaßte, eisig schweigend den Raum verließ und damit zum Ausdruck brachte, daß er nicht mehr sein Freund sei. Selbst Linda Wilder, die ihre letzten Szenen in *Die Liebe schlägt Krawall* mit ihm abgedreht hatte und nun endlich auch zu seinen Gespielinnen gehörte, ließ es sich einfallen, bei der Haut-den-Orlando-Nummer mitzumachen. Eines Nachts führte er sie in eines seiner unzähligen Gästezimmer, in dem ein riesiges, rundes Bett mit einer ebenso riesigen, runden Bettdecke stand, auf der ein lüstern blickender Wolf aufgenäht war; das Gesicht aus richtigem Pelz, der Zylinder aus Satin. Das Ganze war das Geschenk eines Verehrers und so unglaublich kitschig und überwältigend geschmacklos, daß Orlando es nie über sich gebracht hatte, das Ungetüm fortschaffen zu lassen.

Sie wollten gerade etwas anfangen, was mit Liebe entfernt zu tun hatte, als Linda sich leicht auf seinen Arm stützte und in aller Unschuld fragte: »Weißt du, daß das Gerücht umgeht, du würdest diesen grausigen Campbell unterstützen?«

»Verdammt noch mal!« schrie Harry sie an. »Genügt es dir nicht, mit mir ins Bett zu gehen? Willst du dich auch noch als politische Philosophin betätigen?«

Sie waren beide entsetzt. Nicht wegen seines plötzlichen Wutanfalls, der ebenso unpassend wie ihre Frage gewesen war, sondern weil sie beide wußten, daß Linda Wilder kein Flittchen war. Aufgebracht und tief gekränkt verließ sie das Zimmer. Orlando lief ihr nicht nach; er konnte es nicht. Am nächsten Morgen rief er Marvin Hime an, erstand um dreitausend Dollar eine Smaragdbrosche und gab den Auftrag, sie ihr unverzüglich durch einen Boten persönlich übergeben zu lassen.

Er war überrascht und ein wenig enttäuscht, als sie das Geschenk nicht zurückschickte.

Schon immer hatte sich Orlando bemüht, ein wenig Zeit freizuhalten, um Bill Temples Spalte möglichst häufig zu lesen; jetzt aber machte er es sich zur Regel, sie Tag für Tag aufmerksam zu studieren.

In jedem zweiten Artikel klopfte Bill Campbell auf die Finger.

Das war zu erwarten gewesen. Gleichzeitig aber engagierte er sich stärker und stärker für Quinlan, unmißverständlich und klar, und das schmerzte. Der Präsident hatte Orlando wie Taubenmist behandelt. Bill wußte das. Nie würde Orlando so ausdrücklich einen Schweinehund verteidigen, der einen guten Freund so schmählich behandelt hatte.

Freund, nicht Exfreund. Manchmal ging das Temperament mit einem durch, aber er konnte es nicht glauben, daß das Thermometer früher oder später nicht wieder fallen würde. Dafür bedeuteten sich er und Bill Temple zuviel. Harry tat es leid, Bills Alte vernascht zu haben. Das war ein dummer Einfall gewesen, lächerlich und kindisch; aber nun war die Geschichte vorbei. Sie ließ sich nicht mehr ändern, und es war kaum anzunehmen, daß die Vogelscheuche ihn mit ihren Pferdezähnen verpfiffen hatte.

Um zehn Uhr abends, Washingtoner Zeit, rief er bei Bill zu Hause an. Zu seinem Unglück hob Mary den Hörer ab.

»Wie geht's dir denn, Mary?« erkundigte er sich mit jener geheuchelten Herzlichkeit, die er manchmal am Telefon hatte.

»Gut«, antwortete sie in einem Ton, als stünde sie kurz vor ihrer eigenen Beerdigung. »Ich erwarte Bill erst in einer Stunde. Soll er Sie zurückrufen, wenn er kommt?«

»He, deine Stimme klingt nicht gerade freundlich.«

»Sie haben recht. Soll Bill Sie zurückrufen?«

»Ich . . . ja, ich würde darum bitten. Ich bin zu Hause.«

»Gut«, sagte sie und legte den Hörer auf.

Eine Stunde später rief Bill tatsächlich zurück. Er schäumte vor Freundlichkeit zwar nicht über, aber er war auch nicht eiskalt. Orlandos Herz schlug rascher. Er erkundigte sich nach Bills Gesundheit und hoffte, seine Fragen würden nicht zu unaufrichtig klingen.

»Ich bin gesund wie ein Fisch im Wasser, soweit das möglich ist«, antwortete Bill. »Bist du nun beruhigt?«

»Ich hab mir wegen der Sache in Alabama Sorgen gemacht«, erwiderte Orlando, der sich plötzlich an Bills unerwartetes Stelldichein mit dem Staatsanwalt erinnerte. »Ist das schon alles in Ordnung?«

»Nein, noch nicht. Keineswegs. Aber ich wäre dir dankbar, wenn wir uns am Telefon über andere Dinge unterhalten könnten.«

»Ja, natürlich.« Tiefes Atemholen. »Brillenschlange«, sagte Orlando dann, »es tut mir leid, daß ich mich so schlecht benommen habe, als du hier warst. Ich möchte ... Hör mal, Bill, würdest du etwas für mich tun? Es ist nichts Unmoralisches und nichts Ungesetzliches.« Er lachte nervös.

Er hörte Bills ungeduldiges Aufseufzen. »Also, was willst du, Harry? Mein Sinn für Humor ist mir anscheinend abhanden gekommen.«

»Ich werde mich kurz fassen. Ich hab die Hoffnung auf diesen Regierungsposten noch nicht aufgegeben. Ich weiß, wie aufgeblasen das klingt, aber ich meine es ernst.«

Los, red schon! sagte Orlando zu sich. Mach Schluß mit dem Quatsch und sag, was du zu sagen hast!

»Bill! Könntest du in deiner Spalte meinen Namen erwähnen?«

»Warum?«

»Weil ich dich darum bitte.«

»Wir haben doch vor Jahren eine stillschweigende Übereinkunft getroffen, nicht wahr? Dein Name tritt in meinen Artikeln nicht auf, weder pro noch kontra. Ich sehe keinen Grund, das zu ändern.«

»Es gibt jetzt einen sehr triftigen Grund«, sagte Orlando verzweifelt. »Einen Absatz, Bill, nur einen kurzen Absatz. Schreib, ich könnte der Regierung im Kulturaustausch von Nutzen sein. Es muß klingen, als wäre es deine Idee, als wäre dir der Einfall gekommen. Oder erwähne, daß Joe Haywood daran dachte – wie du glaubst. Nur einmal! Alle Welt liest deine Spalte; Quinlan liest sie. Deine Worte, Bill, würden gewiß einschlagen. Du würdest mir damit einen riesigen Gefallen erweisen und ... ja, du könntest auch etwas für unser Land tun. Du brauchst nur einmal etwas zu schreiben, nur ein einziges Mal! Wenn Quinlan diesmal nicht anbeißt, ergreife ich die Initiative. – Bist du noch da?«

»Ich bin noch da.«

»Und?«

»Ich hab so ein Gefühl, als würdest du mir eine Pistole an die Brust setzen.«

»Wie bitte?«

»Das war doch eine Drohung, nicht wahr, Harry? Eine Drohung, die du nicht einmal verstehst. Aber *ich* verstehe, was du mir sagen willst. Wenn ich dir nicht bei diesem letzten Versuch helfe, in den Himmel zu kommen, verbündest du dich mit dem Teufel, und diesmal endgültig. Hab ich recht?«

»Du hast nicht nur völlig unrecht, sondern du bist noch dazu verrückt.«

»Auf wessen Schoß wirst du dich setzen, wenn ich nein sage?«

»Was soll das wieder heißen?«

»Auf wessen Schoß wirst du dich setzen, wenn ich nein sage?«

Reiz mich nicht, dachte Orlando. Mich soll nur ja keiner reizen.

»Ich werde mit Händen und Füßen arbeiten«, sagte Orlando ruhig. »Und ich werde Campbell helfen, Präsident zu werden. Mich kennen mehr Leute als dich. Ich weiß schon, was ich zu tun habe. Wenn ich es darauf anlege, kann ich Quinlan größte Schwierigkeiten machen.« Seine Stimme wurde weich. »Laß es nicht dazu kommen, Bill! Verschaff mir eine Chance bei den Quinlan-Leuten!«

Schweigen. Temples eisiges Schweigen.

Dann: »Danke, Harry!«

»Wofür?«

»Daß du mir die Augen geöffnet hast, was für einen Schuft ich all die Jahre hindurch einen Freund genannt habe. Es ist unglaublich. Du bist ein Opportunist. Und da drücke ich mich noch fein aus. Einer von der ärgsten Sorte. Du bist einer von diesen Falschspielern, wie sie auf den Flußdampfern zu Hause waren. Die Einfaltspinsel verdienen nichts Besseres, als daß man ihnen die Hosen auszieht, war ihre Parole. Danke, Harry, daß du an mich gedacht hast. Aber ich würde mir nicht mehr die Mühe machen, dir ein Seil zuzuwerfen, wenn du im Treibsand steckengeblieben wärst. Ich will nichts mehr mit dir zu tun haben, Harry.«

Klick.

Auch die nächsten zwei langen Katz-und-Maus-Gespräche mit Grant Campbell trugen wenig dazu bei, Orlandos Meinung von ihm zu ändern. Nach wie vor verfolgte der Pfadfinder eine harte, unnachgiebige Linie in bezug auf Steuern, Übergriffe der Gewerkschaften, Eingriffe Washingtons in die Gesetzgebung der Staaten und auf das, was er »Beschränkungen der persönlichen Freiheit durch eine hemmungslose Regierung« nannte.

Andererseits gehörte Campbell nicht zu jenen Pseudoaristokraten, die ihre eigenen Interessen in den Vordergrund schoben. Davon war Orlando immer mehr überzeugt. Sein ehrliches Bestreben galt einem besseren Leben für alle und höheren Löhnen für die arbeitenden Massen. Er bedauerte aufrichtig die unwürdige

Behandlung, die den Minderheiten zuteil wurde, haßte die Armut und beklagte die elenden Verhältnisse, die sie zur Folge hatten. Was Campbell von seinen Hintermännern und Geldgebern unterschied, war seine feste Überzeugung, daß die Goldene Sittenregel, von starken Führern propagiert, die einzige Grundlage darstelle, die ein zivilisiertes Land brauche. Er beharrte auf seiner Meinung, daß der natürliche Wunsch guter Menschen, einander zur Seite zu stehen, durch einen unpersönlichen, bürokratischen Apparat gehemmt und nicht gefördert werde.

An jenem Tag, da Miles Quinlan von seiner Partei nominiert wurde und gelobte, Joseph Haywoods Prinzipien der Fortschrittlichkeit und Produktivität hochzuhalten und weiterzuführen, war Orlandos Entschluß so gut wie gefaßt. Er saß mit Campbell und dessen Wahlmanager Kyle Pontius neben dem Swimming-pool. Pontius war ein adretter Profi mit einem Handelskammerlächeln und einem knochenzermalmenden Händedruck, der ständig einen atemberaubenden Duft nach teurem Kölnisch Wasser um sich verbreitete. Harry kannte ihn nur oberflächlich, kam aber gut mit ihm aus, denn er erblickte in ihm den Fachmann, der das nötige geistige Rüstzeug besaß, um sein Produkt auf den ersten Platz zu schieben.

Campbell hielt ein Glas mit eisgekühltem Kakao in der Hand, Pontius schlürfte genüßlich Weißwein, und Orlando trank einen Whisky pur. Sie plauderten schon eine ganze Weile.

»Erzähl mir doch nicht, daß du diese Fanatiker nicht loswerden kannst«, sagte Orlando. »Ich habe die Lage überprüft. Quinlan schläfert die Leute ein; er hat nicht genug von ihnen so wütend gemacht, daß sie ihn aus dem Amt jagen würden. Zumindest jetzt noch nicht. Du kannst ihm einen guten Kampf liefern, und ich will dir dabei helfen — aber nicht, solange du von diesen Schwachköpfen umgeben bist.«

Campbell, der vergeblich versucht hatte, die Existenz der Extremisten zu rechtfertigen, räusperte sich verdrießlich. Jetzt war Pontius an der Reihe. »Ich will versuchen, Ihnen Grants Ausführungen näher zu erläutern«, begann er mit seiner Schlagsahnestimme. »Es mag Zeiten gegeben haben, da sich ein Kandidat um ein öffentliches Amt bewerben konnte, ohne mehr als fünfundsiebzig Cent auszugeben. Heutzutage aber kann keiner hoffen, auch nur an den Startpfosten heranzukommen, wenn er nicht gerade ein Krösus ist oder von Krösussen unterstützt wird. —

Nun — was unsere Krösusse betrifft: Weder Grant noch ich sind in sie verliebt; wohl aber in ihr Geld. Wir denken nicht daran, sie heimzuschicken, mit dem Hut herumzugehen und freiwillige Beiträge einzusammeln. Ihre finanzielle Unterstützung fällt einfach zu stark ins Gewicht, als daß wir in aller Öffentlichkeit von ihnen abrücken könnten.«

»Ich bin durchaus dafür, die Dinge praktisch zu sehen«, räumte Orlando ein. »Aber ist es praktisch, wenn wir die Zeitungen schreien lassen, Campbell wäre ein radikaler, reaktionärer Rassenpolitiker und was weiß ich noch alles, nur weil er mit diesen Bastarden so dick befreundet ist?« Harry redete, als wäre Campbell gar nicht anwesend. »Es ist die neutrale Mitte, die den Präsidenten wählt, denn sie verfügt über wesentlich mehr Stimmen als die Extremisten. Wie wollen Sie es denn den guten Leutchen erklären, daß es gerade die Extremisten sind, die sich um Grant scharen? Schön, *Sie* wissen, daß Grant weder die Sklaverei wieder einführen noch Konzentrationslager errichten lassen wird. Und *ich* weiß es auch. Ich weiß es, weil ich Grant kenne. Aber wenn dem nicht so wäre, würde ich in der neutralen Presse blättern und immer wieder lesen, daß ihm gerade jene Leute am lautesten zujubeln, die da schreien, Hitler hätte noch nicht genug Juden vergast, und außer dir und mir wären alle Kommunisten. — Was sollte ich wohl davon halten?«

»Ein intelligenter Mensch wie du . . .«, begann Campbell.

Pontius unterbrach ihn mit einem kurzen, herrischen, an Orlando gerichteten Kopfnicken. »Wir sind uns der Risiken bewußt, die wir dem Schein nach eingehen. Aber wir haben uns da etwas ausgedacht, was Sie sicherlich interessieren wird. Soll ich ins Detail gehen, Grant?«

»Du hast das Wort, Kyle.«

»Liberale und Konservative wie Sie selbst, Mr. Orlando, können eine ganze Menge dazu tun, das Publikum mit der Grant-Campbell-Story vertraut zu machen — und die Delegierten, die sich in vier Wochen zum Parteikonvent in San Francisco versammeln werden, stellen einen sehr bedeutenden Teil dieses Publikums dar. Ehrlich gemeinte Erklärungen von Leuten wie Ihnen, die wissen, daß Grant ein der wahren, guten, alten liberalen Tradition verwurzelter echter Amerikaner ist, können unendlich mehr Meinungen beeinflussen als alle Reden, die ich und mein Stab zusammenstellen. Wir verlangen nicht, daß Sie irgend etwas sagen oder tun, das Ihren Prinzipien widerspricht. Wenn Sie der Meinung sind, daß Victor Wades Freunde – wie auch viele andere Leute, die zu wissen glauben, wie es in Grants Kopf aussieht – keine guten Amerikaner sind, dann wäre es falsch von Ihnen, das Gegenteil zu behaupten.«

Orlando fühlte, daß er es hier mit einem sehr geriebenen und verschlagenen Schwindler zu tun hatte.

»Was ist denn das für ein interessantes Etwas, das Sie sich ausgedacht haben?« fragte er.

Campbell sah Pontius an, Pontius Campbell. Dann nahm der Wahlmanager einige Papiere aus seiner Jackentasche. »Das ist Grants Programmrede nach seiner Nominierung. Vielleicht eilen wir damit den Tatsachen voraus, aber Sie haben es sich verdient, sie schon jetzt sehen zu dürfen.«

Orlando las die Rede einmal durch und dann noch ein zweites Mal. Von den vaterländischen Klischees abgesehen, war es eine verdammt gute Rede. Der Verfasser setzte sich nachdrücklich für das Recht nicht nur jedes Amerikaners, sondern jedes menschlichen Wesens auf Freiheit ein. Sie war reichlich mit Phrasen über die individuelle Existenz gewürzt, über die moralische Verantwortlichkeit des Menschen seinen Brüdern gegenüber; über persönliche Freiheit und das Recht, ohne Bevormundung durch den Großen Bruder aufzuwachsen. Unmißverständlich aber wurde jede Unterstützung von seiten der Freunde Victor Wades und aller anderen Personen und Gruppen zurückgewiesen, die dafür eintraten, Glaubens- und Meinungsfreiheit zu unterdrücken.

Es war eine tolle Rede. Orlando lächelte Campbell an.

»Ich bin kein Politiker«, sagte er, »aber auch im Showgeschäft wissen wir, wie wichtig die richtige zeitliche Abstimmung ist. Halte diese Rede vor dem Konvent, und man wird dich zweimal nominieren und im November fünfmal wählen.«

»Gefällt sie dir?« Campbell strahlte.

»Davon rede ich doch schon die ganze Zeit! Sag dem Gesindel Victor Wade & Co., sie sollen sich zum Teufel scheren – heute noch! Und wenn sie sich ärgern – was sollen sie dann mit ihrem Geld machen? Quinlan unterstützen? Grant, das ist endlich was mit Salz und Schmalz, wie du's brauchst. Menschenskind, damit verwandelst du dich mit einem Schlag aus einem netten Jungen, der viel redet und nichts sagt, in einen Staatsmann! Warum hast du denn das uns kleinen Leuten bis heute vorenthalten?«

Campbell und Pontius schienen offensichtlich erfreut. Sie erklärten ihm nochmals, warum sie es sich nicht leisten konnten, die Kampagne vor der Nominierung zu gefährden. Sie versicherten ihm, daß die Rede Grants wahre Gefühle ausdrücke, und nahmen Orlando das Versprechen ab, sie vorderhand niemandem zu zeigen. »Ich muß mir diesen Beweis meiner Aufrichtigkeit bis zum Schluß aufheben«, sagte Campbell. »Als logische Vorbereitung für die Rede muß sich der Konvent schon im Wahlprogramm von allen extremen Gruppen — namentlich — lossagen. Bist du auch dieser Meinung?«

»Klar.«

»Und genau daran arbeiten wir jetzt: Kyle und ich und unsere Freunde. Wir werden so lange hinter den Kulissen kämpfen, bis wir erreicht haben, daß das Parteiprogramm sich dezidiert gegen den Ku-Klux-Klan, die Kommunistische Partei, die John Birch Society und, vor allem, gegen die Wade-Leute ausspricht. Und damit ist die Bühne frei für meine Rede.«

»Klingt phantastisch. Kannst du das schaffen?«

»Garantiert.«

Somit waren sich die drei einig, daß alles zum besten stand und daß anständige und ehrenhafte Leute trotz verschiedener Lösungsvorschläge bei gewissen Problemen gut miteinander auskommen konnten.

Harry Orlando bereitete sich auf die Fahrt nach Los Angeles vor, wo er einen schon seit langem versprochenen Abend geben sollte; sein erstes und — wie er hoffte — letztes öffentliches Auftreten als Sänger nach Präsident Haywoods Tod.

Jimmys Kurzgeschichten kamen ihm unter die Hände. Sie waren so geschickt aufpoliert worden, daß von Elliot Alwines charakteristischem Stil fast nichts zu merken war, rochen aber immer noch mehr nach Alwine als nach Jimmy. Na ja, so war das auch wieder nicht; der Junge hatte schon ordentliche Arbeit geleistet. Sänger brauchten Korrepetitoren, Schauspielerinnen brauchten Friseusen und Maskenbildner, Schlagerkomponisten brauchten Arrangeure; warum sollte sich ein junger Schriftsteller nicht von einem Profi helfen lassen? Eine gute Anleitung war immer nützlich, wollte sich ein talentierter Anfänger eine Ecke des steilen Weges abschneiden.

Die Geschichten waren prima, und das sagte er Alwine auch.

»Eins muß ich dir sagen, Harry«, erklärte Alwine mit heiserer Stimme. »Bitte verlang nie wieder so etwas von mir. Ich hab mich daran gewöhnt, mit einer roten Laterne vor meiner Haustür zu leben, aber ich habe wegen dieses Auftrags mehr gesoffen, als meinem Zwölffingerdarm guttut.«

»Dein übertriebenes Standesbewußtsein wird dich schneller fertigmachen als der Fusel, Elliot! Setz dich nieder, denn du bist mit deiner Arbeit noch nicht ganz fertig. Wie heißt dieses verkannte Genie – der Herausgeber von *Carver's Weekly*, von dem du mir immer erzählt hast?«

»Verlang nicht *das* von mir, Harry!«

»Wohnt er nicht in Chicago? Ruf ihn noch heute an und sag ihm, du wärst durch Zufall auf zwei Kurzgeschichten eines jungen Autors gestoßen; die besten, die du seit Jahren gesehen hast. Du wirst sie ihm expreß hinüberschicken, und er soll dir gleich Bescheid geben. Und gib ihm unauffällig zu verstehen, daß James Orlando mein Sohn ist. Betone aber, daß nur die Qualität der Geschichten ausschlaggebend sein soll.«

»Ich kenne Terry Hines. Nicht einmal Gottes Sohn könnte ihm eine schlechte Geschichte andrehen.«

»Von Massenmedien verstehe ich ein bißchen mehr als du, Elliot. Es gibt keine Zeitschrift, vom *New Yorker* angefangen bis zu *Time* oder *Harper's*, die nicht schon seitenlang über mich geschrieben hätte. Und nur aus ganz krassen kommerziellen Erwägungen: weil sie wissen, daß mein Name die Auflage erhöht. Dein hochgestellter Freund wird Geschichten von James Orlando veröffentlichen. Er würde sie bringen, selbst wenn nichts weiter drinstünde als ›Guten Tag, Leute, hier bin ich.‹ Ich weiß das, und du weißt es auch. Er wird diese zwei veröffentlichen, weil sie verdammt gut sind.«

»Aber sie sind nicht von James Orlando«, protestierte Alwine.

»Natürlich sind sie das! Hast ihm eben ein wenig bei der Redaktion geholfen, wenn jemand fragen sollte. Aber das wird keiner. Hier! Das ist Jimmys Adresse in New York. Dorthin können sie ihm das Honorar überweisen.«

»Harry . . .«

»Du bist wirklich prima, Elliot. Wir haben doch von einem kleinen Bonus gesprochen, nicht wahr? Waren's nicht fünftausend?‹

»Ja, aber . . .«

»Das muß mein geiziger Tag gewesen sein.« Orlando öffnete

sein Scheckbuch und begann zu schreiben. »Hier hast du zehn, Elliot. Ich hab mal einen Artikel gelesen, in dem stand, fünftausend zu kriegen wär nicht schlecht, aber doppelt ist besser als einfach. So was stimmt einen doch nachdenklich, oder?«

Vor seiner Abreise nach Las Vegas ließ Orlando Stan Lourie ins Hauptbüro der Orlando Enterprises kommen, wo sie gemeinsam feststellten, worin Orlandos Unternehmungen bestanden, was sie an diesem Tag wert waren und welchen Gewinn sie abwarfen. Das machte den von Berufs wegen mürrischen Lourie überglücklich. Orlando hatte es nicht anders erwartet, denn Lourie beklagte sich andauernd, Orlando kümmere sich zuwenig um seine Zukunft.

An diesem Tag nun besaß er seine eigene Filmgesellschaft und war Vizepräsident von Nachtlokalen in Hollywood, Miami, Las Vegas, Palm Springs und Acapulco, an denen er mit fünfzehn bis einundfünfzig Prozent beteiligt war. Außerdem gehörte ihm ein Drittel einer führenden Künstleragentur, die früher einmal Warren Seaver Agency geheißen und aus der man ihn vor langer, langer Zeit hinausgeworfen hatte. Seine Investitionen umfaßten Grundstücke, Radiostationen, Hotels, Rennbahnen, Restaurants, zwei Schallplattengesellschaften, sechs Musikverlagshäuser und eine Kette von Herrenmodegeschäften. Er besaß eine erhebliche Anzahl von Aktien, Staatspapieren und Lebensversicherungen. Die Stiftungen, denen er seinen Namen, sein Geld und soviel Zeit zur Verfügung stellte wie er erübrigen konnte — Universitätsstipendien, Beihilfen für medizinische Forschungen und eine Reihe anderer —, blühten und gediehen.

Orlando zündete sich eine Zigarette an und lehnte sich zurück. »Ich weiß, daß die Frage unfair ist — aber nimm an, du müßtest Harry Orlandos Vermögen über den Daumen schätzen ... Was würdest du sagen?«

Lourie blickte nachdenklich zur Decke. »Hm ... nicht weniger als sieben und nicht mehr als neun Millionen Dollar.«

»Schön. Laß die Stiftungen und die philanthropischen Einrichtungen weiter blühen — und liquidiere so viele meiner Unternehmungen, wie du kannst.«

Lourie blieb der Mund offen.

»Ich hab's satt, Stan«, sagte Orlando. »Ich will 'raus. Ich bin wie ein Zigeuner, der sich alles, was er hat, in die Taschen stopft und zum nächsten Jahrmarkt weiterzieht. Früher war ich ganz außer mir, wenn ich in *Fortune* oder im *Wall Street Journal* eine Notiz über mich fand. Aber jetzt langweilt es mich zu Tode.«

»Das ist die Campbell-Sache, die aus dir spricht. Du zäumst das Pferd beim Schwanz auf – wie üblich. Du siehst Campbell schon als Präsidenten und dich als Herrn Wichtigmacher persönlich in der Georgetowner Gesellschaft.«

»Könnte sein.«

»Selbst wenn Campbell Chancen hätte, wäre diese Massenliquidierung völlig sinnlos. Aber er hat keine.«

»Darüber müssen er und ich uns den Kopf zerbrechen, nicht du.«

»Meinst du das wirklich ernst? Hast du überhaupt darüber nachgedacht?«

Orlando seufzte. »Verdammt noch mal, Stan, wir kennen einander schon, seit wir mit George Sowieso den Delaware überquert haben. Wann wirst du endlich unterscheiden lernen, ob ich etwas ernst meine oder nicht? Jetzt geh schön und tu, was ich dir gesagt habe.«

»Eine Frage«, sagte Lourie und ließ seine Aktentasche zuschnappen. »Was machst du, wenn Campbell es nicht schafft?«

»Weinen natürlich.«

Orlando fuhr heim, wo Chris Harris und das Orchester ihn schon erwarteten, um die neuen Nummern und Arrangements zu besprechen, die er in Las Vegas herausbringen wollte. Harry fühlte sich entspannt und in guter Verfassung. Hobie servierte ihm einen Scotch, der es in sich hatte, und Chris machte ihn mit Fran Barclay bekannt. Sie war ein hübsches Ding, trug einen engen, zinnoberfarbenen Sweater und hatte einen Busen, der anscheinend mit einem Bleistiftspitzer behandelt worden war. Es sollte ihr erster Auftritt in einer großen Show werden, teilte Chris ihm mit; ihre Nummer war unmittelbar vor der seinen eingeteilt worden.

Sie sah verdammt lecker aus – und willig. Nachdem Chris sie alleingelassen hatte, fragte Orlando: »Wie alt bist du, Kleine?«

»Zwanzig. Werd ich übermorgen.«

»Heutzutage heißt kein Mensch mehr Fran Barclay, außer in alten Rosalind-Russell-Filmen. Wie heißt du wirklich?«

Sie errötete leicht und lächelte süß; nicht ganz jungfräulich, aber immerhin. »Betty D'Anunzio.«

»Du kommst von drüben? Mach keine Witze!«

»Stimmt!«

»Wer hat dir eingeredet, daß Fran Barclay besser klingt als Betty D'Anunzio?«

»Ihr Büro, Mr. Orlando. Mr. Moschetta hat sich den Namen ausgedacht.«

»Na fein. Also, in Vegas werden wir als Betty D'Anunzio und Harry Orlando auftreten oder gar nicht. Ist das klar?«

Sie war verlegen und entzückt zugleich. »Ja.«

»Noch was! Ist deine Stimme sexy, wenn du singst?«

Sie blinzelte, aber sie versuchte, auf seiner Wellenlänge zu bleiben. »Ja, ich denke schon. Ich habe mir an Ihnen ein Beispiel genommen. Sie haben das in Ihrer Stimme.«

Er nickte. »Darum muß ich meinen Hosenladen nicht offenlassen, wenn ich singe.« Er deutete auf ihren Busen. »Du hast da vermutlich ganz entzückende Scheinwerfer, Betty D'Anunzio, und ich bin der letzte in diesem Land, der dagegen etwas einzuwenden hätte. Aber vor dem Mikrofon will ich ein feines Mädchen sehen, gedämpfte Farben, geschmackvoll angezogen – ohne diesen silbernen Nagellack und diesen knalligen Lippenstift. Und ich will, daß du was von deinen entzückenden Scheinwerfern sehen läßt. Aber sie sollen dem Publikum nicht in die Suppe fallen, weil deine Stimme sonst nicht über die Rampe kommt. Hast du das kapiert, Betty D'Anunzio?«

»Na ja, wie Sie sich ausdrücken ...«

»Ja oder nein?«

»Ja, natürlich. Ich will alles so machen, wie Sie sagen, Mister Orlando.«

»Fein, Bambina.« Er klopfte ihr auf die Schulter und schlenderte gemächlich zum Orchester hinüber, das schon auf ihn wartete. »Fangen wir an, Maestro!«

Orlando-Evergreens wurden nie geprobt, denn seiner Meinung nach war es Zeitverschwendung, eine bereits vollkommen gemeisterte Aufgabe noch weiter perfektionieren zu wollen. Er schwang sich auf einen hohen Chromstahlhocker und schlug die Beine übereinander. »Machen wir mal die ›Geschichte meines Lebens‹.« Chris, der versucht hatte, ihm das neue Lied auszureden, da es für ein Nachtlokal weder hinlänglich differenziert noch sentimental war, stöhnte, hob aber trotzdem den Taktstock.

Nach einem langen Blick auf das Notenblatt legte Orlando den Kopf zurück und begann mit der ersten Strophe:

»Wenn man ein süßes Küken liebt,
fällt's Heiraten nicht schwer,
und wenn was süßes Kleines kommt
freut's einen um so mehr.
Ich hab nichts gegen einen Ring,
doch steh ich jetzt noch nicht auf so ein Ding,
denn . . .«

Der Rhythmus wechselte, und er sang in schmissigem Walzertakt:

»Ich will noch Junggeselle bleiben
und meine Liebe schenken den Frauen dieser Welt;
will noch mit vielen Mädchen mich vergnügen,
will viele Mädchen noch belügen,
will viele Mädchen noch besitzen . . .
Ich will noch Junggeselle bleiben,
will weiter mich mit Frau'n verbinden, wenn sie kommen;
denn die Monogamie
verkraft ich nie.
Und darum: Junggeselle,
Junggeselle,
Junggeselle will ich bleiben . . .«

Harry blinzelte der kleinen D'Anunzio zu und begann mit der zweiten Strophe. Er fühlte sich groß in Form, bereit, es mit jedem aufzunehmen. Heute zeigte er es ihnen wieder einmal. Dies kannst du nicht tun und das kannst du nicht tun, hatten sie immer eingewendet. Diese Art Lieder kannst du nicht singen, das würde das Publikum nicht zulassen. Du kannst nicht zu singen aufhören und Schauspieler oder Industriekapitän werden, das würde das Publikum ebenfalls nicht erlauben. Du kannst nicht mit jedem Weibsstück schlafen, das dir gerade über den Weg läuft, das wäre dem Publikum auch nicht recht. Und du kannst nicht alles hinschmeißen, was du dir erarbeitet hast, und einen Verlierer wie Campbell zum Gewinner machen. Auch daran hätte das Publikum etwas auszusetzen.

»Und darum: Junggeselle,
Junggeselle,
Junggeselle will ich bleiben . . .«

Er hielt den letzten Ton, voll, reif und triumphierend, mit der gleichen Kraft wie vor zwanzig Jahren. Chris Harris lächelte und schüttelte den Kopf. Das Lächeln sollte heißen: Jawohl, verdammt, du hast doch noch was aus dem Lied gemacht.

Orlando erwiderte das Lächeln, und die Probe ging weiter. Es war eine unbeschwerte und fruchtbare Arbeit, bei der er und alle andern ihr Bestes gaben. Er bekam keine Wutanfälle mehr, wenn ein Hornist danebenblies oder wenn ihn jemand unterbrach. Er hatte gelernt, sich nur mit den besten Mitarbeitern zu umgeben; und für diese Leute war er der Beste. An diesem Tag lief alles nach Wunsch, aber plötzlich hatte er genug. Er stieg von seinem Hocker, winkte Betty D'Anunzio herbei und hob sie auf den Stuhl. Sie kicherte verlegen. Seit Jahren schon hatte er kein Kichern mehr gehört, das ihm nicht unangenehm aufgefallen wäre. Aber ihres war wohltuend. Und sie selbst war es auch. Wie sie sich wohl im Bett machen würde?

»Jetzt zeig mal, was du kannst, Prinzessin«, sagte er, stand auf und ging zu Cutler hinüber, seinem Werbeagenten. Das Orchester setzte mit dem »Straßenbahnlied« ein. Er blieb stehen und hörte Betty zu. Sie war gut, und Orlando stellte mit Genugtuung fest, daß sie sich Mühe gab, sich selbst und keine zweite Garland darzustellen. In diesem Sinn äußerte er sich auch zu Jeff Cutler.

»Ja, ja«, stimmte ihm Cutler zu. »Die wird's noch weit bringen.«

»Was tut sich in ihrem Schlafzimmer?« erkundigte sich Orlando.

»Sie geht mit Phil Burke.« Phil leitete den Night Club in Las Vegas; ihm gehörte die eine Hälfte davon, Orlando die andere. »Soviel ich weiß, läßt sie keinen andern drüber.«

»Diese Worte muß ich schon mal gehört haben«, meinte Orlando und grinste. Er war ganz erstaunt, daß es ihm anscheinend nichts ausmachte, ob sie ihn drüberließ oder nicht. Sein Weg führte nach Washington; das spürte er immer stärker. Und nach Washington geht man mit Miriam und Jimmy. Ohne Betty D'Anunzio.

Sie sang ein sentimentales Lied, und er hörte ihr aufmerksam zu. Plötzlich sagte Cutler leise: »Ich war gestern in San Francisco. Rate mal, wer mir dort den Rücken gezeigt hat?«

»Wer?«

»Ich hatte mir fest vorgenommen, es dir nicht zu erzählen.«

»Na, komm schon, du kleiner Schäker. Wer?«

»Noreen.«

Der Name traf ihn wie ein Faustschlag. Gespannt sah er Cutler an. »Weiter!« sagte er befehlend, und seine Stimme klang heiser.

»Ich sah sie in der Geary Street. Zuerst war ich nicht sicher ... das Haar war blond, und sie machte einen so ... schäbigen Eindruck und ... na ja, es sind doch Jahre vergangen, seit ich oder sonst jemand von unseren Leuten sie gesehen hat. Ich hatte eine Verabredung, aber ich folgte ihr ein paar hundert Meter. Einmal war ich nicht sicher, dann doch wieder, dann wieder nicht ... Aber ihr Gang – ich habe noch nie eine Frau so gehen gesehen wie Noreen. Aber wozu erzähle ich dir das alles? Ich war ja fest entschlossen, es für mich zu behalten und es dir nicht ...«

Harrys Augen funkelten. Er befahl ihm, weiterzusprechen.

»Also, ich wollte schon zu meiner Verabredung gehen. Dann sah ich sie. Und sie erkannte mich. Ich lächelte sie an, wollte auf sie zugehen und sie begrüßen. Aber sie rannte die Straße hinunter, weg von mir. Das ist alles. Sie war's hundertprozentig.«

Er soll doch den Mund halten, dachte Orlando. Frag ihn nichts. Sag kein Wort. Vergiß es. Ist doch nicht schwer. Ja.

Betty D'Anunzio war mit ihrem Lied zu Ende. Sie schaute zu Orlando herüber und wartete auf seine Meinung. »Prinzessin«, sagte er und küßte sie auf die Stirn, »ich weiß nicht, wo du dich versteckt gehalten hast, aber in Las Vegas wirst du ganz groß sein, und ich werde dich persönlich vorstellen.« Dann wandte er sich an Chris und das Orchester: »Behandelt mir die Dame mit Respekt, ihr Schnapsköpfe. Heute in einem Jahr wird sie die Horne, die Garland und Ella arbeitslos gemacht haben.« Dann drehte er sich um und ging zur Tür, ohne auf ihre Antwort zu warten. Mit einer Geste lud er Cutler ein, ihm zu folgen.

In der Bibliothek füllte er zwei Gläser mit Whisky und drückte Cutler eines davon in die Hand. »Was meinst du?« fragte er dann mit finsterem Gesicht. »Sie sah schäbig aus? Schlampig? Betrunken?«

»Habe ich schäbig gesagt? Ja, vielleicht war das Wort richtig gewählt. Sie sah müde aus, so als hätte sie aufs Schlafen vergessen. Ach, sie hat noch immer eine tadellose Figur, aber ich wurde das Gefühl nicht los, jemand hätte sie in eine Waschmaschine gesteckt und dann zu bügeln vergessen. Und das gelbe Haar ... sie hatte so was Verhurtes an sich. Das ist mir früher nie an ihr aufgefallen!«

Sie schwiegen eine Weile. Dann sagte Cutler: »Es tut mir leid, Harry.«

»Was?«

»Ich hätte mein großes Maul halten sollen. Immer muß ich gleich alles ausplaudern. Ich weiß nicht, was da in mich fährt.«

Das war nicht der Mann, dem man sich anvertrauen konnte. Orlando setzte sein unbekümmertstes Lächeln auf und hob das Glas. »Brich nicht gleich in Tränen aus, Freund. Ist mir doch piepegal, was sie treibt. Weißt du denn noch nicht, daß ich mich in Betty D'Anunzio verliebt habe? Übrigens: Fran Barclay kannst du begraben; das Mädel wird Las Vegas mit seinem richtigen Namen erobern.«

Zur ersten Show Orlandos mit Bert Noah und Al Barron setzte ein Massenansturm ein, wie Las Vegas ihn noch nie erlebt hatte. Agioteure verlangten zwei-, dreihundert Dollar für eine Eintrittskarte und bekamen sie auch. Die Show sollte drei Tage auf dem Programm bleiben, drei Vorstellungen pro Abend. Hotelzimmer waren schon Wochen vorher bestellt worden; oft von Leuten, die nicht einmal über die Straße gegangen wären, um das Letzte Abendmahl in Originalbesetzung zu sehen.

Die Show begann mit Bettys Auftritt. Orlando brach sein Versprechen, sie persönlich vorzustellen, und sie zeigte Verständnis dafür: Es hätte seine Wirkung auf das Publikum abgeschwächt, wäre sein erstes Auftreten nicht als Sänger erfolgt. Aber er stellte sie über die Lautsprecheranlage vor. »Hier ist Orlando«, sagte er ins Mikrofon. Im Saal wurde es mit einem Schlag still. »Hören Sie mir gut zu. Ich bitte mir absolute Ruhe aus. Der erste, der einen Löffel fallen läßt oder mit seinen Eiswürfeln im Glas herumklimpert oder seinen Scheck mit kratzender Feder unterschreibt, bekommt es mit mir zu tun — und ich bin ein schrecklicher Raufbold. Ich wünsche deswegen absolute Ruhe, weil die junge Dame, die jetzt für Sie singen wird, das hübscheste Mädel ist, das Sie je gesehen haben, und den prächtigsten Blasebalg besitzt, den Sie je gehört haben. Wenn Sie schon längst vergessen haben werden, daß Sie hergekommen sind, um ein paar verkrachte Unterhalter zu sehen und zu hören — diese junge Sängerin werden Sie nicht vergessen. So, jetzt können Sie Lärm machen, aber nur, um zu applaudieren. Betty D'Anunzio!«

Stürmischer Applaus mischte sich in das Gelächter, denn Harry hatte ihn befohlen. Betty war zwölf Minuten lang auf der Bühne. Sie hatte eine besonders schwierige Aufgabe vor sich: Orlandos Verehrer, die sich nicht für sie interessierten, dazu zu bringen, ihr doch Aufmerksamkeit zu schenken. Und sie bewältigte sie großartig. Die Stille wurde nur vom Applaus unterbrochen, und das Publikum klatschte, weil sie wirklich gut war. Während Betty ihre letzte Nummer, ein Liebeslied, sang, schaute sie oft zur Kulisse; dorthin, wo eine Zigarette glimmte.

»Er ist mein König,
mein ganz besonderer König;
ich lieb ihn sehr, er mich ein wenig.
Es ist nicht leicht, ihn festzuhalten:
Schon morgen ist er fort,
doch heute ist er bei mir,
und ich bin dankbar
dafür.
Der König, das weiß ich,
macht mit mir, was er will,
er singt, wenn eine andere Frau ihm winkt, das weiß ich;
doch er ist der König,
mein ganz besonderer König,
und meinen König werd ich immer lieben.«

Und dann ging es richtig los. Rod Keyes war nicht mehr mit von der Partie – Orlando hatte strikte Anweisungen gegeben, nichts über die Gründe verlauten zu lassen, warum er dem Ensemble nicht mehr angehörte –, aber Al Barron und Bert Noah kamen auf die Bühne geschossen und ließen keinen Zweifel daran aufkommen, daß sie nicht übrigbleiben wollten. Bert hatte seine Hornbrille aufgesetzt und beleidigte die Zuhörer mit so schlagfertigen Ausfälligkeiten, daß sie nicht genug davon bekommen konnten. Al mit seinem watschelnden Gang und dem leise schmachtenden Gesangsstil verfügte über ein unerschöpfliches Reservoir schmutziger Witze, mit denen er bei Partys Anstoß erregte, aber in Nachtlokalen gut ankam. Abwechselnd machte einer den Komiker, während der andere ihm die Stichwörter lieferte. Sie sangen schlüpfrige Parodien von Orlando-Evergreens. Sie tanzten. Sie schnitten Gesichter. Wie zwei krachschlagende Lausbuben, die sich freuten, die Erwachsenen zum Lachen bringen zu können, sausten sie übermütig auf der Bühne herum und drängten sich zwischen den Tischen durch.

Und dann gesellte sich ohne Ankündigung Orlando zu ihnen. Er kam aus der Küche; hoch über seinem Kopf hielt er ein Tablett mit einem Stoß Teller. Das zunächst unsichere Lachen schwoll zu einem Sturm an, es gab donnernden Applaus. Er spielte und machte Späße mit ihnen, brachte die alten Tingeltangel-Blackouts und die klassischen Klamaukparodien. Al Barron sang, Bert Noah machte den Clown. Beide waren urkomisch, und doch konzentrierte sich die Aufmerksamkeit des Publikums auf Harry Orlando. Seine Gefährten pflaumten ihn an und nahmen ihn hoch, aber ihr stillschweigendes Eingeständnis, daß er der König war, der Kopf, die Triebkraft des Ganzen, trat offen zutage. Orlandos Spiel schwankte zwischen unantastbarem Selbstvertrauen und Zurückhaltung, jeden Hauch von Blasiertheit vermeidend.

Dann stand er allein auf der Bühne, nur von einem Punktscheinwerfer angestrahlt. Er begann zu singen. Der riesige Saal verwandelte sich in einen kleinen, intimen Raum voll Liebender. Kein Löffel fiel zu Boden, kein Eiswürfel klimperte im Glas. Fast eine Stunde lang war er mit diesen Menschen eins, und als er gemächlich die Bühne verließ, waren sie erschöpft, nicht er. Stürmischer, langanhaltender Applaus suchte vergebens Zugaben zu erzwingen. Er nahm das Glas, das ihm ein Kellner reichte, rührte niedergeschlagen darin um und ging in sein Appartement.

Die Kleider klebten ihm am Leib. Er zog sie aus und ließ sie in einem Haufen auf dem Boden des Badezimmers liegen. Dann duschte er, trocknete sich ab und rief Patsy herbei, um sich von ihm massieren zu lassen.

Er lag auf dem Bauch, die Fäuste unter das Kinn gepreßt. »Junge«, sagte er schlaftrunken, »was machst du eigentlich hier bei mir?« Einen Augenblick lang blieben Patsys Finger ruhig.

»Was?«

»Du hast schon richtig gehört. Warum tust du immer so, als würdest du nichts hören und nichts verstehen? Ich habe dir eine ganz einfache Frage gestellt: Was machst du hier bei mir, warum räumst du hinter mir auf, warum massierst du mir den Rücken? Würde ich dir befehlen, aus dem Fenster zu springen, tätest du's wahrscheinlich auch. Warum?«

»Tja ... du fragst mich da ...«

»Dabei zahl ich dir nicht einmal ein Gehalt. Ich behandle dich so, als wärst du gar nicht da. Freut dich so ein Leben?«

Patsy räusperte sich. »Ich zerbrech mir nicht den Kopf darüber.«

»Du zerbrichst dir nicht den Kopf darüber? Erzähl mir mal was von deinem Kopf. Was geht da drin eigentlich vor?«

»Eine Menge Dinge.«

»Zum Beispiel? Bist du nie neidisch auf das, was ich habe und du nicht? Nie?«

»Ach nein, Harry. Du hast hart arbeiten müssen. Niemand hat dir geholfen. Wenn ich so sein könnte wie du, würde ich – so sein wie du. Aber das kann ich nicht, und das ist ganz in Ordnung. Was meinst du, was ich hier bei dir mache? Wo soll ich denn sonst hingehen?«

»Du bist noch jung und könntest etwas erreichen«, log Orlando. »Es ist ja meine Schuld, Junge. Als ich dich aus New York holte, hätte ich dich in eine Schule geben und mich darum kümmern sollen, daß du etwas lernst und der Welt eine Nase drehen kannst. Das ist doch nicht das Wahre, im Schatten eines andern Menschen zu leben.«

Patsy versuchte wieder einmal vergeblich, seine Gedanken in Worte zu fassen. »Harry«, sagte er schließlich, »ich kann mir nichts Besseres wünschen, als für dich zu arbeiten.«

Orlando schnaubte und seufzte. Irgendwie liebte er seinen Bruder, aber er wünschte, sie hätten sich mehr zu sagen.

Zwei Kellner brachten das Dinner, Bachforelle und Chablis, und er beendete das Gespräch und begann zu essen.

Bert und Al schien die Arbeit Spaß zu machen, aber für Orlando wurden die drei Abende zu einer lästigen Plackerei. Es überraschte ihn nicht, daß Betty vor einer der Vorstellungen auf ihn zukam und ihm deutlich zu verstehen gab, daß sie jederzeit bereit wäre, Phil Burke den Laufpaß zu geben. Das Angebot reizte ihn, aber er erinnerte sich an den Ausdruck in Phils Gesicht, wenn das Mädchen sang. Er tat, als verstünde er Betty nicht, und gab sich väterlich. Damit er nicht doch in Versuchung geriet, ließ er sich eine gertenschlanke Bambina aus der Stadt kommen, die zu gelegentlichen persönlichen Dienstleistungen bereit war.

Es war Las Vegas, wo seine Unterstützung für Grant Campbell offiziell auf Touren kam. Er erfuhr, daß Royce Meredith, Senator aus Michigan, mit seiner Frau der ersten Vorstellung beiwohnte, und suchte ihn in der Pause auf. Meredith war ein verantwortungsbewußter, von allen geachteter Gemäßigter in Campbells Partei; in San Francisco würde seine Stimme bei Delegierten seines Niveaus viel Gewicht haben. Orlando, der sich sonst nie unter die Zuschauer mischte, lud die Merediths auf einen Drink ein und blieb während der Pause bei ihnen sitzen. Er verstand es, die Unterhaltung geschickt auf die Gerüchte zu bringen, die sich auf sein Interesse an Grant Campbell bezogen.

»Es sind nicht nur Gerüchte«, sagte Orlando. »Meine Freunde und ich werden uns sehr bemühen, Sie und andere gediegene Persönlichkeiten für Grant zu interessieren.«

»Ich gebe zu, ich bin schrecklich neugierig«, entgegnete Meredith. »Sie rackerten sich für Joe Haywood ab; Sie gehörten zu seinen treuesten und lautstärksten Anhängern.«

»Das wäre ich auch heute noch.«

»Warum wollen Sie dann nicht für Miles Quinlan die Trommel schlagen, wenn ich fragen darf? Miles' Politik ähnelt doch im wesentlichen der Joseph Haywoods. Warum wollen Sie und Ihre ... eh ... Freunde für Campbell eintreten? Ich habe mein Leben lang meine Partei immer unterstützt und für Männer gestimmt, die ich nicht in mein Haus einladen würde – aber alles hat seine Grenzen. Ich halte Grant für einen netten Kerl und – aus einer Reihe von Gründen – für einen Narren. Außerdem steht er für meinen Geschmack zu weit rechts, und ich könnte mir vorstellen, daß meine Einstellung noch um einiges konservativer ist als die Ihre, Mr. Orlando. Was gefällt Ihnen so an ihm?«

»Ich habe mit ihm gesprochen, Senator. Ich bin davon überzeugt, daß er der einzige aufrichtige Kandidat ist, weil er sich sozusagen vor unseren Augen emporarbeitet. Ich achte und ich schätze Quinlan, aber ich wünsche mir eine dynamische Regierung, und soviel gute Eigenschaften er auch immer haben mag – ich kann mir nicht vorstellen, daß er die Absicht hat, ordentlich umzurühren. Grant Campbell wird sich wesentlich attraktiver und für die Mehrheit schmackhafter erweisen, als heute noch allgemein vermutet wird.«

Er redete und redete. Meredith schien beeindruckt zu sein; zweifellos war es sein Drachen von Frau, denn Orlando versäumte es nicht, ihr von Zeit zu Zeit einen bewundernden Blick zuzuwerfen. Als die nächste Show näherrückte, dankte ihm Meredith für seinen Besuch, und Orlando verließ ihn mit dem Gefühl, daß der Senator

Campbell zwar nach wie vor für einen Narren hielt, aber ihm zumindest zuhören würde, sobald die Wahlkampagne angelaufen war; vor allem nach der Programmrede, in der der Pfadfinder sich von Victor Wades Freunden lossagen wollte.

Am dritten Tag in Las Vegas, gegen Mittag, empfing Orlando Ted Sandover, einen Reporter der Associated Press, der ihn schon seit Monaten über das Showbusineß interviewen wollte. Sie saßen auf der Dachterrasse in der strahlenden Sonne, und Orlando wiederholte einen Großteil dessen, was er am Abend vorher Meredith erzählt hatte. »Das werden wir drucken«, sagte Sandover, der sein Staunen kaum verbergen konnte.

»Deswegen habe ich Sie auch herbestellt«, nickte Orlando.

Die neunte Show ging am Sonntag um vier Uhr früh zu Ende. Es war eine rüpelhafte, unzusammenhängende und improvisierte Angelegenheit, in deren Verlauf auf der Bühne viel getrunken und grober Unfug getrieben wurde. Wer von Orlandos, Berts und Als Freunden in der Stadt war, war gekommen, um an dieser letzten Show, die eher einer Feldschlacht glich, teilzunehmen. Sie unterbrachen die Sketche und Lieder und richteten ein wildes Durcheinander an; das Publikum schien größten Gefallen daran zu finden. Selbst Orlando, der normalerweise keinen ungeplanten Unsinn gestattete, solange er auf der Bühne stand, entschloß sich mitzutun. Und weil es die letzte Vorstellung und weil er müde war, ließ er die Freunde gewähren und ermunterte sie sogar, die Show in ihre Bestandteile zu zerlegen. Alle tranken, auch er. Als ihm sein sechster Sinn riet, Schluß zu machen und die Leute nach Hause zu schicken, war er fast ebenso voll wie die meisten seiner Freunde.

Er wollte noch an einem Würfeltisch sein Glück versuchen, aber die Gaffer und die Autogrammgimpel und all die andern netten Idioten ließen ihn nicht in Ruhe. Er gab seinen Freunden bekannt, daß er in fünf Minuten eine Galaparty in seinem Appartement steigen lassen würde, und trug dem Nachtportier auf, ab sofort für ein Meer von Alkohol und eine Tonne Sandwiches zu sorgen. Die gertenschlanke Bambina begleitete ihn mit wiegenden Hüften nach oben.

Patsy wurde aus dem Schlaf geweckt. Er mußte Barmixer und Kellner spielen, bewußtlose Säufer wieder zum Leben erwecken und helfen, die Party in Schwung zu halten. Orlando zeigte sich von seiner fröhlichsten und geselligsten Seite. Seine Kumpel und deren Freunde torkelten laut schreiend in das Appartement. Er stellte Ihnen die gertenschlanke Bambina als polnische Köchin vor, die er bei einem Backwettbewerb kennengelernt habe. Alle Anwesenden fanden das urkomisch. Er trank fleißig, weil alle anderen das gleiche taten. Es kostete ihn Mühe, weiterhin charmant zu jenen Gästen zu sein, die viel zu laut waren und die ihn überhaupt nicht mehr unterhielten. Dann begann das schmerzhafte Hämmern in seinen Schläfen, und er fürchtete, der Kopf würde ihm zerspringen. Er fragte sich, wozu er eigentlich diese Menschenmassen eingeladen hatte. Sobald er sich loseisen konnte, taumelte er schwerfällig ins Badezimmer. Vielleicht half es, wenn er den Kopf unter die Brause steckte. Jetzt hatte er keine Lust, eine Alkoholleiche zu spielen.

Er wusch sich das Gesicht. Es fühlte sich heiß und steif an. Dann schluckte er zwei Aspirin und ging ins Schlafzimmer, wo er wartete, bis das Pochen in den Schläfen aufhörte. Auf dem Nachttisch lagen ein paar Zeitungen, und er griff instinktiv nach einer, die in Los Angeles erschien und Bill Temples Spalte brachte. Das war vielleicht nicht das beste Mittel, die Kopfschmerzen zu vertreiben; in seinem Hirn ging alles durcheinander, und die Buchstaben verschwammen ihm vor den Augen. Aber es gelang ihm, die richtige Seite aufzuschlagen, und tatsächlich entdeckte er Campbells Namen gleich im ersten Absatz des Artikels.

Er bekam die einzelnen Sätze nicht so ganz mit, aber er wußte, daß es sich wieder einmal um einen Angriff gegen Campbell und seine Schlägertrupps handelte. Einige Zeilen allerdings zwang er sich mit größter Aufmerksamkeit zu lesen: »Reaktionären und Hohlköpfen, die sich nach Campbells Futterkrippe drängen, mag man ihren Wahnsinn verzeihen, denn sie wissen nicht, was sie tun. Unentschuldbar hingegen erscheinen mir die armen Seelen, die einen Druckposten wittern und ihm nachjagen, weil sie, wie so viele vor ihnen, glauben, nur die anderen würden zu ideologischen Schlachtopfern werden.«

Verärgert griff Orlando nach dem Telefon, um Temple anzurufen und ihm zu sagen, er solle nicht Verstecken spielen, sondern die armen Seelen nennen, von denen er da sprach. Wie war doch die Nummer?

Ein bestimmtes Klopfzeichen ertönte. »Ja«, rief Orlando. Patsy kam herein. »Du hast nicht gut ausgeschaut, wie du verschwunden bist, und warst so lange aus«, erklärte Patsy. »Ich wollte nur mal sehen, wie es dir geht.«

»Komm rein und mach die Tür zu!« sagte Orlando und deutete auf den kleinen Kühlschrank im Schlafzimmer. »Gib mir bitte ein Glas Milch.«

Patsy brachte die Milch ans Bett, auf dem Orlando angekleidet lag. Er nahm das Glas und deutete seinem Bruder mit einer Handbewegung an, sich auf einen Stuhl zu setzen. Patsy sah ihn erstaunt an und gehorchte.

»Kennst du Bill Temples Privatnummer in Washington?«

»Die hab ich gleich. In einer Minute.« Patsy griff nach dem Telefon.

»Der beste Freund, den ich je hatte, und jetzt will er mich fertigmachen.«

»Temple? Dich fertigmachen?«

»Der Saukerl!« Orlando nickte. »Du hast ihn doch immer für große Klasse gehalten. Erinnerst du dich?«

»Mir hat es gefallen, wie er redet. Es klang so gebildet.«

»Gebildet!« schnaubte Orlando verächtlich. »Ich bin keine große Klasse und nicht gebildet, aber ich war wenigstens noch nie eingesperrt. Da kommt so ein Kerl, so ein Knastschieber, der unter Anklage wegen Pornographie steht, und will mich – *mich* – belehren, wie ich mich benehmen soll. Es ist zum Kotzen.«

Ich muß mit jemandem reden, dachte Harry. Ich muß doch wem erzählen, was Bill mir antun will. Aber warum ausgerechnet Patsy? Warum nicht? Es gibt Dinge, die man gegen eine Wand schreien muß, und Patsy ist diese Wand.

Und so erzählte er von dem schweinischen Buch und von dem Staatsanwalt in Alabama, von Glashäusern, aus denen man nicht mit Steinen werfen sollte, und davon, wie unrecht es von einem Menschen war, jemanden mit Dreck zu bewerfen, wo er ihn doch selber am Stecken hatte. Und wie es ihm den Magen umdrehte, wenn aus einem Freund ganz grundlos plötzlich ein Feind wurde. Er redete, bis er ein klein wenig klarer denken konnte und sich dessen bewußt wurde, daß er eine Menge Unsinn zusammenjammerte. Das einzig Gute an diesem Ausflug ins Mitleid mit sich selbst war, daß der Junge keinen blassen Dunst hatte, wovon er eigentlich sprach.

Er selbst wußte es nicht viel besser.

»Geh nach nebenan!« befahl er seinem Bruder. »Sag den Nassauern, sie sollen so lange bleiben wie sie wollen, aber ich kann nicht mehr mitmachen, weil ich in zehn Minuten die Stadt verlasse.«

»So bald schon?«

»Nein. Ich gehe schlafen. Schick mir die Bambina rein!«

Er legte sich nieder, schloß die Augen und träumte im Halbschlaf von Noreen. Es war eine junge, frische Noreen, mit Mokassins an den Beinen, das Haar zu einem Pferdeschwanz geflochten, das Gesicht makellos schön, da sie nicht einmal Lippenrot aufgelegt hatte. Hand in Hand wanderten sie dahin, ihre Hand war weich und warm. Und wie durch Zauber herbeigeschafft, war auch schon ein Bett zur Stelle.

Nun war sie bei ihm und berührte ihn, er hielt sie fest und küßte hungrig ihren Mund, ihre Augen und ihre Brüste, immer und immer wieder. Er betete es an, dieses vollkommene Ding, überwältigte es mit seiner Liebe und staunte zum tausendstenmal, daß so viel schiefgehen konnte und ihre Umarmungen trotzdem höchste Erfüllung brachten.

Sie empfing ihn so unbeschwert und leidenschaftlich, wie sie ihn tausend Male zuvor empfangen hatte; aber ein gelber Mond schien ins Zimmer, und er wurde wach. Sie war ja gar nicht Noreen, sondern etwas, das nie Noreen sein konnte. »Du bist wunderbar, mein Liebling«, flüsterte sie. Voll von Whisky, voll von Leere, begann und vollendete er den Akt mit Kraft und vorgetäuschter Entschlossenheit, indem er so tat, als wäre sie Noreen. Aber es gelang ihm nicht, denn keine konnte Noreen sein.

XI

Vince Moschetta beauftragte – den Anweisungen Orlandos folgend – ein Detektivbüro, Noreen in San Francisco aufzustöbern, falls sie sich dort überhaupt aufhielt.

Ted Sandovers Interview erregte beträchtliches Aufsehen. Grant Campbell wurde im Fernsehen gefragt, ob er Harry Orlandos Beurteilung seiner Person im allgemeinen zutreffend fände. »Ich hoffe, sie ist in jeder Beziehung zutreffend«, antwortete er. »Und selbstverständlich bin ich darüber hoch erfreut, daß ein so harter Kämpfer für die Menschenrechte wie Harry Orlando so schmeichelhafte Worte für mich gefunden hat.«

Auch Orlando erklärte sich bereit, im Fernsehen zu erscheinen. Hierzu wählte er die Lennie-Kirk-Show, ein spätabends ausgestrahltes Sammelsurium aus Plaudereien mit sogenannten Berühmtheiten, das gelegentlich auch anregende Diskussionen brachte und sich stets wachsender Beliebtheit erfreute. Die Show hatte in den sechs Jahren ihres Bestehens immer wieder versucht, Orlando vors Mikrofon zu locken, und sechs Jahre lang war es ihr nicht gelungen. Erst als Kirk ihn daran erinnerte, daß er tun und sagen konnte, was ihm einfiel, ließ Harry sich dazu überreden. »Lassen Sie mich über Grant Campbell sprechen«, schlug er vor.

Kirks Leute sprachen mit ihren Anwälten. Diese stimmten dem Vorschlag in Anbetracht der Tatsache zu, daß Campbells Unterstützung durch Harry Orlando in der Öffentlichkeit bereits Aufmerksamkeit erregt hatte; Orlandos Ausführungen im Rahmen der Show konnten daher im engeren Sinn des Wortes nicht als parteigängerisch gewertet werden. Man traf ein Abkommen, demzufolge auch einem Anhänger Präsident Quinlans zu einem späteren Zeitpunkt die gleiche Sendezeit zur Verfügung gestellt werden sollte. Orlando gab gleich von vornherein bekannt, daß er nicht zu singen beabsichtige.

Die Show wurde schon Tage vorher angekündigt und an einem Montagabend aufgezeichnet. Vor ihm kamen – auf seine ausdrückliche Empfehlung – Betty D'Anunzio, die zwei Nummern sang, ferner ein durchaus nicht prüder Anthropologe, der sich bemühte, ohne lüsterne Seitenblicke über die sexuellen Bräuche irgendwelcher unbekannter indischer Stämme zu sprechen, und Zip Chauncey, ein Negerkomiker, dessen Darbietungen mit bitteren Bemerkungen über Bürgerrechte zweiter Klasse verbrämt waren. Harry konnte sich eines leichten Unbehagens nicht erwehren, als er Chauncey auf einem Kontrollschirm hinter der Bühne beobachtete. Mit Betty, Kirk und dem Anthropologen gemeinsam würde auch Chauncey auf der Bühne stehen, und es fiel ihm womöglich ein, Harry in eine Diskussion über die Ansichten seines Pfadfinders die Bürgerrechtsfrage betreffend zu verwickeln. Er war als ausgesprochener Kampfhahn bekannt und besaß das besondere Talent, windige Liberale zu durchschauen und in der Luft zu zerreißen.

»Und jetzt darf ich Ihnen Harry Orlando vorstellen«, kündigte Lennie Kirk einem Drittel der Fernseher in den Vereinigten Staaten an. Harry kam herausgeschlendert und wurde von starkem Beifall begrüßt. Er schüttelte Kirk die Hand, dann dem Anthropologen und küßte Betty. Als er Chauncey die Hand gab, bemerkte er, daß dieser die Stirn in Falten legte. Er setzte sich neben Kirk und zündete sich eine Zigarette an; der Applaus nahm ab und verstummte schließlich ganz.

»Hab ich Ihren Namen richtig ausgesprochen?« fragte Kirk.

»Das schon, aber bin ich hier an der richtigen Adresse? Das hier ist doch das Dampfbad des Christlichen Jungmännervereins?«

Etwa fünf Minuten lang tauschte man höfliche Scherze aus. Jawohl, er nahm schon an, daß sein neuer Film *Die Liebe schlägt Krawall* bei einem Großteil des Publikums Anklang finden würde. Er lobte Betty, deren Augen vor Dankbarkeit herausquollen, und gab seiner Überzeugung Ausdruck, daß sie nichts mehr daran hindern könnte, ein großer Star zu werden. Er nannte Zip Chauncey den besten Komiker im Land. Er lauschte der langatmigen Theorie des Anthropologen über das Thema »Volksmusik als Pubertätserscheinung«. Dann war es Mitternacht, die Werbeeinschaltungen hatte man hinter sich, und Kirk gab ihm das schon vorher abgesprochene Stichwort: »Was sind Ihre nächsten Pläne?«

»Meinen Freunden zu erklären, warum Senator Grant Campbell unser nächster Präsident werden sollte«, lautete die Antwort.

Diese wenigen Wörter wirkten auf die Anwesenden im Studio wie ein elektrischer Schlag. Kirk wollte wissen, wie es möglich sei, daß ein Anhänger Haywoods gleichzeitig Anhänger Campbells sein könnte; war das nicht so, als würde jemand für Eleanor Roosevelt und Joe McCarty stimmen? »Keineswegs«, erwiderte Orlando. »Woher kommt denn dieses Gerede, Grant

Campbell wolle die Demokratie in Acht und Bann tun? Wer mich kennt, weiß genau, daß ich für echte Chancen für anständige Menschen eintrete. Und ich kenne Grant Campbells Einstellung zu den Problemen unserer Zeit, weil ich mir die Mühe gemacht habe, mich darüber zu informieren. Es liegt mir fern, Ihnen weismachen zu wollen, ich wäre immer und in allen Belangen mit ihm einer Meinung gewesen. Er hat seine schwachen Stellen, seine wunden Punkte – wie auch unser großer Präsident Haywood sie hatte. Aber ich habe diesen Mann unter die Lupe genommen, und ich zweifle keinen Augenblick daran, daß er für unser Land der richtige Mann ist.«

»Schwache Stellen, wunde Punkte ...«, unterbrach Lennie. »Wie Victor Wades Freunde zum Beispiel?«

»Ja, zum Beispiel«, gab Orlando zu. »Das ist ein schmieriges Pack, das mit dem Wort Freiheit Schindluder treibt. Sie haben völlig recht; Senator Campbell hat sie nicht aufgefordert, ihm von der Pelle zu gehen. Und warum? Weil er fest daran glaubt, daß jeder Mensch in diesem Land das Recht auf seine eigene Meinung hat, und mag sie noch so verrückt sein, und daß die Stärke dieses Landes gerade darin besteht, daß es Kritik vertragen kann, ohne gleich den Kopf zu verlieren. Selbstverständlich wäre es mir lieber, er würde all diesen Extremisten in aller Öffentlichkeit die lange Nase zeigen. Ihn selbst als Extremisten zu bezeichnen wäre aber völlig abwegig.«

»Wieso fühlen sich die Extremistengruppen von ihm so angezogen?«

»Fragen Sie sie doch! Vermutlich, weil sie seine Worte anders auslegen, wie sie ja immer bestrebt sind, alles zu mißdeuten. Er spricht von privater Initiative und unteilbarer Freiheit – diese Worte sind wohl klar genug –, und sie interpretieren sie so, als würde er sagen, wir sollten die Vereinigten Staaten den Straßenräubern und Rassenfanatikern überlassen. Ich glaube nicht, daß sie tatsächlich für ihn sind; aber vielleicht haben sie sich auf Grant Campbell festgelegt, weil er der einzige Kandidat zu sein scheint, der für die Beschränkung der Machtbefugnisse der Bundesregierung eintritt. Aber wenn sie das als Unterstützung für eine Regierung nach ihren Vorstellungen auffassen, sind sie sehr auf dem Holzweg.«

Kirk brachte die Bürgerrechtsfrage aufs Tapet. Orlando warf

einen Blick auf Zip Chauncey, in dessen Stirnrunzeln er ein deutliches Gefahrenzeichen zu erkennen glaubte.

»Also schön«, sagte Orlando, »wollen wir auch darüber sprechen. Präsident Quinlan, dieser große liberale Routinier, spricht immer wieder davon, daß wir eine neue Bürgerrechtsgesetzgebung brauchen. Nun bin ich gewiß nicht Senator Campbells Wortführer – er versteht es selbst sehr gut, seine Ansichten zu verfechten –, aber ich will Ihnen eines sagen: Seiner Meinung nach schadet es mehr, als es nützt, von neuen Gesetzen zu sprechen, denn es gibt genug alte, die in irgendwelchen Schubladen vergessen wurden und Staub ansetzen. Tatsache ist, daß die Bürgerrechtsgesetze schon längst Wirklichkeit wären, hätte man das, was in den Gesetzbüchern steht, auch tatsächlich durchgeführt. Das alljährliche Verabschieden neuer Gesetze ist nichts als ein Tarnmanöver. Das ist Campbells Standpunkt, und ich teile ihn. Er würde weniger reden und dafür mehr leisten.«

Er gab sich einen Ruck, als er sah, daß Chauncey Anstalten traf, das Wort zu ergreifen.

»Damit wäre ich einverstanden«, meinte Chauncey.

Orlando war sprachlos. Und erleichtert.

»Ich weiß nur so viel von diesem Campbell, daß ich ihn als Kind im Kino bewundert habe, wenn er mit einer Ladung gleich zwanzig Apachen abknallte«, fuhr Chauncey fort. »Ob er's jetzt ehrlich meint, weiß ich nicht. Aber seit ich denken kann, sage ich, ihr braucht mir nicht den Kopf zu tätscheln, ihr Bleichgesichter, und mir von all den Gesetzen erzählen, die ihr verabschieden wollt. Hört auf zu plappern und seht zu, daß die, die wir schon haben, auch eingehalten werden. Gebt mir die Rechte, auf die ich schon Anspruch habe, und ich tätschle mir selbst den Kopf.«

Das war eine Erklärung, die sich hören lassen konnte, und Orlando wußte, daß die Zeitungen sie groß herausstellen würden.

Das taten sie auch. Die Sendung wurde nicht nur in den Fernsehanstalten besprochen, sondern auch von allen politischen Kommentatoren – ausgenommen Bill Temple. Er schrieb einen Artikel über Quinlans Budget.

Die meisten Journalisten bezweifelten noch, daß Campbell als ernstzunehmender Anwärter in Frage kam, stimmten aber bis auf den letzten Mann darin überein, daß Orlandos Unterstützung ihm gewaltigen Auftrieb geben würde. Campbell war überglücklich, um so mehr, als er erfuhr, daß Chaunceys Erklärung gewisse Negerführer in einigen Teilen des Landes veranlaßt hatte, ihre Einstellung zu überdenken. »Dieser Chauncey scheint immerhin Einfluß auf seine Leute zu haben«, meinte er. »Ich persönlich habe für seine Art, soziale Fragen humoristisch zu verbrämen, nie viel Verständnis gehabt, aber die Farbigen vergöttern ihn wohl, was?«

»Klar, Boß, die Schwarzen beten ihn an«, erwiderte Orlando. »Ob Victor Wade ihn auch so liebt, möchte ich allerdings bezweifeln.«

»Ach, hör doch auf damit, Harry! Die Wades gehören schon längst der Vergangenheit an. Meine Spione im Programmausschuß haben mir berichtet, daß Wade in der Öffentlichkeit geradezu angeprangert werden wird.« Er seufzte. »Es ist unglaublich, was da vorgeht, wer alles über unsere Kampagne seine Meinung geändert hat – ich meine, was die Delegierten betrifft. Kyle Pontius erzählte mir, daß es Leute in unserer Partei gibt, die mir bis jetzt überhaupt keine Aufmerksamkeit geschenkt haben und sich nun ernsthaft mit mir beschäftigen.«

»Wie sieht's denn in der Synagoge aus? Rabbinermäßig, meine ich.«

»Harry, warum machst du dich unausgesetzt über mich lustig? Leugne es nicht; du gibst dich immer ein ganz klein wenig überheblich, so als dächtest du, ich könnte mir nicht allein die Zähne putzen. Ich möchte, daß du zu meinem Team gehörst, weil du mich ernst nimmst.«

Orlando kniff die Augen zusammen. »Und wenn nicht? Wirst du mich feuern?«

»Du fängst schon wieder an. Sei nicht so streitsüchtig! Ich meine doch bloß . . .«

»Reg dich nicht auf, Grant«, unterbrach ihn Orlando. »Ich nehm dich ja ernst. Wäre ich sonst hier?«

Campbell räusperte sich.

In den letzten Wochen vor dem Parteikonvent nahm Orlando jede Möglichkeit wahr – Fernsehen, Rundfunk, Zeitungen –, für Campbell zu sprechen. Er betrieb für ihn Wahlpropaganda, als sei seine Nominierung eine Selbstverständlichkeit, nicht mehr als eine Formalität, der nun eben einmal Genüge getan werden müsse. Er wußte, daß Delegierte Menschen waren, die ihre eigenen Entschlüsse faßten; er wußte aber auch, daß sie gern auf seiten des siegreichen Kandidaten standen. Er redete so, als sei Campbell der einzige, den man ernsthaft als Quinlans Gegenspieler ansehen, der auf einen Sieg hoffen könne. Er lernte es, an peinlichen und ungelegenen Fragen der Reporter vorbeizureden.

Zwischen den einzelnen Interviews nahm er Verbindung mit allen erdenklichen Freunden auf, sowohl mit Gemäßigten als auch mit Liberalen, von denen er annehmen konnte, daß ihre Meinung den Delegierten zu Ohren kommen würde. Er forderte sie auf, »mit Campbell zu siegen«. Einige von ihnen meinten, er möge sich zum Teufel scheren. Andere wieder zauderten oder versprachen, zu einem späteren Zeitpunkt auf seine Vorschläge zurückzukommen. Eine beträchtliche Anzahl erklärte sich zum Mittun bereit, denn — so sagten sie — es sei klar, daß König Harry nicht mit einem Taugenichts gemeinsame Sache machen würde. Er war hocherfreut, als ihn Phil Burke, sein Partner im Nachtklubgeschäft, aus Las Vegas anrief und ihm mitteilte, daß in den Wettbüros beträchtliche Summen auf Campbell gesetzt wurden.

Bill Temples Angriffe auf Campbell wurden immer heftiger, wenn er auch Orlandos Namen nie erwähnte.

»Soviel ich weiß, bist du doch mit diesem Mann befreundet«, meinte Campbell bei einem kurzen Zusammentreffen. »Was hat er gegen mich?«

»Wahrscheinlich kann er dich nicht ausstehen.«

»Rede doch mit ihm, Harry. Abgesehen vom linken Flügel mit allem Drum und Dran liest ihn ohnehin niemand; aber ich wäre dir dankbar, wenn du mit ihm sprechen und ihn überreden könntest, mich in Frieden zu lassen.«

»Fällt mir nicht ein!«

»Das verstehe ich nicht! Du machst Propaganda für mich und läßt es zu, daß ein Freund von dir mich täglich durch den Wolf dreht?«

»Mach dir nichts draus! Wir kriegen das auch ohne ihn hin.«

»Trotzdem würde ich mich wohler fühlen, wenn wir ihn abschütteln könnten. Jeder Mensch hat seinen Preis, und vielleicht ...«

»Nein, er hat keinen, und ich möchte nichts mehr von ihm oder von irgendwelchen Preisen hören.«

Zehn Tage vor dem Konvent erhielt Vince Moschetta den Bericht des Detektivinstituts. Er überbrachte ihn Orlando. Noreen lebte unter ihrem bürgerlichen Namen Anna Roche in der Jasmine

Street in San Francisco. Sie führte ein ruhiges Leben. Leute, die sie zum erstenmal sahen, hätten schwören mögen, daß sie Noreen Lawrence vom Film sei; darauf pflegte sie zu antworten: »Ich wollt, ich wär's.« Sie arbeitete als Empfangsdame in einem kleinen Nachtlokal, das sich »El Gringo« nannte. Sie war nicht verheiratet, aber eine Reihe von Männern hatte hintereinander die Wohnung mit ihr geteilt.

Empfangsdame in einem kleinen Nachtlokal? Ihre letzten Filme hatten ihr pro Stück vierhunderttausend Dollar eingetragen. Orlando hatte ein paar gute Anlagewerte für sie gefunden und Stan Lourie beauftragt, weitere zu suchen. Empfangsdame in einem kleinen Jazzklub . . .

Drei Tage später ließ er Merle Kinney, der – wie üblich – kurzfristig bereit war, Orlandos Privatflugzeug zu steuern, auf seinen Hubschrauberlandeplatz kommen und sich und Patsy nach San Francisco fliegen. Als sie am Abend um sechs Uhr ankamen, wartete schon ein Mietwagen. Patsy suchte auf einem Stadtplan die Jasmine Street und fuhr Orlando in ein schäbiges Stadtviertel. Sie parkten den Wagen eine Ecke vor der bewußten Straße. Orlando machte sich mit Schlapphut und dunkler Brille auf den Weg. Es war ein schäbiges Haus in einer ebenso schäbigen Straße, und er mußte nur immer wieder daran denken, daß man ihr zuletzt vierhunderttausend Dollar pro Film bezahlt hatte.

Er drückte auf den Knopf neben dem Täfelchen »Roche – Tür 9« und wartete, daß etwas geschah – vergebens. Dann stieg er die alte Treppe hinauf, die unter seinem Gewicht ächzte. Das Haus war schlecht beleuchtet, die Luft zum Schneiden. Neben Tür 9 war keine Klingel. Schwacher Lichtschein drang durch die Ritze unter der Tür. Er klopfte, aber niemand antwortete. Er drehte den abgeschlagenen Knopf und fand keinen Widerstand. Noch nie hatte Noreen eine Tür versperrt, weder von außen noch von innen.

Der große Raum, den er als ersten betrat, glich einer Gedenkstätte für Thomas Edison. Jede einzelne Lampe brannte, obwohl es draußen noch nicht dunkel war. Das Zimmer war ein Triumph der Geschmacklosigkeit: mit abgetretenen Teppichen ausgelegt, einer Menge alter Tische und Stühle, die zuviel Platz einnahmen, mit Mae-West-Puppen und Stofftieren auf dem Sims der Kaminimitation, Bergen von Zigarettenstummeln in einer Unzahl von Aschenbechern, einer winzigen Kochnische mit einem Dutzend leerer Bierdosen, die ihn plötzlich und auf bedrückende Weise an die Unzahl von Limonadeflaschen auf Pearl Sheas Küchenklapptisch in der Tremont Avenue, Bronx, erinnerten. Das Spülbecken enthielt drei schmutzige Teller, eine Kollektion Gabeln und Löffel und ein Bierglas mit Lippenstiftflecken am Rand. Er inspizierte den Kühlschrank und fand zwei Pakete tiefgekühlten Käsekuchen, eine ungeöffnete Flasche Ketchup, ein Glas eingelegte Tomaten ohne Verschluß, etwa ein halbes Pfund Butter auf einem Teller, einen offenen Karton sauren Rahm, einen Plastikbehälter mit Milch, ein fast leeres Einsiedeglas mit Obstsaft und ein Lammkotelett.

Auch im kleinen Schlafzimmer brannten alle Lichter. Das Bett war offen, die Bettwäsche nicht übermäßig sauber. Eine Pyjamahose und ein durchsichtiges, billiges, faseriges, schwarzes Nachthemd lagen zu einem Bündel zusammengeknäuelt am Fußende. Der Einbauschrank zeigte ein unglaubliches Durcheinander von Fetzen, zerknüllten Männer- und Frauenkleidern auf Kleiderbügeln und am Boden aufgehäuft. Im Spiegel über der Ahornkommode steckte eine zehn Jahre alte Fotografie Orlandos, achtzehn mal vierundzwanzig, auf Glanzpapier, mit seinem gedruckten Autogramm. Jemand hatte ihm mit Lippenstift einen großen Schnurrbart aufgemalt. Gegenüber dem Bett stand ein alter Fernsehapparat mit einem kleinen Bildschirm, gekrönt von den häßlichen Hasenohren der Antenne.

Im Badezimmer hing ein Dschungel von Strümpfen. Der vollgestopfte Toilettenschrank enthielt eine lange Reihe von Arzneifläschchen, zwei Rasierapparate, ein Häufchen rostiger Rasierklingen, eine Dose Rasiercreme, eine Kollektion von Parfums und Lippenstiften, eine fast leere Tube Vaseline und das Etui eines Pessars, in dem sich nichts als Puder befand.

»Ja, wer ist denn da?« hörte er eine weibliche Stimme sagen. Orlando wirbelte herum. Noreen stand in der Tür. Sie hielt einen großen Papiersack wie ein Baby im Arm. Ein zaghaftes Lächeln umspielte ihre Lippen; aber sie schien nicht übermäßig überrascht zu sein.

Sie sah aus, wie Jeff Cutler sie beschrieben hatte. Sie machte einen müden Eindruck, und der unelegante Sweater, die ungebügelte Hose und das freche Gelb ihres Haares trugen nichts dazu bei, daß sie anmutiger oder jünger aussah. Sie war die typische Zwanzigdollarhure, die einem noch etwas herausgab, wenn man ihr gut zuredete. Aber trotz allem strahlte sie noch immer dieses gewisse Etwas aus, dem Harry sich schon früher nie hatte entziehen können.

Er konnte sie nur anstarren und ihr folgen, als sie zur Kochnische ging und unterwegs die Sandalen abstreifte. Es war Noreens unnachahmlicher Gang. »Wie ist es dir gegangen, und was trinkst du in letzter Zeit, das ich dir anbieten könnte?« fragte sie, während sie ihm den Rücken zukehrte. »Das sind gleich zwei Fragen in einem, nicht wahr?«

»Ich trinke, was du trinkst.«

Sie drehte sich um. Da war es wieder, dieses gewinnende, strahlende Lächeln, das dunkle Räume erhellen konnte. Sie nahm zwei Bierdosen aus dem Papiersack. »Das ist jetzt mein Leibgetränk«, sagte sie. »Zu Weihnachten werden es sechs Jahre sein, seit ich mit den scharfen Sachen Schluß gemacht habe. Aber irgendwo muß ich Gin haben. Wenn du noch Whisky trinkst, kann ich schnell hinunterlaufen – ich bin gleich wieder da.«

»Ich brauche nichts«, erwiderte er und ließ sich auf dem Stuhl nieder, der ihm am wenigsten durchgesessen schien. »Was machst du eigentlich in diesem Loch, Noreen?«

Sie öffnete eine Bierdose und brachte sie zum Sofa. »Lustig! Ich wollte dich gerade das gleiche fragen.«

»So leben nur Schweine. Du warst nie eines.«

»Stimmt. Und ich bin's auch jetzt nicht, obwohl ich hier einmal gründlich saubermachen müßte. Ich wohne hier, weil ich mir nichts Besseres leisten kann.« Das war eine Tatsache, die sie schlicht, nüchtern und ohne jeden bitteren Unterton vorbrachte.

»Leisten? Wo ist das ganze Geld?«

Ihr Lachen klang ebenso unbeschwert. »Da gibt's doch diesen alten Witz von dem Mann, der gefragt wird, wie er es angestellt hat, vier Millionen Dollar loszuwerden. ›Eine Million‹, antwortet er, ›haben mich die Pferdchen gekostet, eine Million die Weiber, eine Million der Suff, und den Rest habe ich durchgebracht.‹ Ich hab mein Geld für Partys ausgegeben und für Männer, und ich hab mich dabei ganz gut unterhalten. Es waren lustige Zeiten – ich hab sie so richtig genossen. Was ist schon dabei? Bist du gekommen, damit ich dir aufzähle, was mir alles leid tut? Wenn ich die Wahrheit sagen soll, mein Süßer – mir tut gar nichts leid.«

»Wenn du Geld gebraucht hättest ... Verdammt noch mal,

warum bist du nicht zu mir gekommen oder hast mir geschrieben? Hast du geglaubt, ich würde es dir abschlagen?«

»O nein! Aber warum sollte ich? Was schuldest du mir? Mir ist es nicht so schlecht ergangen, wie du glaubst. Ich habe viel Geld bei allen möglichen Ärzten gelassen, und vielleicht hat mich auch einer mal übers Ohr gehauen ... Aber ich jammere nicht. Ich hab es schon lange aufgegeben, mich zu beklagen.«

»Was hast du bei den Ärzten gemacht?«

»Ich hab keine Lust, mein Schätzchen, die nächsten zwei Tage dazu zu verwenden, alte Geschichten aufzuwärmen. Ich freue mich, daß du vorbeigekommen bist, um mir guten Tag zu sagen. Ich begreife zwar nicht, was dir da eingefallen ist, aber ich hab da einen Kerl, der bei mir wohnt, namens Gov, und der dürfte bald nach Hause kommen. Ich möchte nicht, daß er in eine lange, lange und überaus rührselige Geschichte hineinplatzt. Gov ist ein feiner Junge, aber ein eifersüchtiger Kater. Möchtest du glauben, daß es heutzutage noch eifersüchtige Kater gibt? Aber so ist er nun einmal, und ...«

Orlando wurde ungeduldig. »Was hast du bei den Ärzten gemacht?« wiederholte er seine Frage, diesmal etwas dringlicher.

Noreen seufzte. »Wie gesagt«, antwortete sie ruhig, immer noch ohne jede Spur von Bitterkeit, »ich pflege keine Klagelieder zu singen ... aber ich hatte nicht immer nur Glück. Eine Zeitlang stellte ich sogar Hiob in den Schatten. Zunächst platzte mir einmal der Blinddarm, und ich hatte eine Bauchfellentzündung, noch bevor man mich ins Spital bringen konnte. Dann kam ich endlich 'raus, und, bekloppt wie ich bin, ging zu früh Schi fahren. Bums, das Zeug riß auf, und ich war wieder im Spital. Dann hatte ich einen Autounfall und kam zum drittenmal ins Krankenhaus. Meine inneren Verletzungen waren so schwer, daß sie ihre liebe Not hatten, mich zusammenzuflicken. Dann präsentierte mir der Suff die Rechnung – du würdest es nicht glauben, wie ich jeden Tag anschwoll, darum erzähle ich dir's lieber nicht –, und ich ließ mich in eine Entwöhnungsanstalt aufnehmen und austrocknen. Sechs ganze Monate blieb ich dort bei den Medizinmännern. Lustige Geschichte, Schätzchen, was?«

»Erzähl weiter!«

»Und die Männer. Überall gab's Männer, einer mehr abgebrannt als der andere. Aber das machte nichts aus, denn das gute Noreenchen hatte ja Scheffel von Geld – eine Zeitlang. Und dann war plötzlich Feierabend; ich ging dahin und dorthin und kam schließlich nach San Francisco. Ich weiß gar nicht mehr, wie es dazu kam, daß ich hierher übersiedelte. Heller Kopf, was?« Sie trank ihr Bier und holte sich eine neue Dose. »Na, wie gefällt dir die Geschichte? Ich habe dich gewarnt, mein Kleiner. Es klingt viel schlimmer, als es wirklich war – es gab auch schöne Zeiten. Ich ärgere mich über mich selbst, wenn ich so jammere – schließlich ist alles vorbei, und ich hab's überlebt. Gov wird bald hiersein. Aber erzähl mir, wie es dir geht. Was man so hört, bist du plötzlich Politiker geworden.«

»Wieviel Geld hast du?«

»Genug. Sehe ich so verhungert aus?«

»Dieser Gov – ist das eine ernste Sache? Hat er Arbeit? Verdient er etwas?«

Sie lächelte. »Gov spielt ganz brav Trompete – wenn man ihn läßt. Er ist ein Verrückter, aber ein netter Kerl. Er braucht mich, wir passen sozusagen aufeinander auf. Er wohnt seit ungefähr drei Monaten hier. Er wird noch eine Weile bleiben, vielleicht auch einen Monat, wie's gerade kommt. Und dann wird er ausziehen, und ein anderer wird einziehen. So ist's mir recht, so hab ich's gern. Ich bin auch eine Verrückte, wie ich's immer war, aber einiges hat sich doch geändert. Ich rühre keine scharfen Sachen mehr an. Und ich lasse immer nur einen Hengst in meine Bude. Ich fange an, erwachsen zu sein. Bißchen spät, was?«

Orlando zog einige Geldscheine aus der Brieftasche. »Nimm das! Ich schick dir noch mehr.«

Sie zuckte die Achseln. »Meinetwegen.«

»Herrgott«, sagte er leise. »Du machst ... Was kann ich tun, Noreen?«

»Tun? Laß mich zur Maienkönigin ausrufen, Pappi. Warum solltest du etwas tun? Ich kann mich nicht beklagen. Mir geht's gut.«

Von Zeit zu Zeit hatte sie einen Blick auf den Wecker auf dem Kühlschrank geworfen. Sie schien immer unruhiger zu werden. Schließlich stand sie auf. »Macht's dir was aus, wenn du jetzt gehst, Schatz?« sagte sie. »Gov muß jeden Augenblick kommen, und ich möchte nicht unbedingt, daß ihr euch begegnet. Möglich, daß er der Charme in Person ist; aber manchmal, wenn er ein paar Gläser über den Durst getrunken hat, hält er sich für Jack Dempsey. Klar? Ich gebe einen miserablen Schiedsrichter ab.«

Auch er erhob sich, denn sie schien großen Wert darauf zu legen, daß er nun ging. Sie sahen einander an. Er wollte ihr sagen, daß sie ihm leid tat, aber sie hätte ihm wohl nur mit einem wiehernden Lachen geantwortet. Und daß er noch immer etwas für sie fühlte. Aber er vermutete, daß diese Worte sie nur peinlich berühren würden. Sie standen nahe der Tür, eng beieinander. Noreen lächelte, als sie ihre herrliche Hand auf seinen Arm legte. Aber sie schwieg, und Orlando trat noch näher und küßte sie auf die Stirn. Sie ließ es geschehen, und dann lag sie in seinen Armen. Ihre Lippen waren geöffnet, und er küßte sie heiß und drängend. Noreen, Noreen, seine Noreen . . .

Dann schob sie ihn fort, sanft, aber energisch. »Es war nicht gelogen, als ich dir sagte, daß es mir mit dem Immer-nur-ein-Mann-zur-selben-Zeit ernst ist.« Ihre Stimme klang nicht sehr fest, und sie vermied es, ihn anzublicken.

»Ja, ja«, murmelte er und nickte. »Viel Glück, Noreen.« Er ging; gequält und empört, niedergeschlagen und erregt. Auf dem Flug nach Los Angeles zurück sprach er kein Wort.

Er kehrte mit dem Gefühl heim, verfolgt zu werden – nicht von einem Menschen, sondern vom Tag der großen Abrechnung. Was er anrührte, schien zu stinken. Das bekümmerte ihn um so mehr, als er niemandem ein Leid zufügen wollte.

Die Meinungsumfragen verzeichneten eine erstaunliche Zunahme des öffentlichen Interesses an Campbell. Lloyd Reynolds' farblose Persönlichkeit hingegen wurde nur wenig beachtet. Eine wachsende Anzahl von Zuhörern beobachtete Campbell bei seinen Auftritten in der Öffentlichkeit; man war beeindruckt von den Massen, die er anlockte, und von der Stimmung, die er hervorzurufen verstand. Davon ermutigt, erschien Campbell immer häufiger im Fernsehen. Er war freundlich und höflich; die Luft des Erfolges wehte ihm um die Nase, und seine Körperhaltung verriet Zuversicht. Er beantwortete Fragen mit einer Eleganz, die überzeugender klang als in all den Wochen und Monaten zuvor; und er blieb gefaßt und liebenswürdig, selbst wenn man ihn nach seinen erbittertsten Kritikern fragte.

Frage: Woran, Herr Senator, liegt es Ihrer Meinung nach, daß so verantwortungsbewußte Journalisten wie William Temple schon allein Ihre Nominierung als internationale Katastrophe ansehen?

Antwort: Ehrlich gesagt – ich wollte, ich wüßte es. Ich hege für Mr. Temple große Bewunderung, obwohl wir uns nie persönlich kennengelernt haben. Ich habe seine Artikel schon gelesen, bevor er noch meinen Namen kannte. Ich habe sie regelmäßig und ohne jedes Vorurteil gelesen, weil ich ihn für einen außerordentlich fähigen Kommentator halte und weil die Linie des Kremls in mir schon immer ein geradezu krankhaftes Interesse erweckt hat. Nun verstehen Sie mich, bitte, nicht falsch. Mr. Temple ist ebensowenig Kommunist wie Sie oder ich, und ich möchte gewiß diesen Eindruck bei niemandem erwecken. Aber ich darf nur darauf hinweisen, daß die Einstellung der Sowjets zu wichtigen Fragen fast immer eine verblüffende Ähnlichkeit mit der von Mr. Temple zum Ausdruck gebrachten aufweist. Es wäre mein aufrichtiger Wunsch, etwas tun oder sagen zu können, das Mr. Temple und andere seriöse Journalisten befriedigen würde, denn im ideologischen Sinn sind wir gar nicht so weit voneinander entfernt, wie sie zu glauben scheinen. Sie wollen ein gutes Leben für alle anständigen Bürger – und ich ebenso. Was uns trennt, ist die Tatsache, daß ich dieses Ziel auf amerikanische Art erreichen will, wie unsere Vorfahren es im Sinn hatten. Ich ziehe eben die Freiheit selbst der menschenfreundlichsten Diktatur vor. Ich weiß nicht, warum Mr. Temple das nicht verstehen kann. Oder will er wirklich, daß der Große Bruder unser aller Leben bestimmt?

Am Tag, nachdem dieses Interview aufgezeichnet wurde, saß Orlando in einem Hotelzimmer. Betty D'Anunzio schwebte vorbei, nur mit einem Unterrock bekleidet; die freudige Erinnerung an die herrliche Zeit, die sie vor zehn Minuten verbracht hatten, ließ ihre dunklen Augen strahlen. Es gab irgendeinen Grund, warum er sie angerufen hatte und zu ihr gekommen war, aber er wollte ihm nicht einfallen. Am liebsten wäre er sofort wieder gegangen. Aber sie war ein zu nettes Mädel, und so was konnte er ihr einfach nicht antun. Daher blieb er sitzen und tat, als wäre er überglücklich wie sie.

»Ich habe mich so lange danach gesehnt, mit dir zusammenzusein«, sagte sie.

Ich bin ein Mann in mittleren Jahren, ein Mann mit Familie, dachte er. Ich tue alles, was ich kann, um das zu vergessen.

Warum träume ich von Noreen? Was mache ich hier mit diesem

netten Mädel, das mir nichts bedeutet, weil es eine Miriam gibt und einen Jimmy?

Im Januar wird Campbell im Weißen Haus sein. Ich weiß es; ich schmecke es auf der Zunge. Und ich werde dabeisein und mich von ihm huckepack tragen lassen. Und zum erstenmal in meinem Leben werde ich ein Gentleman sein müssen ... Das heißt, daß ich Miriam und Jimmy bei mir haben muß, wenn alles in Ordnung sein soll.

Ich kann hier nicht bleiben. Ich muß nach Washington. Wie sonst sollte ich mit meinem Vagabundenleben aufhören?

Die Kuhaugen des Mädchens wurden ihm lästig, und ihr Gerede auch. »Warst du mit mir zufrieden?« fragte sie.

»Ich werde dir einen Stern auf die Stirn kleben«, antwortete er und erhob sich. »Du bist eine Klassefrau, und jetzt muß ich gehen.«

»Ach nein ... nicht ...«

»Das war's für heute«, sagte er und faßte sie an der Schulter. »Du gefällst mir, kleine Prinzessin. Wenn ich wiederkomme, bringe ich dir einen Regenbogen mit.«

Noch während er Betty in den Armen hielt, fühlte er den Wunsch, Miriam wiederzusehen – nicht nur, um mit ihr zu sprechen, sondern mit ihr, bei ihr zu sein. Und kaum hatte er das Mädchen verlassen, wurde der Wunsch zu einem dringenden Bedürfnis. Wozu trieb er sich hier mit all diesen Fremden herum, da es doch eine Miriam gab?

Er konnte es kaum erwarten, wieder zu Hause zu sein, einen Handkoffer zu packen und alle Vorkehrungen für einen Flug an die Ostküste zu treffen. »Ich bin morgen am frühen Nachmittag bei dir, Mir«, sagte er am Telefon. »Warte auf mich. Besser noch, treffen wir uns – im ›Colony‹, im ›Twenty-One‹, wo du willst.«

»Ja, aber ... Jimmy kommt zum Wochenende.«

»Wunderbar! Dann ist die Sache ja perfekt. Bring ihn mit! Das ist wichtig, Mir!«

»Ich kann die Wohnung auf keinen Fall verlassen. Mama ist krank, wirklich krank diesmal. Der Arzt sagt ... na ja, er sagt, sie hat keine Schmerzen, Gott sei Dank. Aber sie wird jeden Tag schwächer, und man muß jeden Augenblick ... Nein, ich kann nicht weg.«

»Dann bleib zu Hause. Aber sei da, wenn ich komme«, beschwor er sie.

»Wenn du unbedingt willst, Harry . . .«

»Ich habe nie etwas anderes gewollt, Miriam.«

Patsy schien etwas verstimmt darüber zu sein, daß er ihn nicht begleiten durfte. »Ich würde dir nicht zur Last fallen, Harry. Du könntest . . . etwas brauchen.«

»Wer hat etwas von zur Last fallen gesagt? Bei diesem Flug brauche ich ganz einfach niemanden.« Keine Clowns, keine Speichellecker, kein Privatflugzeug, das von den Leuten angestarrt wird. Er würde allein, als Passagier einer Fluglinie fliegen, so wie irgendein anderer Bürger.

Noch am selben Abend traf er — soweit das telefonisch möglich war — alle Vorbereitungen für eine Reihe von Partys, die er ab nächsten Montag im »Mark Hopkins« für Delegierte und Zeitungsleute zu geben gedachte. Dann ging er bald zu Bett. Er wollte für den Frühflug zu seiner Frau und seinem Sohn ausgeruht sein.

Wenige Stunden später weckte ihn Patsy mit Orangensaft, schwarzem Kaffee und den Zeitungen. Es war schon hell. Harry setzte sich im Bett auf, überzeugt, daß sich nun alles zum Guten wenden würde. Er begann in den Zeitungen zu blättern. Plötzlich schrie er auf:

»Um Gottes willen!«

Patsys Augen weiteten sich, aber er sagte nichts.

Orlando hatte seinen Namen in Bill Temples Spalte erblickt. Nervös faltete er die Zeitung zurecht und begann zu lesen:

Es gibt eine Stelle in *Durch das Spiegelglas*, an der Alice sagt: »Es hat keinen Zweck, es zu versuchen; man *kann* unmögliche Dinge einfach nicht denken.«

Die Königin antwortet: »Ich würde eher sagen, daß es dir an Praxis fehlt. Als ich so alt war wie du, habe ich das fast jeden Tag eine halbe Stunde lang gemacht. Manchmal habe ich noch vor dem Frühstück sechs unmögliche Dinge geglaubt.«

Die Welt steht nicht mehr lang. Zu Campbells Freunden gehören nun nicht bloß die Victor Wades, sondern auch Leute, denen man bis jetzt einen gesunden Menschenverstand zugeschrieben hat. Ich für meinen Teil habe die Hoffnung endgültig aufgegeben, je noch herauszufinden, welche Meinungen Senator Campbell vertritt — abgesehen von seinem unerschütterlichen Glauben an Kokospudding und seiner ehrlichen Überzeugung, daß die Bibel und die amerikanische Fahne feine Dinge seien.

Was mir aber weit größere Sorgen macht als der hohle Grant Campbell ist die Existenz gewisser Anhänger, die eigentlich intelligent genug sein müßten, zu erkennen, daß sich hinter jenem strahlenden Lächeln eine allgegenwärtige Gefahr für die geistige Gesundheit der Vereinigten Staaten verbirgt – eine Gefahr, der entweder wohlüberlegte Absicht oder politische Naivität zugrunde liegt. Ich meine hiermit vor allem den großen Showman Harry Orlando, der sich ganz offen in Campbells Meute eingereiht hat.

Wir wollen Mr. Orlando nicht überschätzen. Er ist kein Königsmacher. Er kann es natürlich auch nicht sein; aber wir sollten ihn trotzdem nicht unterschätzen. Er ist ein Mann von außerordentlicher Anziehungskraft auf eine große Anzahl von Menschen, die ihm seit langem zugetan sind und auch heute noch auf ihn hören. Er ist in mancher Hinsicht naiv, gefühlsbeherrscht, ja sogar launisch; seine Ansichten können zuweilen – wie er selber oft zugegeben hat – völlig unsinnig sein. Aber wenn er eine Situation falsch einschätzte, guckten ihm die Engel dabei über die Schulter und nicht Menschen, die in ihren Vorstellungen noch in der Steinzeit leben – bis er sich in sein närrisches Abenteuer mit Campbell stürzte. Und das ist es, was uns, die wir ihn lieben und um ihn trauern, angst und bange macht: Daß er, der vielleicht nicht ganz begreift, worauf er sich da eingelassen hat, viele seiner Fans ins Lager der Neandertaler Victor Wades hinüberlocken könnte.

Man darf mich getrost zu Harry Orlandos Bewunderern rechnen; nicht nur weil er einer der besten Unterhalter ist, sondern hauptsächlich deshalb, weil er stets ein vortrefflicher Mensch war. Es gab eine Zeit, da er einfach nicht fähig war, sich mit jemandem zu verbünden, der alles und jedes haßt. Lange bevor es Mode wurde, trat er laut und vernehmlich für Bürgerrechte ein. Er verehrte die Intellektuellen und war Manns genug, ihnen geistige Überlegenheit zuzuerkennen, während er gleichzeitig ernste Anstrengungen unternahm, von ihnen zu lernen. Er unterstützte die Gewerkschaftsbewegung, sprach sich für die bürgerlichen Freiheiten aus und machte aus seiner Verachtung für Hurrapatriotismus und Durchschnittlichkeit kein Hehl.

Heute ist Harry Orlando auf jeder zur Verfügung stehenden Seifenkiste zu sehen; er tut alles, was im Bereich seiner Möglichkeiten liegt, um die Bestrebungen dieses eindimensionalen

Senators aus Kalifornien zu fördern. Warum? Glaubt dieser Mann, der es liebt, Helden zu verehren, wirklich, einem Helden den Rücken zu stärken? Was ist mit diesem braven Mann geschehen, der noch vor so tragisch kurzer Zeit emsig und ohne Rücksicht auf sich selbst für die Wahl Joseph Haywoods eintrat — eines wahren Helden, dessen Persönlichkeit unseren Vereinigten Staaten wahre Größe verhieß?

Was bezweckt Mr. Orlando mit seinen Kariolen? Die Antwort auf diese Frage könnte sehr peinlich ausfallen — ganz besonders für Mr. Orlando.

»Saukerl!« brüllte Orlando. Er schleuderte die Zeitung ans Fußende des Bettes. Er drohte dem leblosen Stück Papier mit der Faust und schrie Patsy, der eben von der Toilette kam, und der ganzen verdammten Welt zu: »Das nennt sich Freund! Heulen könnte man, wenn man so was liest! Da kann man was lernen! Da behandelt man einen Menschen als Freund, schenkt ihm sein Vertrauen — und im nächsten Augenblick schneidet er einem die Eier ab!«

»Von wem sprichst du? Von Bill Temple?«

»Jawohl, ganz recht, von Bill Temple!« zeterte Orlando und sprang aus dem Bett, wobei er den Orangensaft umschüttete. »Nein, mein Name würde in seiner Spalte nicht erscheinen, hat er gesagt! Nein, nein, woher denn! Dieser verdammte Saukerl, dieser Knastschieber! In der Hölle soll er braten für das, was er mir antun will!«

»Harry ...«

»Halt den Mund! Was zum Teufel verstehst du denn schon davon?« Er stürmte ins Badezimmer. Beim Rasieren schnitt er sich zweimal. Dieser dreckige Schweinehund! Freundschaft bedeutet ihm nichts, und von Versprechungen hält er auch nichts. Saukerl, verdammter!

Er wusch sich, zog sich rasch an, wurde im Blitztempo zum Flughafen gebracht und stieg in düsterer Stimmung ins Flugzeug ein. Die Stewardeß erkannte ihn und fragte nach seinen Wünschen. »Einen doppelten Whisky«, sagte er. Auf Frühflügen würden keine alkoholischen Getränke ausgeschenkt, erklärte sie bedauernd.

»Dann eben nichts«, entschied er.

New York empfing ihn mit strömendem Regen; das entsprach seiner trüben Stimmung und verschlechterte seine Laune noch mehr. Ein Taxi brachte ihn nach der East Side. Er rauchte eine Zigarette nach der andern und versuchte sich selbst aufzuheitern. Temple war unwichtig, eine Null, an der das Leben vorbeifloß. Ja, gewiß, man mußte den Hut vor einem Menschen ziehen, der sich nicht scheute, seine ehrliche Meinung auszusprechen; aber, du lieber Himmel – wer las ihn denn schon? Wer schenkte ihm Beachtung? Gewiß, der Artikel war nicht nett von ihm gewesen. Aber war es die ganze Sache überhaupt wert, daß man sich aufregte?

Miriam allein war wichtig. Und Jimmy. Wenn man alle Bettys zusammenlegte, die netten und die Flittchen, was kam denn schon dabei heraus? Sand, Mensch, nichts als Sand. Das Zeug, das durch das Stundenglas rieselt. Null Komma Josef bleibt dir in der Hand, Freund, wenn du Mitte Vierzig – wie alt auch immer du bist. Nichts bleibt dir als die Hoffnung, daß die eine Puppe etwas anders reagiert als die andere; daß es mit der nächsten ein bißchen aufregender sein würde als mit der vorigen. Aber die Hoffnung trügt. Sie trog schon immer.

Im Bett ist Miriam mit den Bettys nicht zu vergleichen. Pech. Wenn man Mitte Vierzig ist, auch Pech. Als machte das was aus. Du hast doch die Besten gehabt! Die Süßesten aller Süßen, die Ausgegorensten aller Gören! Und was ist dir in der Tasche geblieben? Allein gehst du schlafen. Und mit Sand. Große Sache. Liebe, mein Junge, Familie, das ist solid, das bleibt bestehen.

Sprich mit Miriam. Hol sie dir zurück. Schaufel den Sand fort.

Das Taxi blieb im Regen vor dem Haus stehen, und wenige Minuten später öffnete Miriam die Wohnungstür.

War das die Spur eines Lächelns? Das letzte Mal hatte er nicht viel davon gesehen, und die Erinnerung an jenes dumme Mißverständnis tat immer noch weh. Aber sie war ein zu großherziger Mensch, als daß sie ihm sein kindisches Benehmen nachtragen würde.

»Komm herein, Harry!« sagte sie ruhig. »Wie war der Flug? Scheußliches Wetter heute.«

Sie gingen ins Wohnzimmer. Die ganze Angelegenheit war sehr höflich, sehr vorsichtig und förmlich. Der Arzt hatte bereits seine tägliche Visite gemacht, berichtete sie, und sie fühle sich ermutigt, denn Mama ginge es ein wenig besser. Orlando erwiderte, es freue ihn, dies zu hören.

»Ist Jimmy schon gekommen?« fragte er schließlich. »Ich bin schon gespannt, ihn zu sehen.«

»Er ist nur hinuntergegangen, um Mama ein paar Zeitungen zu holen. Ist das nicht erstaunlich? So krank und schwach sie ist – sie besteht noch immer darauf, daß man ihr die Zeitungen vorliest. Sie hat es gern, wenn Jimmy ihr diesen Gefallen erweist. Er ist ein sehr aufmerksamer Enkel.«

»In jeder Beziehung. Einen besseren Jungen kann man sich nicht wünschen. Ich nehme an, du weißt, daß er ein paar wunderbare Kurzgeschichten geschrieben hat.«

Sie nickte. »Ja. Jimmy ist sehr böse auf dich, Harry. Ich habe ihm gesagt, daß du heute kommen würdest, und er wollte dich erst gar nicht sehen.«

»Böse auf *mich*? Weshalb denn?«

»Diese Zeitschrift, dieses *Carver's Weekly*, hat die Geschichten gekauft.«

»Na herrlich! Und darum ist er böse?«

»Harry, du hast vermutlich in bester Absicht gehandelt, aber du hast nichts Gutes damit getan. Die Geschichten sind von irgend jemandem verbessert worden. Jimmy sagt, die Zeitschrift glaube jetzt, er hätte die Geschichten allein geschrieben, und das stimmt nicht.«

»Und deshalb ist er böse? Sie haben sie doch gekauft, nicht wahr? Wie viele Jungen seines Alters sehen ihre Arbeiten schon in einer Zeitschrift wie *Carver's* abgedruckt? Nichts Gutes getan – das ist doch lächerlich! Die Einfälle sind doch von ihm. Vater hilft seinem Sohn ein paar Sprossen die Leiter hinauf – ist das ein Verbrechen? Das gibt ihm Selbstvertrauen, und das nächste Mal wird er alles allein machen, weil er an sich glaubt. Mein Gott, so was kann mich wirklich ärgern! Daß er auf mich böse ist . . .«

Einen Augenblick lang schien Miriam Einwände erheben zu wollen. Aber sie hielt sich zurück. »Du sagtest mir am Telefon, du hättest etwas Wichtiges mit mir zu besprechen«, erinnerte sie ihn. »Du bist doch nicht von so weit hergekommen, nur um mich zu sehen?«

»Dich und Jimmy. Meine Familie«, erwiderte er und wünschte, er hätte sich seine Worte besser zurechtgelegt. »Miriam, ich möchte, daß du mir zuhörst und mich nicht unterbrichst. Als ich das letzte Mal hier war, sagte ich dir, ich wollte, daß wir alle wieder zusammenkommen. Das war ernst gemeint, aber nicht so sehr, wie es mir heute ernst damit ist. Ich möchte, daß wir wieder heiraten. Ich habe noch nie etwas so ehrlich gemeint. Mir – ich hab lange darüber nachgedacht. Ich möchte, daß wir wieder eine Familie werden, und ich schwöre dir, daß ich dir nie wieder Grund zur Klage geben werde. Es ist nicht zu spät. Ich habe mich gemein zu dir benommen, aber ich verspreche dir, Miriam, ich schwöre dir, daß ich alles wiedergutmachen werde. Ich liebe dich, Mir. Und ich liebe meinen Jungen.«

Miriam sah, daß er es wirklich ernst meinte. Sie saß aufrecht da, horchte auf jedes Wort und hörte ihm auf eine Weise zu, die ihn erkennen ließ, daß sie darauf gewartet hatte, diese Worte zu hören. Sie glaubte ihm, und sie liebte ihn noch immer.

»Warum sagst du mir das alles jetzt?« fragte sie mit warmer Stimme.

Er hatte ihr weh getan. Sie war stolz, und darum würde sie auch nicht gleich ja und amen sagen. »Weil ich so lange gebraucht habe, bis mir klar war, daß du und Jimmy das einzige seid, was ich immer haben wollte«, erwiderte Harry. »Wie ein Verrückter bin ich all diese Jahre herumgelaufen – mit geschlossenen Augen, so daß ich nicht sehen konnte, wie sehr ich meine Familie brauche. Du weißt doch, daß ich nie bewußt gemein zu dir gewesen bin, nicht wahr?«

»Ich weiß es.«

»Siehst du. Was ist das für ein Leben? Ich bin fünftausend Kilometer weit weg von allem, was ich brauche. Und du bist auch allein. Du hast Jimmy, und du hast deine Mutter – aber das ist keine ganze Familie, und wir brauchen doch beide eine ganze Familie, Mir. Wir sind noch nicht achtzig, aber wir sind auch keine Kinder mehr. Ich weiß, daß ich keines mehr bin, sondern daß ich ein Mann sein und dich und Jimmy heimbringen und uns allen ein schönes Leben bereiten will. Mir! Sag, daß du einverstanden bist!«

Sie blieb so viele unendliche Augenblicke lang stumm, daß Orlando in jähem Schmerz beinahe aufgeschrien hätte. Dann sah sie ihn an und erwiderte ausdruckslos: »Damit könnte ich mich niemals einverstanden erklären, Harry.«

Der Schlag ließ ihn zurücktaumeln.

»Du hast recht; das ist kein Leben für mich, in meiner Wohnung zu sitzen und zuzusehen, wie meine Mutter stirbt«, fuhr Miriam ebenso langsam wie bedächtig fort. »Es vergeht kein Tag, da ich nicht an dich denke. Manchmal könnte ich heulen wie ein kleines Kind. Aber wir haben nie zueinandergepaßt, Harry, und jetzt kommst du daher, sagst mir solche Sachen, und damit soll alles wieder gut werden. Das ist unmöglich! Ich weiß nicht, was für eine Art Frau du brauchst, die dich glücklich machen könnte — vielleicht gibt es so eine gar nicht. Aber der Mann, den ich brauche, der einzige, den ich jemals heiraten würde — falls mich überhaupt noch einer wollte —, das ist ein solider Mann, der abends heimkommt; ein verläßlicher Mann, der nicht davonläuft. Du läufst davon, Harry. Wie ein Vogel das Fliegen, kannst du das Davonlaufen nicht lassen. Du wirst nie aufhören zu laufen, was immer auch geschehen mag. Das weißt du doch ganz genau!«

Er war zornig. »Möglich, daß du recht hast — aber, verdammt noch mal, was besagt das schon? Ich bin ich. Wo steht geschrieben, daß ich mich nicht ändern kann? Wenn ich sage, ich werde etwas tun, dann tu ich's auch. Es gibt nichts, was ich nicht tun kann, wenn ich es mir vornehme. Was meinst du mit der ›Art‹ von Frau, die mich glücklich machen könnte? *Du* bist meine Frau. Deshalb bin ich hergekommen, und deshalb spreche ich mit dir. Du sagst doch selbst, du ...«

»Aber nicht wirklich, Harry. Das ist der springende Punkt. Ich fange an, das einzusehen. Alles muß für dich sein — was *dich* glücklich machen, was dich veranlassen würde, ein solides Leben zu führen. Aber ich bin auch ein Mensch, und was *ich* brauche, kannst *du* mir nicht geben. Du konntest es nie, und wirst es nie können.«

»Du wünschst dir einen jüdischen Zahnarzt — einen braven, soliden Klotz.«

Sie nickte traurig. »Vielleicht wünsche ich mir genau das. So einen Mann oder gar keinen. Aber dich will ich wirklich nicht haben, Harry. Du bist eben ... du bist kein sauberer Mann. Du kannst nichts dafür, aber du bist kein sauberer Mann.«

Voll Zorn über ihre Gefühllosigkeit und erbittert, daß diese gute Dame alles über Harry Orlando zu wissen glaubte, erhob er sich von seinem Stuhl. Er platzte beinah vor Wut, als er durch das Zimmer stapfte; aber als er zum Kamin kam, wurde ihm klar, daß es nicht Wut war, sondern etwas anderes. Seine Beherrschung verließ ihn. Er wandte ihr den Rücken zu; seine Kehle schien anzuschwellen, er stützte die Fäuste auf den Kaminsims und weinte.

Er kämpfte gegen die Tränen an, aber vergebens, wie damals in der Wohnung ihrer Eltern am Ocean Parkway. Er schämte sich seiner Schwäche und konnte doch nicht aufhören.

Er brauchte Miriam, die zu ihm kommen und ihn liebhaben sollte.

»Das hilft auch nichts, Harry«, sagte sie, und die Stimme klang unerträglich kalt.

Dann hörte er doch auf, niedergeschlagen und fassungslos, daß sie sein Weinen für einen Trick und seine Aufrichtigkeit für Schwindel gehalten hatte. Er trocknete die Tränen und drehte sich zu ihr. »Gib mir noch eine Chance«, sagte er mit erstickter Stimme. »Heirate mich, und ich werde dir ein braver Mann sein.«

»Hör auf!«

Er hörte einen Schlüssel in der Eingangstür. »Ist das Jimmy?« fragte er erschrocken.

»Ja.«

Er wollte ins Badezimmer laufen, um sich das Gesicht zu waschen, kam an der Küche vorbei, eilte hinein und erblickte eine Tür zum Hinterausgang. Er öffnete sie und ging zu Fuß die Treppe bis zum Erdgeschoß hinunter.

Ich bin ein Feigling, dachte er, ein elender Feigling. Ich kann meinem eigenen Sohn nicht ins Gesicht sehen.

XII

An jenem Montag Ende Juli wimmelte San Francisco von Delegierten, Stellvertretern und deren Familien, hoffnungsvollen Kandidaten, Zeitungsleuten, Rundfunk-, Fernseh- und andern Kommentatoren, Armeen von Technikern, Planern und Hilfsplanern und einem Schwarm von Schaulustigen, die gekommen waren, um die Morgenröte oder den Sonnenuntergang ihrer Partei zu erleben.

In den Ausschußsitzungen waren die Kandidaten, persönlich oder durch ihre Abgesandten, eifrig bemüht, sich in den Vordergrund zu schieben. Jeder einzelne kämpfte um eine günstige Position im großen Rennen des Konvents und pries sich als einzige Hoffnung der Partei an. Mark Bartell sprach sich für eine verantwortungsvolle internationale Führungsrolle der USA aus, mit deren Problematik – wie er durchblicken ließ – nur er völlig vertraut war. Einige wenige hörten ihm sogar zu. Lloyd Reynolds, immer noch der Kandidat mit den besten Gewinnchancen, setzte sich für solide, aber flexible konservative Grundsätze in den meisten Bereichen ein, lehnte aber sowohl den sorglosen Regierungsstil eines Miles Quinlan als auch ein auf uneingeschränkte Selbstverherrlichung ausgerichtetes Programm ab, wie es von gewissen, namentlich nicht näher bezeichneten Leuten geplant werde.

Grant Campbell sprach sich für Grant Campbell aus. Er war charmant, seine Einstellung pragmatisch. Den Konservativen versicherte er, daß nur ein Konservativer, ein starker Konservativer, Quinlan im November besiegen könnte. Die Gemäßigten beeindruckte er, indem er sie daran erinnerte, mit welcher Leichtigkeit er in Kalifornien die Senatswahl gewonnen hatte, obwohl ihm von den Meinungsforschern absolute Chancenlosigkeit vorausgesagt worden war. Er erklärte ihnen, daß es in der modernen Politik für Schlagworte wie »konservativ« oder »gemäßigt« keinen Platz mehr gebe und daß entschlossene Haltung und kraftvolles Streben nach all dem, was dem Land und der Welt guttun würde, von weit größerer Bedeutung wären. Er legte die Ergebnisse der letzten Meinungsumfragen vor; sie zeigten eine für ihn überaus günstige Stimmung im weißen Süden und Westen sowie in einigen Negerbezirken ein keineswegs unbedeutendes Nachlassen der feindseligen Einstellung auf, mit der man dort seine Haltung beurteilte. Er wies auf die wachsende Unterstützung hin, die ihm von ehemals gemäßigten oder liberalen Gruppen zuteil wurde, und betonte nachdrücklich, daß dieser Trend sich in den kommenden Wochen noch ausweiten würde.

Seit Sonntag standen die Türen von Orlandos Appartement allen Besuchern offen. Als er am Montag in San Francisco eintraf, quoll es ständig von Leuten über, die mit ihm ein paar freundliche Worte wechseln wollten. Orlando kam ihren Wünschen entgegen – mit Hilfe einiger wendiger Herren aus Kyle Pontius' Stab; sie unterrichteten ihn, welchen Delegierten er ganz besonders den Hof machen sollte und welche sich schon auf eine bestimmte Meinung festgelegt hatten, so daß ein Gespräch mit ihnen reine Zeitverschwendung gewesen wäre. Immer wieder gab er den Fotografen Gelegenheit, ihn zu knipsen – den Arm um die Schultern dieses Delegierten gelegt, die Gattin jenes Stellvertreters anlächelnd. Er achtete darauf, daß sich die Tische unter der Last von Schüsseln und Flaschen bogen, und beaufsichtigte die Choreographie der Feste mit dem fachmännischen Geschick eines Oberkellners. Die Mundmuskeln schmerzten ihn schon vom Lächeln; die Hand war vom Händeschütteln geschwollen. Aber er wußte, daß seine Bemühungen Früchte trugen: Mit dem Glas in der Hand ließen sich einige ursprünglich auf Reynolds eingeschworene Delegierte recht schmeichelhaft über den Pfadfinder aus.

Ein Ausschuß hatte sich wochenlang abgemüht, ein Parteiprogramm auszuarbeiten, das hochtönende Phrasen enthalten, gleichzeitig aber niemandem nahetreten sollte. Die nach diesen Richtlinien erarbeitete Grundsatzerklärung enthielt alles, was Amerika an Gemeinplätzen aufzuweisen hatte, nichts aber, was den Extremismus, gleich welcher Couleur, billigte oder verdammte. Die Verlesung der Erklärung von der Tribüne des Parteikonvents dauerte fünfzig Minuten. Orlando hatte die drei Fernsehgeräte seines Appartements eingeschaltet, jedes auf einen andern Kanal. Gleich anschließend rief er Grant Campbell an, der an einer wichtigen Besprechung teilnahm und nicht gestört werden durfte. Leicht verärgert verlangte er nach Kyle Pontius, der aber ebenfalls unabkömmlich war.

»Dann machen Sie ihn gefälligst abkömmlich!« schnauzte Orlando die Stimme am Telefon an.

Nach minutenlangem Klicken, Knacken und Stimmengewirr kam Pontius an den Apparat. »Verzeihen Sie, daß man Sie von Pontius zu Pilatus geschickt hat – haha –, aber hier geht's wirklich drunter und drüber.«

»Was ist aus der Entschließung geworden, einen Passus gegen die Extremisten in die Grundsatzerklärung aufzunehmen?«

Kurze Pause. »Ich weiß, Sie haben damit gerechnet, Grant auch, aber wir hatten einfach nicht genügend Druck, um es durchzuboxen. Aber machen Sie sich keine Sorgen – was Grant betrifft ändert sich nichts. Er schätzt Ihre Bemühungen überaus hoch ein. Wir kommen wirklich schön voran. Ich werde versuchen, im Lauf des Tages bei Ihnen vorbeizukommen. Dann können wir plaudern, aber jetzt habe ich etliche Leute hier, mit denen ich sprechen muß.«

Das Gespräch war beendet.

Orlando verbrachte den größten Teil des Montagabends damit, sich mit jenen Besuchern abzugeben und ihnen schönzutun, die es seiner Ansicht nach am notwendigsten hatten. Er bemühte sich, jedermann mit Liebenswürdigkeit zu begegnen, selbst den Dorftrotteln, und verlor nicht einmal die Beherrschung, als ein Reporter ihn mit der Frage überraschte, was er von dem Gerücht halte, demzufolge Grant Campbell beabsichtige, den Obersten Gerichtshof mit Leuten aus seiner Partei zu besetzen, wenn er Präsident werden sollte.

Harry hatte davon gehört. Vier der Richter des Obersten Gerichtshofes einschließlich des Vorsitzenden, die für ihre im allgemeinen liberale Einstellung bekannt waren, hatten bereits ein hohes Alter erreicht. Es war nicht daran zu zweifeln, daß sie noch vor Ablauf der kommenden Legislaturperiode verstorben oder pensioniert sein würden. Das Gerücht besagte, Campbell plane sie durch sorgsam ausgewählte Hammel zu ersetzen, von denen mit Sicherheit anzunehmen sei, daß sie alles Reaktionäre in den Himmel heben und einen Großteil des Werkes, das der gegenwärtig im Amt befindliche Gerichtshof geschaffen hatte, zerstören würden.

»Das ist doch verrückt«, sagte Orlando. »Jedes Kind kann Gerüchte in die Welt setzen.«

Es gab noch andere Gerüchte: Daß Mark Bartell, der genau wußte, daß er keine Chancen hatte, aber über seinen eigenen Block von Delegierten verfügte, sie unter der Bedingung schon früh freigeben würde, daß entweder Campbell oder Reynolds ihm und seinen Delegierten garantierten, ihn als einzigen Kandidaten für das Amt des Vizepräsidenten auf die Liste zu setzen; daß die Reynolds-Fraktion darauf bestehen würde, Campbell müsse noch vor der Stimmabgabe eine eindeutige Erklärung über sein Verhältnis zu Victor Wades Freunden abgeben; daß Victor Wades Freunde davon erfahren hatten und wütend waren, weil Campbell beabsichtigte, sie in aller Öffentlichkeit auszuladen; daß Reynolds' Frau eine Agnostikerin war, die einige Zeit in einer Nervenklinik verbracht hatte, daß ... daß ... Es gab eine solche Unmenge meist gehässiger und in Anonymität geborener Gerüchte, daß Orlando es vorzog, dem ganzen Gerede keinen Glauben zu schenken.

Noch vor der Stimmabgabe am Mittwoch ließ sich ein schwer faßbarer, aber dennoch ständig zunehmender Wechsel in der Atmosphäre des Parteitags deutlich erkennen: Grant Campbell wurde von niemandem mehr als unwichtige Null abgetan.

Am Abend des Dienstags, des zweiten Tags des Konvents, saß Bill Temple in seinem Büro in Washington und verfolgte das zirkushafte Treiben in San Francisco auf dem kleinen Fernsehapparat, den er schon seit fünf Jahren gegen ein neueres, größeres, weniger anfälliges Gerät auszutauschen gedachte. Die Bildröhre wurde immer dunkler, der Ton war schlecht, kurz: der ganze Apparat war ihm ein Dorn im Auge.

Es fehlte noch ein Tag bis zur Stimmabgabe, aber Campbell schien die Angelegenheit in der Tasche zu haben. Nur ein Wunder — das Wunder der Wiedergeburt des gesunden Menschenverstandes — konnte ihn noch aufhalten. Die Kuhglocken, Signalhörner und Autohupen auf der Galerie gaben eine lautstarke Geräuschkulisse für die Sprechchöre ab, die ihn immer wieder begeistert anfeuerten. Eine erschreckend hohe Zahl einflußreicher Delegierter sprach sich in Kurzinterviews mit feuchtem Augenaufschlag anerkennend über ihn aus. Bartell war natürlich ein hoffnungsloser Fall. Reynolds machte, wie immer, einen intelligenten Eindruck; leider erinnerte er in seinem Auftreten an einen Leichenbestatter. Wenn Campbell vor der Kamera stand, sahen die Leute hin und hörten ihm zu: verdientermaßen, denn er verstand es, Eindruck zu machen, obwohl er ebenso aufreizend unverbindlich blieb wie eh und je.

Campbell würde die Präsidentenwahl nicht gewinnen, prophezeiten die Neunmalklugen. Aber dieselben weisen Männer hatten die ganze Zeit über verkündet, er hätte nicht die geringste Chance, auch nur zum Präsidentschaftskandidaten nominiert zu werden.

Ich habe mein möglichstes getan, dachte Temple. Ich und viele andere.

Er seufzte und bedauerte es ein wenig, die Chance nicht wahrgenommen zu haben und nicht nach Kalifornien geflogen zu sein, um von dort aus über den Parteikonvent zu berichten. Zu jeder andern Zeit wäre er mit dem Bus oder, wenn nötig, per Anhalter hingefahren. Nichts hätte ihn davon abhalten können, den Zirkus mitzuerleben und darüber zu schreiben.

Aber dies war nicht jede andere Zeit. Es war sogar eine ganz besondere Zeit, in der seine Fähigkeit, wie ein Mann zu handeln, einem Punkt erschreckend nahegekommen war, da sie völlig zu versickern drohte. Die erste Nachricht aus Alabama hatte ihm den Atem verschlagen, aber doch nicht allzusehr. Die Reise nach Tuscaloosa und die darauffolgende Nachricht von der Verurteilung der Verleger — sein Fall war aus dem Verfahren ausgeklammert worden — hatten das ihre getan, ihn mehr und mehr fertigzumachen. Schließlich war die Angst, bloßgestellt zu werden, zu einer stetigen Pein geworden, mit der er am Morgen erwachte und die ihn den ganzen Tag nicht mehr verließ.

Er war auch gar nicht stolz darauf, Alabama als Entschuldigung für andere Versäumnisse heranzuziehen. Er hatte schon lange vor Alabama begonnen, sich Mary zu entfremden, wie er sich noch jeder Frau entfremdet hatte, der er in Liebe verbunden gewesen war und die ihn wiedergeliebt hatte. Aber jetzt nahm er zu der phantastischen Ausrede Zuflucht, er könne die Liebe, die er fühle, nicht ausdrücken, da er durch das Schreckgespenst eines Prozesses und des damit verbundenen Aufsehens gefühlsmäßig zu sehr in Anspruch genommen sei. Ich bin reif für einen von Victor Wades Kotillons, dachte er. Ich gebe einer äußeren Schwäche die Schuld, weil ich mir meine innere nicht eingestehen will.

Was hindert mich daran, ihr zu sagen, daß ich sie liebe, daß es Dinge in meinem Leben gibt, die mich vor ein Rätsel stellen und in Angst versetzen?

Auf dem kleinen Bildschirm beobachtete er Bartells jugendliche Hilfstruppen, wie sie begeistert zwischen den Sitzreihen des »Cow Palace« auf und ab trabten, als glaubten sie fest daran, einem Sieger zuzujubeln. Er kostete den bereits kalten Kaffee, den eines der Mädchen für ihn gebraut hatte, und dachte an den abgelaufenen Tag. Es war kein guter Tag gewesen. Er hatte Morris Broderick schon vor geraumer Zeit darauf aufmerksam gemacht, daß zwischen Alabamas *Stolzer Dirne* und der von ihm und Gene Spellman geschriebenen ein gewaltiger Unterschied bestand. Morris hatte geseufzt und den Umstand beklagt, daß das Original nicht aufzufinden war – nicht daß es Temple bei seinem Prozeß viel geholfen hätte, aber nicht viel war immer noch besser als gar nichts. Der Bundesrichter, war ihm frühmorgens von Morris mitgeteilt worden, hatte das Ersuchen des Rechtsbeistandes der Verleger, neue Anträge stellen zu dürfen, glatt abgelehnt und damit alle Beteiligten in höchstes Erstaunen versetzt. Und obwohl in seinem Fall noch keine Anklage erhoben worden war, sollte Temple sich seelisch darauf einstellen, noch einige bange Nächte durchstehen zu müssen.

»Wir versuchen ja, die Sache abzukürzen, soweit sie sich eben abkürzen läßt«, hatte Broderick gesagt. »Ich verstehe jetzt besser als früher, wie schädlich diese Art von Publicity für dich sein könnte, selbst wenn es zu keinem Prozeß kommt und du bereit wärst, mit einer öffentlichen Erklärung alles zu bereinigen. Wir tun unser Bestes, um alles möglichst unauffällig abzuwickeln. Aber ich bin immer noch der Meinung, daß es äußerst dumm von dir ist, Mary glauben zu machen, das Verfahren sei niedergeschlagen und es gebe keinen Anlaß zur Sorge mehr. Ich hoffe sehr, daß es so kommt; aber wenn nicht, könnte ihr das einen schweren Schock versetzen. Sie hat mich vor einigen Tagen angerufen, und ich habe dich gedeckt. Das hab ich dir zuliebe getan. Ich bedaure, daß ich so gehandelt habe.«

»Ich bin froh darüber. Wozu soll sie sich Sorgen machen? Wenn wirklich etwas passiert, wird sie ihren Mann stellen. Bis dahin soll sie ihre Ruhe haben. Ich hab's nicht gern, wenn sie sich Sorgen macht.«

Nach dem Gespräch war Temple in die Küche hinuntergegangen, wo Mary sein Frühstück zubereitete. Gestern abend hatte sie Liebe von ihm haben wollen, es ihn wissen lassen, ohne es auszusprechen. Aber Temple hatte so getan, als verstünde er sie nicht. Vom Duft brutzelnder Buchweizenpfannkuchen eingehüllt, suchte er nach einem Anlaß, um den Ärger über sich selber zu verdecken, und er fand ihn in dem tragbaren Fernsehgerät, das sie eingeschaltet hatte. »Dreh das ab«, sagte er. »So früh am Tag brauche ich keine Unterhaltung.«

Sie war erstaunt. Er hatte nichts anderes erwartet. »Das ist ein Bericht vom gestrigen Parteitag. Ich dachte, er würde dich interessieren.«

»Davon bekomme ich im Büro mehr als genug«, entgegnete er schroff. »Und jetzt dreh das Zeug ab!«

Schweigend schaltete sie ab, das Gesicht zorngerötet. Ebenso schweigend knallte sie einen Teller Pfannkuchen vor ihn hin. Temple fuhr mit seinem Stuhl krachend zurück und leerte den Teller in den Müllschlucker. Einen Augenblick lang war Mary wie erstarrt. So ein kindisches Benehmen hatte sie bei ihm noch nie erlebt. Aber dann reagierte sie, indem sie seinen Kaffee vom Tisch nahm und ins Spülbecken warf — Kaffee, Schale, Untertasse und alles, was dazugehörte. Es war wie in einem Filmschwank von Laurel und Hardy, und Temple hatte das flüchtige Gefühl, er brauche sein Gesicht nur ein wenig zu verziehen, und sie würden beide in Lachen ausbrechen und sich über ihr albernes Benehmen lustig machen. Aber es ärgerte ihn maßlos, daß sie seine Reizbarkeit so ernst genommen hatte.

Es war zu früh für einen Zank mit Mary — und überdies war es völlig unnötig —, aber sie stritten dennoch. Sie grub alte Kränkungen aus und zählte Beispiele seiner Gleichgültigkeit auf. Er versuchte ihr mit zwingender Logik beizukommen, und sie erklärte, eine Scheidung wäre die richtige Lösung.

Keiner von ihnen hatte das Wort jemals ausgesprochen. Es brachte ihn augenblicklich zur Besinnung. Es war das einzige Wort, das Mary ohne jede Erregung gebraucht hatte. »Wir haben uns genug mit Schmutz beworfen«, sagte er, »aber mit diesem Wort wollen wir nicht spielen. Nimm es nie mehr in den Mund!«

»Gegen das Wort ist nichts einzuwenden. Wenn wir uns nichts mehr zu geben haben — warum sollten wir nicht über die Scheidung sprechen?«

»Das kann doch nicht dein Ernst sein, Mary.«

»Warum nicht? Hättest du Gefühle für mich, würdest du einen Weg finden, sie sprechen zu lassen. Ich habe meine Fehler, aber ich halte mich nicht für einen Hohlkopf. Ich sitze nicht Ballonkaugummi kauend und Filmzeitschriften lesend herum, bis mein Männchen nach Hause kommt, um mit mir groß auszugehen. Ich kann mich damit abfinden, daß du mir nichts Wichtiges anvertraust, wenn du Grund dazu hast. Und daß du nicht mit mir schläfst, weil es dir keinen Spaß macht. Womit ich mich aber nicht abfinden kann, ist dieses völlige Sichzurückziehen und Sichabschließen, dieses Mich-an-einer-Leine-Halten. Wenn ich dir eine schlechte Frau bin, dann sag mir, in welcher Beziehung, aber weich mir nicht aus. Das ertrage ich nicht, Bill. Keine Frau erträgt das. Ich möchte deine Frau sein, aber du zeigst mir nicht den Weg dazu, du läßt mich an nichts teilnehmen, Bill . . .«

Er war in die Falle der unwiderlegbaren Wahrheiten geraten, die Mary ausgesprochen hatte. Es war ihm gelungen, zu entkommen, indem er sie in der Küche stehengelassen und sich ins Büro geflüchtet hatte.

Jetzt war es Abend, und die Bartell-Narren rasten immer noch durch die Gänge des »Cow Palace«. Temple entschloß sich, heimzugehen und sich mit Mary zu versöhnen. Er würde einen Weg finden. Er mußte. Er stand auf, drehte das Gerät ab und wollte gehen, als plötzlich Janie, das Mädchen, das ihm den Kaffee gekocht hatte, klopfte und eintrat. Sie lächelte nervös und hielt eines der Oppositionsblätter in der Hand; eine Morgenausgabe, die wahrscheinlich noch nicht im Verkauf war. Es war aufgeblättert und so gefaltet, daß Thomfordes Spalte ihm sofort in die Augen sprang.

»Haben Sie Lust zu einer Verleumdungsklage?« fragte sie und reichte ihm die Zeitung.

Er sah seinen Namen und die Wörter »Schmutz« und »Alabama«. Er bat Janie, ihn alleinzulassen.

Temple setzte sich wieder. Claude Thomforde war ein Juwel von einem Washingtoner Kolumnisten, ein Muster an Lauterkeit, dem das Herz brach, wenn er an den unzeitigen Tod Georgs V. dachte; ein dummer Mann und immer noch ein blendender Zeitungsschreiber, der seit Dutzenden von Jahren am selben modernen Schreibtisch saß; ein Journalist, der in einer Artikelserie einmal für die Gewerkschaften eingetreten war und dafür den Pulitzer-Preis erhalten hatte; der gegenwärtig über »unwiderlegbare Beweise« verfügte, daß J. Edgar Hoover ein Kommunistenfreund war; ein Apoplektiker, der vierundzwanzig Stunden am Tag gegen alle und alles wetterte, was sich nach 1904 ereignet hatte. Trotz eines Rattenschwanzes von Prozessen behielten ihn seine Zeitungen unter Vertrag, da er viele Leser hatte. Gelegentlich traf er in Washington mit Temple zusammen. Bill, der ihn als alten Profi respektierte, war stets liebenswürdig und freundlich zu ihm. Thomforde, jetzt vierundsiebzig, immer noch ein Charmeur, wenn er betrunken war, pflegte Bill gleichfalls immer nett zu behandeln. »Jüdeln Sie mit mir«, forderte er ihn öfters auf. »Versuchen Sie es mal, ohne die Hände dabei zu bewegen. Ich wette, das schaffen Sie nicht.« – »Sie sehen gut aus, Claude«, sagte Temple dann. – »Weil meine Niggergirls so gut blasen können«, lautete Thomfordes Antwort.

In seiner Spalte im Morgenblatt nannte er William Temple einen grünen Jungen, einen Freund der Sowjets, einen Verbreiter kommunistischen Gedankenguts und einen Pseudointellektuellen, dem kein Patriot Vertrauen schenken dürfe. Diese Rippenstöße waren nichts Außergewöhnliches; der etwas verschrobene Thomforde, der ihn persönlich gut leiden konnte, machte ihn und andere politisch unabhängige Journalisten seit Jahren herunter, wenn er gerade kein besseres Thema für seine Spalte fand. Seine Angriffe waren immer zu marktschreierisch, zu durchsichtig boshaft gewesen, als daß sie Temple hätten schaden können.

In dieser Spalte aber legte er Beweise vor, daß William Temple eine Gefahr für die Republik darstelle, und die Beweise waren dokumentarisch belegt. Er berichtete detailliert über sein Verbrechen, seine Verhaftung, sein Untersuchungsverhör und den kommenden Prozeß. Er erging sich in philosophischen Betrachtungen über einen Mann, dessen rot angehauchtes Herz täglich für die Moral in der Regierung blutete, während nachts so widerlicher Schmutz aus seiner Feder floß, daß kein Familienblatt es wagen konnte, auf das Thema näher einzugehen. Er erinnerte seine Leser daran, daß William Temple ein leidenschaftlicher Verteidiger der Sache Haywoods und Quinlans war. Und er betonte nachdrücklich, daß unter Grant Campbells Leuten *keine* berufsmäßigen Pornographen waren.

Morgen würde die Spalte in sechsundvierzig Zeitungen der Vereinigten Staaten zu lesen sein, und die Nachrichtenagenturen und andere Blätter würden schon für weitere Verbreitung sorgen.

Temple erhob sich noch einmal. Er mußte sich mit der flachen Hand auf die Schreibtischplatte stützen, bevor er richtig stehen konnte. Nach einer Weile drehte er das Licht ab und verließ sein Büro. Er ging an Janie und den andern, die den Artikel gelesen hatten, vorbei. Er sagte kein Wort und blickte sie nicht an. Der Aufzug brachte ihn in die Halle hinunter. Erst dort fiel ihm ein, daß er vergessen hatte, den Fernseher abzudrehen.

Wie durch einen Nebel ging er auf steifen Beinen nach Hause. Wer konnte Thomforde auf die Spur gesetzt haben? Temple wußte, daß dieses Genie, wenn es einmal von jemandem einen Tip erhalten hatte, sich innerhalb kurzer Zeit alle nötigen Unterlagen beschaffen konnte. Aber wer hatte Thomforde informiert?

Harry.

O Gott, nein! Zu so einer Gemeinheit war Harry nie imstande.

Aber außer ihm wußte niemand von dieser Angelegenheit.

In der Halle brannte die Lampe, und auch oben war es hell. Soll ich Mary etwas von Thomfordes Artikel sagen? fragte er sich. Kann ich nach dem, was heute vorgefallen ist, von ihr Mitgefühl verlangen?

Er ging in die Küche, um sich ein wenig Milch zu wärmen. Seine Hände zitterten so heftig, daß die Flüssigkeit überschwappte, die Kasserolle seinen Händen entglitt und klappernd zu Boden fiel. Eben hatte er aufgewischt und, diesmal mit mehr Erfolg, frische Milch in den Topf gegossen, als er Marys Schritte hörte. Er wandte sich um und sah sie in der Tür stehen. Sie trug ein neues Kostüm.

»Du siehst ja sehr schick aus«, sagte er. »Wo warst du?«

»Hier«, antwortete sie. »Ich bin angezogen, weil mich in ein paar Minuten ein Taxi holen kommt. Ich bleibe über Nacht bei Dorothy.«

»Dorothy Travers?« fragte er überflüssigerweise. Dorothy war eine der wenigen guten Freundinnen Marys in Washington. »Wozu?«

»Weil ich nicht mehr mit dir gemeinsam leben will. Dorothy und ihr Mann nehmen mich für die Nacht auf, und morgen werde ich mich entscheiden, wohin ich dann gehe. Wahrscheinlich fahre ich heim nach Morgantown. Ich nehme mir zunächst nur einen kleinen Koffer mit.«

Bitte, sprich nicht weiter, dachte er und sah auf die Milch in der Kasserolle. Ich kann heute abend nicht mehr.

»Tu's nicht«, war alles, was er herausbringen konnte. Er sagte es ganz leise.

»Warum nicht? Weil du mich brauchst?«

»Ja«, flüsterte er.

»Andere Leute brauchen mich mehr. Zumindest wollen sie mich mehr. Es wird dir an nichts fehlen, Bill. Violet bleibt. Sie wird dir das Essen kochen, die Knöpfe annähen und in der Drogerie die Rasiercreme kaufen. Das ist alles, was du tatsächlich von einer Frau brauchst. Ich hab genug.«

Temple sank auf einen Stuhl. Er konnte sie nicht ansehen.

»Das wird nicht gehen«, sagte er mit hohler Stimme. »Du hast doch Angst, wenn es in der Nacht donnert und ich nicht bei dir im Bett bin.«

»Soll das heißen, daß es keinen andern Mann gibt, der mit mir ins Bett gehen will?«

Hör doch auf mit dem Unsinn, Mary, dachte er. Ich flehe dich an. Man wird mir den Prozeß machen. Morgen wird alle Welt wissen, was geschehen ist. Ich bin am Ertrinken, Mary. Verlaß mich nicht!

»Nein, das nicht.«

»Du denkst es dir! Es hat sich aber herausgestellt, daß ich für andere Männer immer noch reizvoll bin. Für Harry Orlando zum Beispiel. Er fand mich recht gut im Bett. Er hat es mir gesagt!«

Temple riß den Kopf hoch und blickte sie erstaunt an.

»Du hast mich als etwas Selbstverständliches betrachtet, und das war ein Fehler«, fuhr sie fort. »In Kalifornien ist es geschehen, in jener Nacht, in der du mit der Funkstreife spazierengefahren bist. Er hat mich vom Konzert abgeholt und ins Hotel zurückgebracht. Ich brauchte dich, und du warst nicht da, wie du von allem Anfang an fast nie da warst. Ich ließ ihn ins Bett kommen.«

»Dieses Schwein ... dieses besoffene Schwein ... Du hast dich von ihm anrühren lassen?«

»Ja, er ist ein besoffenes Schwein. Ich schämte mich, und ich schäme mich immer noch. Aber er lag auf mir und liebte mich. Ich hatte das Gefühl, daß es doch einen Mann auf der ganzen Welt gab, der nicht Bill Temple war und wenigstens in dieser Beziehung wußte, wozu eine Frau da ist.«

Wozu erzählst du mir das jetzt? Ich bin am Verrecken, und du stößt mich noch tiefer hinab.

Temple erhob sich schwerfällig und drehte das Gas ab. »Es tut mir leid«, sagte er, »daß ich dir nichts mehr geben kann.«

»Ich glaube nicht, daß ich jemals daran gezweifelt habe«, entgegnete sie. »Aber wir können einander nicht helfen, solange wir beide Krüppel sind. Leb wohl, Bill!«

Er hörte die Eingangstür sich öffnen und wieder schließen und blieb minutenlang reglos stehen. Es war ein langer Tag gewesen, ein sehr schlechter Tag, und er war todmüde. Er lockerte die Krawatte und trug das Glas mit der warmen Milch die vielen Stufen hinauf, am Zimmer des Mädchens vorbei, ins Obergeschoß. Aber er ging nicht in sein Zimmer, sondern stieg weiter nach oben, da er schon so lange nicht mehr in der kleinen Dachstube gewesen war. Er drehte die Deckenbeleuchtung an und setzte sich an das alte, staubige Rollpult. Er blätterte langsam in einigen der Einklebebücher, die er zu Beginn seiner Laufbahn geführt hatte. In einer Lade fand er eine Fotografie von sich und seinen Kameraden, die anläßlich ihres Abiturs aufgenommen worden war. Er konnte sich nicht erinnern, was mit seinem College-Diplom geschehen war, aber hier lagen sein High-School-Diplom und das Empfehlungsschreiben von Mr. Frerichs, seinem Lieblingsprofessor in Zeitungswissenschaft, in dem allen seinen zukünftigen Brotgebern versichert wurde, daß der junge Gerard William Temple einen prächtigen Journalisten abgeben würde.

Und da gab es auch die vielen, durch ein Gummiband zusammengehaltenen Briefe, die er von — wie hatte sie doch geheißen? —, richtig, Helen Nickerson bekommen hatte. Sie waren entsetzlich verliebt ineinander gewesen. Als er jetzt ein paar von ihnen durchsah, wunderte er sich, daß er so verrückt nach einem Mädchen gewesen war, das so kindische Briefe geschrieben hatte.

Beachtlich, wieviel Plunder sich auf einem Dachboden ansammeln konnte und nicht fortgeworfen wurde, da er der unsinnigen Überzeugung war, daß jedes Stück seinen Wert hatte. Hier lagen Berge von alten Zeitschriften und abgegriffenen Büchern. Wie kam der fünf Tonnen schwere uralte Radioapparat seiner Eltern her? Und hier war ein Karton mit ausgebrannten Glühbirnen, dort ein anderer mit der Streichholzschachtelsammlung seines Vaters. Zwei zusammengeschlagene und unbrauchbare Schreibmaschinen lagen da, und weitere Briefe von vergessenen Menschen aus der Vergangenheit, und — was denn noch alles? — zwei uralte Telefonbücher und sechs vergilbte Sears-Roebuck-Kataloge. Wer hatte das alles heraufgeschleppt, diese Bleistiftstummel und unbrauchbaren Füllfedern, das zerbrochene Lineal, das eingerahmte, mit einer handschriftlichen Widmung versehene Bild Ruth Ettings und sogar diese rostigen Rasierklingen?

Aber er fand doch etwas, das ihm Freude machte – ein Exemplar der Dialoge Lukians, das eine Tante ihm vor langer Zeit einmal zum Geburtstag geschenkt und das er immer geliebt hatte. Das Buch in der einen, eine rostige Rasierklinge in der anderen Hand, ließ er sich in dem Korbstuhl nieder, der zu Hause auf der hinteren Veranda gestanden und auf dem seine Mutter an warmen Sommerabenden gesessen hatte.

Die Stimmenabgabe begann Mittwoch um elf Uhr vormittags. Orlando schlief lange, da er bis spät in die Nacht hinein für ganze Schiffsladungen von Witzbolden und ihre glotzäugigen Ehefrauen die Madam gespielt hatte, bis sie besoffen unter den Tisch gefallen waren.

Er erwachte am frühen Nachmittag, kratzte sich auf der Brust, ließ sich von Patsy Kaffee und Zeitungen bringen, starrte eine Weile mit leerem Blick auf die Wand und drückte dann den Knopf auf seinem Nachttisch, mit dem er den Fernsehapparat einschalten konnte. Für den Augenblick hatte er genug geleistet. Sollte Campbell nominiert werden – und das schien heute noch wahrscheinlicher als gestern –, würde Orlando auch weiterhin alles tun, ihn ans Ziel zu bringen. Sollte es danebengehen – na ja, meine Herren, so ist das Leben, wir werden schon sehen, wie's weitergeht.

Nach dem ersten Wahlgang lag Reynolds in Führung, wenn auch nicht besonders stark, wie der Fernsehkommentator meinte. Es war noch viel zu früh, um etwas sagen zu können, behauptete er, und es konnte noch allerlei passieren. Patsy brachte den Kaffee und die Zeitungen, zog die Jalousien hoch und fragte: »Ziehst du heute den schwarzen Seidenanzug an?«

»Nein, der ist zu auffallend für hier. Wozu haben wir den überhaupt eingepackt? Nehmen wir den blauen mit den zarten Streifen. Aber das hat noch Zeit. Vorläufig brauche ich ihn noch nicht. Ich werde dich rufen.«

Er sah die Zeitungen durch und warf hin und wieder einen Blick auf den Bildschirm. Es war schon recht beachtlich, wie die Dinge jetzt aussahen: Die Starreporter, die auf Grant Campbells Namen hin nur gewiehert hatten, waren verstummt. Wie auch immer es ausgehen mochte – es lachte keiner mehr über ihn. Die allgemeinen Prophezeiungen lauteten nun dahingehend, daß Lloyd Reynolds nicht unbedingt der Favorit war, und daß er heute noch einen recht beschwerlichen Weg vor sich haben würde.

Und dann war es Bill Temples Name, der Orlandos Blick auf Claude Thomfordes Spalte haftenbleiben ließ.

Als er fertiggelesen hatte, legte er die Zeitung in den Schoß, fluchte und fragte sich, ob Thomforde wirklich schon so alt wäre, wie man ihm erzählt hatte. Er hoffte, man hätte ihn falsch unterrichtet, denn er verspürte große Lust, die miese Laus aufzusuchen und in der Luft zu zerreißen.

Aber Moment mal! Wie kam Thomforde zu der Information? Warum erschien der Artikel heute und nicht vorige Woche oder nächsten Monat?

»Grant Campbell«, las er, »hat keine eifrigen Verteidiger, die gleichzeitig berufsmäßige Pornographen sind ...«

Ja, ja, Moment mal! Denken wir ein bißchen zurück! Ja, vielleicht hat Campbell diesem Schmock den Tip gegeben.

Aber woher hatte Campbell ihn?

Plötzlich krampften sich seine Bauchmuskeln zusammen. Ein Schwindel überkam ihn, als er an die Möglichkeit dachte ...

»Patsy!«

Sein Bruder stand in der Tür.

Orlando forderte ihn mit einer Geste auf, näher zu kommen. »Hast du mit jemandem darüber gesprochen, was ich dir von Bill Temple erzählt habe?«

»Was hast du denn, Harry? Bist du böse?«

»Nein. Gib Antwort!«

Patsy sah ihn prüfend an, als wollte er sich Harrys guter Laune versichern, und dann verzog er das Gesicht zu einem gequälten, aber schlauen Grinsen. »Ja, Harry. Ich wollte dir beweisen, daß ich auch zu etwas tauge. Vorige Woche, gleich nachdem du nach New York gefahren bist, hab ich mir gesagt: Dieser Temple, der hackt auf Harry herum. Was kann ich tun, um ihm das abzugewöhnen? Hab ich mich gefragt.«

»Also hast du Campbell erzählt, was du wußtest?«

»Nun, ihn selber konnte ich nicht erreichen, aber ich hab mit dem Mann geredet, der mit ihm arbeitet – heißt Pontiac oder so ähnlich –, und der schüttelt mir die Hand, als wäre ich ein Professor, und dankt mir und sagt, was ich getan habe, dafür werden mir alle dankbar sein.« Er grinste noch breiter und zeigte seine fürchterlichen Zähne. Noch jeder Zahnarzt hatte sich außerstande erklärt, sie in Ordnung zu bringen. »Na, was sagst du jetzt zu deinem dummen Brüderchen, Harry?« fragte er.

Orlando stürzte sich auf ihn und begann auf ihn einzuschlagen. Patsy blieb stehen. Er war so verdattert, daß er nicht einmal die Hände hob, um sein Gesicht zu schützen.

Orlando schlug weiter, lange Sekunden, aber er führte die schwachen Schläge eines Mannes, der sich angewidert fühlt vom Verrat und verbittert von der Erkenntnis, daß kein Verrat beabsichtigt gewesen war. Plötzlich war sein Zorn verraucht und wich tiefer Niedergeschlagenheit. Er öffnete seine Fäuste, umarmte seinen Bruder und drückte ihn an sich.

»Was hab ich denn angestellt, Harry? Sag mir doch, was ich angestellt habe!«

Orlando gab ihn langsam frei und wandte sich ab. »Nichts, Junge. Bring mir was zum Anziehen!«

»Wolltest du denn nicht, daß ich das tue, Harry? Wenn ich geahnt hätte . . .«

»Bring mir meine Kleider!« sagte Orlando mit rauher Stimme und begab sich ins Badezimmer, um sich zu rasieren. »Steck mir das grüne Buch mit den Telefonnummern in eine Tasche!« rief er seinem Bruder zu. Er wollte Bill anrufen. Es würde zwar nichts helfen, aber er wollte die Verantwortung auf sich nehmen und sich entschuldigen.

O Gott!

Er trocknete sich das Gesicht ab, kehrte ins Schlafzimmer zurück, griff hastig nach dem Telefon, nannte dem Fräulein seinen Namen und bat es, ihn mit Senator Campbells Appartement zu verbinden. Nach einer nicht enden wollenden Wartezeit – die Leitungen waren alle besetzt – meldete sich eine Frauenstimme, die aufgeregt zu zwitschern begann, als sie Harry Orlandos Namen hörte. Sie sagte, es täte ihr leid, aber der Senator befände sich im »Cow Palace«. Im Hintergrund war lautes, schrilles Gerede zu vernehmen.

»Also dann Pontius! Verbinden Sie mich mit Kyle Pontius.«

»Es tut mir entsetzlich leid, Mr. Orlando, aber hier ist so ein Lärm, daß ich Sie nicht verstehen kann. Mit wem wollten Sie sprechen?«

»Mit Pontius!« brüllte er.

»Oh! Ja, das ist so gut wie unmöglich, Mr. Orlando. Er ist hier irgendwo in der Gegend, glaube ich, aber ihn jetzt zu finden ... Kann ich Sie zurückrufen, wenn ich ihn ...«

Er knallte den Hörer auf die Gabel und zog sich rasch an. Patsy sah ihm schweigend und bekümmert zu. Harry marschierte auf den Gang hinaus und ließ sich vom Aufzug zu Campbells Hauptquartier fahren, wo ihn ein vor Ehrfurcht ersterbender Aufseher einließ, ohne erst unnötige Telefongespräche zu führen.

Die geräumige Halle glich einem Irrenhaus. Überall waren Plakate mit der Aufschrift CAMPBELL KOMMT! angeschlagen, und Dutzende von Wahlhelfern, bezahlte und freiwillige, schossen umher, telefonierten, überbrachten Botschaften, schüttelten Hände und kreischten. Campbell strahlte in huldvoller Pracht von einer Fotografie im Cineramaausmaß auf die Gläubigen herab, und genau darunter gab eine riesige Leuchttafel zu erkennen, welche Fortschritte er seit dem ersten Wahlgang gemacht hatte. Man sprach dem Alkohol zu, wenn auch diskret und außerhalb der Reichweite der Fernsehkameras mit ihrem Gewirr von Drähten und Kabeln. Hübsche junge Mädchen mit Knöpfen auf jeder der beiden Brüste (NICHT HASARDIEREN – CAMPBELL KÜREN!) hüpften in weißen Sweatern, Faltenröcken und weißen Söckchen umher. Mühsam bahnte sich Orlando einen Weg durch die Horden, um das im Schlafzimmer eingerichtete Büro zu erreichen, wo er Pontius vermutete. Er schickte ein Stoßgebet zum Himmel, in der Hoffnung, daß ihn das junge Gemüse ringsum nicht erkannte.

In einer Ecke sorgte ein Orchester für Stimmung. Als er auf einem Tischchen ein Tablett mit vollen Weingläsern erblickte, blieb er einen Augenblick lang stehen. Noch bevor er von einer Gänseschar von Teenagern und ihren blauhaarigen Müttern umringt wurde, stürzte er ein Gesöff hinunter, das sich als abgestandener Champagner entpuppte. Sie glotzten ihn an, faßten ihn an den Armen und redeten alle zugleich auf ihn ein, aber er ging weiter. Sein Blick fiel auf einen Mann, den er wiedererkannte, von dem er aber nicht wußte, wo er ihn unterbringen sollte. Es war ein alter Herr mit wäßrigen Augen, der allein in einer Ecke stand und lächelnd dem wirren Treiben zusah. Zuerst dachte Orlando, es könnte Claude Thomforde sein, aber dann erkannte er ihn. Der Mann war Amos Woodbury. Kein Zweifel: Damals, vor einigen

Jahren, war sein Gesicht nur allzu häufig in Zeitungen, Zeitschriften und Wochenschauen erschienen, als der hinterwäldlerische Prediger aus Georgia mit seiner Druckerpresse enorme Mengen von Haßliteratur für geistig Minderbemittelte produzierte und so die Gunst einer Handvoll von Geldleuten und Massen von Rassenfanatikern erlangt hatte. Was, zum Teufel, machte er hier?

An der Schlafzimmertür wurde Orlando schließlich von einem jungen Mann mit Bürstenhaarschnitt, vierzehnhundert weißen Zähnen und zwei Siegelringen begrüßt. »Wie geht's, Mr. Orlando?« sagte er und streckte ihm eine fleischige Hand entgegen. »Erinnern Sie sich noch an mich? Blake Cameron. Der Senator hat uns vor ein paar Wochen bei einer Wählerversammlung bekannt gemacht.«

»Ist Pontius drinnen?« fragte Orlando, ohne die Hand zu beachten.

»Ich ... ich glaube schon«, erwiderte Cameron, und die Hand sank schlaff herab.

Orlando öffnete die Tür und trat ein. Auch hier tanzten Massen von Menschen herum, darunter Pontius. Er war in ein angeregtes Gespräch mit zwei Herren vertieft, verabschiedete sich aber von ihnen, als er Orlando erblickte, und stürzte mit ausgestreckter Hand auf ihn zu. »Wie schön, Sie zu sehen!« rief er ihm schon von weitem zu. »Es steht nicht schlecht, finden Sie nicht auch?«

Orlando beachtete auch diese Hand nicht. »Wer«, fragte er, »hat Thomforde den Tip gegeben? Sie oder Campbell?«

»War das nicht ein Mordsglück? Ja, das haben wir beide gemanagt, Grant und ich, gleich nachdem Sie Ihren Bruder damit zu uns geschickt haben. Grant bedauert es außerordentlich, daß er noch keine Zeit gefunden hat, Ihnen persönlich zu danken; aber er wird es nachholen, Harry, seien Sie unbesorgt. Offen gestanden, er war zunächst gar nicht so recht dafür – er meinte, es wäre nicht der richtige Zeitpunkt und man könne auch bis zur Nominierung nicht mehr alle Angaben überprüfen. Ich erinnerte ihn an den alten Bullenbeißer Thomforde. Ich kenne ihn zwar nur oberflächlich, aber er ist einer von Grants ältesten und besten Freunden. Darum meinte Grant schließlich, was können wir dabei verlieren?«

»Wohl nicht sehr viel.«

»Sie sagen es.« Pontius lachte und versetzte Orlando einen

scherzhaft gemeinten Faustschlag in den Magen. »Der alte Claude, ein richtiges Feuerwehrpferd, machte sich unverzüglich an die Arbeit. In den letzten Jahren ist es einigen unserer hebräischen Freunde gelungen, ihm einen Teil seiner Verbindungslinien abzuschneiden, aber Gott sei Dank nicht alle. Wie gesagt, er ging unverzüglich ans Werk, prüfte und überprüfte volle zwanzig Stunden, ohne auch nur eine Sekunde zu schlafen. – Ist das nicht phantastisch, ein vierundsiebzig Jahre alter Herr? Er erreichte die richtigen Leute und verifizierte alles, so daß der Zeitpunkt schließlich doch genau richtig war, meinen Sie nicht? Der Artikel hat wie eine Bombe eingeschlagen. Wir haben ihn gestern bekommen, sofort Abdrucke herstellen lassen und sie an alle Delegierten und Stellvertreter verteilt. Grant und ich, wir glauben, das Geschreibsel wird enorm wirksam sein, und wir können Ihnen gar nicht genug danken, Harry. Was darf ich Ihnen bringen? Ein Sandwich? Einen Drink?«

»Bringen Sie mir Campbell!«

»Ja, das ist nicht so einfach. Heute ist Grants großer Tag. Er ist hier und dort und überall – nur nicht dort, wo man ihn sucht. Haben Sie gesehen, was sich tut? Er wird die Nominierung *tatsächlich* schaffen!«

»Die Programmrede«, sagte Orlando, »in der er sich von den Wades lossagt – daran hat sich doch nichts geändert, oder?«

»Na ja, es ist noch ein bißchen verfrüht, über Programmreden zu sprechen, aber ich gebe zu, es sieht für Grant nicht schlecht aus. Hören Sie, Harry, ich muß was tun. Auf Parteitagen gibt's auch für Wahlmanager einen Haufen Arbeit, das wissen Sie ja.«

Orlando stellte sich ihm in den Weg. »Wird er die Programmrede, die Sie mir gezeigt haben, halten oder nicht?«

Pause. Eine zu lange Pause für einen so aalglatten Fisch wie Pontius.

»Also, Harry, wollen wir eigentlich schwimmen oder untergehen? Reden wir doch einmal offen! Die Grundsatzerklärung von vorgestern war süß, schmalzig und rührselig, wie solche Erklärungen eben sein sollen. Wir hatten Angst, ein paar von den Sentimentalen im Ausschuß würden zu hartnäckig darauf bestehen, Organisationen wie die der Wades zu verurteilen, und uns schließlich dazu bringen, die Unterdrücker zu beweinen statt die Unterdrückten. Grant war hinter den Kulissen tätig, um die Verurteilung Wades aus der Erklärung zu eliminieren und das Vitriol gegen einen vernünftigen Patriotismus abzuschwächen. Es tut mir leid, daß wir Ihnen diese kleine Notlüge erzählen mußten, aber Sie sehen doch jetzt sicher selbst ein, daß das Hand und Fuß hat.«

»Man könnte es nicht treffender formulieren. Ich frage Sie jetzt zum zehntenmal: Wird er sich im Fall seiner Nominierung von ihnen lossagen oder nicht?«

»Sie sind schon reichlich naiv, Harry, nicht wahr?«

»Ja. Und jetzt geben Sie mir eine gerade Antwort.«

»So eine Heldenrede zu halten, wäre politischer Selbstmord. Er ist doch jetzt dabei, es zu schaffen, ohne eine Menschenseele beleidigt zu haben. Warum sollte er riskieren, auch nur *einen* Wähler zu verstimmen, bevor er den großen Fisch nicht in der Tasche hat? Wenn er das einmal erreicht hat, bleibt ihm noch genügend Zeit, sein eigener Herr zu sein. Nicht daß er es nicht auch jetzt wäre, aber wozu sollte er irgendeine Gruppe gegen sich aufbringen? Warum schauen Sie mich so bös an, Harry? Haben Sie wirklich geglaubt, Grant würde hoch zu Roß als Ritter ohne Fehl und Tadel in den Kampf ziehen?«

»Nein, aber ...«

»Sehen Sie«, sagte Pontius freundlich und klopfte Orlando auf die Schulter. »Viele Jahrhunderte sind vergangen, aber man spielt noch immer, um zu gewinnen. Auch Sie werden den Sieg auskosten – es ist ein Wein, der zu Kopf steigt und berauscht wie kein zweiter. Aber jetzt muß ich mich wirklich verabschieden. Versuchen Sie doch diese Sandwiches! Sie schmecken köstlich.«

Orlando sah ihm nach, wie er in einer Wolke von Kölnisch Wasser auf eine Gruppe aufgeregter Männer zusteuerte, und begab sich langsam wieder in die große Halle. Dort näherte sich die enthusiastische Stimmung eben ihrem lautstarken Höhepunkt. Die Leuchttafel zeigte an, daß die erste Abstimmung dem Ende zuging, und obwohl Reynolds noch in Führung lag, verringerte sich Campbells Abstand zusehends. Alles sprang vor Begeisterung, sogar die blauhaarigen Mamas. Orlando mußte sich seinen Weg durch die Massen erkämpfen, bis er endlich im Privataufzug Geborgenheit und Ruhe fand.

In seinem eigenen Appartement angekommen, fragte ihn Patsy, ob er jetzt frühstücken wolle.

»Eis«, antwortete er.

»Harry«, sagte Patsy, »ich hab mir das so überlegt. Ich wollte ja nichts Schlechtes tun. Wie wäre es, wenn ich zu Mr. Pontiac oder wie der Kerl heißt, hinginge und so täte, als ob ich alles falsch verstanden und durcheinandergebracht hätte? Wäre das nicht schlau? Du sagst mir, was ich sagen soll, und ich sag's.«

»Schon gut, hol das Eis«, erwiderte Orlando traurig. Er ging an die Bar im Wohnzimmer und füllte ein großes Quantum Whisky in ein Glas. Dann fiel ihm ein, daß er Bill Temples Nummer eingesteckt hatte. Er ging zum Telefon, nahm den Hörer ab, starrte ihn an und legte ihn wieder zurück.

Er konnte Bill nicht anrufen. Noch nicht.

Er hockte allein an der Bar und starrte auf den Fernsehschirm; die erste Abstimmung ging gerade zu Ende, ohne daß sie eine Entscheidung gebracht hätte. Zwei Kommentatoren diskutierten das Ergebnis und bemerkten übereinstimmend, daß es auf jeden Fall deutlich zeige, daß Grant Campbell stärker war, als die meisten Meinungsforscher vorausgesagt hatten. Ohne Zweifel werde er sehr wohl die Nominierung schaffen, wenn Mark Bartell ihm, wie erwartet, beim dritten Wahlgang seine Delegierten zur Verfügung stellte.

Dann sprachen sie über die Abdrucke von Claude Thomfordes Artikel, die zu Tausenden den Saal überschwemmten. Einer der Kommentatoren gab den Inhalt in großen Zügen wieder und meinte schließlich: »Niemand kann mit Sicherheit sagen, welche Wirkung diese in letzter Minute gezündete Bombe auf die Delegierten ausüben wird. Senator Campbell hat bereits sehr energisch bestritten, mit der Verbreitung der Flugzettel etwas zu tun zu haben. Niemand bezweifelt die Richtigkeit seiner Worte, aber es läßt sich auch nicht leugnen, daß ihm der Artikel nicht zum Schaden gereichen wird.«

Dann kamen Kurzinterviews mit den Kandidaten und ihren Helfershelfern, und da war auch schon der lächelnde Pfadfinder: »Nein, Bob«, sagte er, »ich weiß nichts davon. Ich habe keine Ahnung, wer sich die Mühe gemacht und die Kosten nicht gescheut hat, so viele Abdrucke herstellen zu lassen. Hätte ich rechtzeitig davon erfahren, würde ich gegen den Abdruck und seine Verbreitung schärfsten Einspruch erhoben haben. Wenn ich den Kampf nicht auf redliche Weise und ohne persönliche Angriffe gewinnen kann, dann verdiene ich auch gar nichts anderes. Das war schon immer mein Standpunkt. Ich finde es bedauerlich, daß Mr. Thomforde sich bemüßigt gefühlt hat, das persönliche Mißgeschick eines Menschen anzuprangern. Ich habe in den letzten Wochen immer wieder betont, daß ich für Mr. Temples Neigungen nicht viel übrig habe — weder für seine angestrengten Bemühungen, uns die sozialistische Philosophie zu ›interpretieren‹, noch für seine Beiträge zur obszönen Literatur. Wenn dieser Mann Präsident Quinlans persönlicher Berater ist — der Präsident hat wiederholt erklärt, er schätze Mr. Temples Rat —, nun, diese Art von Geisteskrankheit ist nicht nach meinem und, wie ich annehmen möchte, auch nicht nach dem Geschmack irgendeines anderen aufrechten Amerikaners. Aber aus den moralischen Verirrungen eines Menschen einen Wahlschlager zu machen — das halte ich wirklich für unverzeihlich.«

Orlando trank weiter mit der furchtbaren Gewißheit, daß es auf der ganzen Welt nicht genug Alkohol gab, um ihn betrunken zu machen. Er sah die Post und die Einladungen durch, die Patsy auf die Bar gelegt hatte; Einladungen der Delegierten und ihrer glotzäugigen Frauen, mit ihnen zu dinieren, zu trinken oder beides. Alle waren jetzt seine guten Freunde. Er schob die Briefe angewidert zur Seite und öffnete gemächlich ein Telegramm.

Es war mit »Anna Roche« unterschrieben . . .

ERFUHR DASS DU HIER BIST STOP HOFFE DEIN KANDIDAT SCHAFFTS STOP VIEL GLUECK!

Es stand sogar eine Telefonnummer dabei.

Was, zum Donnerwetter, hatte das zu bedeuten? Es war kaum eine Woche her, daß er sie besucht hatte. Sie war vor Freude, ihn zu sehen, nicht gerade ohnmächtig geworden. Verrückt.

Er schob auch das Telegramm zur Seite, aber erst nachdem er die Telefonnummer abgerissen und in seine Brieftasche gesteckt hatte.

Was nicht zur Seite geschoben werden konnte, war die Ehe, die er mit Grant Campbell geschlossen hatte. Nichtigkeitserklärung? Eine unerfreuliche Prozedur, denn die Braut war schwanger. Wobei noch die Frage geklärt werden mußte, dachte er, wer die Braut und wer der Bräutigam war.

Aber gewiß doch. Die errötende Braut bin ich. Und das Baby hat auch schon einen Namen. Goldene Locken wird es haben und Ehrbarkeit heißen.

Läßt sich diese Ehe noch retten? Aber natürlich, meine Kinder, psalmodiert der Pastor. Die Straße der Liebe ist nur selten eben, aber denkt an euer Baby.

Das tue ich. Ja, Sir, ich denke daran. Und daß ich schon zu weit gegangen bin und zuviel aufgegeben habe, um jetzt plötzlich den edlen Helden zu spielen. Himmelherrgott, nicht einmal der lausigste Präsident, nicht einmal der gemeinste und hinterfotzigste Präsident kann dieses Land einem Victor Wade in die Tasche spielen und uns allen Stechschritt beibringen! So funktioniert die Maschine nicht. Sie muß im Rhythmus laufen und ihre Kontrollen haben, und ich und meine Freunde werden schon dafür sorgen, daß das geschieht. Wenn es soweit ist, werden wir dem Pfadfinder schon den rechten Pfad zeigen. Und ich werde eine Persönlichkeit sein.

Während der Konvent seinen monotonen Fortgang nahm, kam Orlando plötzlich zum Bewußtsein, wie lange er schon hier im Niemandsland saß. Der Inhalt der Flasche war beträchtlich zusammengeschrumpft, und halbgerauchte Zigaretten häuften sich im Aschenbecher. Allein dazusitzen und sich mitten am Tag volllaufen zu lassen war nie eine Orlando-Spezialität gewesen. Warum sollte er heute damit anfangen? Er stieg vom Hocker herunter und zog sich das Hemd aus. Er haßte es, allein zu sein, aber er war auch nicht bereit, noch einmal die Madam zu spielen. Das war doch San Francisco, die Stadt mit Schwung, oder vielleicht nicht? Natürlich, und hier lebte auch eine ganze Masse von Freunden. Er konnte sich zwar an keinen einzigen erinnern, nach dem die Sehnsucht ihn übermannt hätte, aber vielleicht dachte er nicht genügend nach.

Denke ich vielleicht auch nicht genug an mich? fragte er sich verwundert, als er merkte, wie fuselschwach seine Beine waren und daß er zuviel von dem Zeug zu schnell in seinen leeren Magen gegossen hatte. Das waren nachmittägliche Vergnügungen für Provinzonkel; er aber hatte noch einiges zu erledigen, ehe der Tag um war.

Er kehrte ins Schlafzimmer zurück und blätterte wieder die Zeitungen durch. Aus dem Theaterteil erfuhr er, wer in San Francisco ein Gastspiel absolvierte und Lust haben mochte, mit ihm ein wenig zu quasseln und ihn seine Einsamkeit vergessen zu lassen. Noch einmal kam ihm das elende Geschreibsel dieses Schmocks Thomforde unter. Ohne so recht zu wollen, las er es ein zweites

Mal und fragte sich von neuem, wann es wohl an der Zeit wäre, Bill anzurufen. Er blätterte und blätterte, wollte jemanden finden, den er treffen konnte. Aber seine Gedanken kreisten nur um die Telefonnummer in seiner Brieftasche. Bilder und Szenen aus der Vergangenheit tauchten vor ihm auf, die beweisen sollten, wie schlecht und hoffnungslos es um ihn und Noreen stand, und er wußte, daß es noch viel schlechter und hoffnungsloser um sie beide stehen würde, wenn er erst wieder völlig nüchtern war. Er erinnerte sich der Skandale, und ihr nasales »Wer braucht dich schon?« klang ihm noch im Ohr. Er wollte mit Noreen nichts zu tun haben und sehnte sich plötzlich verzweifelt nach ihr, nur nach ihr. Nicht nach Miriam. Nie wieder nach Miriam. Er hatte sich von ihr abgewendet – fast mit Erfolg. Er hatte geglaubt, etwas sein zu können, was er nicht war und mit Miriam und Jimmy niemals sein konnte. Das hatte sie ihm klargemacht. Und er hatte zugehört, endlich zugehört, und teilte ihre Meinung. Er hatte sich selber etwas vorgemacht.

Er wählte Noreens Nummer. Nach dem vierten Läuten hob sie den Hörer ab.

»Ich habe dein Telegramm bekommen, und ich bin hier«, sagte er.

»Das ist schön.«

Komm du mir jetzt nicht auf *die* Tour, hätte er entgegnen wollen. »Wie geht's deinem Trompeter?«

»Wem?«

»Sieh mal an, und dabei ist das noch keine Woche her! Ich spreche von deiner großen Liebe – von Jack Dempsey.«

»Ach so! Gov. Ist das nicht komisch? Seit du hier warst, ist er nicht wiedergekommen. Hat nicht einmal angerufen, wegen seiner Kleider und was er sonst noch da hat. Ich dachte, du hättest ihn vielleicht kidnappen oder abknallen lassen oder sonst was. Es hätte dir ähnlich gesehen. Das hast du doch hoffentlich nicht getan, oder?«

»Warum hast du mir das Telegramm geschickt?«

Pause. »Es war schön, dich zu sehen. Ich kam erst ein paar Tage später drauf.«

Jetzt war es Orlando, der eine Pause machte. »Ich bin in einer Stunde bei dir«, sagte er dann und hängte auf.

Er stellte eine Station im Radio ein, die nur Musik sendete, rasierte und brauste sich eilends und versuchte mit aller Kraft wieder nüchtern zu werden. Der Sender spielte eine Orlando-Nummer nach der andern, und als er aus der Dusche kam und sich abzutrocknen begann, erklangen die ersten Takte des »Königs«, eines verhältnismäßig alten Schlagers. Er war damals gut bei Stimme gewesen und hatte den kessen, schmissigen »König« ursprünglich gar nicht aufnehmen wollen. Jetzt hörte er aufmerksam zu:

»Auf meinem Marmortotenstein,
da wird einmal zu lesen sein:
›Hier ruht ein König ohne Weib
und somit ohne Zeitvertreib.‹
So traurig wird's geschrieben stehn,
willst du nicht heute mit mir gehn.«

Leicht und mühelos nahm die Stimme den Refrain auf:

»Drum frag ich dich, mein Mägdelein,
willst du nicht meine Kön'gin sein?
Komm mit, ich führ dich auf mein Schloß,
mit Hofgesinde, Pferd und Troß.
Gewiß, du bist die einz'ge nicht,
die auf das Brautbett ist erpicht.
Es gibt da viele Mägdelein,
die würden gerne Kön'gin sein.
Drum rat ich, überleg's geschwind
und komm mit mir, mein süßes Kind.«

Orlando gefiel das dumme Lied. Er hatte es abgelehnt, als man es ihm brachte, und sich erst Monate später bereit erklärt, es doch zu singen. Jetzt versuchte er sich zu erinnern, warum.

Er kleidete sich an und empfand dabei ein Gefühl der Erregung und Erwartung, wie er es noch vor wenigen Minuten nicht für möglich gehalten hätte. Als er schon an der Tür war, fiel ihm ein, daß ihr Getränkeschrank leer sein könnte. Er nahm zwei Flaschen Whisky mit.

Als Harry eintrat und die Tür hinter sich schloß, stand Noreen in der Mitte des Wohnzimmers – eines peinlich sauberen Wohnzimmers. Alles an ihr schien ihm weicher, natürlicher und gedämpfter als bei seinem letzten Besuch. Ihr Gesicht war noch weit davon entfernt, einen Seifen- oder Parfümfabrikanten zu veranlassen, es für seine Anzeigen und Plakate zu verwenden, aber es war feiner als vor einer Woche, nicht mehr so matt und teilnahmslos. Sie trug ein einfaches Kleid aus gemustertem Stoff, ohne Gürtel, aber nicht sackartig herabhängend, und ihr blondes Haar war hochfrisiert. Kein Bordell-Make-up verunzierte ihr wunderbares Antlitz.

Er zog eine der Flaschen aus der Tasche. »Du hättest nicht deine eigene Bar mitbringen müssen«, sagte sie beiläufig, drehte sich um und brachte ihm ein Glas. »Nachdem du angerufen hast, bin ich hinuntergegangen und hab dir Whisky geholt.«

»Scho-schon gut«, entgegnete Orlando und goß das Glas voll.

Er war nicht ganz so nüchtern, wie er geglaubt und gewünscht hatte. »Ich hab den Pfadfindereid geleistet, mich immer nur auf mich selber zu verlassen. Und wie steht's mit dir? Machst du noch immer einen Bogen um das Zeug?«

»Ja. Und jetzt gibt's zwei Möglichkeiten: Du kannst deinen Gangsterregenmantel anbehalten, dich setzen und vollaufen lassen, oder ich hänge ihn irgendwohin, und du machst dir's gemütlich.«

Als sie auf ihn zukam, begriff er erst, was ihn veranlaßt hatte, die zwei Flaschen Brennstoff mitzunehmen und ihn hervorzuholen, noch bevor die Tür richtig zu war. Er hatte Angst gehabt, ihr entgegenzutreten, und eine Stütze gebraucht.

Aber das war völlig unnötig gewesen. In dem Augenblick, da sie ihm aus dem Mantel half, erkannte er, daß er keiner Stütze bedurfte. Sie streifte seinen Arm mit ihrer Brust. »Jetzt wollen wir den hübschen Mantel aufhängen, damit er nicht zerknittert wird«, sagte sie und ließ ihn über eine Stuhllehne fallen. »Die Jacke«, fuhr sie fort, und ihre Stimme klang heiser, »die ist auch zu schick, um zerknittert zu werden. Du wirst sie doch hier nicht anlassen, wo es keine Klimaanlage gibt?«

Er streckte die Hand nach ihr aus, aber sie bückte sich rasch. »Das brauchst du im Moment auch nicht, gelt?« fragte sie, nahm ihm das Glas aus der Hand und stellte es auf den Tisch. Sie löste den Knoten seiner Krawatte und begann ihm unendlich langsam das Hemd aufzuknöpfeln. »Ich möchte, daß du dich wie zu Hause fühlst.«

Schon längst war das Lächeln aus ihren Zügen verschwunden und hatte einem verschmitzten Lausbubengesicht Platz gemacht, so daß es ihm unmöglich war, stillzustehen. »So was Spaßiges«, sagte sie, während sie ihn langsam entkleidete, »daß ich erst nachher draufkam, wie sehr ich mich über deinen Besuch gefreut hatte.« Sie machte die Gürtelschnalle auf, kniete nieder und öffnete ihm die Hose. Er faßte sie unter die Achseln und zog sie hoch.

»Warum war das nicht so, als ich das letzte Mal hier vorbeikam?« fragte er.

»Das hab ich dir doch schon gesagt. Weil ich damals jemanden hatte.«

»Und was geschieht, wenn ich weggehe und nicht mehr wiederkomme?«

»Dann wird sich wohl ein anderer Jemand meiner annehmen. Soll ich dir was sagen, Harry? Du hast mir gefehlt. Ehrenwort!«

Sie küßte ihn auf die Nasenspitze und begab sich ins Badezimmer. Orlando leerte bedächtig sein Glas und ging mit unsicheren Schritten ins Schlafzimmer. Das kleine Fernsehgerät war eingeschaltet und zeigte einen Zeichentrickfilm.

Er stellte auf einen Kanal um, der vom Parteitag berichtete, drehte das Gerät leiser und schlug die Bettdecke zurück. Der zweite Wahlgang hatte begonnen. Der Kommentator wies darauf hin, daß der Norden und der Osten immer noch, wenn auch nicht einhellig, für Reynolds stimmten. Orlando ließ sich auf das Bett fallen. Es gab keinen einzigen Wahlkreis mehr, der Reynolds geschlossen seine Stimmen gab. Immer noch waren die Favoriten einzelner Staaten im Rennen, immer noch hatte Bartell seine Delegierten nicht freigegeben. Aber es begann sich deutlich eine Wendung abzuzeichnen.

Noreen kam zu ihm; sie roch herrlich nach einem zarten Parfüm. »Ich kann mir nicht vorstellen, daß es einen zweiten Mann gibt, der einer politischen Veranstaltung zusieht und dabei einen Ständer bekommt.«

Der plötzliche Anblick ihrer Nacktheit überwältigte ihn wie eh und je. Er beugte sich vor und packte sie, zog sie zu sich hin und vergrub seinen Kopf zwischen ihren Brüsten. Sie umschlangen einander in wilder Leidenschaft. Herrlich war Noreens Körper, süß und geschmeidig, und sie wimmerte und kniff und biß ihn. Es war Noreen mit ihren kräftigen Zähnen und ihren grausamen Fingernägeln; Noreen, die nur einen Wunsch hatte: mit ihm eins zu werden . . .

». . . mord William Temples«, sagte der Fernsehsprecher.

Orlando löste sich von ihr und sah auf den Bildschirm. SONDERMELDUNG stand da zu lesen.

Der Kolumnist William Temple war tot, wiederholte der Sprecher und erzählte etwas von aufgeschnittenen Pulsadern.

»Komm, du . . .«, flüsterte sie.

Jetzt erschien auf dem Bildschirm ein Mann mit einem Handmikrofon. »Der große Staat North Carolina«, blökte er, »ist stolz darauf, seine dreizehn Stimmen . . .«

Orlando sprang aus dem Bett und schaltete eine Station nach der andern ein, bis er die richtige fand. Um ein Uhr dreißig Washingtoner Zeit hatte Violet Stoddard, die Haushälterin, G. William Temples Leiche auf dem Dachboden seines Hauses entdeckt. Er hatte sich die Pulsadern aufgeschnitten. Abschiedsbriefe waren bisher nicht gefunden worden.

Er eilte ins Wohnzimmer, wo seine Jacke hing. Nur mit Mühe gelang es ihm, das grüne Notizbuch aus der Tasche zu ziehen.

Ein wirres Durcheinander von Männerstimmen am Telefon in Washington stellte ihm ein Maschinengewehrfeuer von Fragen, aber schließlich drang Marys ruhige, müde Stimme an sein Ohr.

»Ja, er ist tot«, sagte sie. »Er hat sich umgebracht. Wir haben dazu beigetragen. Ich jedenfalls. Aber das ist nicht mehr wichtig. Bill ist tot. Es sind so viele Freunde gekommen. Ich wußte gar nicht, daß er so viele hatte. Warum rufen Sie an?«

Stell nicht so eine Frage, dachte Orlando. Warum hat er es getan?

»Wie . . . wie stehen Sie das durch, Mary?«

»Ich sitze hier und schaue mir die Manschettenknöpfe an, die ich ihm voriges Jahr zu Weihnachten geschenkt habe«, antwortete sie tonlos. »So stehe ich es durch. Es sind ziemlich gewöhnliche Dinger.«

»Was kann ich tun?«

»Bitte?«

»Was ich tun kann!«

»*Sie?* Ich weiß es nicht. Einen Kranz schicken, nehme ich an. Das ist es doch, was Freunde tun, wenn ihnen nichts anderes einfällt, nicht wahr? Schicken Sie einen schönen Kranz, einen teuren. Geben Sie hundert Dollar dafür aus, oder fünfhundert, ich weiß es nicht. Was ist den Leuten Ihrer Steuerklasse ein Freund wert? Wieviel können Sie absetzen?«

»Mary!«

»Mein Name ist Mrs. Temple. Ich war nicht hier, als er starb. Die Haushälterin fand ihn am Dachboden. Er saß in einem Stuhl und hatte ein Buch im Schoß liegen. Ich war nicht hier, als er in den Tod ging. Aber nennen Sie mich, bitte, Mrs. Temple. Vielleicht reicht Ihr Wortschatz nicht dazu aus. Meiner vielleicht auch nicht. Aber wir wollen's versuchen. Ich bin Mrs. Temple, Mrs. William Temple.«

Sie hatte aufgehängt.

Orlando wankte ins Schlafzimmer zurück, um seine Kleider zusammenzusuchen.

»Du bist kreidebleich«, sagte Noreen.

»Ich muß gehen.«

»Wohin?«

»Irgendwohin.«

»Kann ich mitkommen?«

Er schüttelte den Kopf.

»Wann können wir ... weitermachen?«

Wieder schüttelte er den Kopf. Tränen verschleierten seine Augen. »Bleib gesund«, erwiderte er. »Ich muß gehen.«

»Bleib du auch gesund«, sagte Noreen. »Ich bin hier, wenn du mich brauchst.«

Im siebzehnten Stockwerk des Mark-Hopkins-Hotels stellten sich Grant und Millie Campbell den Fotografen. Dann entschuldigten sie sich und zogen sich in ihr Schlafzimmer zurück, um dort ein seit langem fälliges Abendessen zu verzehren.

»Hu«, machte Campbell und schüttelte den Kopf.

»Ich hab dich noch nie so müde gesehen«, sagte Millie.

»Ich fühle mich alt. Zum erstenmal in meinem Leben fühle ich mich wirklich alt. Wie werde ich mich erst fühlen, wenn ich wirklich alt bin?«

»Halt noch ein paar Stunden durch, Schatz. Du mußt nur den toten Punkt überwinden.«

Das Telefon klingelte. Mr. Orlando war draußen. Ob der Senator ihn empfangen wolle?

»Lassen Sie ihn eintreten«, antwortete Campbell seufzend und meinte zu seiner Frau: »Warum auch nicht? Jetzt oder später ... Worin liegt der Unterschied? Harry hat sehr viel für uns getan.«

Die Tür öffnete sich. »Guten Abend, Freund«, sagte Campbell. »Wo hast du dich denn versteckt gehalten?«

»Ich habe ferngesehen. Guten Abend, Millie!«

»Harry, du siehst fast ebenso abgespannt aus wie Grant«, bemerkte Millie. »Wie wär's mit einer Tasse Kaffee?«

»Einen Drink, bitte, wenn du einen hast.«

»Irgendwo sollte noch eine Flasche herumstehen; von gestern abend, als der Abgeordnete Sowieso hier war. Sieh doch mal nach, ob du sie finden kannst, Schatz«, wies Campbell sie an. Und zu Orlando gerichtet: »Es stört dich doch nicht, wenn ich noch ein wenig esse? Ich hab seit heute früh nichts im Magen.«

»Mach nur weiter«, entgegnete Orlando, setzte sich nieder und dachte daran – ohne selbst Hunger zu verspüren –, daß auch er den ganzen Tag nichts gegessen hatte.

»Was gibt's Neues?« fragte Campbell.

»Hast du deine Programmrede schon vorbereitet?«

»Jawohl. Fix und fertig«, antwortete Campbell und spießte eine Kammuschel auf.

»Wie ich höre, ist es nicht dieselbe Rede, die ich gelesen habe.«

»Nicht genau dieselbe, nein. Wer hat's dir erzählt?«

»Ich weiß nicht mehr. Entweder Pontius oder Amos Woodbury.«

»Wer ist Amos Woodbury?«

»Du hast noch nie etwas von Amos Woodbury gehört?« fragte Orlando mit gespieltem Erstaunen. »Früher nannte man ihn den baptistischen Vater Coughlin. Feiner Kerl. Wenn du einen Nigger oder einen Juden kastrieren lassen willst – er ist dein Mann. Amos arrangiert das zu Diskontpreisen.«

Millie brachte den Whisky. »Was redest du da, Harry?« fragte sie. »Was hat dieser abscheuliche Mensch mit Grant zu tun?«

»Vielleicht weiß Grant es«, erwiderte Orlando und nahm ihr das Glas ab. »Na, Grant?«

Campbell gähnte. »Es wird mir ein Vergnügen sein, mit dir ›Was bin ich?‹ zu spielen, wenn ich ein wenig geschlafen habe. Jetzt aber bin ich gerade nur in der Stimmung für ein nettes, angenehmes Essen und ein ebenso nettes, angenehmes Plauderstündchen. Ich weiß nicht, wovon du redest, alter Junge, und – offen gestanden – ich bin auch zu ausgepumpt, als daß ich mir den Kopf darüber zerbrechen möchte.« Er lächelte. »Millie hat recht. Du siehst wirklich abgespannt aus. So, als wärst *du* derjenige, der um die Nominierung kämpfen und mit drei Stunden Schlaf auskommen muß.«

»Ich hab eine schlechte Nachricht erhalten. Da ist einer gestorben, den ich kannte. Temple hieß er.«

Campbells Gesicht legte sich sofort in Kummerfalten. »Ach, ja richtig, ich hörte davon. Es tut mir sehr leid. Ihr kanntet euch schon lange, nicht wahr?«

Orlando nickte und trank. »Schon lange.«

»Es ist wirklich schlimm. Warum nehmen sich die Menschen das Leben – das Kostbarste, was Gott uns gibt? Ich habe es nie verstanden. Der Mensch soll hoffen, solange er lebt, auch wenn die Not am ärgsten scheint. Das war immer meine Meinung. Hast du jemals angenommen, daß er so etwas tun würde?«

»Nein.«

»Warum hat er wohl geglaubt, daß es keinen andern Ausweg mehr gibt? Nun ja, manche Menschen sind eben aus härterem Holz geschnitzt, manche aus weicherem.«

»Kann schon sein. Und die Schwachen verdienen ihr Schicksal.«

Campbell kaute an seinen Kartoffeln. »Du drückst dich zwar etwas kaltschnäuzig aus, aber im Grund magst du wohl recht haben. Jeder muß sein Geschick selbst in die Hand nehmen und für sich selbst verantwortlich sein. Ich bin sicher, dieser Temple hatte hervorragende Eigenschaften – ein Mann wie du wäre sonst nicht mit ihm befreundet gewesen –, aber irgendwann einmal hat er das Gleichgewicht verloren. Er hat das Boot des Lebens verpaßt, wie man so schön sagt. War er ein religiöser Mensch?«

»Nein.«

»Da hast du's. Ein Mensch, der an ein höchstes Wesen glaubt, ist den andern doch immer ein Stück voraus. Da kann man sagen, was man will.«

»Du bist schon der zweite, der mir heute damit kommt, Grant. Amos Woodbury hat es genauso formuliert.«

Jetzt ergriff Millie das Wort. Sie war sichtlich verärgert. »Jetzt ist's aber genug, Harry! Du legst es ja geradezu darauf an, Grant zu reizen! Siehst du nicht, daß er erschöpft ist und sich trotzdem bemüht, zu dir höflich zu sein?«

»Gewiß«, erwiderte Orlando und leerte sein Glas. »Grant, alter Junge, sag mir eins: Warum kann ein Mensch so viel lügen wie du und nicht einsehen, daß er ein Arschloch ist?«

Millie schnappte nach Luft. Campbell schmiß die Serviette auf den Tisch und lief rot an. »Jetzt reicht's mir aber! Ich habe deine versteckten Andeutungen und deine gemeinen Beleidigungen satt!

Du hast ein schmutziges Maul und bist wahrscheinlich noch dazu besoffen. Leute deiner Sorte haben eben nicht den geringsten Sinn für Anstand.«

»So? Was ist denn das für eine Sorte, zu der ich gehöre?«

»Du weißt genau, was ich meine. Millie, zeige Mr. Orlando, wo der Zimmermann das Loch gelassen hat!«

»Nein, nein, Grant. Ich frage dich allen Ernstes: Was ist meine Sorte?«

»Ihr seid alle gleich, einer wie der andere. Wenn ich daran zurückdenke, was für ein sentimentaler Narr ich war, wieviel Mühe ich mir gab, nur eure guten Seiten zu sehen! Ihr Dreckfresser, die ihr nicht einmal wißt, wie sich ein Herr in Gegenwart einer Dame zu benehmen hat!« Campbell sprang auf und fuchtelte mit der Gabel in der Luft herum. »Ich will dich hier nicht mehr sehen!« Auch Millie war auf den Beinen und versuchte ängstlich, ihn zu beruhigen. Aber er wies sie mit einer Handbewegung ab und schaute Orlando wutverzerrt an. »Und laß dir nur ja nicht einfallen, du könntest mir Schwierigkeiten machen! Das kannst du nicht, jetzt nicht mehr, du würdest dabei nur selber auf die Nase fallen! Jetzt geh deinen perversen Freund begraben. Mach, was du willst, aber schau, daß du 'rauskommst!«

»Ach herrje, Grant, alter Junge! An so einem großen Tag wollte ich dich wirklich nicht in Rage bringen«, sagte Orlando demütig. Er verabschiedete sich von Millie mit einem Kopfnicken und verließ das Zimmer.

Er wanderte durch die Räume und Hallen des siebzehnten Stockwerks und lenkte seine Schritte nach dem großen Saal, in dem das Hauptquartier der Wahlkampagne untergebracht war. Unterwegs blieb er gelegentlich stehen, um sich bei den strategisch und diskret postierten Kellnern und Barmixern zu bedienen. Er betrat den Saal mit einem großen Glas Whisky in der Hand und wurde sogleich von einem blonden Hünen angesprochen. »Sie werden doch darauf achten, sich mit dem Glas in der Hand von keiner Fernsehkamera erwischen zu lassen, nicht wahr, Mr. Orlando?«

»Und beim Publikum den Eindruck erwecken, daß unser Team trinkt?« erwiderte Orlando mit gespieltem Entsetzen. »Um Himmels willen, nein!«

»Fein. Die Menschen schauen auf so was. Man weiß nie, wer gerade hinsieht.«

»Sehr richtig«, erwiderte Orlando und trank.

Er stand allein da und sah dem ruhelosen Treiben zu. Plötzlich stürzte Pontius keuchend auf ihn zu. »Da sind Sie ja! Ich hab Sie schon überall gesucht.«

»Da bin ich, Kyle, alter Junge.«

»Harry, es ist wichtig. Der Senator hat mich gerufen und mir befohlen, mit Ihnen zu sprechen. Soviel ich weiß, hatten Sie einen heftigen Wortwechsel und ...«

»Das kleine Geplänkel meinen Sie? Ach, das hat nichts zu bedeuten.«

»Ich weiß nicht, was geschehen ist, aber der Senator meinte, er wäre mit den Nerven herunter, und er habe seine Beherrschung verloren und Ihnen einige Dinge gesagt, die ... Er würde weiß Gott was darum geben, wenn er sie zurücknehmen könnte. Sie müßten verstehen, meinte er, daß er Ihnen um alles in der Welt nicht weh tun würde.«

»Mit andern Worten: Er will, daß ich während der Wahlkampagne in seiner Ecke bleibe?«

»Na selbstverständlich! Das stand ja überhaupt nie in Frage. Kann ich ihm also sagen, daß Sie nach wie vor fest zu Campbells Team halten?«

»Mehr denn je, Kyle! Was bedeuten schon ein paar heftige Worte unter Freunden, wenn es darum geht, für eine Regierung zu arbeiten, die uns eine bessere Zukunft verspricht? Sagen Sie ihm das!«

»Wunderbar! Das hätte ihm gerade noch gefehlt: die Zuneigung eines Freundes zu verlieren, den er von ganzem Herzen schätzt. Tausend Dank, daß Sie nicht so überempfindlich sind, Harry.«

»Nicht der Rede wert, Kyle!«

Pontius galoppierte davon. Orlando warf einen Blick auf den Bildschirm. Allgemeines Jubelgeschrei erhob sich. Am Ende des zweiten Wahlgangs lag Campbell nun in Führung. Die Menschen gebärdeten sich wie verrückt, und Orlando erwiderte das Lächeln all jener, die zu ihm herübersahen. Er hob zwei Finger, machte das Zeichen des Siegers und löste damit neue Beifallsstürme aus.

Dann trat einer der Knaben vom Fernsehen mit einem Handmikrofon auf ihn zu und wollte wissen, ob er ihm bei der nächsten Einblendung ein paar Fragen beantworten würde. »Sie könnten ganz zwanglos sprechen«, meinte er. »Unsere Zuseher lieben es, wenn wir den Konvent hin und wieder mit Interviews auflokkern.«

»Aber gewiß, das tue ich gern«, erwiderte Orlando. »Aber bei allem Respekt für Sie und Ihr Team möchte ich Ihre zwanglosen Fragen doch lieber über die drei Sendergruppen gleichzeitig beantworten. Ich bin nun mal ein Schmierenkomödiant. Ich bin davon überzeugt, daß ich von Geistesblitzen nur so sprühe, selbst wenn ich nur zwanglos spreche.«

»Bleiben Sie mir damit im Wort? Es wird kein Problem sein, das zu arrangieren.«

»Natürlich, mein Freund! Lassen Sie sich nur Zeit. Ich hab's nicht eilig.«

Die drei Sendergruppen bereiteten alles Nötige für das Interview vor. Ein paar von den Rundfunk- und Zeitungsreportern hängten sich an, obwohl die Kurzinterviews bisher tödlich langweilig gewesen waren. Aber sie wußten aus Erfahrung, daß Harry Orlando, selbst wenn er Fragen auswich, das Publikum interessierte und Schlagzeilen machte.

Er wurde zu dem breiten Tisch neben der Leuchttafel unter Grant Campbells überwältigendem Porträt begleitet. Dort schüttelte er allen Umstehenden die Hand und überließ sein Glas, nachdem er es geleert hatte, irgendeinem nervösen Jüngling. Er setzte sich nieder, paffte an seiner Zigarette und wartete auf das Signal, das fünf Minuten später erfolgte.

Die Reporter begannen genauso, wie er es erwartet hatte. Sie feuerten alle gleichzeitig verschiedene Fragen ab. Er beantwortete die erste, die er deutlich verstehen konnte: »Glaubten Sie wirklich, daß Grant Campbell es so weit bringen würde, als Sie begannen, für ihn in den Wahlkampf einzugreifen?«

»Ganz sicher war ich nie. Man weiß bis zum letzten Augenblick nicht, wie das Publikum auf einen Menschen anspricht.«

»Im ›Cow Palace‹ scheint man heute abend mehr und mehr Gefallen an ihm zu finden. Worauf ist dieser Umschwung Ihrer Meinung nach zurückzuführen?«

Orlando zwinkerte dem Fragesteller zu, blieb einen Augenblick stumm, wartete, bis im Saal Ruhe herrschte, und sagte dann: »Auf Lügen.«

Allgemeines Gemurmel erhob sich, nahm ab und erstarb, als er mit einer lässigen Handbewegung andeutete, daß er noch mehr zu sagen hatte.

Er sprach langsam und ohne die Stimme zu erheben. »Wie hieß der Mann doch gleich – ich glaube, er kam aus Baltimore –, der da sagte: ›Bis jetzt ist noch keiner pleite gegangen, der die Intelligenz des amerikanischen Volkes unterschätzt hat.‹ Oder so ähnlich. Es wäre eine Schande, sollte er recht gehabt haben. Grant Campbell glaubt, daß er recht hatte, und vielleicht wird ihm dieser Glaube noch eine ganze Menge eintragen. Grant erzählt einem Holzkopf, wie ich einer bin, daß er ein guter Führer sein will, und ich mach mich auf die Socken, um andern Holzköpfen das Evangelium zu verkünden. Und einige nehmen mir's ab. Und ich nehm's ihm auch ab, weil es mir gerade recht kommt, etwas zu vergessen, was Grant selber nicht ganz zum Bewußtsein kommt: Daß er die feste Absicht hat, Amerikaner gegen Amerikaner aufzuhetzen, Argwohn und Mißtrauen zu säen und eine Menge guter Dinge kaputtzuschlagen, die von vielen guten Leuten unter Anstrengung all ihrer Kräfte aufgebaut worden sind.«

Die Stille im Saal wurde nur durch das Knistern der Blitzlichter unterbrochen. Orlando zündete sich in aller Ruhe eine neue Zigarette an und fuhr fort:

»Ich gebe Grant Campbell nicht die ganze Schuld. Auch Ehrlichkeit macht einen Teil seines Charakters aus – jenen nämlich, der immer noch fest daran glaubt, er könne sich mit wahnsinnigen Rassenfanatikern umgeben und trotzdem seine reine Weste bewahren – mit Rassenfanatikern, Faschisten und all jenem Gesindel, das vor Angst in die Hosen macht, die Verfassung und die Goldene Sittenregel könnten durch Gesetze gestärkt werden. Die Hauptschuld tragen Leute wie ich. Ich war ehrgeizig. Ich träumte davon, ein großer Mann in der Regierung zu werden und vielleicht etwas Positives zu leisten. Um dieses Ziel zu erreichen, hätte ich mich sogar mit dem Teufel verbündet. Und wissen Sie was? Genau das habe ich getan!«

Er sah Kyle Pontius, der beschwörend mit den Armen fuchtelte, und Grant Campbell, der sich durch die Menge drängte, um an den Tisch und zu den Kameras zu gelangen. Und er sprach weiter:

»Aber im Leben jedes Menschen kommt ein Augenblick, da er sich selber unter die Lupe nehmen muß. Ich las die Programmrede, die Mr. Campbell zu halten versprach, falls er nominiert werden sollte. Sie war großartig. Er setzte sich darin rückhaltlos für Gleichheit und Gerechtigkeit ein und verurteilte ausdrücklich das Ungeziefer von der Art eines Victor Wade und seiner

Kloakengenossen. Wenn Mr. Campbell es heute abend schafft, wird er diese Rede aber nicht halten. In meinem Inneren, glaube ich, wußte ich das schon immer. Aber ich arbeitete mit Hochdruck weiter für ihn, erzählte eine Lüge nach der andern und versicherte meinen Freunden, das Wohl des Landes läge ihm am Herzen – obwohl ich doch keinen Zweifel daran hegen konnte, daß nur die moralischen Begriffe eines Haifisches für ihn Gültigkeit haben.«

Dann stand ein zornbebender Grant Campbell vor dem Tisch, verlangte die Mikrofone für sich und bekam sie auch.

»Einen Moment, einen Moment!« rief er, ohne Orlando anzusehen. Harry beobachtete, wie Campbells Wahlhelfer dem Pfadfinder hinter den Kameras hervor verzweifelt Zeichen machten und ihn vom Tisch wegzulocken suchten.

»Ich habe die unbeschreiblichen Verleumdungen, die dieser Herr ausgesprochen hat, zum Teil mit angehört!« rief Campbell. »Ja, ich sehe meine Freunde da drüben, die mich dringendst ersuchen, ihm nicht die Ehre einer Erwiderung zuteil werden zu lassen. Mich haben schon ganz andere Leute angegriffen. Aber ich habe die Dinge immer bei der Wurzel gepackt, und ich denke nicht daran, mich von einem Psychopathen anspucken zu lassen, ohne einen Kommentar dazu abzugeben.

Hat dieser Herr vielleicht erwähnt, was ihn veranlaßte, derart skurrile Behauptungen aufzustellen? Hat er Ihnen erzählt, daß das Campbell-Team seine und die Unterstützung seiner Freunde nur angenommen hat, weil wir glaubten, es wäre ihnen ernstlich daran gelegen, die Sache des Patriotismus zu fördern? Wir wußten, daß es nicht Leute unseres Niveaus waren, aber wir ließen sie mitmachen. Wir konnten ja nicht ahnen, daß sie unter falscher Flagge segelten.

Tatsache ist, daß dieser Herr vor noch nicht einmal einer Stunde zu mir kam, um mich auf eine so schamlose Weise zu erpressen, wie sie mir in meinem ganzen Leben noch nicht untergekommen ist. Er setzte sich vor mich hin und begann mir Befehle zu erteilen. Er sagte, er könnte mir persönlich Nominierung und Präsidentschaft garantieren, denn er sei der große Harry Orlando, der den amerikanischen Wählern alles einzureden wüßte. Dieser Herr, der sich über meine Moralbegriffe mokiert, hat sich erfrecht, mir zu drohen, er würde alles in seiner Macht Stehende tun, um meine Nominierung zu blockieren, wenn ich mich nicht schriftlich verpflichtete, gewissen Ganoven aus seinem Freundeskreis Schlüsselstellungen in meinem Kabinett einzuräumen. Ich erwiderte ihm ...«

Einige Reporter unterbrachen ihn mit Fragen; Campbell geriet vor Wut außer sich.

»Ich bitte mir absolute Ruhe aus!« kreischte er. »Von diesem dreckigen Spaghettifresser lassen Sie sich ein Loch in den Bauch reden! Hat ein weißer Amerikaner vielleicht nicht dieselben Rechte?«

Campbell kniff die Augen zusammen, als hätte er mit angehört, was er eben ausgesprochen hatte. Aber Zorn und Demütigung durchbrachen alle Schranken der Selbstbeherrschung, und er brüllte weiter:

»Wo war ich stehengeblieben? Ja, richtig! Ich erwiderte ihm, es sei doch seltsam, daß gerade jene Freunde, die er im Kabinett Campbell haben wollte, seit eh und je und in allen Belangen immer schon eine prokommunistische Haltung eingenommen hatten. Stimmt das etwa nicht?« fragte Campbell, und der Schweiß troff ihm von der Stirn. »Warten Sie! Ich habe da eben etwas gesagt. Ich habe diesen Herrn etwas geheißen; das hätte ich nicht tun sollen. Ich entschuldige mich. Aber an einer Tatsache läßt sich doch wohl nicht rütteln, nicht wahr, nämlich daß es nicht die weißen christlichen Amerikaner sind, die unser Volk mit Schmutz bewerfen – nein, es sind die Orlandos, der wahre moralische Abschaum der Menschheit. Sie kommen in unser Land und saufen und huren und lachen über alles Anständige und sind noch immer nicht zufrieden, wenn sie sich genommen haben, was ihnen nicht gehört – nein, sie kommandieren uns herum, hetzen die Fremden auf und die Schwarzen, und schließlich sind wir es, wir, die Amerikaner, die dieses Land aufgebaut haben, die man dazu zwingt, aus den ungebildeten Fremden und den simplen Schwarzen etwas zu machen, wozu sie nicht geschaffen sind und nie geschaffen waren.«

Die Pontiusse beschworen die Kameraleute, ihre Apparate abzuschalten, schlichen auf Katzenpfötchen an Campbell heran und versuchten mit Grimassen und Gesten, ihn zum Schweigen zu bringen. Aber der Pfadfinder brüllte weiter:

»Hinaus mit diesen Kommunisten und Parasiten! Geben wir unserem Land seine Größe zurück und die Überzeugung, daß es jeder einzelne durch persönliche Leistung zu etwas bringen kann. Schaffen wir sie uns vom Hals, diese Müßiggänger und Lügner, diese fremden Aufwiegler und Schmutzfinken und antichristlichen

Elemente, die Zwietracht unter uns säen! Ich habe keine Angst, es offen auszusprechen! Ich rufe es allen aufrechten Amerikanern zu: Jetzt ist der Mo . . .«

Er spürte Kyle Pontius' Hand auf seinem Arm, sah den Blick seiner Augen und verstummte. Er sah die betroffenen Gesichter seiner Freunde, die mit offenem Mund dastanden. Er schien unschlüssig, als suchte er nach Worten, mit denen er diesen Menschen verständlich machen könnte, daß er es gut meinte, daß er ihnen allen nur das Beste wünschte. Und dann, ganz langsam, fand er in die Wirklichkeit zurück. Er hatte sie bereits ausgesprochen, diese Worte, und sie waren verstanden worden.

Orlando sah ihm nach, wie er schleppenden Gangs den großen, schweigenden Saal durchquerte. Bevor er ihn verließ, drehte sich der Pfadfinder um, und sein suchender Blick blieb auf Orlando haften. Verwundert und traurig fragten seine Augen: Warum hast du mir das alles angetan?

XIII

Schon während des dritten Wahlgangs wurde Lloyd Reynolds durch Zuruf nominiert.

Seine Programmrede war schlicht und eindringlich; eine Zusammenfassung von Zusagen und Versprechungen ohne Unklarheiten, überflüssige Floskeln und Gemeinplätze. Orlando saß im Wohnzimmer vor dem Fernsehapparat und schaute zu, bis die Sitze der meisten Delegierten verlassen waren und mit Besen bewaffnete Männer erschienen, um den »Cow Palace« zusammenzukehren und auf alten Glanz zu bringen.

Patsy war schlafen gegangen. Es gab für Orlando keinen Grund, seinem Beispiel nicht zu folgen, aber der Gedanke, sich niederzulegen, war ihm zuwider. Im Schlafzimmer stand ein anderes Fernsehgerät, und ein kurzer Blick genügte ihm, um festzustellen, daß ein Film gezeigt wurde, in dem er und Noreen gemeinsam auftraten: *Laß den Motor laufen.*

Dieser Zufall ärgerte ihn nicht, sondern amüsierte ihn. Er zog einen bequemeren Anzug an und schaute zum Apparat hin. Da war doch die Szene, die sie elfmal hatten drehen müssen. Sie fuhren in einem rassigen Sportwagen, und Noreen hätte sagen sollen: »Du bist ein Rüpel, Danny, und ich hasse Rüpel.« Der Satz wollte ihr einfach nicht über die Lippen. »Du bist ein Knüppel, Danny, und ich hasse Rüpel«, sagte sie, oder: »Du bist ein Rüpel, Danny, und ich hasse Knüppel.« Und dann gab es lange Unterbrechungen, und kostbare Stunden verrannen. Als der Tag zu Ende ging, hatte er mit Noreen zwar unbeschwerte, übermütige Stunden verbracht, aber die Dreharbeiten waren nicht viel weitergekommen.

Sie hätten die elf Aufnahmen behalten und den Rest des Films wegschmeißen sollen, dachte er jetzt.

Aber nicht alles. Denn, so überlegte er, der Film hatte Noreens wahre Schönheit gezeigt. Noreen war eine echte Schönheit. Und eine tolle Frau.

Er hängte sich einen Mantel über den Arm, denn es war kühl am frühen Morgen. »Wissen Sie?« fragte er den Aufzugführer, »wie ich in die Jasmine Street komme?«

»Jasmine? In der Nacht ist das eine ziemlich gefährliche Gegend, Sir. Es sind ungefähr drei Kilometer. Fahren Sie mit Ihrem eigenen Wagen, oder nehmen Sie ein Taxi?«

»Vielleicht gehe ich zu Fuß. Ich kenne San Francisco einigermaßen, aber eben nur einigermaßen. Können Sie mir den Weg ungefähr beschreiben?«

Der Aufzugführer tat es. Orlando paßte genau auf und reichte ihm dann eine Fünfdollarnote. »Da, nehmen Sie«, sagte er. »Wählen Sie Miles Quinlan.«

Der Morgen graute schon, als er in die Jasmine Street einbog, denn er hatte einige Male die Orientierung verloren. Er war zweimal hergekommen, aber immer mit dem Wagen, und hatte nie auf den Weg geachtet. Die Tür war unversperrt. Alle Lichter brannten. Noreen lag allein im Bett; sie hatte ein unwahrscheinlich züchtiges Nachthemd an und schlief. Die Nase hielt sie zwischen den Knöcheln ihrer Finger vergraben. Orlando drehte in der ganzen Wohnung die Lichter aus, legte Mantel und Rock ab und kehrte zu ihr zurück. Er setzte sich an den Bettrand und rührte sich nicht. Er saß nur da und schaute sie an.

Die ersten Sonnenstrahlen versuchten durch die dünnen, grünen Jalousien in das Zimmer einzudringen. Noreen drehte sich um, öffnete die Augen und lächelte, als sie Harry erblickte. Dann schloß sie sie wieder.

»Wie bist du hereingekommen?« fragte sie.

»Durch den Kamin. Das ist schon sehr intelligent, die Tür offenzulassen. Wenigstens geht sie nicht kaputt, denn die Diebe und Frauenschänder brauchen sie erst gar nicht aufzubrechen.«

Die Augen noch immer geschlossen, auf den Lippen noch immer ein Lächeln, streckte und dehnte sie sich genüßlich. »Ich weiß, was ein Dieb ist. – Aber was ist ein Frauenschänder?«

»Als ich vorige Woche hier war, lagen ein paar Eier im Kühlschrank. Sind die noch da oder hast du sie gegessen?«

Die herrlichen Augen öffneten sich. »Ich habe inzwischen frische gekauft. Glaube ich zumindest. Bist du vielleicht hungrig?«

»Ich komm beinahe um ...«

»Dann greif zu! Ich schlafe noch ein bißchen. Meine Küche ist deine Küche.«

»Los, Anna Roche! Mach mir ein paar Setzeier.«

Selbst als sie gähnte, verschwand das Lächeln nicht aus ihren Zügen. »Ehe man sich's versieht, wird man zur Köchin degradiert«, sagte sie und rollte langsam aus dem Bett. Bloßfüßig und im Nachthemd ging sie in die Küche und machte das Licht an.

Orlando folgte ihr und krempelte sich die Ärmel auf. »Setzeier?« fragte sie.

»Wunderbar.« Er setzte sich und sah ihr bei der Arbeit zu. »Na, was denkst du, Noreen?«

»Worüber soll ich mitten in der Nacht nachdenken?«

»Über uns. Glaubst du, wir könnten es schaffen, wir beide, wenn wir uns Mühe geben?«

Einen Augenblick lang hielt sie in ihrer Arbeit inne. Sie vermied es, Orlando anzusehen. »Ich weiß es nicht«, antwortete sie. »Gib mir doch mal die gelbe Pfanne herüber, bitte. Junge, die Morgensonne überschüttet uns ja geradezu mit Licht. Eigentlich könnten wir die Lampe abdrehen.«

ENDE